麻生太吉日記

第三巻

麻生太吉日記編纂委員会［編］

九州大学出版会

題字：麻生太吉

麻生太吉旧執務室（麻生家本邸内）

麻生太吉，座右の銘「程度大切，油断大敵」の扁額（自筆書）

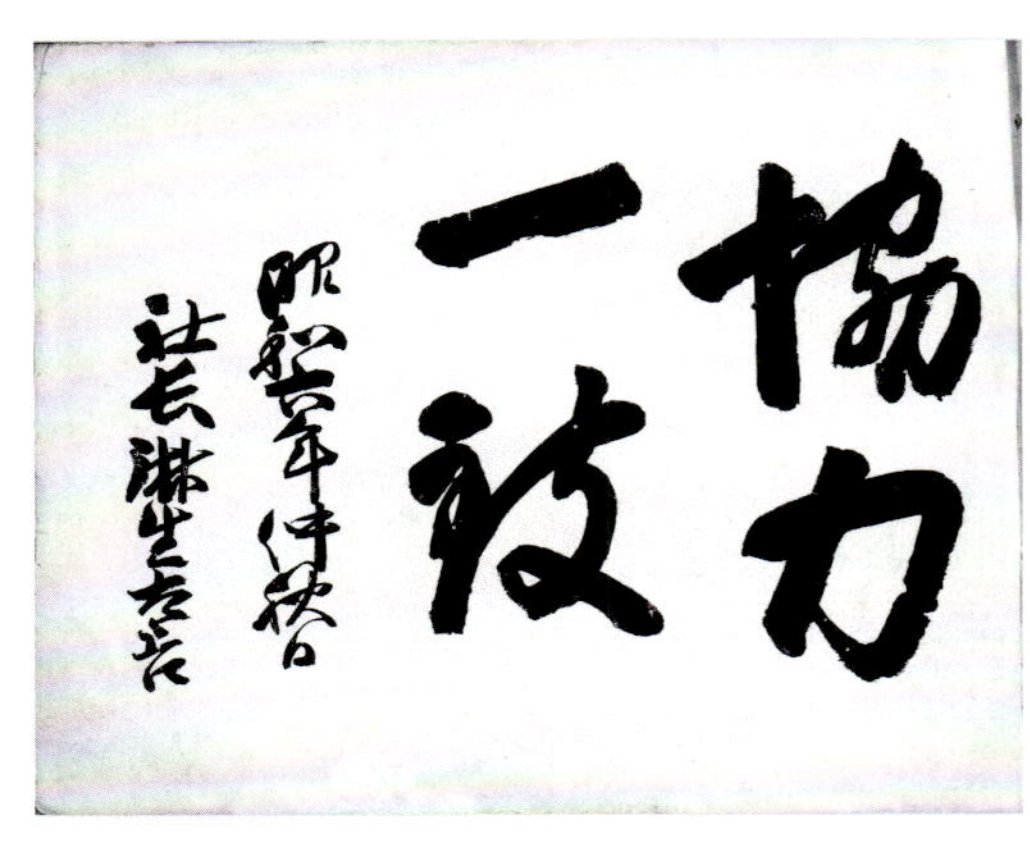

「協力一致」（自筆書）

大浦屋敷（現大浦荘，飯塚市栢の森）

山内農場・温室
（福岡県嘉穂郡飯塚町山内，絵葉書）

山水園・別府療養所
（大分県別府市，絵葉書）

炭都飯塚市の景勝（1932 年ころ，絵葉書，吉田初三郎画）

新飯塚橋

昭和通り夜景

炭鉱風景

石炭鉱業聯合会 臨時評議員総会出席者（1926年10月21日，門司倶楽部において）
出典）『石炭時報』第1巻第8号（1926年11月）

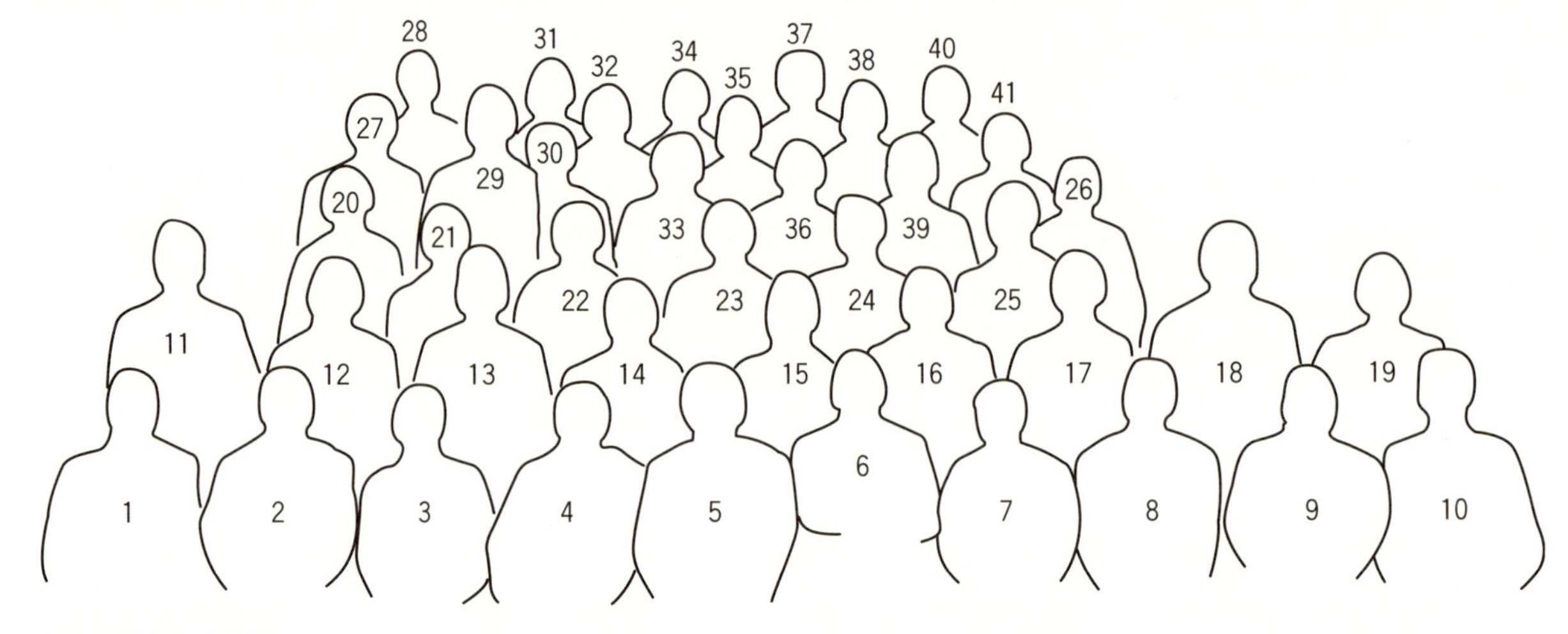

上記出席者写真説明

1 倉田亀吉（磐城炭礦）
2 林　幾太郎（大倉鉱業）
3 渡邊六蔵（磐城炭礦）
4 藤本閑作（宇部）
5 麻生太吉（会長）
6 松本健次郎（副会長）
7 藤岡浄吉（三井鉱山）
8 貝島太市（副会長）
9 阿部吾市（磐城炭礦）
10 長屋　忞（北海道炭礦汽船）
11 高島京江（貝島鉱業）
12 峠　延吉（貝島鉱業）
13 松本源一郎（明治鉱業）
14 川島三郎（三井鉱山）
15 池上駒衛（石炭鉱業聯合会）
16 長井音蔵（九州炭礦汽船）
17 新村右一郎（三井鉱山）
18 大川元次郎（北海道炭礦汽船）
19 田中豊三（筑豊石炭鉱業組合）
20 石渡信太郎（明治鉱業）
21 属　最吉（三井鉱山）
22 狐崎一郎（古河鉱業）
23 御法川小三郎（北海道鉱業）
24 清宮一郎（常磐石炭鉱業会）
25 野田勢次郎（麻生商店）
26 日高政太（三井鉱山）
27 杉浦久三郎（三菱鉱業）
28 長谷川恭平（古河鉱業）
29 横尾帝力（三菱鉱業）
30 尾形次郎（三井鉱山）
31 伊藤金次（大正鉱業）
32 西原民平（中島鉱業）
33 石橋謙之（古河鉱業）
34 島本徳三郎（貝島鉱業）
35 富田太郎（三井鉱山）
36 不破熊雄（三井鉱山）
37 山縣素介（筑豊石炭鉱業組合）
38 吉田一郎（三菱鉱業）
39 小笠原栄治（北海道石炭鉱業会）
40 小林英男（筑豊石炭鉱業組合）
41 井関譲吉（筑豊石炭鉱業組合）

写真撮影：ハシモト写真工房

目次

凡例

一　漢字は原則として新字体を使用した。異体字・略字等も原則として新字体に変えた。
（朩→等・吴→異・迠→迄・乞→乞・无→無・桒→桑・圗→図・逺→違・㝡→最・戋→銭・扣→控・筭→算）等。

人名・地名については、原史料の使用漢字を残したものもある。

個人的慣用誤字は正したものもある。

二　片カナと平カナは原史料の通りとした。
ただし、変体カナのうち　而・江は残し、文字サイズを小さくした。

また合字、𪜈はトキ、𬼀はコト、ゟはよりに変えた。

三　繰り返し記号（踊り字）のうち、〻は々とし、々・ゝ・ゞ・ヽ・ヾは原文通りとした。

四　校訂者の本文中の注記は［　］に入れて示した。
・欄外記述は［欄外］と注記して適切なところに置いた。本文の続きであることが明らかな場合は本文に続けた。
・代筆者の記述は［増野夷熊代筆］［吉浦勝熊代筆］と明示して適切なところに注記した。
・人名で姓や名のみが記されている場合、理解しやすいように［　］して姓や名を補注したものがある。

五　地名の注記は当時の地名を示し、煩雑を避けるため福岡県の場合は県名を、飯塚町の場合は嘉穂郡を原則として省略した。

六　敬意を表するための欠字平出は省略した。

七　読解不能の文字は□で示し、重書で読解不能の場合は▨で示した。原史料が空白とされている場合はおよその字数をはかり空けて［空白］と傍注した。

八　挿入文字と挿入箇所および重書や抹消は日記という史料の性格を考慮して明示しなかった。

九　記載月日の前後や誤記については、正しい年月日のところに置き、曜日を省略した。また記載のない日を所載しなかった。

十　読みやすくするため読点と並列点を付した。

＊　解読は東定宣昌・吉木智栄が行い、新鞍拓生・香月靖晴が補介し、全体を田中直樹が統轄した。

麻生太吉日記　第三巻

一九二三（大正十二）年

一月一日　月曜

天照皇大神宮、明治天皇・今上陛下・皇后陛下・摂政宮殿下拝ス
四方神社・諸仏拝ス
氏神及墓所ニ参詣
十二時嘉穂銀行[1]年賀会ニ列シ、努力方申陳タリ
綿且[勝][2]新築祝ニ行キ、午後七時半帰宅

一月二日　火曜

終日在宿、教育発布[3]五十年紀念ニ各小学教員ニ贈呈スル書面ノ草案ヲナセリ

一月三日　水曜

午前九時開店式[4]ニ臨ミ、役員一同ニ野見山[米吉][5]常務辞任、野田[勢次郎][6]取締役常務ニ撰任ノ挨拶ヲナシ、勤務上努力方懇談ス
中嶋坑業所[7]ノ幹部ニ坑区所望ノケ所不応トテ不服ノ旨被申居タリトテ、奥村某出店報告セシモ、軽[経]営ノ場所続キニテ断層ノ為メ採掘不能場所ヲ他日高直[値]ニ而売付ル等ノ悪意ハ毛頭ナキ旨申向ケタリ

一月四日　木曜

堀三太郎[8]氏出福中ニ而同氏ニ電話シ、午後二時浜ノ町[9]ニテ面会ヲ約シ、十一時半自働車ニ而浜ノ町ニ行ク
浜ノ町ニ堀氏相見へ、産業会社[10]ノ打合ヲナシ、中嶋坑業ノ分割問題ノ間違セシ理由ヲ聞キ、若シ当方ニ不当ノ事アラバ遠慮ナク友人トシテ申向ケ之事モ懇談ス
棚橋[琢之助][11]氏モ関迄[玄脱]相見へ、鯰田火力所[12]并ニ石炭運搬・九州重役会[13]ノ内談ス
土斐崎[三右衛門][14]相続者挨拶ニ見ヘタリ
黒瀬[元吉][15]より買物ヲナス、伊藤[傳右衛門][16]氏ハ参宮ニ而留主[ママ]中ナリ

一月五日　金曜

午前十一時半自働車ニ而帰ル
花村栄〔永〕次郎[17]氏相見へ、停車場問題等打合ス
藤森〔善平〕[18]町長ニ水溜ノ水源地ノ件注意ス

1　嘉穂銀行＝一八九六年設立（飯塚町）、太吉頭取
2　綿勝＝旅館、寺坂勝右エ門（飯塚町向町）
3　教育発布＝学制頒布（一八七二年）、日本最初の教育令
4　株式会社麻生商店新年開店式
5　野見山米吉＝太吉妹マス夫、株式会社麻生商店取締役
6　野田勢次郎＝株式会社麻生商店常務取締役
7　中嶋坑業所＝中島鉱業株式会社（若松市）、一九一八年設立、社長中島徳松
8　堀三太郎＝第一巻解説参照
9　浜ノ町＝麻生家浜の町別邸（福岡市浜町）
10　産業会社＝九州産業鉄道株式会社（田川郡後藤寺町）、一九一九年設立、太吉社長
11　棚橋琢之助＝九州水力電気株式会社専務取締役、のち社長、本巻解説参照
12　鯰田火力所＝九州水力電気株式会社鯰田火力発電所（飯塚町）、この月九日竣工
13　九州重役会＝九州水力電気株式会社九州在住重役会
14　土斐崎三右衛門＝地主（早良郡壱岐村）、壱岐銀行頭取、十七銀行監査役、元福岡県農工銀行監査役
15　黒瀬元吉＝古物商集古堂（福岡市上新川端町）
16　伊藤傳右衛門＝第一巻解説参照
17　花村永次郎＝酒造業（飯塚町立岩）、飯塚町会議員
18　藤森善平＝飯塚町長、元飯塚警察署長、のち福岡県会議員

一月六日　土曜

一黒瀬より買物ノ分整理方吉浦〔勝熊〕[1]ニ申付、書類一切引渡ス
一栢森[2]区長来リ、本村ト界境[3]ノ事ヲ可成懇儀〔ママ〕スル方得策ノ旨申聞セタリ
一本店ニ行キ、招待客案内ノ手順ニ付親シク打合ス
一耕地整理主任相見へ、種々懇談ス
一渡辺皐築君[4]相見へ、産業会社ノ件打合ス
一午後三時ニテ太賀吉〔麻生〕[5]一行上京ス

一月七日　日曜

一堀氏ニ電話シ、十三日福岡ニ而集合ノ事ヲ打合ス

一月八日　月曜

午前野見山君常務辞任ニ付、重立タル店員ヲ招キ其ノ挨拶ヲナシ、昼食ヲナス
在宅
占部文蔵君相見へ、博済会社抵当品ノ件内談アリタ
田代丈三郎[6]氏相見へ、学校教員ノ件ニ付談話ス
安川〔敬一郎〕[7]氏より書状アリ、十二日福岡ニ而面会ノ返書ス、又伊吹〔政次郎〕[8]君ニ十三日出席ノ事ヲ電話ス
机ニ据リ事務ヲナスコトニセリ

一月九日　火曜

本店ニ而産業会社浦地〔裏地正生〕[9]君ト打合ス
午後二時渡辺君ト同車ニ而出福ス、途中分与ノ方法ニ付打合セ、星野〔礼助〕[10]氏へ研究ヲ乞ヲ打合ス

午後四時半より一方亭[11]ニ新聞連ノ方々ヲ招待ス
午後九時過キ帰ル

一月十日　水曜

星野氏相見へ、産業会社ノ件ニ付渡辺〔皐築〕・岩成〔自助〕[12]ト打合セ、又分与ノ株権利上ニ付打合ス
午後一時より安川氏ト壱方亭ニ会合シ、午後九時帰ル

一月十一日　木曜

沢田〔牛麿〕[13]知事ノ官舎ヲ訪問シ、昼食ノ饗応アリ、午後四時帰ル
産業会社重役会ノ打合ヲナス

1 吉浦勝熊＝株式会社麻生商店庶務部兼麻生家、一八九八年入店
2 栢森＝地名、飯塚町、麻生本家所在地
3 本村＝飯塚町立岩の通称地名
4 渡辺皐築＝株式会社麻生商店会計部長、九州産業鉄道株式会社専務取締役、この年二月より嘉穂銀行嘱託検査係
5 麻生太賀吉＝太吉孫、のち株式会社麻生商店社長
6 田代丈三郎＝福岡県会議員
7 安川敬一郎＝第一巻解説参照
8 伊吹政次郎＝筑豊石炭鉱業組合幹事
9 裏地正生＝九州産業鉄道株式会社技師、のち産業セメント鉄道株式会社取締役
10 星野礼助＝弁護士（福岡市）
11 一方亭＝料亭（福岡市外東公園）
12 岩成自助＝株式会社麻生商店庶務部、のち弁護士
13 沢田牛麿＝福岡県知事

午前八時木谷義英君相見へ、宝物買収ノ内談アリ、断リタリ

一月十二日　金曜

午前八時半博多駅発ニ而帰宅ス

直方より渡辺君ト同車ス

松月[1]ニ而郡内有志者招待ス

郡長外四人相見へ、東京ノ学生寄宿社〔舎〕[2]維持費并ニ一時ノ修繕費出金ノ相談アリ、惣高四分、中の〔中野昇〕[3]・伊藤〔傳右衛門〕六分ノ割合

ニ而、約九百円送金承諾ス

産業会社重役会ニ提出スル整理案ヲ調成〔ママ〕ス（宴会中、松月ニ而）

一月十三日　土曜

午前八時二十分自働車ニ而出福

一方亭ニ行キ、産業会社重役会ニ而重役一同ト浦〔裏〕地外二員ト打合セシ結果、十四日中村武夫〔文〕[4]君出席ノ事ニ而散会ス

政友会ニ行キ、運動費三千円出金ヲ承諾ス

一方亭ニ而安川〔敬一郎〕・山口〔恒太郎〕[5]・堀〔三太郎〕氏等会合ス

一月十四日　日曜

午前十時ヨリ一方亭ニ而産業会社ノ重役会ヲ開キ、中村武夫〔文〕君相見へ、結局不始末ハ同氏ハ一切引受ル受書ヲ差入

タリ（渡辺君モ出席）

午後五時半福村屋〔家〕[6]ニ而招待会ニ列ス

古筆〔了信〕[7]・森〔慶造〕[8]両氏相見ヘタリ

小川区〔石脱〕脂〔指〕（サス）ケ谷町東京聾唖学校長吉村誠[9]君相見ヘタルモ不在セリ

一月十五日［以下二月の日付に誤記する］
山口〔恒太郎〕君相見へ、産業会社重役会ニ而支配人推挙ノ内談アリタ
九洲高等女学校[10]教諭入江亀太郎内外一人訪問セシモ、面会ヲ断リタリ
牛□〔嶋カ〕君相見ヘタリ
瓜生長右衛門[11]来リ、山本負債弁債ノ件内談ス
相羽〔虎雄〕[12]君相見へ、懇談ス
野田勇[13]氏相見へ、和田豊治[14]君ニ身上依頼セシニ付、尚取持方内談アリタ

1 松月＝松月楼とも、料亭（飯塚町新川町）
2 学生寄宿舎＝嘉穂学舎（東京市小石川区小日向台町）、山内確三郎設立
3 中野昇＝株式会社中野商店（嘉穂郡二瀬村）社長、嘉穂銀行取締役、九州産業鉄道株式会社監査役
4 中村武文＝酒造業（田川郡猪位金村）、元九州産業鉄道株式会社専務取締役、この直後同社取締役
5 山口恒太郎＝東邦電力株式会社取締役、九州電気軌道株式会社取締役、元衆議院議員
6 福村家＝料亭（福岡市東中洲）
7 古筆了信＝古筆鑑定家
8 森慶造＝書画鑑定家
9 吉村誠＝福岡県立福岡盲唖学校長に就任、一九二四年事故により死去
10 九州高等女学校＝一九〇七年開校（福岡市唐人町）
11 瓜生長右衛門＝嘉穂電灯株式会社取締役、飯塚町会議員、元麻生商店理事兼鉱務長
12 相羽虎雄＝堀川（団吉）炭坑、元麻生商店上三緒鉱業所長、この年三月より株式会社麻生商店鉱務部長
13 野田勇＝元福岡鉱務署長
14 和田豊治＝九州水力電気株式会社相談役、富士瓦斯紡績株式会社社長、貴族院議員、第二巻解説参照

天野守[寸][1]君相見へ、山林ノ内談ス
伊藤[傳右衛門]君相見へ、産鉄ハ三井[銀行]▨[ヲカ]断、十七[銀行][2]より二歩五厘ニ而借リ入ノ注意アリ、大ニ其ノ手配ス

一月十六日

浜ノ町ニ中西四郎平君[3]相見へ、綱分地内松風坑区[4]買収方申入アリタリ
星野氏ト分与ノ書面ニ付打合ス
午前十時飯塚青木[柳][5]ノ自働車ニ而森・古筆両氏ト同車セシニ付、途中障故[ママ]アリ、一時四十分頃帰着ス
嘉穂銀行重役会ニ列ス

一月十七日

藤森町長相見へ、給水払下川敷地町営ハ絶而不同意ノ旨ヲ申向ケ、一坪宛ノ利益ヲ収入スルコトヲ注意ス
花村久助[6]外三人相見へ、停車場受書差出方内談アリ、無論速カニ進達方ヲ申向ケタリ、□□[貞平カ]ノ不都合ハ他日調査ノ上ニ而可然ト打合ス
鯰田下川某来リ、日支親善ニ付進行上援助ノ内談アリ、五日以内ニ出発前ニ送金ノ事ヲ申向ケタリ
森・古筆ノ両氏午前十二時飯塚駅発ニ而福岡ニ行カル

二[一]月十八日

午前八時半本宅より自働車ニ而出福
森・古筆両氏相見へ、書幅鑑定ヲ乞タリ
県立図書館々長伊東[尾四郎]氏ニ電話シ、貝原益軒先生[7]外二巻送付ヲ乞タリ
森・古筆ノ両氏より仙厓会[8]ノ周旋者指名アリタリ
梅崎栄次郎、中原太三郎[9]、紫[柴カ]田宗太郎、幻住庵[10]、河内幸七[11]

一月十九日　金曜

原氏〔庫次郎〕[12]内室死去ニ付悔ミニ行キタリ

前日貝原益軒先生ノ巻外二品図書館ニ為持、書面相添へ祝書ヲ遣シ、其ノ表封ニ伊東ノ検印ニテ受取アリ

森田氏〔正路〕[13]ト、田川郡区才判所地位中裁〔仲〕ノ件ハ迚も見込ナキニツキ、後藤寺[14]カ譲歩スルノ外ナキ旨電話アリタ

岩崎寿喜蔵[15]氏代伊藤吉太郎[16]氏相見へ、大正鉱業[17]交渉ノ内談アリタ

1　天野寸＝坑区斡旋業
2　十七銀行＝第十七国立銀行（福岡）として一八七七年設立、一八九七年私立銀行に転換
3　中西四郎平＝太吉親族、坑区斡旋業、遠賀郡芦屋町会議員
4　松風坑区＝松風工業株式会社赤松炭坑（嘉穂郡庄内村）
5　青柳＝青柳近太郎、青柳自動車商会（飯塚町宮ノ下町）
6　花村久助＝かつて笹原炭坑を麻生太吉と共同経営、元飯塚町会議員
7　貝原益軒＝江戸時代初期の福岡藩の儒学者・医師、『養生訓』など多数の著書がある
8　仙厓＝仙厓義梵、江戸時代後期の禅僧・画家、聖福寺第一二三代一二五代住職
9　中原太三郎＝九星ラムネ合資会社代表社員（福岡市古小路町）、仙厓の書画蒐集者、元福岡市会議員
10　幻住庵＝臨済宗妙心寺派聖福寺（福岡市御供所町）塔頭（仙厓和尚隠棲庵）庵主
11　河内幸七＝洋服商（福岡市下新川端町）
12　原庫次郎＝東邦電力株式会社取締役、九州電気軌道株式会社取締役（福岡市浜町）、元貝島鉱業津波黒坑所長
13　森田正路＝元衆議院議員、元福岡県会議員
14　後藤寺＝地名、田川郡後藤寺町
15　岩崎寿喜蔵＝岩崎炭礦（遠賀郡長津町）経営者、元遠賀郡長津村会議員
16　伊藤吉太郎＝岩崎炭礦支配人、元遠賀郡会議員、元福岡県会議員
17　大正鉱業株式会社＝古河と伊藤商店の共同出資で一九一四年設立（遠賀郡長津町）、社長伊藤傳右衛門

沢田〔牛麿〕知事ニ面会、協賛員承諾アリタ
市長〔久世庸夫〕同断
栄屋[1]ニ行キ森・古筆両氏訪問セシ、不在、鑵〔汽〕車賃ノコト栄屋主婦ニ頼ミタリ

一月二十日　土曜

堀氏相見へ、中嶋〔徳松〕[2]より吉隈坑区五万坪分与ノ相談アリタ、他日得と堀氏モ再慮ヲナシ再会ヲ約ス
午前十一時より自働車ニ而帰ル
本店ニ行キ、産業会社ノ件及亀川[3]土地利益ノ事ニ付調査ス
瓜生〔長右衛門〕来リ、福沢〔藤次郎〕[4]弁債承知ノ旨相答ヘタリ

一月二十一日　日曜

田川郡後藤寺町長〔山口良介〕外三氏相見へ、才判所地位ノ事ニ付内談アリ、事情ヲ聞キタリ
午前十時嘉穂銀行福沢藤次郎弁債ニ付瓜生より事情ヲ述ベタルニ付、保証ノ為メ生活ニ苦シクニ至リタルハ実ニ難堪、三十ケ年賦ニシテ、又重役立替も夫レニ不及ト申事ニナリ、実ニ会社組織上ニ付実ニ美事ノ決義ニ而、将来重役ノ責任上重要トナレリ
松月ニ而昼食会ニ列シ、乍簡短〔ママ〕惣会ノ決議ニヨリ将来一層努力之旨ヲ挨拶ニ加へ、懇談ス
午後三時弐十六分飯塚駅発ニ而別府ニ向ケ出発ス、綿且〔勝〕・古川沢太[5]氏等同車ス

一月二十二日　月曜

速見郡々長・衛藤又三郎[6]両氏（九水自働車ニ而相見へ）両氏〔ママ〕相見へ、温泉鉄道[7]布設ノ件懇談アリタ
九水自働車ニ而大分営業所ニ行キ、協義会ニ列ス
堀氏ニ九水電話ニ而二十五日ノ会合相談ス

一月二十三日　火曜

衛藤又三郎氏相見へ、温泉鉄道ノ件懇談アリタ
元六十万円ノ時代定款壱冊本人ニ渡ス
梅谷[清一]8氏相見ヘタリ、和田[豊治]氏邸ニ行キ、温泉浴場新設ノ事ヲ協義ス
[麻生]彦三郎9ヲ呼ビ、温泉鉄道時代ノ事ヲ聞キ合セ、其ノ結果委員ノ決義録外二冊川田君[十]10ニ渡ス、金弐百円傘ノ寄付金
川田君ニ渡ス
田ノ湯別荘11ノ湯付キ調査ノコトヲ彦三郎・川田両人ニ申付ル
雑誌者弐[ママ]人来リ、金十円遣シ[ママ]コトヲ川田氏ニ申含メタリ
九水倍ニ増加シ一割二分ノ事ヲ棚橋君ニ電話ニ而注意ス、計算表ヲモ注意ス

1　栄屋＝旅館（福岡市橋口町）
2　中島徳松＝中島鉱業株式会社社長
3　亀川＝地名、大分県速見郡御越町
4　福沢藤次郎＝山本三郎保証人
5　古川沢太＝火薬金物商（飯塚町本町）
6　衛藤又三郎＝大分日日新聞社長
7　温泉鉄道＝別府温泉回遊鉄道株式会社、元別府温泉鉄道株式会社
8　梅谷清一＝九州水力電気株式会社常務取締役
9　麻生彦三郎＝太吉親族、株式会社麻生商店測量係
10　川田十＝株式会社麻生商店別府駐在員、別府農園主任、元山内農場（飯塚町立岩）主任
11　田ノ湯別荘＝麻生家別荘（大分県速見郡別府町田湯）

一月二十四日　水曜

午前大分営業所（九水自働車）ニ而協義会ニ臨ミ、八千万円ノ壱割二分説ニ決ス

一増資ノ払込（十二円五十銭）ヲナシ、其ノ跡ハ社債ヲ以凌キ、壱割ノ配当出来得ル様ニナリテ五円ナリ七円

　五十銭ナリ払込ナス計算書

嘉穂銀銀〔ママ〕行預金利子ハ、会計香月盈司[1]氏立会、漸次返却ノ事ニ打合ス

大分駅午後二時五十分急行ニ而、浜の町別荘ニ午後八時十五分着（博多停車場より自働車）

大分駅より佐藤寅〔虎〕雄[2]・日田郡長尾形善忠氏・九大ノ薬剤師吉田藤吉〔虎雄カ〕[3]氏ト同車ス

伊藤傳右衛門君ニ電話して、産業会社ノ戸川君ノ意向ト聞キ合セ、異義ナキ旨通話アリタ

一月二十五日　木曜

午前堀氏ト産業会社ノ件及戸川君ノ意向電話ス

箱〔筥〕崎宮司ト電〔話脱〕シ、貝嶋〔太市カ〕[4]君ニ相談ノ上、其ノ模様電話アル様申向ケナシタリ

午前十一時自働車ニ而帰リタ

中野昇[5]君ニ裏書ノ電話ス（産業会社十七〔銀行〕より借入ノ分、松居〔甚一郎〕[6]君ニ電話ス

一月二十六日　金曜

午前九時嘉穂銀行ニ出頭、惣会ニ於ケル山本三郎[7]立替金ノ報告書調査シ、重役会ヲ開催スルコトニセリ

十二時倶楽部[8]ニ而昼食ス

本店ニ而渡辺〔阜築〕君ト産業会社ノ打合ヲナシ、又嘉穂銀行件ニツキ打合ス

貴族院ニ請暇ヲ願タリ

二時臨時重役会ニ列ス

博済会社[9]ノ惣会ニ列ス
午後四時小野寺〔直助〕[10]先生家内病気ニ付診察アリタ
午後九時四十五分より自働車ニ而小野寺ト同車、出福ス

一月二十七日　土曜

松本健次郎氏[11]ニ電話シ、上京事情ヲ聞キ、将来ノ打合ヲナス
伊藤〔傳右衛門〕君ニ千厓〔仙〕会寄付送布〔ママ〕方ヲ頼ミタリ、又幸袋工作所[12]ノ事ヲ頼ミタリ
家内病気ノ看護ス

1　香月盈司＝九州水力電気株式会社大分営業所、のち筑後電気株式会社常務取締役
2　佐藤虎雄＝大分県会議員
3　戸川虎雄＝九州産業鉄道株式会社株主、筑前銀行（糟屋郡箱崎町）頭取
4　貝島太市＝貝島合名会社代表業務執行社員、貝島商業株式会社長
5　中野昇＝株式会社中野商店（嘉穂郡二瀬村）社長、嘉穂銀行取締役
6　松居甚一郎＝株式会社中野商店取締役支配人
7　山本三郎＝元嘉穂銀行書記
8　倶楽部＝株式会社麻生商店集会所（本店前）
9　博済会社＝博済無尽株式会社（飯塚町）、太吉社長、一九一三年博済貯金株式会社（嘉穂郡大隈町）として設立、一九一四年本社を移転して改称
10　小野寺直助＝九州帝国大学医学部教授
11　松本健次郎＝石炭鉱業聯合会副会長、筑豊石炭鉱業組合総長、明治鉱業株式会社長、第二巻解説参照
12　株式会社幸袋工作所＝一九一八年合資会社を改組、太吉取締役

一月二十八日　日曜

在宅

川嶋[淵明][1]郡長相見ヘタリ

中西四郎平君麻生屋[2]同道相見へ、赤坂坑区買収ノ内談アリタリ

野田[勢次郎]氏相見へ、十二年上期ノ営業方針ニ付打合ス

一月二十九日　月曜

午前十時自働車ニ而後藤寺ニ行キ、産鉄ノ惣会ニ臨ミタリ（瓜生・福間両君同車）、直方ヲ経而後藤寺ニ行ク

午後三時三十分ノ舟尾駅[3]発ニ而後藤寺ニ着シ、自働車ニ故障アリ（約一時間）、直方ヲ経而午後六時半帰着（野見[平吉]山県会議員・瓜生・福間三君同車）

産鉄惣会ハ午後一時ニテ、後藤寺より二人引人力[車脱]ニ而会社ニ行キ、一時半より開会、決議録ハ別ニアル、昼食ノ間合ナク焼芋弐ツト帰リニうどん弐膳ニ而凌キタリ

後藤寺助役山路広作・原田種憲[4]ノ両氏ト面会ス

一月三十日　火曜

在宅

中山[柳之助][5]来リ、新築材木ノ件打合ス

黒瀬ヲ呼ヒ、弐千円貸付ノ件ニ付打合ス

渡辺皐築君相見へ、銀行ノ創立よりノ方針ニ付い才[委細]ヲ含メ、又九水株ガ重大ノ関係ヲモ詳細申含メ、又将来同君嘱托ニ付規定ヲ成案ヲ打合ス

倉知[倉智伊之助][6]検[監]査役・西園[磯松][7]支配人相見へ、銀行ノ方針ニ付利カスリヲナザ[ママ]シ確実ニ取引ヲナシ、厳重監督方ヲ申含メタリ、

支配人辞令申出ノ分返却ス

一月三十一日　水曜

在宿

三宅〔速〕[8]博士家内ノ病気診察アリタ

自働車ニ而帰福ニ付、〔麻生〕五郎[9]御供ス

九水より増資和田〔豊治〕相談役内諸之電報浜ノ町別荘宛ニ来リタリ、直チニ梅谷〔清一〕・和田両氏ニ打電ス

二月一日　木曜

藤沢〔幹二〕[10]博士家内診察アリタ

本店ニ出務、飯塚家政女学校[11]無断建設ノ件ニ付打合ス

1　川嶋淵明＝嘉穂郡長
2　麻生屋＝太吉弟麻生太七、株式会社麻生商店取締役、嘉穂銀行取締役、嘉穂電灯株式会社取締役
3　舟尾駅＝九州産業鉄道船尾駅（田川郡後藤寺町弓削田）、のち国鉄後藤寺線
4　原田種憲＝田川郡後藤寺町会議員、元後藤寺町長、のち後藤寺町長
5　中山柳之助＝株式会社麻生商店本店鉱務部
6　倉智伊之助＝嘉穂銀行監査役、この月まで本店支配人
7　西園磯松＝この月より嘉穂銀行本店支配人
8　三宅速＝九州帝国大学医学部教授
9　麻生五郎＝太吉女婿、のち株式会社麻生商店取締役
10　藤沢幹二＝麻生太七郎義兄、市立小倉病院長
11　飯塚家政女学校＝一九二二年四月開校（飯塚町吉原町）、校長大里広次郎、のち飯塚実科高等女学校

産業会社議事録調査ス
嘉穂銀行重役会ニ出席、検査規定ヲ設ケ評決ス
本店ニ立寄、家政女学校敷地ノ件ニ付上田〔穆敬〕[1]より聞キ取タリ

二月二日　金曜

在宅
郡内小学校ニ処世十訓活ける声ノ小冊贈呈ニ付書状ヲ認ム（石摺ニスル原案ナリ）

二月三日　土曜

在宅
新築場幷ニ菓〔果〕樹植付ニ付川田〔紀夫〕[2]君相見へ、打合ス
麻生屋娘〔マツノ〕縁付ニツキ祝賀ニ行ク

二月四日　日曜

在宅
午前有井山[3]ヲ軽〔経〕而山内農園[4]・旗ケ辻[5]ノ山林ヲ視而帰ル
植木幷ニ苗木指図ス

二月五日　月曜

午前在宿
午後松岡〔芳右衛門〕[6]幷ニ根切夫弐人召連、栢森・立岩山林、鯰田・有井ノ各山林ヲ巡視シ、界境ニ臨ミ、午後七時帰宅ス
瓜生茂一郎来、欠落地ノ件ニ付内談ス、先方ニ交渉ノコトヲ申向ケ置タリ

二月六日　火曜

在宅

有田広[7]・青木[青柳茂][8]ノ両氏相見へ、銀行ノ件ニ付打合ス

中山[柳之助]ヲ呼ビ、墓所ノ石碑ノコトニツキ新設ヲ命ス

花村徳右衛門君[9]ヲ呼、「タ」[10]ト交換地及墓所ノ処ノ界境ヲ立会ス

二月七日　水曜

麻生屋一週季[周忌]法事ニ参詣、墓所ニ参拝ス

瓜生長右衛門来リ、産業会社ノ所有地西側、即入水区[11]ノ地所約二十万坪壱万弐千円ニ而買収セシ由ニ付、半分ハ現

1　上田穏敬＝株式会社麻生商店庶務部長、飯塚町会議員
2　川田紀夫＝株式会社麻生商店山内農場（廃鉱地実験農場）主任
3　有井山＝嘉穂郡庄内村
4　山内農園＝株式会社麻生商店廃鉱地実験農場（飯塚町立岩）、一九〇八年設置
5　旗ケ辻＝地名、八高辻とも、飯塚町立岩
6　松岡芳右衛門＝株式会社麻生商店庶務部（山林技手）
7　有田広＝嘉穂銀行取締役監事、株式会社麻生商店監査役
8　青柳茂＝嘉穂銀行科長、のち本店支配人
9　花村徳右衛門＝株式会社麻生商店家事部
10　「タ」＝麻生多次郎、麻生家新宅、元筑豊倉庫株式会社長、元飯塚町長、元福岡県会議員
11　入水区＝嘉穂郡庄内村

金半分ハ株ニ而買収出来ナラバ交渉スル様咄シ置キタリ、尤ハ線路ハ有安[ママ]ノ西側ヲ経而上三緒越ト飛川[1]ヲ経而馬ノ瀬[2]ヲ切割、一ツハ有▨元大和利右衛門居住セシ処より県庁ノ南側ヲ経而上谷[3]ニ出、芳雄ニ達スル線ノ内何れニ決スルカ、他日異存ナキ様注意方申含メ置キタリ

麻生太[多]次郎君ノ交換地成立ス

山林下草刈方ニ付備忘録ニ記事ヲナササシム

麻生勇吉跡ノ墓所ノ交換ヲ花村[道][4][徳右衛門][5]ニ申付タリ

二月八日　木曜

午後十二時半より自働車ニ而出福ス

相羽[虎雄]君ト面会ス

二月九日　金曜

県庁ニ而沢田知事ニ面会ス

三井[米松][6]署長[ママ]ヲ訪問ス（不在

相羽君相見へ、旧正月より就職ノ件打合ス

星野[礼助]氏相見へ、家憲[7]ノ件打合

午後二時半より一方亭ニ行キタリ

二月十日　土曜

午前安川氏ニ電話ス

午後十二時十分自働車ニ而帰宅（悪道ニ付人夫ニバラスヲ臨時敷方相頼ミタリ）

二月十一日　日曜

瓜生長右衛門来リ、庄内側[8]ノ石灰山弐万五千円トシ、半高ハ株金半高ハ現金ノ相談セシモ、一応実地調査ノ上価格ノ押合ス可キニ付、調査承諾アル様掛合方依頼ス

中西四郎平・麻生屋両人相見へ、赤松尾坑区[ママ][9]買入方相談アリタリ

午後一時四十分芳雄軌道[10]ニ而鴨生駅ニ至リ、夫より鴨生・漆生[11]等ノ地況ヲ見而又赤坂坑ニ立寄、午後七時十七分ニ而帰宅ス、野田[勢次郎]常務・大塚[万助][12]所長・野見山[幡次郎][13]出納掛・上三緒坑測量方等同供ス

1　有安＝地名、嘉穂郡庄内村
2　飛川＝地名、嘉穂郡庄内村綱分
3　馬ノ瀬＝地名、飯塚町下三緒
4　上谷＝地名、飯塚町下三緒
5　芳雄＝地名、飯塚町立岩
6　三井米松＝この年一月福岡鉱務署長退職、二月から東京鉱務署長に転任
7　太吉は大正七年以前に家法を作成済み、本巻解説参照
8　庄内＝地名、嘉穂郡庄内村
9　赤松坑区＝松風工業株式会社所有坑区（嘉穂郡庄内村）、なお赤松尾は嘉穂郡碓井村西郷
10　芳雄軌道＝九州産業鉄道株式会社線
11　鴨生・漆生＝地名、嘉穂郡稲築村
12　大塚万助＝株式会社麻生商店上三緒鉱業所長
13　野見山幡次郎＝米吉長男、株式会社麻生商店本店会計部、のち嘉穂郡稲築村長

二月十二日　月曜

午前出店、中西・麻生屋両人呼ヒ、赤松尾坑区買入困難ニ付、十五日松風[1]ノ主人ト打合方懇談ス

赤松尾坑区買入ニ付調査ス、赤坂恒[清彦][2]久君相見へ、打合ス

大塚[文十郎][3]製工所・花村[久兵衛][4]電気ノ両人ヲ呼ヒ、電気ホンプ調査ヲナス

鴨生坑区[5]掘方ニ付研究ス、上三緒ヨリ実測ノ上調査スルコトニセリ

後藤寺町長山口良助[介]・川谷福市[6]・福田勝ノ三氏相見へ、渡辺君[皐築]ト一同、区才判所地所ノ件ニ付打合ス

二月二十一日　水曜

午前一時直方より自働車ニ而帰宅ス

在宅、書類取調査ス

野田君相見へ、石洲銅坑[7]売却打合ス

二月二十二日　木曜

中西四郎[平脱]君相見ヘタリ

麻生屋来リ、太[麻生]三郎[8]縁談ノ打合ス

広畑[9]ニ行キ、縫子[麻生][10]ノ妹貰ニ付申合ス

麻生屋ニ行キ打合ス

山越ニ而帰宅ス

仙厓ノ幅物取揃ル

二月二十三日　金曜

午前在宿

瓜生〔長右衛門〕来リ、郡ノ公会堂[11]不足金千円出金之相談シ、承諾ス、名義ハ将来ニ関係不致様して寄付スルコトニセリ
飯塚才判所拡張ニ付、寄付金壱千円乃至千五百円迄寄付ノ事ヲ藤森町長ニ承諾ス
飯塚浦山林製鉄所ト交換ニ付内談方福間〔久一郎〕[12]ニ申談、右成立ノトキハ其ノ部分よりガス[13]捨便利ニツキ、其旨ヲモ福間ニ申含メ置キタリ
午後三時ニ而上京ス
後藤寺助役相見へ、才判所ノ件ニ付打合ス（渡辺君も相見タリ）

1 松風＝松風工業株式会社（京都市下京区）、社長松風嘉定
2 恒久清彦＝株式会社麻生商店赤坂鉱業所長
3 大塚文十郎＝株式会社麻生商店芳雄製工所長
4 花村久兵衛＝嘉穂電灯株式会社技術部長
5 鴨生坑区＝株式会社麻生商店吉隈鉱業所
6 川谷福市＝田川郡後藤寺町会議員
7 石洲銅坑＝株式会社麻生商店銅金石坑区（島根県美濃郡高城村）、この年三月高浪鉱山に売却
8 麻生太三郎＝麻生太七次男
9 広畑＝故麻生八郎家
10 麻生縫＝太吉弟故麻生八郎妻
11 公会堂＝嘉穂郡公会堂（飯塚町明治町）、前年九月竣工、一九三一年飯塚町に移管
12 福間久一郎＝株式会社麻生商店本店庶務部、飯塚町会議員
13 ガス＝硬（ボタ）や不用の廃石

四月十日　火曜

午前七時自働車ニ而出福（青木[柳]自働車）[1]
伊藤傳右衛門方ニ訪問シ、堀氏も相見へ、審査委員ノ件ニ付打合ス
午後▨時中洲[東]お政[2]ノ待合ニ行キ、森田[正路]君帰福ヲ待受ケタリ（伊藤君ト両人ノ主人ノ筈ナリシモ、小生一人ニ引受
ノ事電話ニテ相談シ、他日返事ノ筈
午後七時半帰宅
金三十円、女中供[ママ]ニ遣ス

四月十一日　水曜

堀氏ト電話ニ而打合ス
一方亭ニ行キ、終日滞在ス
　金壱百円、お悔[3]身延寺参詣費金
同五十円、お新[しん][4]方香典
同弐十円、おあい[5]香典

四月十二日　木曜

浜ノ町別荘ニ黒瀬来リ、幅物買入ナス
午前八時半自働車（飯塚青木[柳]）ニ而帰宅ス
嘉穂銀行より電話ニツキ、監事・支配人・渡辺ノ三君ト未収入金之件ニ付打合ス
所得税調査委員審査員之件ニ付、和田三吾[賛][6]・許斐安太郎[7]両氏ニ推挙之義申入タリ

四月十三日　金曜

午前在宿

鳥越屋敷ニ而義之介［麻生］[8]ト、太七郎［麻生］[9]方仏事并ニ年功勤続者ニ賞与方法[10]ニ付打合

午後一時徒歩シテ銀行重役会ニ列ス

午後七時瓜生［長右衛門］来リ、坑区之事ニ付内話シ、又井上［博通］（貝嶋従事）ノ身上ニ付内談ス

四月十四日　土曜

森崎屋[11]父子相見へ、重吉［木村］[12]君九水入社ニ付挨拶アリ

藤森町長・麻生尚敏[13]相見へ、知事宿泊ノ件懇談アリタ

1 青柳自働車＝青柳自動車商会（飯塚町宮ノ下町）、青柳近太郎経営
2 お政＝おまさとも、矢野ソデ（マサ）経営待合満佐（福岡市東中洲）
3 お梅＝料亭一方亭（福岡市外東公園）女中
4 おしん＝水茶屋券番（福岡市外）芸者、婆族（馬賊）芸者の一人
5 おあい＝水茶屋券番芸者
6 和田賛吾＝質商（飯塚町下町）、元株式会社飯塚栄座取締役
7 許斐安太郎＝嘉穂郡頴田村長、嘉穂郡会議員
8 麻生義之介＝太吉女婿、株式会社麻生商店取締役
9 麻生太七郎＝太吉四男、のち株式会社麻生商店監査役
10 株式会社麻生商店第二回永年勤続者表彰
11 森崎屋＝木村順太郎、株式会社麻生商店監査役、酒造業（飯塚町本町）、飯塚町会議員
12 木村重吉＝木村順太郎男、のち西日本鉄道株式会社社長
13 麻生尚敏＝麻生惣兵衛養子、酒造業（飯塚町栢森）、福岡県会議員、元飯塚町会議員

飯塚警部〔東島〕相見ヘタリ

四月十五日　日曜

警察署長相見ヘタリ

郡長相見ヘタリ

赤間嘉之吉[1]・麻生尚敏ノ両氏相見ヘ、晩食ヲナス

四月十六日　月曜

在宿

金子辰〔国〕雄[2]君相見ヘ、身上ニ付種々ト懇談アリタ

書類整理ヲナス

四月十七日　火曜

野見山・麻生屋・野田・義之介各相見ヘ、渡辺〔皐築〕・林田〔普〕[3]両人ニ関スル□〔顛カ〕末ヲ聞取タリ

渡辺君ヲ呼ヒ、辞職見合之懇談ス

林田ヲ呼ヒ、将来注意スル様申伝ヘタリ

四月十八日　水曜

在宅

渡辺君審査員[4]当撰ノ旨通知アリ

四月十九日　木曜

在宅

午後五時半自働車ニ而渡辺君ト同車、出福ス

伊藤博士方ニ立寄、渡辺氏女子病気ニ見舞ス
[伊東祐彦][5]

四月二十日　金曜

藤田氏内室死去ニ付悔ミニ行ク
[次吉][6]

沢田知事ヲ訪問ス
[牛麿]

お苑ニ而食事ヲナス（森田君来ル）[7]

四月二十一日　土曜

午前八時博多駅発ニ而帰宅ス

藤森町長・麻生尚敏氏等会談ス

四月二十二日　日曜

午前在宅

沢田知事相見へ、宿泊セラル

1 赤間嘉之吉＝大正鉱業株式会社監査役、元衆議院議員、翌年衆議院議員
2 金子国雄＝太吉親族、元嘉穂銀行書記
3 林田普＝株式会社麻生商店商務部長
4 審査員＝所得税調査委員審査員
5 伊東祐彦＝九州帝国大学医学部教授
6 藤田次吉＝太吉親族、笹屋、酒造業（遠賀郡底井野村）
7 お苑＝於苑とも、元馬賊芸者桑原エン経営貸座敷（福岡市外西門橋）

四月二十三日　月曜

冷水峠[1]県道開通式ニ而、沢田知事同車、式場ニ臨ム

四月二十四日

午前十時知事一同自働車（県庁迎ノ自働車）ニ同車、出福、直チニ鎌田〔栄吉〕文部大臣博多停車〔場脱〕ニ而御迎ス

鎌田大臣福村〔家脱〕ニ晩食会ヲ催ス（沢田知事ト合併）

四月二十五日

福岡警察署長岩田勇五郎氏ト会見ス

午前十二時博多駅ニ文部大臣見送リタリ

午後二時安川〔敬一郎〕男ト一方亭ニ而会合ス（南洲〔西郷〕手抄言志録解詁）ノ件ニ付懇談アリタ

午後七時半帰ル

四月二十六日　木曜

午前十時福岡より自働車ニ而帰宅ス

午後一時半底井野藤田〔次吉〕家ノ葬式ニ列ス

四月二十七日　金曜

在宿

糸田〔伊藤基定〕・庄内〔山本百松〕両村長及有志者、烏尾峠[2]ト県道開通ニ付挨拶ニ見ヘタリ

四月二十八日　土曜

在宿

門司支店長長井村太氏[3]相見へ、懇談ス

四月二十九日　日曜

午前十時従業員一同ニ勤続表彰表ヲ贈与ス、[4] 終日宴遊会[ママ]ニ而終ル

四月三十日　月曜

在宅

五月一日　火曜

飯塚町商工会員ヲ招キ園遊会[ママ]ニ催ス

在宿

五月二日　水曜

銀行重役会ニ列ス

午前十時自働車出福ス

伊藤氏訪問、夫より自働車ニ而一方亭ニ行キ、堀氏一同産業会社ノ打合ヲナス

松本健次郎氏相見へ、香椎宮維持金[5]及同仁会[6]等打合ス、[九州]製鋼会社[7]ノ現状ニツキ書面ヲ貰ヒ懇談アリタリ

1　冷水峠＝嘉穂郡内野村と筑紫郡山家村を結ぶ峠、長崎街道の難所
2　烏尾峠＝田川郡糸田村と嘉穂郡頴田村を結ぶ峠
3　長井村太＝三井銀行門司支店長
4　株式会社麻生商店永年勤続者表彰式、およそ五百人参集
5　香椎宮＝勅祭社（糟屋郡香椎村）
6　同仁会＝医学団体、一九〇二年設立
7　九州製鋼株式会社＝一九一七年設立（遠賀郡黒崎町）

黒瀬買物代三百三十七円受取（岡松[直][1]出納長[帳]へ受取ヲ記ス）

五月三日　木曜

午前四時四十九分博多駅発ニ而午前十一時別府着、直チニ山水園[2]ニ自働車ニ而着ス（おさた[安藤貞子カ][3]同行ス）

梅谷君相見へ、増資株残リハ目下交渉中ノ合併又ハ買収ノモノニ充当シ、其ノ実行迄会社直接引受ニシ、残リハ功労者及従業者ニ割当スル法案ヲ注意ス

宮様[久邇宮]御出ニ付内務部長[原田維織]・警察部長[石井保]・中尾老人外三人相見へ、書画掛ケ方ニ付打合セ、又室内御案内ノ順序打合ス

午後六時和田[豊治]別荘[4]ニ文部大臣晩食会ニ列ス

久保勝之進[5]・野口欣也（豊洲新聞[報カ][6]）・山本祐作（[大分]高等商業校長）・志田[順][7]博士等会合ス

五月四日　金曜

午前鎌田大臣一行ニ朝食ヲ供ス

田中[千里][8]知事及成清[信愛][9]貴族院議員相見へタリ

田之湯別荘ニ行キ、修繕ノケ所調査ス

麻生彦三郎来リ、道路敷地不始末ノ分取片付ルコト（県庁ノ分）、樫木観海寺土地ハ約七百坪アルコト等打合ス

福岡浜ノ町ニ電話ス

後藤[文夫][10]氏ニ電報ス（自働車買入ノ件）

五月五日　土曜

午前七時二十九分別府駅発ニ而帰途ニツク

衛藤[又三郎]氏ト同車ス、又大分才判所々長（三森栄次郎）ト同車、小倉迄来ル

鏃[汽]車中ニ而食事ヲナス

五月六日　日曜

午前十時嘉穂銀行協議会ニ列ス

午前十一時半帰宅、夫より園遊会[11]開催ス

来客ニ挨拶シ、続而旧新支配人ニ挨拶シテ、紀念品ヲ旧支配人ニ呈ス

中野昇氏より招キニ応シ松月楼ニ午後七時半行キ、午後八時半帰宅ス

五月七日　月曜

書類整理ス

宮様御出ニ付打合ヲナス、義之介・太七郎来リ、自働車御乗車等打合ス

旧新支配人挨拶ニ見ヘタリ

1　岡松直＝株式会社麻生商店本家
2　山水園＝麻生家別荘（大分県速見郡別府町）
3　安藤貞子＝麻生家浜の町別邸女中
4　和田別荘＝到楽荘（大分県速見郡別府町）
5　久保勝之進＝大阪商船株式会社別府支店長
6　豊州新報＝一八八六年創刊（大分市）
7　志田順＝京都帝国大学理学部教授
8　田中千里＝大分県知事、この年十月転任
9　成清信愛＝成清鉱業株式会社（馬上金山）長、成清貯蓄銀行頭取、大分セメント株式会社監査役、のち衆議院議員
10　後藤文夫＝内務官僚、翌年台湾総督府総務長官、のち内務大臣
11　園遊会＝嘉穂銀行株主行員招待園遊会、倉智・西園新旧支配人送迎会、来客二百五十余名

瓜生〔長右衛門〕来リ、嶋田〔吉右衛門〕[1]ノ件、及上三緒区より土地買収、又赤松尾坑〔ママ〕区買収ノ件ヲ申入タルモ、帰宅ノ上尚交渉ス可キ旨申
答ヘタリ
午後三時飯塚駅発ニ而上京ス

五月十三日　日曜

午後十二時四十分博多駅ニ着ス、自働車ニ而浜ノ町ニ着ス

五月十四日　月曜

午後三時四十二分博多駅ニ久邇宮殿下御一行奉迎ス
同所ニテ単独拝謁ヲ贈〔賜〕リタリ

五月十五日　火曜

第一公会堂[2]ニテ久邇宮殿下ノ御賜食之御沙汰アリタ
又同仁会ノ辞令ヲ拝ス

五月十六日　水曜

午前七時三十分博多駅ニ宮様御一行奉送ス
午後七時おゑんニ而嶋田〔後雄〕[3]氏着福ニ付待受、食事ヲ出ス

五月十七日　木曜

福村屋〔家〕ニ而野田〔卯太郎〕[4]・團〔琢磨〕[5]・粕谷〔義三〕[6]議長・嶋田・大道〔良太〕[7]等ノ諸氏、松本外八人ト自分トニテ晩食ヲ呈ス
自働車献納願[8]太七郎ヲシテ手続ナササシム
岡松〔直〕実印持参ス

五月十八日　金曜

午前十一時福岡浜ノ町より自働車ニ而帰宅、午後三時別府ニ行ク

五月十九日　土曜

別府滞在

五月二十日　日曜

別府滞在

五月二十一日　月曜

別府滞在

大分県理事官大木俊輔氏外属官二、三人相見ヘタリ

五月二十二日　火曜

午後十二時過キ棚橋君相見へ、明晩久邇宮殿下御一行ニ食事差上候様内意アリタ

1　島田吉右衛門＝元株式会社島田商店（飯塚町本町）代表取締役
2　第一公会堂＝福岡県公会堂（福岡市西中洲）
3　島田俊雄＝衆議院議員、弁護士、のち農林大臣等
4　野田卯太郎＝衆議院議員、前年まで逓信大臣、のち商工大臣
5　團琢磨＝三井合名会社理事長
6　粕谷義三＝衆議院議長
7　大道良太＝鉄道省理事東京鉄道局長、元門司鉄道管理局長
8　久邇宮殿下に自動車献納

岡松・黒瀬[元吉]両人ヲ返シ家貝[具]取寄タリ

五月二十三日　水曜

午後六時十分久邇宮殿下・同妃殿[ママ]・良子女王殿下・信子女王殿下御成、松樹ノ御手植賜リ、陳列ノ画幅御台覧、食堂ニテ晩餐ヲ献ス

陪食者等別ニ記ス

五月二十四日　木曜

御食事後博多俄[1]ヲ御上覧、午後十時十分和田別荘ニ御帰館アラセラル

午前七時廿九分別府駅ニ奉送ス

午前十二時半亀川梅谷[清一]氏ノ招待会ニ列ス

午後六時和田氏別荘招待会ニ列ス（重役会[2]兼ム

五月二十五日　金曜

午後八時和田氏別荘ニ而九水重役会ニ列ス

五月二十六日　土曜

午前十時五十分別府駅発ニ而福岡浜ノ[町脱]別荘ニ行ク、午後五時着

午後六時常盤館[3]ノ團氏招待会ニ列ス

五月二十七日　日曜

午前▨[十二カ]時伊藤君別荘[4]ニ團氏招待アリ、陪席ス

午後五時ヨリ一方亭ニ行ク

五月二十八日　月曜

堀氏ト電話ニ而産業会社受負者解雇ノ打合ヲナス
浜ノ町ニ而産業会社ノ重役会ヲ開キ、伊藤［傳右衛門］・中野［昇］代理・遠入［鉄次郎］[5]ノ三氏、浦地［裏］・福田［基治］[6]・籾井［民平］・渡辺［皐築］ノ四氏、一同会合ス
午後四時十九分博多駅発ニ而別府ニ行キタリ

五月二十九日　火曜

山水園ニ鈴木［喜三郎］検事惣長昼餐ヲ呈ス
長崎小原［直］検事長其外御一行七名ナリシ
入湯後、午後一時半帰宅アリタ

五月三十日　水曜

別府滞在
棚橋氏相見へ、成清[7]電気買入ニ付打合ス
　壱万八千株ハ、先方ト希望四十八万円ト十八万円ノ違ニ而、折半ハ九万円トナル、左スレハ六万円迄買進ミセ

1　博多にわか＝博多言葉で面をつけ演じる即興芝居
2　重役会＝九州水力電気株式会社重役会
3　常盤館＝料亭（福岡市外水茶屋）
4　伊藤別荘＝伊藤傳右衛門家別荘（福岡市天神町）、通称銅御殿
5　遠入鉄次郎＝九州産業鉄道株式会社取締役、豊前銀行（大分県中津町）常務取締役
6　福田基治＝九州産業鉄道株式会社技師
7　成清＝成清鉱業株式会社馬上金山（大分県速見郡立石町）

シニ付、残金三万円ヲ折半ニ而折合ノ事ヲ注意ス
大分県内部〔務〕部長并ニ警察部長〔菊山嘉男〕、久邇宮様御滞別ノ挨拶ニ見ヘタリ
鈴木検事惣長見送リ為メ日名護〔子〕[1]旅館ニ訪問ス

五月三十一日　木曜

午前七時廿九分別府発ニ而帰途ニツク、鎎〔汽〕車中長崎控訴院検事長〔小原直〕・福岡才判所検事正〔寺島久松〕・熊本才判所検事正等折尾迄同車ス
折尾駅ニ而松本健次郎氏ト会談ス

六月一日　金曜

在宿
午後一時嘉穂銀行重役会ニ列ス
病院ニ栄〔麻生サカエ〕[2]ヲ見舞タリ
麻生屋嫁之一件一応取消シノ事ヲ打合

六月二日　土曜

相羽君来リ、坑業上ニ付打合、又谷口〔源吉〕[3]之身上ニ付内談ス
午後一時半飯塚町長〔藤森善平〕・庄内村長〔山本百松〕相見へ、産鉄開通懇談アリタリ

六月三日　日曜

在宿
渡辺君ト産業〔九州産業鉄道〕ノ件ニ付電話ス

六月四日　月曜

在宿
立岩屋敷及停車場（新設ノ処）及製工所[4]等、実地ニ臨ミタリ
渡辺阜築君相見へ、産鉄ノ件打合ス
有田〔広〕監事相見へ、嶋田ノ不法ノ所為申告アリ、直チニ手配ノ義ヲ命ス

六月五日　火曜

在宿
伊藤氏ト産鉄ノ打合ヲナス（幸袋[5]、電話）

六月六日　水曜

靏三緒[6]変電所より大分営業所村上〔巧児〕[7]君ニ電話シ、明日出発上京ノ打合ヲナス
本店ニ而赤松坑区担保ノ件打合ス

1　日名子旅館＝大分県速見郡別府町
2　麻生サカエ＝麻生太七女
3　谷口源吉＝堀川鉱業所宇美炭坑、元麻生商店、翌年九州産業鉄道株式会社経理部長
4　製工所＝株式会社麻生商店芳雄製工所（飯塚町立岩）、一八九四年設立
5　幸袋＝地名、嘉穂郡幸袋町（元大谷村）、伊藤傳右衛門邸所在地
6　靏三緒＝地名、飯塚町下三緒
7　村上巧児＝九州水力電気株式会社常務取締役、第二巻解説参照

飯塚ト芳雄停車場[1]間ノ道路ノ件、瓜生[長右衛門]・上田、野田・義之介ノ両氏ト立会打合ス
福間久米吉呼[2]、製工所工事ノ件打合ス
西園[磯松]支配人呼ヒ、嶋田貸付請求方ニ付打合ス

六月七日　木曜

上三緒坑ニ関、借地ノ件・買収ノ件、上田・大塚[万助]両人参リ打合ス
午後三時廿九分飯塚駅発ニ而上京ス

六月二十五日　月曜

野田勢次郎君相見へ、聯合会[3]ノ決議ニ関スル石炭ノ実況ヲ打合セ、書類ヲ渡ス、又全国石炭需給ノ惣額ヲ示シ、
増加率ニツキ明記ヲナサシム
午後十二時弐十五分飯塚駅発ニ而中間駅[4]ニ着、故岩崎久留[米]吉[5]葬式ニ列ス
帰途ハ中野昇ノ自働車ニ而待受シニ不参、植木[6]迄歩行シ、晩食中迎ノ自働車参リ、中野氏ト一同帰ル
金十円弐十四銭電話及鶏・酒代、外ニ金弐円七十六銭茶代、女中ニ十三円渡ス（宮崎ト申仕立家[ママ]ナリ）
堀氏ト産鉄ノ打合ヲナス

六月二十六日　火曜

在宿
有田[広]支配[ママ]人相見へ、銀行ノ打合ヲナス
書類ヲ整理及出状、其他軸物等整理ス、黒瀬来リ、金六百円ノ買物ヲナス

七月二日　月曜

午前九時本店ニ出務

吉隈・豆田ノ坑山経営ノ件、及九水・産鉄株買売ノ件打合ス
午後一時ヨリ嘉穂銀行重役会ニ列ス
　金弐百円　博済半期手当受取
縫子〔麻生〕ヲ呼ヒ、麻生屋縁談ノ件博多ニ而協議セシニ、従来ノ交渉ニ不拘本人ノ意志ニ任スルニ付、上京シテ其旨本人ニ親シク打合セ、学問ヲ趣味トスルニアラズ田舎生活異義ナキ事本人ノ真意ナレバ此上ナシ、就キテハ縫子ニ将来其ノ責任ヲ重ンズル様訖〔ママ〕度相約シ、来ル四日上京ノ事ヲ申含メ、金五百円渡シ、四日滞京ノ事ヲ申出候間、日光ニ参詣ノ事ヲ注意ス
午後四時本店ニ立寄、九水株売却ノ打合ヲナス

七月三日　火曜

午前在宿
麻生屋来リ、底井野笹屋[7]対〔藤田〕佐七郎[8]君之始末ニ付、藤田氏ノ意向詳細聞取タルモ、藤田次吉ノ為メニ放任アルノハ

1　芳雄停車場＝筑豊本線、のち新飯塚駅
2　福間久米吉＝株式会社麻生商店芳雄製工所
3　石炭鉱業聯合会＝送炭調節を主目的として一九二一年十月結成、太吉会長
4　中間駅＝筑豊本線、遠賀郡中間町
5　岩崎久米吉＝元岩崎炭礦、五月六日死去
6　植木＝地名、鞍手郡植木町
7　笹屋＝藤田次吉家、酒造業（遠賀郡底井野村）
8　藤田佐七郎＝笹屋別家

不徳[得]策ナリト信スルモ致方ナシ、其旨藤田氏ニ通知ノ事ヲ申向ケタリ

柏木[守三][1]家縁談ニツキテハ、従来ノ交渉ニ不関、惣而本人ノ意向ヲ尊長[ママ]シ決心ニ任スル旨、上京シテ花子[柏木花][2]君ト懇談之義、昨日縫子ヲ呼ヒ申含メ、明日出発上京ノ筈ニ候、他日不和ノ生ゼザル様充分縫子ニ責任ヲ約シタル旨申向ケ、夫迄念入アル以上ハ間違ナキト安心ノ旨ヲ聞キタリ

棚橋君出福旨電話アリタ

一星野[礼助]氏ト佐賀貯蓄銀行[3]ノ件打合ス

午後三時半自働車ニ而出福

午後六時一方亭ニテ堀氏ト会合

七月四日　水曜

堀氏相見へ、

吉隈坑中嶋[4]より分裂買収相談ノ件、金融上ニ而暫ラク見合ノ義申入アリタリ

瓜生氏電化事業ニ付緩[援]助之義、九水ニ相談ノ件

鞍手銀行[5]より嶋田貸金ニ対スル関係ノ件

産業会社ニ関スル件

棚橋氏相見ヘタリ

赤司[6]ニ而花類買入タリ

午後六時於苑ニ而第一銀行招待会ニ列ス

山口恒太郎君相見へ、別室ニ而会ス、沢田知事も見ラレ居リ

七月五日　木曜

星野氏ト電話ニ而佐賀貯蓄ノ件打合ス

箱[筥]崎宮司ト寄付ノ件電話ス

午後五時廿六分博多駅ニ山口君見送リタリ

七月六日　金曜

第一銀行片野[滋穂]氏相見ヘタリ

本家ト電話ニ而別府別荘川口氏入湯ノ内諾ノ件承諾ノ旨ヲ答、尚別府ニモ照合ノ事ヲ申向ケタリ

吉原正隆[7]君相見へ、中英[央][8]新新株募集ノ件懇談アリタ

怡土束[9]君相見ヘタリ

午後五時半於苑ニ吉原[正隆]・堀・伊藤・森田[正路]・山内[範造][10]ノ諸氏より案内ス

1 柏木守三＝柏木真静（元八十七銀行取締役・元福岡県農工銀行取締役）長男、麻生縫父
2 柏木花＝麻生縫妹、のち太吉甥麻生太三郎妻
3 佐賀貯蓄銀行＝一八九六年設立（佐賀市）
4 中嶋＝中島鉱業株式会社、一九一八年設立（若松市）、社長中島徳松
5 鞍手銀行＝一八九六年設立（鞍手郡直方町古町）
6 赤司＝赤司広楽園（三井郡国分町東久留米）、分園（福岡市新大工町）
7 吉原正隆＝衆議院議員
8 中央新聞＝立憲政友会機関紙、この年株式会社となり、野田卯太郎社長就任
9 怡土束＝九州電気酸素株式会社（浮羽郡田主丸町）長、この年九月九州電気酸素は筑後電気株式会社と改称
10 山内範造＝元衆議院議員、のち衆議院議員

七月七日　土曜

午後［以下空白］

七月九日　月曜

午前在宅
午後一時倶楽部［麻生商店］ニ而藤森町長及地元惣代集会、今般停車場場［ママ］新設ニ付排水上ニ付鉄道院ノ図上ニ了解不能廉アリ、工事上ニ不容易出来事発見シ、実地ヲ踏査シ、九管局[1]ニ陳情方打合ス
将来排水溝拡張ノ件モ打合ス

七月十日　火曜

在宅

七月十二日　木曜

嘉穂銀行重役会ニ列ス、博済会社共ニ会議ス
決算上ニ付各支店ノ所持ノ土地・株ハ本店ニ付替スルコトニ決ス
午後五時中野君［昇］自働車ニ而出福ス

七月十三日　金曜

午前九時半県庁ニ而三百年祭奉賛会[2]寄付金ノ件ニ付打合ス
午後一時再ヒ山中［立木］[3]・久世市長［庸夫］其他一同打揃打合ス
安川敬一郎男ヲ訪問、寄付ノ件打合セシモ、記億［憶］ナキニ付其侭トス
松本健次郎氏相見へ、一同会合ノ上、運賃問題ハ小生カ責任ヲ引受ケ辞スル方得策ナリト評決ス
於苑ニ而沢田氏［牛麿］ト会合ス

七月十四日　土曜

午前九時四十分自働車ニ而帰宅ス

伊藤傳右衛門君ニ電話シ、三百年祭寄付ノ件相尋ヘタルモ、詳細記憶セズト申タリ、帰県ノ上打合スコトニセリ

佐賀経吉[4]来リ、献納ノ件懇談ス、金四百円相渡ス

七月十五日　日曜

在宿

麻生屋来リ、笹屋左〔佐〕七郎君ノ差入証ヲ成草〔ママ〕ス

縫子来リ、花子〔柏木〕ノ縁談出発ノトキ申含メセシ通麻生屋立会報告シ、本人弥決心セラレ候ニ付、近日中済酒[5]遣スコトニ打合ス、田舎生活ハ初発より何等異存ナキ旨明言アリタル事ヲモ報告ス

武田君〔星輝〕[6]相見へ、事務上ニ付十分不心得ノ廉申謝〔論〕シタリ

七月二十二日　日曜

嘉穂銀行惣会ニ出席、済後浦〔裏〕二階ニ而支店長諸氏ニ親シク行務上取扱方ニ付訓諭ス

松月ニ而昼食ヲナシ帰宅ス

1　九管局＝鉄道省門司管理局、元鉄道院九州鉄道管理局
2　奉賛会＝元福岡藩主黒田家三百年祭奉賛会
3　山中立木＝黒田家執事、元福岡市長
4　佐賀経吉＝鉱業家、玄洋社
5　済酒＝婚約のしるし
6　武田星輝＝太吉親族、株式会社麻生商店家事部

七月二十八日　土曜

午前十時四十分飯塚駅発ニ而長尾駅[1]ニ到リ、豆田坑[2]ノ新口開鑿ニ付実地調査、午後五時三十分ニ而帰宅ス

七月二十九日　日曜

飯塚町長・和田〔六太郎〕[3]・木村〔順太郎〕[4]ノ三氏、水道願ノ件ニ付相見ヘタリ

後藤寺町助役外三人相見へ、才判所問題ニ付申込アリ

森田氏ニ電話シ、三十日午前十一時支部[5]ニ而会合打合ス

水道補介願ニ書加へ、参考ニ供ス

七月三十日　月曜

午前十時自働車ニ而吉浦〔勝熊〕君ト出福ス

森田・山内両氏トお苑ニ而面会ス、才判所一件ハ自分東京より帰リタル上ニ而打合スコトニセリ

七月三十一日　火曜

午前八時四十三分博多駅発ニ而帰宅ス、博多駅より折尾駅迄森田正路君ト同車ス、吉浦君ト一同ナリ

午前七時ニ浜ノ町ニ後藤寺助役外一名相見へ、郡長より学校ト交換ニ付負担金ノ間違ノ旨申入アリタルモ、此際ハ種々異見ヲ相見合、円満ノ結了候様注意ス

午後八時藤森町長相見へ、折尾駅ニ而水道ノ補助ノ件ニ付知事ノ意向ヲ打合スコトニセリ

八月一日　水曜

本店ニ而坑務上ニ付打合ス（義之介・相羽・土地ノ武田・測量ノ三好〔力〕[6]ト四人ナリ

午後四時飯塚駅発ニ而上京ス

八月二十一日　火曜

午後十二時四十分博多駅着、直チニ自働車ニ而浜ノ町ニ着ス

八月二十二日　水曜

午前九水黒木〔佐久馬〕[7]君ト打合ス

堀氏相見へ打合ス

午前十一時半津屋崎[8]ニ自働車ニ而行キ、松本健次郎氏別荘ニ相見へ、東京ノ□〔顛カ〕末打合、午後三時十四分福間駅発ニ而帰ル

福間駅より浅野老人、折尾より貝嶋ノ高嶋〔京江〕[9]、中間より辻等ノ諸氏ト直方駅迄同車ス

八月二十三日　木曜

在宿

1　長尾駅＝筑豊本線（嘉穂郡上穂波村）、のち桂川駅
2　豆田坑＝株式会社麻生商店豆田鉱業所（嘉穂郡桂川村）
3　和田六太郎＝醬油醸造業（飯塚町本町）、飯塚町会議員
4　木村順太郎＝株式会社麻生商店監査役、株式会社森崎屋（酒造業）社長、飯塚町会議員
5　立憲政友会福岡県支部
6　三好力＝株式会社麻生商店本店測量係
7　黒木佐久馬＝九州水力電気株式会社福岡管理部主任、九月より筑後電気株式会社（浮羽郡田主丸町）監査役、本巻解説参照
8　津屋崎＝地名、宗像郡津屋崎町、麻生家別荘所在地
9　高島京江＝大辻岩屋炭礦株式会社取締役、元貝島鉱業株式会社取締役、のち貝島合名会社理事

九水村上氏ト電話ニ而、杖立地元契約金引渡ニ付協義ス[1]
野田・渡辺両君相見へ、所得税金ニ付打合ス、規則ニヨラズ多少譲歩シテ居合候様申含メタリ
後藤寺助役相見へ、才判所一件ニ付調和方進行セシ由申向ケ、是非相運候様注意ス
書類整理、尚夫々出状、又送金等手配ヲナス
献納品ニ付松居工場[2]より手代来リ、打合ス

八月二十四日　金曜

墓所花立打ニ参リタリ
藤森町長相見へ、水道補助願ノ件報告ス

八月二十五日　土曜

旧盆祭
在宿

八月二十六日　日曜

旧盆祭
在宿

八月二十七日　月曜

午後二時飯塚駅発ニ而別府ニ行キタリ

八月二十八日　火曜

別府滞在
和田[豊治]氏訪問

[大阪]商船会社久保[勝之進]君相見へ、郵船之桟橋問題ニ付種々異見ヲ聞キタリ
神沢[又市郎][3]君ニ郵船ノ桟橋架設ニ付別府町ノ有利ナル事ヲ電話ス
新聞屋ニ金十円遣ス
午後六時過キ和田氏ノ晩食会ニ列シ、午後九時半帰ル

八月二十九日　水曜

滞在
棚橋・今井[三郎][4]両氏相見へ、火力発電所場所撰定ニ付久留米地方ノ有望ナル異見ヲ含ミ、将来ノ研究アル様注意ス
長野善五郎[5]氏相見へ、昼食ヲナス
午後三時加納様[鉛子カ][6]松丸[勝太郎][7]方ニ而見送リヲナシタリ
午後六時田中[千里]知事之宴会ニ列ス、田之湯[8]ニ一泊

1　杖立＝杖立川水力電気株式会社、九州水力電気の全額出資でこの年設立、太吉社長
2　松居工場＝松居織工場株式会社（福岡市東中洲）、合名会社を一九一九年改組
3　神沢又市郎＝元大分県別府町会議員、のち別府市長
4　今井三郎＝九州水力電気株式会社常務取締役、本巻解説参照
5　長野善五郎＝九州水力電気株式会社取締役、二十三銀行頭取、酒造業（大分市）
6　加納鉛子＝麻生夏・野田勢次郎妻八重子母、元貴族院議員・元鹿児島県知事加納久宜妻
7　松丸勝太郎＝麻生家別荘山水園管理者
8　田之湯＝麻生家田の湯別荘（大分県速見郡別府町田湯）

八月三十日　木曜

滞在

午前八時小宮〔茂太郎〕[1]氏外一人相見へ、金融之相談アリタリ

梅谷氏相見へ、会社ノ事件ニ付種々異見ヲ聞キタリ

八月三十一日　金曜

滞在

大分知事より〔ママ〕中山旅館[2]ニ九水ヨリノ招待ヲナシ、出席ス

和田〔豊治〕氏ト一同帰宅ス

九月一日　土曜

藤森町長・森崎屋・花村栄〔永〕次郎ノ三氏相見へ、県会議員ノ件ニ付帰宅ノ事ヲ相談アリ、午後二時四十分発ニ而帰途ニツク

九月二日　日曜

和田氏邸ニ訪問、日田行ノ同行不能理由ヲ相談ナス

東京大変災[3]ニ付、吉浦相連レ十二時半自働車ニ而出福ス

〔以下空白〕

九月二十四日　月曜

午前

瓜生長右衛門・赤間嘉之吉両君相見へ、撰挙ノ始末及伊藤君身上ニ関係スル事柄ヲ聞キ取タリ

瓜生より上三緒地所買収之相談スルニ付、調査之上地元之人々ト面会ヲ約ス

木村順太郎氏相見へ、撰挙ニ付挨拶アリタリ

書類倉庫ノ整理ス
太賀吉等一行午後二時自働車ニ而出福ス

九月二十五日　火曜

在宿
書類倉庫ノ整理ス

十月一日　月曜

在宿
午後六時小野寺[直助]博士ノ自働車ニ而出福、浜ノ町ニ着ス
嘉穂銀行重役会ニ午後一時より出頭ス

十月二日　火曜

午前十一時半博多駅発ニ而岩田村[4]野田[四郎太][5]氏葬式ニ行キ、毛里[保太郎][6]君ト同車ス、矢部川駅[7]より下車シ、久留米国崎[武]喜次郎[8]氏

1　小宮茂太郎＝別府山水園開園、太吉に譲渡
2　中山旅館＝大分県速見郡別府町上ノ田湯
3　東京大変災＝九月一日関東地方大地震（関東大震災）
4　岩田村＝三池郡岩田村、野田卯太郎（元逓信大臣）家所在地
5　野田四郎太＝野田卯太郎次男、香川県仲多度郡長
6　毛里保太郎＝衆議院議員、門司新報社長
7　矢部川駅＝鹿児島本線（山門郡瀬高町）、のち瀬高駅
8　国武喜次郎＝国武合名会社（久留米絣）代表社員

ト同行ス

午後二時半渡瀬駅[1]ニ而乗車ス、野田氏邸より片岡君之自働車ニ而渡瀬駅ニ行キタリ

十月三日　水曜

浜ノ町別荘ニ而久保博士[猪之吉][2]太賀吉診察ヲ乞タリ

伊藤傳右衛門君相見へ、種々打合ス

天野寸君来リタリ

午後一時一方亭ニ行キ、午後三時半過キ自働車ニ而帰リタリ

加納様へ硯箱進呈ス

十月四日　木曜

松本氏相見へ、種々打合ス

中央新聞田部武一君来リ、金弐十円遣ス

村上巧二[児]君相見へ、九水会社ノ件打合

午後五時五十分ニ而別府ニ行ク、午後十一時別府駅着、直チニ山水園ニ自働車ニ而行ク

石崎敏行[3]・岡部種実[4]両氏相見へ、遠賀銀行[5]ノ件ニ付懇談アリタ

沢田知事・吉田良春氏[6]等同車ス

十月五日　金曜

山水園滞在

午前九時大分営業所ニ行キ、九洲重役協義会[7]ニ列ス

十月六日　土曜
別府滞在
森作太郎[8]・成田栄信[9]・衛藤又三郎ノ三氏相見へ、昼食ヲナス
田之湯ニ別荘ニ行キ、小川[10]ニ面会、種々養生上ニ付打合ス
金百五十円小野寺先生ニ礼ヲ差上ケル（使松丸［勝太郎］）

十月七日　日曜
棚橋君相見へ、種々打合ヲナス、昼食ヲナス、種々打合ヲナス
五日重役会ニ申合ニ而、着手ノ発電所ニ止メ、他ハ現在電力ノ供給ノ出来得ル様変電所又ハ配電線ヲ増加シ、其ノ結果収支ノ計算書調成ノ件

1　渡瀬駅＝鹿児島本線（三池郡二川村）
2　久保猪之吉＝九州帝国大学医学部教授
3　石崎敏行＝元福岡県会議員、のち衆議院議員
4　岡部種実＝この年九月まで福岡県会議員
5　遠賀銀行＝一八九七年設立（遠賀郡芦屋町）、一九二〇年遠賀郡折尾町に移転、一九二七年解散
6　吉田良春＝住友若松炭業所支配人、若松築港株式会社取締役、のち住友理事
7　九州重役協議会＝九州水力電気株式会社九州在住重役会
8　森作太郎＝弁護士（大阪）、元判事
9　成田栄信＝衆議院議員、別府別荘は四海荘（大分県速見郡別府町田湯）
10　小川＝麻生家田の湯別荘内居住

大分セメン[ト脱]会社[1]ヲ将来九水ノ営業ニスル利害ニ付方針ヲ定メルコト

産業[九州産業鉄道]会社ノ如ク石灰石ヲ以電化工業ヲ起シ、石炭営業ノ終リタル時ニ電力ヲ移ス方針ヲ研究スルコト

〆

十月八日　月曜

午前七時半別府駅発ニ而浜ノ町ニ午後二時半着ス

午後五時青木[柳]乗合自働車ニ而帰宅ス

古川氏等同車ス

十月九日　火曜

在宿

渡辺皐築君相見へ、産鉄ノ件打合

堀氏ト電話ニ而産鉄協義ノ件ヲ打合セ、十ヨ十二時出福ヲ約ス

伊藤傳右衛門君ニ電話、十日滞在ノ通知ス

十月十日　水曜

午前十時二十分飯塚駅発ニ而出福ス、博多駅ニハ伊藤君自働[車脱]カ来リ、福村屋[家]ニ而産業会社ノ件協議ス

財団[2]手続キ急調ス、又石灰焼ニツキ局[ママ]力努力ナスコト、并ニ石灰ヲ及フ限リ増採ナスコト等打合ス

午後一時着、昼食ヲナシ、其後前段ノ協義ナス

渡辺皐築君モ出席ス

堀氏より嶋田地所指押解除ノ相談アリタリ

十月十一日　木曜

午前八時四十分博多駅発ニ而帰途ニツク

折尾駅より青木[ママ]門司運諭[輪]事務所長青木康冨・運輸事務所技師倉賀野保郎・運転課長山崎精一ノ三氏ト同車、新駅前ノ道路ノ件ニ付打合ス

藤森町長、花村栄[永]次郎・土木技手ト相見へ、新設新路ニツキ実地ニ臨ミ打合ス、村長より直接門司管理局及県当局ニ申入、相運兼タルトキハ自分カ其ノ局ニ当リ尽力スルコトモ申添へ置キタリ

飯塚警察署長[山田小一郎]相見へタリ

産鉄ノ倉庫調査ヲ渡辺君ニ命ス

門司運諭[輪]課[3]長岸本熊太郎

十月十二日　金曜

瓜生来リ、博多土地買収ノ件及産鉄会社ノ道路線ノ件ニ付内談ス、折柄後藤寺原田[種憲]氏モ相見へ、産鉄・県道等ノ件ニ付打合ス

本家ノ事務取扱中振替ノ分ハ本家ニ而調査ノ事ヲ吉浦君ニ申付ケル、尚相運兼ルバ本店ニ委托スルカニ付親シク申付タリ

1　大分セメント株式会社＝一九一八年二月設立（大分市本町）、のち小野田セメント製造株式会社に合併
2　財団＝抵当権設定のための鉱業財団
3　鉄道省門司鉄道局

十月十三日　土曜

許斐安太郎外二人相見ヘ、故白土正種[尚][1]氏ノ紀念碑寄付ノ相談アリ、吉浦ヲ以応接ナサシメ、他日返事ナスコトニ申答ヘタリ

上田穏敬君来リ、別府地所耕地整[理脱]組合件ニ付打合中、銀行より星野[札助]氏出行之旨申来リ、昼食後直チニ銀行ニ行キ、鞍手銀行より相談ノ嶋田地所指押[ママ]解除并ニ競売ノ件打合、十四日臨時重役会開催スルコトニセリ、帰途本店ニ立寄、上田同道、重而別府地所ノ打合ハ取調書ヲ成シ本店員ト打合ノ事ニシテ、別府地主連ニ協義シ、又町役場ノ補助等取極候上ニ而調印ノ場合ニ至ラバ、尚申入様申伝ヘタリ、其ノ上ニ而調印ナスコトニセリ

九水対鯰田地所ノ件、平塚[2]買収地約定直[値]段より幾分増加（他ニ関係セザル限リナリ）スルコトモ致方ナキ旨申答タリ

十月十四日　日曜

午前九時嘉穂銀行重役会ニ列ス、嶋田貸金処分ニ付打合ス

午後二時帰宅ス

藤森・上田両人相見ヘ、停車場道路ニ付打合ス、差向タル分ニツキテハ責任ヲ以尽力スルモ、其ノ他ノ分漸次町ニテ進行セラル、様申向ケタリ

東鉄[3]宇佐川[宇和川武夫][4]氏より電話アリ、十五日午前八時五十分飯塚駅発ニ而出福スルニ付、其ノ鍼[汽]車ニ乗合セノ事ヲ電話ニ而打合ス

柏木商次[治][5]君相見ヘタリ

十月十五日　月曜

午前八時五十分飯塚駅発ニ而出福ス、折尾駅ニ而宇和川東鉄書記及原嘱托ノ両氏待受アリ、博多駅迄同車ス

若松埋立地許可ノ期限、設計変更願出願セシタメ不行届相生シ候ニ付、新願スルコトニシテ、尤只期日ヲ失セシ迄ニテ他ニ何等故障ナキ故、地元ニ了解得ル様打合ヲナシタリ

浜ノ町別荘ニハ星野氏ヲ招キ、法律上ニ付研究ヲ乞タリ

午後四時一方亭ニ堀・伊藤ノ両氏ト中央新聞ノ件ニ付打合セシ結果、十六日支部[政友会]ニ而森田君ト打合スルコトニナリタ

十月十六日　火曜

午前八時半沢田知事ヲ訪問シ、東鉄埋立願不行届之事ニ付親シク陳情ス

旅順管[館]6宇和川氏ヲ訪問、尚県庁ニ上伸[ママ]方申向ケタリ

午前十時半政友会支部ニ会シ、伊藤・堀・森田・山内氏ト協義シ、森田氏より吉原[正隆]君ニ照合ノ事ニ打合ス

午後一時一方亭ニ行キタリ、昼食ス

遠賀郡石崎[敏行]・岡部[種実]両氏、[遠賀]銀行救済之件ニ付堀氏一同懇談アリタ、十七銀行ニ懇談ノ事ヲ打合ス

宇和川・原両氏相見ヘ、県庁ニ新願提出[ママ]セリ、又副伸[ママ]書モ極メテ明瞭ニ認メ進達ノ報告アリタリ

1　白土正尚＝元厳島神社（嘉穂郡頴田村）宮司、元戸長・嘉穂郡頴田村長・福岡県会議員、正種は正尚長男
2　平塚＝地名、嘉穂郡上穂波村
3　東鉄＝東洋製鉄株式会社、一九一七年設立、太吉取締役
4　宇和川武夫＝東洋製鉄株式会社支配人、元山陽鉄道株式会社
5　柏木商治＝太吉親族（京都郡行橋町）
6　旅順館＝旅館（福岡市橋口町）

十月十七日　水曜

午前六時四十分博多駅発ニ而帰宅ス
麻生太〔多〕次郎[1]君相見へ、駅ノ前ノ拡張ノ内談アリタ
野田勢次郎氏相見へ、上京ノ打合ヲナス
加納〔鎰子カ〕様飯塚駅ニ見送リタリ

十月十八日　木曜

在宿
渡辺皐築君ト倉庫之件ニ付打合ス、堀氏ニ頼ミアルニ付電話ニテ打合ノ件并ニ産鉄接続ノ件等ナリ
嘉穂銀行支配人〔西園磯松〕ト嶋田落札納入ノ件ニ付再度打合ヲナス
野見山米吉氏上京ノ事情、〔野見山〕[2]八十吉氏より義之介カ伝達セシニ付、近日同氏訪問ノ上直接野見山旅館ニ出状ナスコトニセリ

十月十九日　金曜

午前八時五十分飯塚駅発ニ而、大分県元知事田中千里氏熊本県知事ニ栄転ニツキ、折尾駅ニ見送リニ行キタリ
上三緒区惣代井手代四郎[3]外七、八名、地所買収之相談アリ、調査ノ上返事之事ヲ申向ケタリ
藤森町長ト停車場前ノ道路件ニ付電話ス、小生注意ノ通ニ取極、道路敷地買収ニ着手スルコトヲ申サレタリ

十月二十日　土曜

在宿
藤森町長相見へ、停車場前道路筋ニ付打合セ、急場之方ヲ先キニシ、漸次拡張之事ヲ申合セタリ
武田〔星輝〕・花村〔徳右衛門〕ヲ呼ヒ、土取場取〔ママ〕取締ニ付充分責付セシモ、丸而咄シニナラヌ、大ニ将来地所掛ノ注意ヲ要ス

十月二十一日　日曜

午前七時二十分飯塚駅発ニ而別府ニ向ケ出発、午後一時半別府駅着、直チニ自働車ニ而山水園別荘ニ行ク
山田［駒之輔］病院々長同行、自働車ニ而門前迄送リタリ

十月二十二日　月曜

近傍ノ山林ニ山猟ニ行ク、野口[4]猟師ニ三円、車夫ニ弐円遣ス
午後八時直方堀氏より、遠賀銀行借リ入金切迫ニ付土地担保ニテ鞍手銀行ト合同シテ五万円融通方電話アリタルニ付、担保品調査方ヲ申向ケ、廿三日午後四時帰宅スルニ付何分之電話アル様打合ス

十月二十三日　火曜

午前七時三十分より太賀吉等一同猟師・犬ヲ連レ自働車ニ而塚原[5]行道路迄行キ山猟ス、午後四時半帰宅ス、野口ノ猟師ニ五円遣ス

十月二十四日　水曜

九水之村上取締役ニ電話ス
小野［廉］弁護士・藤沢［良吉］[6]両氏相見へ、温泉鉄道ノ件ニ付、神戸ノ曽根某指押［ママ］ノ内談アリタ、清算人ノ権限ノ範囲ニ而可成

1　麻生多次郎＝麻生家新宅、元筑豊倉庫株式会社長、元飯塚町長、元福岡県会議員
2　野見山八十吉＝元麻生商店
3　井手代四郎＝大四郎とも、上三緒区長、元嘉麻川酒造合資会社支配人、元笠松村助役、元飯塚町会議員
4　野口＝地名、大分県速見郡別府町
5　塚原＝地名、大分県速見郡石垣村北石垣
6　藤沢良吉＝元別府温泉鉄道株式会社（未開業）専務取締役、のち別府市会議員

穏当ニ進行セラル、外無之と申向ケタリ

金百円　夏子[麻生][1]山猟入用トシテ渡ス

堀氏より遠銀[遠賀銀行]ノ件ニ付福岡ニ而集会ノ電信アリ、午後三時弐十分別府駅発ニ而浜ノ町別荘ニ向ケ帰リタリ、午後九時半着ス

村上常務別府駅ニ相見へ、面会ス

十月二十五日　木曜

戸畑松本[健次郎]氏へ電話、廿九日面会ヲ約ス

本家ニ電話シテ工事上ニ付打合ス

宇和川・原両氏相見へ、戸畑埋立地成行ニ付報告アリタリ、右ニ付沢田知事ニ尚上伸[ママ]スルコトニ申合ス

堀氏相見へ、遠賀銀行ノ件ニ付、勧銀より借リ入ルニ付、手配相調候時ハ勧銀ヲ▨[確カ]カメラレ一時融通ノ内談アリタ

野田勢次郎君ト電話シテ打合ス

伊藤君ニ在宿ノ電話ス

石崎・岡部両氏相見へ、遠賀銀行ノ件ニ付相談アリタルモ、十七銀行ニ担保ヲ差入堀氏ト保証スル方得策ナル旨申向ケタリ

午後四時一方亭ニ行キ、堀・伊藤両氏ト打合ス

金弐百五十五円、屏風一双、黒瀬[元吉]払

十月二十六日　金曜

沢田元知事官舎ニ訪問ス

県庁ニ出頭、土木課長ニ面会、戸畑埋立願ニ付上伸ス

午後一時博多駅発ニ而帰宅ス、途中樫田〔三郎〕郡長ト同車ス
野田勢次郎君相見ヘ打合、尚廿七日産鉄出張ヲ約ス
松本氏ヘ電話セシニ、廿八日迄呉港ニ出張中ニ付、宇和川君ニ電話ス

十月二十七日　土曜

在宿
国民新聞[2]社員〔西川覚太郎〕来リ、復興号発行ニツキ公告料五百円承諾ス
藤森町長・和田六太郎ノ両氏相見ヘ、水道補助願ニ付上京ノ内談アリタルモ、新知事着任ヲ待チ充分ニ上伸〔ママ〕ヲナシ、知事ノ添書ヲ乞方得策ナル旨申向、再考ヲ促カシタリ
麻生太次〔多〕郎相見ヘ、停車場新道路ノ件内談アリタリ

十月二十八日　日曜

在宿
産業会社池尻〔豊太〕相見ヘ、松本氏関係ノ石灰区域図面持参アリ、調査シテ伊藤傳右衛門君ニ為持遣ス、又同君出福之義天神[3]伊藤君ニ電話ス
〔麻生〕五郎分家ニ付品物調査ス

1　麻生夏＝太吉三男故麻生太郎（元株式会社麻生商店取締役）妻
2　国民新聞＝一八九〇年徳富蘇峰創刊、このころ東京五大新聞の一つ
3　天神＝地名、福岡市天神町、伊藤傳右衛門別荘所在地

金三百五円　ふよ［麻生］[1]より受取

上田ト電話ニ而、別府耕地整理ノ件、地主一同異義ナキニ付（当方より示セシ分）進行方希望スルト申入タリ

十月二十九日　月曜

午前七時二十分飯塚駅発ニ而若松築港会社重役会[2]ニ出席

松本氏ヲ商店[3]ニ訪問セシモ出店ナキ、直チニ築港会社ニ行ク

東鉄戸畑埋立地延期願ノ誤悔［解］ヨリ失期ノ恐レアリ、新願提出セシニ付町長ニ了解セラル、様了解方懇願ス

久屋ニ立寄、東鉄宇和川君ニ面会、埋立之件ニ付会談ス

戸畑より電話ニ而小倉ニ行キ、午後一時三十分小倉駅発ニ而別府ニ向ケ出発ス

午後五時五十分別府駅、直チニ自働車ニ而山水園へ行ク

九水之本社より電信、本家より電話ニ而申来ル（午後九時）

十月三十日　火曜

村上取締役ニ電話セシニ、自働車ニ而相見へ、会談ノ末、梅谷氏ニ立会ノ必要アリ、杖立ノ件ハ一日梅谷氏上京ニ付其上ニ而上京スルコトニセリ、右ニ付杖立会社創立ヲ急キ、成立ノ上藤山［常一］[4]君と協義ナス方得策ノ旨本社へ返電ス

（村上氏ニ托シ大分出張所より打電セリ）

十月三十一日　水曜

午前五時四十分別府駅発ニ而、太賀吉等一行ト折尾駅より分カレ出福

午前一［ママ］時頃伊藤君相見へ、産鉄ノ件松本氏ニ相談ノ結果、尚御考慮ヲ要セラル、コトニナリ、勘定書等送布［ママ］方約定アリ、直チニ伊藤君名前ニ而松本氏ニ送布方電話ス

松本氏ノ口気ハ、半高現金半高株金ニ而承諾アル模様ナリトノ事ナリ

沢田知事送別会ニ列ス
おまさニ堀・伊藤ノ三氏ト行キ会談ス

十一月一日　木曜

土斐崎三右衛門氏相見ヘタリ
林繁夫[5]ト申人相見ヘ、東京ニ而筑前人救護ノ件ニ付緩〔援〕助之申入アリ、松本氏取極ノ上申入アル様申向ケタリ
午前十一時よりおゑんニ行キ中村氏ニ会談中、沢田知事相見ヘ、堀氏一同送別宴ヲ催ス
午後五時五十七分沢田元知事ヲ見送リ、お苑へ引返シ、中村氏ニ晩食ヲナシ、午後八時帰宅ス

十一月二日　金曜

林繁夫君ニ金三百円緩助シ、百五十円ハ懐中、百五十円ハ操〔麻生ミサヲ〕[6]へ出金ヲ乞タリ
午前八時四十分ニ而帰途ニツキ、十一時四十分飯塚駅ニ着ス
鎥〔汽〕車中立花伯〔寛治〕ニ面会、新宮駅迄御同車ス
高博士〔壮吉〕[7]・坂▨〔梨カ〕氏等同車ス

1　麻生フヨ＝太吉四女、麻生五郎妻
2　若松築港株式会社＝一八八九年若松築港会社設立、一八九三年株式会社、太吉取締役
3　商店＝安川松本商店（若松市船頭町）
4　藤山常一＝電気化学工業株式会社専務取締役
5　林繁夫＝この年在京福岡県人会設立、雑誌『福岡県人』発刊、元『運輸日報』主筆、元全国鉄道速成同盟会常任理事
6　麻生ミサヲ＝太吉長男麻生太右衛門妻
7　高壮吉＝九州帝国大学工学部教授

宇和川氏相見へ、戸畑町長之意向松本氏ノ尽力ニ而了解アリシモ、議員ノ内ニ異論者アリ、両三日中ニ了解ヲ得ル
筈ノ報告アリ、右ニ付土木科[福岡県]ニ其旨報告ノ注意ス
太賀吉等一行午後四時ニ而上京ス

十一月三日　土曜

在宿
福間久一郎上三緒区へ関シ取調ノ件ニ付参リタリ
木村順太郎氏相見へ、上野文雄氏[1]より晩食案内ノ事ニ付相談アリ、電話ス（福岡森山）

十一月四日　日曜

山猟ニ義太賀[麻生][2]等召連行キタルモ、家内養体悪敷[容態]旨通知アリ、鯰田山より引取タリ
小野寺博士ニ相談セシモ差合ニ付、三宅先生ニ御願スルコトニ電話ス
義之介地元地主ト坑業地所ニ付契約ノ効力之如何ニ付星野氏ニ鑑定ニ遣シ、午後六時引取、報告ヲ受ケタリ、其ノ
筆記ハ本店ニ備ヘル
花村栄[永]次郎君ニ、土取場ノ不都合之申分相分兼候付調査方電話セシモ、病気ニ付取次キ之人ニ申伝ヘタリ

十一月五日　月曜

野田勢次郎氏相見へ、営業上整理之件ニ付内談ヲ受、実行方申談ス、入江処[松太郎カ][3]分ニ付今暫ク見合之事ヲ注意ス
藤森町長相見へ、道路敷地四円ニテハ高直[値]ニ付三円ニ引直ノ相談アリ、自分ハ異存ナキモ、四円ト申スハ高直ニナ
ラズ様前以ノ極直ニ付、了解アル様注意ス
右ニ付地元人ニ打合ス旨申向ラレタリ
九水ニ鯰田山林寄付ニ付、会社ヨリ返礼ニ付申入アリタリ

宇和川・原両氏相見へ、戸畑地元ニ於而異存ナキモ借リ入金ノ内諸之意向ヲ示シ候ニ付、本社ニ帰京セラレ打合之事ヲ打合ス、午後五時卅分帰ラレタリ

十一月六日　火曜

許斐[安太郎]氏相見へ、白土[正尚]氏紀念碑寄付ノ相談アリタリ

家内病気ニ而三宅[速]博士診察アリ筈ナリシヲ、血アツ弐百五十以上ニ而万一破列[裂]ノ恐レアリ、見合之事太七郎ニ申付相願タリ

十一月七日　水曜

在宿

上田・福間両君来リ、上三緒区より買上ケ地交渉ノ□[顛カ]末ヲ聞キタリ

渡辺君相見へ、森崎屋ノ事情聞キ取タリ

十一月八日　木曜

在宿

上三緒区惣代井手代四郎外三名相見へ、午前九時より午後三時迄、同区ノ相談ハ借地ヲ高直[値]ニ而一時買上ケ呉レ候トノ事ナリシモ、村益金納付中ハ難応、村受ヲ止メ候トキハ考慮可致ト申向ケ、借上ケザレバ上三緒区ニ難堪事情アレハ特ニ考慮スルモ、区持ト町トノ関係ノ為メニ買上ケナスハ事情免サザル旨申向ケ、尚熟考セラレ候様申向、

1　上野文雄＝福岡県会議員、元嘉穂郡庄内村長
2　麻生義太賀＝太吉孫
3　入江松太郎＝株式会社麻生商店豆田鉱業所長

帰宅アリタリ

十一月九日　金曜

九水営業所より電話ニ而、明日午後六時三井銀行支店長招待スルニ付臨席ノ義申来リ、承諾ス

午前九時乗合自働車ニ而後藤寺産鉄会社事績調査ノ為メ、野田・渡辺両氏同供出張ス、鉄道トンネルノ場所ヲ調査シ、午後五時四十分上三緒駅発ノ鏉[軌]道ニ而午後九時帰宅ス

十一月十日　土曜

午後一時三十分乗合自働車ニ而嘉麻川橋[1]東側ニ待受出福、午後四時博多ニ着、直チニ人力車ニ而浜ノ町ニ着ス

午後五時三十分於苑ニ而九水ノ渡辺[綱三郎][2]、[三井銀行門司]支店長招待ニ陪席ス

午後十一時帰宅ス、自働車

　百五十円ト外ニ二十円女中遣ス

十一月十一日　日曜

棚橋氏別荘ニ相見へ、杖立発電所ノ件ニ付八塚[秀三郎][3]・村上[巧児]両氏ノ書状ヲ昨夜ヨリ示セシニ付、会社創立手続研究ノ為メ

星野氏ヲ招キ研究ス

其ノ手続書ハ別ニアル、其ノ結果村上氏出福ヲ乞タリ

午後五時沢田元知事ノ奥様御出立ニ付博多停車場ニ見送リタリ

帰途於苑ニ立寄晩食ス

十一月十二日　月曜

午後一時村上・棚橋両氏相見へ、杖立発電所創立会社ノ件ニ付打合セ、梅谷氏ニ別ニアル電信ヲ発ス

村上氏熊本発起人訪問ノ事ニ打合ス

麻生観八氏[4]病院ニ見舞ニ行キタリ
小野寺博士病室ニ而面会ス、夫より三宅博士ノ来診ヲ願ヒ、明日午後十二時半自働車ヲ廻ス様承知アリ、自働車ニ而御供シ大名町[5]ニ御送リシタ
三宅博士来診之事ヲ本家ニ電ス

十一月十三日　火曜

棚橋氏相見へ、上京中和田氏〔豊治〕ト面会ノトキ、大分セメン〔ト脱〕株入〔ママ〕之事ハ何等意向発表ナカリシモ、石灰山ヲ買入置キ電化事業ヲ起ス事ハ充分希望アリトノ事ナリ
杖立会社創立ノ為メ村上君上京ノ件、嘉ホ〔穂〕銀行予〔預〕金十一月ナルモ十二月ノ惣会迄据置ノ件、其他会社創立ニ関スル打合ヲナス
小野寺博士ニ二十三日・廿四日・二十五日ノ間ニ上京ノ内談中ナリ旨ヲ聞キタリ
午後十二時五十分三宅先生病院ヨリ本宅ニ御供シ、御診察済後同車シ、午後七時浜ノ町ニ着ス
午後七時半村上・棚橋両氏ト杖立ノ事ニ付打合セ、自働車ニ而送リタリ

1　嘉麻川橋＝飯塚町立岩と菰田を結ぶ嘉麻川に架かる橋
2　渡辺綱三郎＝九州水力電気株式会社監査役、株式会社紙与呉服店常務取締役
3　八塚秀二郎＝九州水力電気株式会社、翌月設立の杖立川水力電気株式会社取締役
4　麻生観八＝九州水力電気株式会社監査役、酒造業（大分県玖珠郡東飯田村）、第二巻解説参照
5　大名町＝地名、福岡市

十一月十四日　水曜

午前十時棚橋・村上両氏并ニ山下[彬麿]弁護士ト相見へ、会社創立ニ付打合セ、昼食ヲナス

伊藤傳右衛門氏相見へ、産鉄松本氏石灰山買収希望ヲ申入タルモ、五万円ノ現金ニ五千円ノ利子ヲ用シ[ママ]、又株金五万円ハ仮ニ六朱ノ配当トスレハ三千円ヲ要シ、合計八千円ヲ要スルニ至リ、目下ノ情況ニテハ甚タ困難ニ付、一割配当ノ時機迄延期ノ申入ノ事ニ相談シ、堀氏不在ナルモ至急ヲ要スル故、松本氏ニ申入ノ事ヲ打合ス、堀氏ニハ帰福次第伊藤君より懇談ヲ頼ミタリ

十一月十五日　木曜

在宿

午後二時半より上三緒区惣代倶楽部[麻生商店]へ相見へ、午後七時半迄懇談ス、村補金ヲ一時打切、借リ入土地一時買上ケニ付調査スルコトニシ、東京より帰県ノ上再会スルコトニセリ

十一月十六日　金曜

松岡芳右衛門来リ、鯰田山ノ盗採之始末報告セリ、いさい[委細]申談ス

在宿

本社ニ行キ、上三緒区ノ件ニ付調査方筆記ヲ示シ、野田氏立会、相羽・上田・福間・花村[久兵衛]等立会ノ上詳細申向ケタリ

電力配置法ニ付花村より聞キ取タリ

新停車場設置ニ付道路新設ノ件、藤森町長・上田・栢森区長等相見へ打合ス

十一月十七日　土曜

午前藤森町長・本村区長・麻生多次郎ノ四氏[ママ]相見へ種々打合、停車場前ノ道路ハ南側ヲ第一ニ着手シ、停車場前ノ

橋巾ヲ七間トシ、以下ハ本村ノ希望之松下ノ橋より直行シテ新排水路ヲ設ケ、東側ノ中央ニ道路ヲ設ケ、両側ニ人家ノ出来得ル様設計スルコトニ予約ス
有田・上田両氏別府土地世話人ニ心付之事ニ付懇談アリシモ、小作米取立ノ世話料ヲ少シク高クシ位之事ニ而、病気又ハ火災等ノ場合ニハ世話ノ縁故ニヨリ相当ノ見舞ヲナスハ異存ナキモ、中途ニ送金スルハ不宜旨申向ケタリ
伊藤氏ニ（福岡）電話、大分セメン〔ト脱〕ノ事ニ付打合ス
堀氏帰直ニ付電話アリ、直方ニ而面会ヲ約ス
午後四時飯塚駅発ニ而上京ノ途ニツク

十二月一日　土曜

浅野工場[1]へ石灰石売込并ニハラス[2]売込ハ運搬ハ受負ニ付スルコト、并ニ地元区民ニ山神祭リ之トキニ酒樽ヲ呈シ、又石灰山区持買入ニ着手スコト、尤従来之買受直〔値〕段ニヨルコト、惣会ニハ六朱ノ配当ヲナスコト、重役会ハ書面ニ而同意ヲ乞等、渡辺君ト打合ス
午前十一時五十分京都より帰着ス

十二月二日　日曜

午後三時半飯塚ノ乗合自働車ニ而田山さん〔クマ〕[3]ト浜ノ町ニ行キ、荷物ノ調査ヲナス
午後六時於苑ニ而晩食ヲナス

1　浅野工場＝浅野セメント株式会社門司工場（門司市白木崎）、一八九三年設立
2　ハラス＝バラスト、道路などに敷く砕石
3　田山クマ＝麻生家、元麻生家華道茶道家庭教師

藤森町長其他相見へ、芳雄駅拡張ニツキ新設道路ノ打合ヲナス
墓地占有承諾書ハ別紙写ヲ福間[久一郎]より受取、本書ハ本店ニ直シアリ

十二月三日　月曜

荷物調査ス
一河内卯兵衛君[1]相見ヘタルモ不在ニ而面会ヲナサズ、帰宅アリタ

十二月四日　火曜

堀君相見へ、銀行ノ打合ヲナス、又取引所[2]ノ件打合セアリ
[麻生]五郎来リ、実家金融上ニ付内談スルニ付、金三千円一時融通ノ事ニ義之介ニ照合ス
於苑ニ堀氏ト行キ昼食ヲナス
田川郡長[古田義郎]、柴田郡書記（柴田清松）・金川村長荻原将猷・後藤寺町長[山口良介]ト自働車ニ而相見へ、農学校[3]問題政友会支部ニ懇談方申入アリタ、晩食ヲナシ一同帰郡アリタ

十二月五日　水曜

午後十二時半白雪屋自働車[4]ニ而帰リ、荷物持返[ママ]リタリ

十二月十七日　月曜

午後東京ヨリ帰着
堀氏より電話アリ、十九日福岡ニ而面会ノ約ヲナス
大浦家移リ[5]ニツキ祝盃ヲ挙ク
芳雄駅新設道路費ハ、栢森側弐千九百円、立岩側弐千七百五十三円ニ而受負セリト助役より電話ノ由、吉浦より申入タリ

十二月十八日　火曜

渡辺皐築君来リ、産鉄ノ報告ヲ聞キタリ
重役ノ賞与ハ平取締役百円、社長二百円、其ノ余ハ専務・常務ニ充当スルコト
野田及義之介両氏相見へ、別府別荘ノ件并ニ坑務上ニ付聞取タリ

十二月十九日　水曜

午前在宿、種々整理
午後一時出福、浜ノ町ニ着ス、自働車乗合壱人ナリ故金十円ヲ遣ス
午後三時半着ス、堀氏出福ナク空シク会談ヲ不得

十二月二十日　木曜

星野相見へ、法律上ニ付種々研究ヲ乞タリ（銀行合併ニ関スル件
堀氏相見、産鉄報州[酬]、平取締役百円、社長二百円、其ノ余ハ専務・常務ノ設置迄渡辺皐築君ニ贈与スルコトニ内諾
アリタ、又□[線]路変更ノ件も内諾ヲ受ケタリ、博多取引所株之件ニ付内談アリタ
河内卯兵衛氏相見へ、博多株式所株委任ノ事ニ付内談アリタ

1　河内卯兵衛＝株式会社博多株式取引所理事長、元福岡市会議員、のち福岡市長
2　取引所＝株式会社博多株式取引所、株式会社博多米穀取引所として一八八四年設立
3　農学校＝この年四月田川郡立農学校を改組し田川郡町村立鷹羽学館（男子三年制乙種農学校、女子二年制技芸女学校）となる
4　白雪屋自動車＝堀助経営白雪屋自動車部（福岡市大浜町）
5　この年大浦家（飯塚町栢森）新築、麻生太右衛門家移転

黒瀬より五十円買物ス
天野[寸]来リ、鹿町[1]坑区ノ咄ヲ出シタリ
午後二時三十五分博多駅発ニ而帰リタリ
貝嶋太市[2]君ニ折尾より直方迄同車ス

十二月二十一日　金曜

午前在宿
午後一時嘉穂銀行重役会ニ臨、重要問題評議ス
二百円博済、三百円銀行、報洲[酬]受取タリ

十二月二十八日　金曜

午前十一時半東京より帰宅ス
昼食後午後一時より博済会社重役会ニ列シ、午後五時迄協議ス
五円九十銭、七月十二日貯[3]蓄旅費

十二月二十九日　土曜

嘉穂銀行重役会ニ列シ、博済株売却ニ付打合ス

十二月三十日　日曜

伊藤[傳右衛門]君ニ大船[渡脱]セメン[4]ノ件ニ付電話致、来状見合之懇談アリ、見合ス
堀君ニ電話シ、来春福岡ニ而合同ノ件[5]ニ付永江[真郷][6]君ニ出状ノ打合ス
大坂より佐伯[梅治][7]君相見へ、店員ノ件ニ付打合ス
金弐百五十円吉浦より受取（壱百五十円組田[駒之助][8]、百円ハ喜多氏より二幅買入代ノ分受取

青柳嘉穂銀行員来リ、契約証草案ニ付訂正シテ協義方申向ケタリ

金銭出納簿

金千四百四十七円十八銭　十一年七月より十二月迄賞与金
同弐百円四十銭　同貯〔嘉穂〕蓄銀行同
〆千六百四十七円五十八銭
内
金三十円　仕給〔ママ〕
同弐十五円　松月

1 鹿町＝地名、長崎県北松浦郡鹿町村
2 貝島太市＝貝島合名会社代表業務執行社員、貝島商業株式会社長、大辻岩屋炭礦株式会社監査役
3 貯蓄＝嘉穂貯蓄銀行、一九二〇年設立（飯塚町）、太吉頭取
4 大船渡セメント株式会社＝一九二四年一月創立総会開催（東京市）、三月大分セメント株式会社に併合
5 福岡県内中小銀行合同計画
6 永江真郷＝三池銀行常務取締役、のち頭取
7 佐伯梅治＝株式会社麻生商店大阪出張所長
8 組田靹之助＝骨董商（東京市）

〆
外ニ
　十円　懐中より
〆
残而千六百二円五十八銭

金弐百三十二円　大正十二年一月廿六日博済惣会ニ而受取
十一年下半期（七月より十二月迄ナリ

金三百円　嘉穂銀行手当、十二年一月より六月迄
同十一円八十銭　一月十六日・一月廿一日重役会日当、貯蓄銀行
〆三百十一円八十銭　十二年七月十二日受取

十二年七月二十二日
金弐百四十円　十二年一月より六月迄ノ分
博済賞与金
同弐百弐拾弐円五十五銭　同上
［嘉穂］貯蓄銀行同上
金壱千八百三円廿七銭　同上

嘉穂銀行同上

〆二千二百六十二円五〔ママ〕十二銭

外ニ

五円　博済・かホ〔嘉穂銀行〕・貯蓄ノ弁当料

〆二千二百六十七円五〔ママ〕十二銭

内

金三十円　小使

同弐十八円　早原書記病気引ニ付見舞

同十五円　花村上〔同脱〕

同三十円　松月女中

〆百三円

残而弐千壱百六〔拾脱〕四円五〔ママ〕十弐銭

金五千円　十二年七月廿三日義之介より受取

内

金壱千五百円　義之介

同五百円　太七郎

同三百円　五郎

〆

同五十円　夏子
同四十円　太賀吉・典太・つや〔ツヤ子〕・辰〔辰子〕[1]
同百円　太右衛門[2]
同五十円　操〔ミサヲ〕
同百五十円　やす[3]
同五十円　米子〔ヨネ〕[4]
同弐十円　義太賀・太介[5]
同五十円　君生〔きみを〕[6]
十円　たきよ〔多喜子〕[7]
同五十円　冨代〔フヨ〕
同二十円　淇郎・忠二[8]
〆二千八百九十円
残而金弐千百十円　残在

十三円八十六銭　九月廿九日若松築港会社重役会出頭日当
百六十六円　黒瀬買物、岡松より受取
六百二十円　黒瀬買物仕約メ一時取かへ分、吉浦より受取

十二年十一月十七日調査　○弐百六十五円残金アリ

○六百五十円　十二年五月より十一月迄若松築港会社ノ賞与金受取
九十一円五十銭　黒瀬買物仕約メ、吉浦より受取
内
五十円　家内渡ス
残而○四十一円五十銭　現金アリ
○五十円　懐中現在
○印四ツ
〆金壱千六百円五十銭
外ニ
七十五円　古懐中ニ現在
内九百円　封金

1　麻生典太・ツヤ子・辰子＝太吉孫
2　麻生太右衛門＝太吉長男
3　麻生ヤス＝太吉妻
4　麻生ヨネ＝太吉四女
5　麻生太介＝太吉孫
6　麻生きみを＝太吉四男太七郎妻
7　麻生多喜子＝太吉孫
8　麻生摂郎・忠二＝太吉孫

残金百八十一円五十銭　　十一月十七日現在懐中

七月十三日銀行報洲［酬］日当受取分　　三百十一円八十銭

［欄外］状袋上紙ニ記シアリ

七月十五日

百四十円　　懐中

八百円

〆九百四十円

外ニ七月十三日

千円　　吉清より受取

東京出発ノトキ調査

〆千九百四十円　　現在

［欄外］同

五日

千円　　十枚

百九十円　　現在

〆　　黒瀬目六四百円ト百八十円ナリ

〔欄外〕状袋表紙ニ記アリ
四百四十八円　　　　十月十日受取
十五円

〔欄外〕同
七月三十一日調査ナリ
二千百六十四円五十二銭　銀行賞与等残
二千百十円　　　　　　　賞与残
〆四千二百七十四円五十二銭
　内
弐千円　　　上京ニ持参
六百円　　　借用金明石町[1]迄
二百廿五円　諸口払出
三百円　　　黒瀬買物三口
千百三十八円　現金

〔欄外〕七月二十七日、九百円ト百三十八円アリ

1　明石町＝地名、東京市京橋区、益田孝邸所在地

〆四千二百六十三円

残而十一円　　不足

外ニ

　百八十円　　懐中残リ

百弐十五円四十八銭　　十二年中重役会旅費、産鉄会社

[欄外] 十二月三十日受取

八百円　　賞与金

　内

二百円ハ　　社長ノ賞与トシ

六百円ハ　　専務・常務ノ撰定迄渡辺[皐築]君ニ渡ス

　　（本店より仕払セシニ付六百円本店ニ返ス

[欄外] 十二月三十日受取、同日本店ニ返ス

〆

十二年冬

○金五十円　　夏子

○同十円　　太賀吉

○同三十円　　典太・つや・たつ

○同五十円　操
○同百五十円　やす
○同五十円　米子
○同弐十円　義太賀・太助［介］
○同五十円　君代［きみを］
○同十円　たき
○同五十円　ふよ
○同二十円　摂郎・忠二
千五百円　義之介
○五百円　太七郎
○五百円　五郎
○三百円　太右衛門
［欄外］明年よりハ五百円ニスルコト
〆三千弐百九十円
内
壱千五百円　麻生屋祝義、三十日入
〆四千七百九十円
入五千円
残而二百十円　残

外ニ

三千四百十円　　　　　　三十日迄ノ残金ノ分

〆三千六百二十円

現金九百五十円　　　　　封中

同二百三十円　　　　　　懐中

同弐千五百円　　　　　　相羽貸金

〆三千六百八十円

右口、三十一日調査ナリ、六十日余

一九二四（大正十三）年

一月一日　火曜

天照皇大神宮・明治天皇・照憲皇太后・今上天皇・皇后陛下・摂政宮殿下・良子女王殿下奉拝、四方神社仏閣ヲ拝ス

氏神及墓所ニ参拝ス

樫田〔三郎〕[1]郡長年始ニ相見へ、内客〔閣〕組織談ニ及タルニ付、研究会[2]ト政友会[3]聯立ニテ惣理ニハ大木〔遠吉〕[4]伯ナラント予談セリ

年始訪問賀客ノ応接ノ為メ在宿

一月二日　水曜

年始訪問賀客待受在宿ス、木村順太郎[5]・中野昇[6]氏等相見へ、中野君ニハ、銀行本年合併談進行ノ程度、右ニ関、博済会社[7]之処分等秘蜜ニ打明、他ニ洩レザル様注意ス

一職工・日役等皆勤務ス

一狩猟ノ筈ナリシモ家内より苦情アリ、見合、小使ヲ遣ス

一月三日　木曜

午前九時開店、御酒・鯣ニ而祝盃ヲ挙ケ、年頭之挨拶ヲナシタリ

午前十時廿五分飯塚駅発ニ而直方多賀神宮ニ義太賀〔麻生〕・太介〔麻生〕[8]一同参詣ス

本店ニ而、電気四千キロ・二千キロ二台ヲ据付、悪炭ヲ使用シ、其ノ利害研究ノ事ヲ野田〔勢次郎〕[9]外重役ニ申向ケタリ

一清浦〔奎吾〕[10]内客〔閣〕組織ノ拝辞ノ号外、藤森〔善平〕[11]氏より電話アリタ

産鉄会社[12]ノ件ニ付藤森・上野〔文雄カ〕[13]両氏相見ヘタリ、地元ノ意向次第ニ付十分研究アル様申向ケタリ

一福岡堀〔三太郎〕[14]氏より電話アリシモ、永江〔真郷〕[15]氏ノ返事ナク、其侭ニセリ

一月四日　金曜

午前在宿

午後一時博多行ノ乗合自働車ニ而出福、途中八木山峠[16]ニ而真□[心棒]破懐[壊]シ、徒歩シテ二瀬川[17]ニ、自働車ニシテ笹[篠]栗駅よ

1　樫田三郎＝嘉穂郡長
2　研究会＝貴族院の有力院内会派、一八九一年発足
3　政友会＝立憲政友会、一九〇〇年伊藤博文が結成した日本最初の政党、この月政友本党（床次派）分裂
4　大木遠吉＝貴族院議員、元鉄道大臣、元司法大臣
5　木村順太郎＝株式会社麻生商店監査役、株式会社森崎屋（酒造業）代表取締役、飯塚町会議員
6　中野昇＝株式会社中野商店社長、嘉穂銀行取締役
7　博済会社＝博済無尽株式会社（飯塚町）、太吉社長、博済貯金株式会社として一九一三年設立（嘉穂郡大隈町）、一九一四年改称
8　麻生義太賀・麻生太介＝太吉孫
9　野田勢次郎＝株式会社麻生商店常務取締役
10　清浦奎吾＝貴族院議員、総理大臣、元司法大臣、元枢密顧問官
11　藤森善平＝飯塚町長、元飯塚警察署長、のち福岡県会議員
12　産鉄会社＝九州産業鉄道株式会社、一九一九年設立（田川郡後藤寺町）、一九二二年より太吉社長
13　上野文雄＝福岡県会議員、元嘉穂郡庄内村長
14　堀三太郎＝鞍手銀行相談役、第一巻解説参照
15　永江真郷＝三池銀行常務取締役、この年専務取締役、のち頭取
16　八木山峠＝飯塚町から嘉穂郡鎮西村八木山・糟屋郡篠栗村を経て福岡市に至る峠道
17　二瀬川＝地名、糟屋郡篠栗村

り吉塚駅[1]ニ達シ、夫より電車ニ而浜ノ町[2]ニ達ス、岩成〔自助〕[3]同車ス
堀・永江両氏相見へ、銀行ノ件打合ス
　資本金約千万円、米山〔梅吉〕[4]氏ノ組織確定迄ハ他ニ洩サ、ルコト、永江氏十九日出発上京ノコト等打合、一方亭[5]ニ而
　祝盃ヲ呈ス（自働車）
午後十時過キ帰宅ス（自働車）

　一月五日　土曜

一午前十時博多駅発ニ而安川〔敬一郎〕[6]氏邸ヲ訪問、御悔ヲナシ焼香ス
一戸畑一時五十九分発ニ而帰途ニツキ、折尾より堀〔三太郎〕・佐賀〔経吉〕[7]ノ両氏ニ同車ス
飯塚駅ニ午後四時帰着、人力車ニ而帰ル
博多停車場ニ而堀氏相見へ、取引所会長〔河内卯兵衛〕〔ママ〕[8]・山口〔恒太郎〕[9]取締役〔ママ〕・中根〔寿〕[10]・北崎〔久之丞〕[11]・犬塚〔三郎〕[12]外改正連ヲ加へ、浜田君ニ中〔仲〕裁ヲ頼ムニ
付承諾ノ相談アリ、同意ス
夏子〔麻生夏〕[13]ニ、重要書類送リ方、及墓所一台不用ノ分ハ敷地ニ使用方、電話ス

　一月六日　日曜

午後一時乗合自働車ニ而出福ス、午後三時半浜ノ町ニ着ス
一方亭ニ掛物祝義ニ遣ス
自働〔車脱〕運転主〔手〕ニ弐円ノ処十円渡シ、残金八円預ケル
乗合自働車停留所ニハ黒瀬〔元吉〕[14]来リ居レリ

　一月七日　月曜

箱〔筥〕崎八幡宮・香椎宮・宮地嶽・大宰府[15]ニ参詣ス（自働車）、箱崎ニ十円、香椎宮ニ十円、宮地嶽ニ十円、宰府ニ十

円神納ス、朝日やニ十五円遣ス
午後五時お苑[16]ニ行、晩食ス

一月八日　火曜

午前九時支部［政友会］ニ行キ、堀・山口［恒太郎］両氏ニ会見、貴族院議員辞任ノ相談セシモ同意セズ、夫より於苑ニ而昼食ヲ会ヲ［ママ］催ス（フク料理）
午後七時半帰宅ス

1　篠栗駅＝篠栗線（糟屋郡篠栗村）　吉塚駅＝鹿児島本線（筑紫郡千代町）
2　浜ノ町＝地名、福岡市浜町、麻生家浜の町別邸所在地
3　岩成自助＝株式会社麻生商店庶務部、のち弁護士
4　米山梅吉＝三井銀行常務取締役、この年三井信託株式会社社長、、のち貴族院議員
5　一方亭＝料亭（福岡市外東公園）
6　安川敬一郎＝第一巻解説参照、妻峰子一月三日死去
7　佐賀経吉＝鉱業家、玄洋社
8　河内卯兵衛＝株式会社博多株式取引所理事長、この直後相談役、元福岡市会議員
9　山口恒太郎＝この直後博多株式取引所理事長、東邦電力株式会社取締役、九州電気軌道株式会社取締役、元衆議院議員
10　中根寿＝この直後博多株式取引所理事、元貝島鉱業株式会社取締役
11　北崎久之丞＝合名会社紙与（福岡市）支配人、この直後博多株式取引所監査役
12　犬塚三郎＝博多株式取引所常務理事、この直後理事、のち理事長
13　麻生夏＝太吉三男故麻生太郎（元株式会社麻生商店取締役）妻
14　黒瀬元吉＝古物商集古堂（福岡市上新川端町）
15　筥崎八幡宮（糟屋郡箱崎町）　香椎宮（糟屋郡香椎町）　宮地嶽神社（宗像郡津屋崎町）　太宰府天満宮（筑紫郡太宰府町）
16　お苑＝於苑とも、元馬賊芸者桑原エン経営貸座敷（福岡市外西門橋）

一月九日　水曜

午前八時四十分博多駅発ニ而山口・堀・伊藤〔傳右衛門〕[1]等ノ諸氏ト安川氏葬儀ニ列ス為メ小倉ニ行キ、梅屋ニ而昼食ヲナシ、夫より自働車ニ而戸畑安川邸ニ行キ、告別式ニ参拝ス

午後一時四十分戸畑駅発ニ而帰リ、福村屋〔家〕[2]ニ立寄、午後六時招待会ヲ待受タリ、堀・山口・伊藤等ノ諸氏モ相見へタリ

午後六時福村ニ而新年宴会ニ列ス

一月十日　木曜

午前十一時支部会ニ臨ミタリ、冨安〔保太郎〕其他代議士連相見居リタルニ付、貴族院議員辞任ノ内談セシモ同意セズ、夫より堀氏招待ノ昼食会ニ列ス（福村屋）

午後五時半一方亭ニ於而新聞社ノ方々招待セシ宴会ニ列ス、帰途森田〔正路〕[3]氏ト同供、お苑ニ立寄、山口君ニ面会、自働車ニ而帰宅ス

一月十一日　金曜

棚橋〔琢之助〕[4]君相見へ、九水会社ノ件ニ付打合

博多ニ営業所移転ハ専務之方針ニ而実行シ、又村上〔巧児〕[5]常務上京、和田〔豊治〕[6]氏邸援助之件も沙汰ナク実行セラレタシ、又和田氏静養之件ニ付渋沢〔栄一〕[7]・岩崎〔小弥太カ〕[8]ノ御二方ニ依頼ニ付、上京ノ必要アレバ何時ニテモ上京スルコト、女畑〔子脱〕[9]水量増加ニ付発電所増設三好〔芳〕[10]発電所着手ニ止メ、金融ハ此際借リ入ナスコト等打合ス

自働車ニ而おゑん〔苑〕ニ於而堀・山口両氏ノ招宴ニ列ス、一時二分博多発ニ而帰宅ス、折尾より野田〔勢次郎〕、直方より嘉穂〔銀行〕[11]重役一同同車ス

上田〔穏敬〕[12]来リ、鹿町坑区[13]ノ件打合、天野〔寸〕[14]ニ面会ノ事ヲ申付ル

午後六時松月楼[15]ニ而郡内有志者新年宴会ニ列ス
御慶事ノ奉祝献納品県庁ニ相願、博多駅発送セラル

一月十二日　土曜

麻生太[多]次郎[16]相見へ、地所買収呉レ様相談アリタ

1　伊藤傳右衛門＝第一巻解説参照
2　福村家＝料亭（福岡市東中洲）
3　森田正路＝元衆議院議員、元福岡県会議員
4　棚橋琢之助＝九州水力電気株式会社専務取締役、のち社長、本巻解説参照
5　村上巧児＝九州水力電気株式会社常務取締役、第二巻解説参照
6　和田豊治＝九州水力電気株式会社相談役、富士瓦斯紡績株式会社社長、貴族院議員、第二巻解説参照
7　渋沢栄一＝第一銀行相談役、東京市養育院長
8　岩崎小弥太＝三菱合資会社社長
9　女子畑＝九州水力電気株式会社水力発電所（大分県日田郡中川村）、一九一三年完成
10　三芳発電所＝筑後川水系玖珠川の水力発電所（大分県日田郡三芳村）、一九三七年操業
11　嘉穂銀行＝一八九六年設立（飯塚町）、太吉頭取
12　上田穏敬＝株式会社麻生商店庶務部長、飯塚町会議員
13　鹿町坑区＝長崎県北松浦郡鹿町村坑区。太吉は一九二〇年末頃に瓜生長右衛門（元麻生商店）から鹿町村の坑区を取得、さらに周辺坑区買増しを計画
14　天野寸＝鉱区斡旋業
15　松月楼＝松月とも、料亭（飯塚町新川町）
16　麻生多次郎＝麻生家新宅、元筑豊倉庫株式会社社長、元飯塚町長、元福岡県会議員

嘉穂銀行株式評価及地所ノ評価ニ付、渡辺〔皐築〕[1]・青木〔青柳茂〕[2]ト打合ス
産鉄敷地坪数調査ス
〔遠賀郡〕黒崎町長相見へ、陸軍砲兵工所〔廠〕移転ノ情〔請〕願[3]書携帯アリ、直チニ書留ニ而貴族院ニ送付シ、書留受取証ヲ町長ニ郵送
ス、町長岩崎植太郎、議員高谷旺男・豊丹〔生脱〕道敏・伊藤善三郎ノ四氏ナリ

一月十三日　日曜

午前八時五十分飯塚駅発ニ而出福ス
直方駅より堀氏、折尾駅より山口・貝嶋氏等一同博多駅ニ着ス
山口氏ト於苑ニ行キ昼食ヲナス（自働車）、浜田君も見へタリ、お里も来リ昼食ヲナス
晩食ノトキハ伊藤・堀両氏も相見へタリ

一月十四日　月曜

夏子手術セシニ付、午後一時迄病院ニ居リテ今淵〔恒寿〕[4]博士へ面会、手術之模様ヲ聞キ、電車ニ而帰リタリ
浜ノ町ニ而昼食ヲナシ、人力車ニ而九水重役会ニ列ス（営業所）
杖立[5]ノ件、弐十五万円ブレ〔ママ〕ムアムヲ以全部買収シ、彼ノ十三万円ハ其内より引去ル意味ノ意向アリタ、又千万円
借リ入急ク事、電車ハ可成引離スコト、又電車ヲ持テバ地所ヲ安直〔値〕ニ而買収スルコト等打合ス
藤森〔広次郎〕[6]・大里〔保蔵カ〕[7]・田中三氏家政女学校[8]ノ件ニ付見へタリ
　大里氏より種々已前ノ成行ヲ聞キタルモ、決〔ママ〕局進メハセヌガ発起者ト町ト協義ノ上町有トナレバ、自分モ再考
スルハ穏当ナリト思考スル旨申向ケタリ、大里君ノ言語中、願書ニ土地ノ云々ヲ加ヘタルコト、又土地ヲ無断
ニテ使用セシハ不宜、免シ呉レ度トノ事ナリシ

一月十五日　火曜

午前七時義之介〔麻生〕[9]ニ電話ニ而、大隈〔嘉穂銀行〕支店行員不始末ニ付渡辺君ニ注意方伝達ス

渡辺君より電話アリ、返済期限又利子等打合ス、其他銀行決算上ニ付打合ス

堀氏ニ〔ママ〕博多取引所委任状送方電話アリ、義之介ニ直チニ電話ス、上京ハ十九日過キナラント返話ス

荒木〔精一郎カ〕[10]所長ニ挨拶ニ行ク

武田伊之吉[11]来リ、難治之事情ヲ聞キタリ

東京震災之電話、九水及福岡日々より聞キタリ

一福日斉田〔耕陽〕君見へ、多田（元作兵衛氏二男）[12]勤務先尽力方申入アリ、銀行合業〔ママ〕上ハ適当ナラント申向ケタリ

1 渡辺皐築＝株式会社麻生商店会計部長、九州産業鉄道株式会社専務取締役、嘉穂銀行嘱託検査係
2 青柳茂＝嘉穂銀行本店科長、翌年支配人代理、のち本店支配人
3 陸軍造兵廠火工廠東京工廠（元東京砲兵工廠）誘致請願
4 今淵恒寿＝九州帝国大学医学部教授
5 杖立川水力電気株式会社＝九州水力電気株式会社の全額出資で一九二三年設立
6 大里広次郎＝飯塚家政女学校長、嘉穂郡医師会長、この年五月衆議院議員
7 田中保蔵＝筑陽日日新聞（元飯塚報知新聞）社主、のち福岡県会議員
8 飯塚家政女学校＝一九二二年開校（飯塚町吉原町）、翌一九二五年飯塚実科高等女学校（修業年限三年）に改組
9 麻生義之介＝株式会社麻生商店取締役
10 荒木精一郎＝福岡地方裁判所長、のち大審院判事
11 武田伊之吉＝小林猪八と改名、元麻生商店製工所機械課長
12 多田作兵衛＝元衆議院議員

一月十六日　水曜

午前荒木所長挨拶ニ見ヘタリ

井手仙吉君雇人ノ相談ニ来リ

午前十一時半自働車ニ而帰途ニツキ、午後一時半着ス（白雪屋自働車）[1]

西園〔磯松〕[2]支配人来リ、銀行勘定方ニツキ打合ス

一月十七日　木曜

麻生屋[3]・麻生尚敏[4]・麻生太〔多〕次郎・瓜生茂一郎相見へ、芳雄新停車場前排水路広メ工事ニ付本村[5]ハ不賛成ニ付、実地踏査方申入アリ、町役場ニ電話シ図面持参アリ、折宜敷本村区長も相見へ、早速着手方打合ス

麻生屋ト来客ニ付打合ス

野田〔勢次郎〕氏相見へ、産鉄敷地・鹿町坑区引受・渡辺〔皐築〕氏身上ニツキ、又永末〔利光〕[6]転勤・運〔輸カ〕[7]謝店拡張等打合ス

金五百円、田山〔クマ〕[8]より受取

一月十八日　金曜

午前七時乗合自働車ニ而野田氏婦人〔野田八重子〕[9]ト上田〔穏敬〕ト一同出福ス

天野君ヲ呼、鹿町坑区ノ交渉ヲナシタリ、弐万円迄出金ノ内談ヲ受ケタリ、明日返事スルコトニセリ

十一時ヨリ筑後電〔気〕[10]鉄重役会ニ出席

一月十九日　土曜

梅谷〔清一〕[11]氏相見へ、大分銀行取締役[12]・土地会社[13]取締役就任ニ付内談アリ、同意ス

怡土〔東〕[14]氏相見へ、合併ノ挨拶アリ

鹿町坑区壱万円以内ニ而買受ス可キ旨上田ニ含メ、西村〔ヨネ〕婦人ニ挨拶シ、負債道付致ノ上ニ而諸否可申出旨申向ケア

リタ、上田ハ帰宅ス
一方亭ニ行キ、○ノ料理[15]ヲナシ、梅谷氏より自働車ニ而招待ス
堀氏より代議士連ト一方亭ニ而招待ヲ受ケタリ

一月二十日　日曜

午前六時自働車ニ而福岡より帰宅
午前十時より嘉穂銀行・同貯蓄銀行[16]・博済会社各惣会ニ列ス

1 白雪屋自動車＝堀助経営貸自動車（福岡市大浜町）
2 西園磯松＝嘉穂銀行本店支配人
3 麻生屋＝太吉弟麻生太七、株式会社麻生商店取締役、嘉穂銀行取締役、嘉穂電灯株式会社取締役
4 麻生尚敏＝惣兵衛養子、酒造業、元福岡県会議員、元飯塚町会議員
5 本村＝飯塚町立岩の通称地名
6 永末利光＝利一郎改名、太吉親族、株式会社麻生商店、飯塚町会議員
7 運輸店＝のち新飯塚商事運送株式会社（飯塚町立岩）さらに新飯塚運送興業株式会社と改称
8 田山クマ＝麻生家、元小学校教師
9 野田八重子＝野田勢次郎（株式会社麻生商店常務取締役）妻、麻生夏姉
10 筑後電気株式会社＝一九二三年九州水力電気株式会社が九州電気酸素株式会社（三井郡田主丸町）を買収して改称、太吉取締役
11 梅谷清一＝九州水力電気株式会社常務取締役、本巻解説参照
12 大分銀行＝一八九三年設立（大分県大分町）、一九二七年に二十三銀行と合併して大分合同銀行となる。
13 土地会社＝中央別府温泉土地株式会社（大分県速見郡別府町）
14 怡土束＝筑後電気株式会社社長、元九州電気酸素株式会社社長
15 スッポン料理
16 嘉穂貯蓄銀行＝一九二〇年設立（飯塚町）、太吉頭取

博済会社独立之協義ヲナシ、協定書ニ株主惣代ノ調印ヲ乞タリ
松月楼ニ而行員諸氏ニ懇談ス
午後六時帰宅
渡辺皐築君相見へ打合、及花村徳右衛門[1]君トモ打合ス

一月二十一日　月曜

午前八時五十分飯塚駅発ニ而出福、途中小竹駅より赤間嘉之吉[2]君同車、政友会之紛義ニ対シテハ此際自重セラル、様注意ス
折尾駅より財部〔彪〕[3]元海軍大臣ト博多駅迄同車ス
浜ノ町ニ村上〔巧児〕君相見へ、杖立発電所及筑後電〔気〕鉄会社ニツキ打合ス、折柄菱形〔重之〕[4]専務相見へ、将来重役会ニ発案ノ前、九水▨〔当カ〕局ニ打合方注意ス
お貞〔安藤貞子カ〕[5]ニ為持金七百円遣ス
午後五時乗合自働車ニ而帰宅ス

一月二十二日　火曜

在宿
書類之整理及出状等ヲナス
栢森[6]区長及武田〔星輝〕[7]来、小作米之件懇談セシニ付、小作上ニ〔空白〕害ナキ範囲ニ而解決候様申向ケタリ
上三緒[8]区長より電話アリシモ、無故延引スル訳ニ無之、面会ノトキハ公然トスル迄ニ調査セシ居ルニ付、調査上ニ手間取ニ付旧年内ニハ面会出来ザルニ付、了解アル様電話ス
電信電話又ハ来状出状ハ別ニ控留ニアル

一月二十三日　水曜

渡辺君相見へ、産鉄ノ打合ヲナス

野田勢次郎君相見へ、古賀〔収蔵〕9君辞任ニ付打合

相羽〔虎雄〕10君相見へ、坑務上ニ付注意ス、及宮崎某所有ノ石川県セメン用ノ坑石ニ付聞取タリ、右ニ付本人ノ希望ノ事ヲ書面ヲ取リ、実地踏査ノ上ニ而何分返事スル順序打合ス

樫田〔三郎〕郡長相見へ、種々新聞ニ掲裁〔ママ〕上ニ付聞取タリ

壱千五百円麻生屋祝義ノ分、及五百五十五円黒瀬〔元吉〕買物代浜ノ町家費立替分、受取（出入帳ニ受取ヲ記ス）

午後四時十二分飯塚駅発ニ而上京ス（三千九百四十七円持参ス）

二月二十一日　木曜

午前十一時四十五分東京より帰宅ス

1　花村徳右衛門＝太吉親族、株式会社麻生商店家事部
2　赤間嘉之吉＝大正鉱業株式会社監査役、元衆議院議員、この年五月再度衆議院議員
3　財部彪＝海軍大将、この年一月まで海軍大臣、六月再度海軍大臣
4　菱形重之＝筑後電気株式会社専務取締役、元九州水力電気株式会社、のち九州電気工業株式会社常務取締役
5　安藤貞子＝麻生家浜の町別邸女中
6　栢森＝地名、飯塚町、麻生家所在地
7　武田星輝＝株式会社麻生商店家事部、のち庶務部
8　上三緒＝地名、飯塚町
9　古賀収蔵＝株式会社麻生商店飯塚病院外科部長、この月辞職して公立若松病院副院長
10　相羽虎雄＝株式会社麻生商店鉱務部長

停車場道路悪敷ニ付上田ニ電話ス
藤森町長相見へ、道路ヲ厳重監督方厳談ス、才判所祝賀会ニツキ注意ス

二月二十二日　金曜

麻生屋来リ、祝会ノ打合ヲナス
本店ニ出務
　産鉄ノ件打合
　新停車場道路ニ付上田ヲ厳談ス
入江松太郎[1]来、辞任ノ申出ナス
有田[広][2]氏相見へ、黒崎望月[康太郎][3]君地所引受打合ス

二月二十三日　土曜

午前九時青柳[近太郎][4]ノ自働車ヲ雇ヒ出福シテ産鉄会社ノ重役会ニ出席ノ筈ニ候処、中野昇氏自働車中央坑[5]前ニ而追付、中野氏ト同車、直チニ一方亭ニ行キ、中村[武文]・遠入[鉄次郎][6]両氏相見へ居タリ
重役会後昼食ヲナシ、直方[空白]ノ招待ニ而おゑんニ行キ、○ノ料理アリタリ
午後八時半頃少シク不工合[ママ]ニ而帰リタリ

二月二十四日　日曜

森田氏相見へ、郡長進退ニ付異状ナキ事ヲ聞キタリ
梁瀬[7]より自働車持込、試運転シテ一方亭ニ行キ、[午脱]後八時半頃帰リタリ
黒瀬ニ七十円買物之代金仕払タリ

二月二十五日　月曜

午前九時自働車ニ而帰リタリ

麻生屋祝義[8]ニ列ス、中途帰リ、藤森氏ノ用件ノ為メナリ、藤森氏栢森・本村区長同供相見ヘタリ

［芳雄］停車場[9]道路ノ処分猶予ノ申込アリシモ、承諾セザル旨申向ケタリ

藤田次吉[10]氏相見ヘタリ

午後十一時過キ棚橋［塚之助］氏より電報達ス

飯塚警部相見ヘタリ

二月二十六日　火曜

渡辺君相見ヘ、大隈支店員ノ件ニ付相見ヘ打合ス

1　入江松太郎＝株式会社麻生商店豆田鉱業所長、この日付けで辞任
2　有田広＝株式会社麻生商店監査役、嘉穂銀行取締役監事
3　望月康太郎＝遠賀貯金金融株式会社取締役
4　青柳近太郎＝青柳自動車商会（飯塚町宮ノ下町）
5　中央坑＝製鉄所二瀬鉱業所中央坑（嘉穂郡二瀬村）
6　中村武文・遠入鉄次郎＝九州産業鉄道株式会社取締役
7　梁瀬自動車株式会社＝一九二〇年設立（東京市）、社長梁瀬長次郎
8　麻生太七次男太三郎と柏木花結婚
9　芳雄停車場＝芳雄駅、筑豊本線（飯塚町立岩）、のち新飯塚駅
10　藤田次吉＝太吉親族、笹屋、酒造業（遠賀郡底井野村）

上田来リ、靍三緒[1]ニ同供シ、彦三郎〔麻生〕[2]ニ関シ内談ス
花村久助[3]より宅地ノ内談アリ、承諾ス
村上巧児君ニ靍三緒より電話シ、九水借リ入ノ異見村上氏より打電ノ旨打合ス、其時和田氏〔豊治〕ノ病気宜敷旨ヲ聞キタリ
麻生屋滞在中棚橋氏より和田入院及借入金ノ件ニ付上京申来リタリ、明日出発ノ返電ス
一柏木氏〔守三〕[4]御夫婦及太三郎〔麻生花〕[5]家内来訪アリタリ
上三緒大塚〔万助〕[6]ニ産鉄線路ニ付踏査方電話シ、上野〔美満〕[7]一同実地ニ臨ミ、其ノ模様尤〔ママ〕有利ナルコトヲ報告アリタ
○上三緒峠切下ケ方内談ト実測取掛リヲ命ス

三月二十一日　金曜

堀三太郎氏相見へ、東望〔東邦〕会社[8]カ関西地方ノ水利権獲得セシニツキ、九洲ノ権利ヲ九水ト合併ノ希望アリ、野田〔卯太郎〕[9]元帥〔通〕相より内談アリ、実行方注意アリタ、相談役ノ不幸[10]ノ際ニ而大ニ自重ヲ要スル旨答へ置キタリ、此ノ談話中、梅谷氏承知アリ之如ク聞ヱタリ
永江〔真郷〕君上京、信託会社〔三井〕創立後上京ノ事申入アリ、電話ニ而打合ス

三月二十二日　土曜

野田〔勢次郎〕・渡辺〔皐築〕両氏相見へ、産鉄鉄道敷地ニ係ル溜池買収問題ニ付水利権不法ノ請求アリ、無止鉄道延期ノ外無之ト覚悟シ、一反二百五十円迄補債〔償〕シ、夫ニ而折合ハザルトキハ見合ノ事ヲ打合ス
堀・伊藤ノ両氏ニも同様電話シテ同意ヲ乞タリ

三月二十三日　日曜

杖立水電ノ件ニ付村上君ニ書留ニ而出状ス

廿一日堀氏ノ合併問題談話中、梅谷氏多少承知ク[ママ]如ク聞ヘタル故、書面書面[ママ]ニ而此際大ニ自重セラル様注意ス

三月三十一日　月曜

堀氏相見へ、

地下線委託軽[経]営ノ件[11]申入ヲ初メ、羽支[犬]塚支店[出張所][12]長撰挙尽力ノ件・発電所工事受負ノ件ヲ申向ケアリタリ

渡辺皐築君後藤寺より帰リニ立寄、九産[九州産業鉄道]ノ進行模様又溜池買収ニ付協義ノ有様ヲ報告シ、承諾アリタ、尚渡辺君専務ニ撰挙ノ内談アリタ

渡辺君一同昼食ヲナシ、渡辺ハ産鉄ニ、堀氏ハ午後一時ニ而帰ラレタリ

1　鶴三緒＝地名、飯塚町下三緒
2　麻生彦三郎＝太吉親族、株式会社麻生商店測量係
3　花村久助＝醤油醸造業（飯塚町立岩）、かつて笹原炭坑を太吉と共同経営、元飯塚町会議員
4　柏木守三＝太吉親族、地主（京都郡行橋町）
5　麻生花＝柏木守三三女、故麻生八郎妻縫妹
6　大塚万助＝株式会社麻生商店上三緒鉱業所長
7　上野美満＝株式会社麻生商店本店測量係
8　東邦電力株式会社＝九州電灯鉄道株式会社（福岡市）と関西電気株式会社（名古屋市）が合併して一九二二年発足（東京市）
9　野田卯太郎＝衆議院議員、元逓信大臣、翌一九二五年商工大臣
10　和田豊治九州水力電気株式会社相談役この年三月四日死去
11　九州水力電気の福岡市内地下線営業区域内電気供給権を東邦電力に委託経営すること
12　羽犬塚出張所＝九州水力電気株式会社羽犬塚出張所（八女郡羽犬塚町）

四月一日　火曜

藤森町長挨拶ニ見ヘタリ

貴田［献一］1・加嶋屋［松尾謙三］2外一人見舞ニ見ヘタリ

村上君より明二日出飯ノ旨電話アリタ

四月二日　水曜

野田氏相見へ、東京ノ報告ヲ聞キタリ

九水村上常務・八塚秀次郎［二］3両氏相見へ、杖立会社株券買収ニ付打合ス、及堀氏ヲ申入［ママ］ノ博多地下線委托経営ノ件

取次キタリ、直チニ棚橋専務ニ出状ノ事ニ打合ス

堀氏より委托ノ羽犬塚駅前九水出張所長ニ尽力之件依頼ス、又発電所工事受負之件も内談ス

四月三日　木曜

伊藤傳右衛門君見舞ニ見ヘタリ

後藤寺町長［山口良介］相見へ、才判所地位ノ件ニ付内談アリタリ

四月十一日　金曜

棚橋専務博多より自働車ニ而相見合、九水ノ件打合ス

九洲ニ而重役会開催ニ付社長来福ノ件

社長辞意中止ノ件

地下線問題ノ件　　棚橋氏ハ三菱ニ相極ル方ノ方針多少見ヘタリ

杖立ノ株買収ノ件

暫ラク自重ヲナス件

東望社〔東邦〕債ニ而買収之件

四月十八日　金曜

午後七時ヨリ新キ自働車ニ而黒瀬及女中ト出福ス

四月十九日　土曜

浜ノ町ニ而午前九時頃森田君相見へ、懇談中持病再発セシモ、間モナク居合タリ

午前十時半堀氏相見へ、東京ノ模様ヲ聞キ、又嘉穂・鞍手・遠賀ノ代議士候補者ノ件ニ付森田君ト打合ニ行カル

四月二十日　日曜

三宅博士〔速〕[4]ノ診察ヲ乞タリ

村上常務より書面相達ス（書留）

四月二十一日　月曜

午後出福之事堀氏より電話アリタ

熊本より松野君〔鶴平〕[5]電話アリタリ

渡辺皐築君相見へ、登記ノ手続キ聞キ取、折柄堀・伊藤ノ両氏相見へ打合ス

1　貴田猷一＝新聞販売業（飯塚町本町）、元飯塚町収入役・助役
2　松尾謙三＝旅館加島屋（飯塚町本町）経営者
3　八塚秀二郎＝九州水力電気株式会社福岡管理部支配人
4　三宅速＝九州帝国大学医学部教授
5　松野鶴平＝杖立川水力電気株式会社取締役（六月辞任）、衆議院議員、のち鉄道大臣

石井〔徳久次〕[1]県会議員相見へ、鞍手郡候補者ノ件ニ付内談アリタリ
家内病気急変ノ電話アリ、自働車ニ而帰宅ス

四月二十二日　火曜

和田〔織衣〕[2]未亡人、梅谷〔清一〕御家内ト見舞ニ相見ヘタリ

四月二十三日　水曜

渡辺阜築君相見ヘタリ、上京ニ付打合ス、廿八日帰県予約ナリ
野田勢次郎君相見へ、社務上ニ付打合ス

五月十三日　火曜

午前七時半より自働車ニ而浜ノ町ニ行キ、永江〔真郷〕・堀両氏相待、永江氏ハ午前十時半、堀氏ハ十二時相見へ、銀行ニ付打合ス
　資本金ヲ千五百万円トシ、先キニ五百万円ノ会社ヲ組織ナス、千万円ノ合同銀行ヲ調査ナシ十八日ニ会合ヲ約ス
山内〔範造〕[3]・森田〔正路〕・山口〔恒太郎〕ノ三氏相見へ、撰挙件ニ付会談ス
午後四時自働車ニ而帰宅ス

五月十六日　金曜

午前十一時半松野鶴平・村上巧児ノ両氏自働車ニ而相見ヘタルニ付、杖立電気会社株買収ノ件ニ付会談ス、昼食ヲナシ午後一時半帰ラル

五月十八日　日曜

午前八時自働車ニ而浜ノ町ニ行キ、十時着ス、午後八時帰宅ス

堀三太郎・永江真郷ノ両氏相見へ、銀行合同ニ付左記ノ打合ヲナス、県知事より堀氏ニ付与アリタル県下ノ銀行資本及予[預]金取調ノ表ニ基キ、

一第一着手ニ六銀行資本金千三百十三万円ヲ以合同シ、更ニ五百万円ノ資本増加ヲナシ、一般ヨリ公募シ募集、残リハ合同銀行ノ資本額ニ割当テ引受ケルコト

一前項ノ方針ニ而、堀氏ハ十九日永江氏ハ廿三日迄ニ上京セラレ、池田[成彬]4氏其ノ他ノ方々ニ異見ヲ打合セ、其ノ意向ニ依リ実行ナスコトニ申合ス

一右合同ニ必要ナル県金庫ノ調査ノ必要アリ、上野[文雄]県会参事員ニ依頼シタリ

一村上氏（大分二千七十番）電話シ、棚橋氏より電報ノ打合ヲナス

五月十九日　月曜

上野氏ニ出庁ヲ乞、県金庫ノ調表[査]表ヲ乞受、直チニ永江君ニ送布[ママ]ナシタリ（自働車ニ而午前七時半出福、午後四時帰郡アリタリ）

五月二十四日　土曜

午前八時自働車ニ而出福、村上氏ニ電話セシニ棚橋氏宅ニアリ、自働車ヲ迎ニ出シ、棚橋・今井[三郎]5・村上ノ三氏相見

1　石井徳久次＝鞍手銀行（鞍手郡直方町）取締役、福岡県会議員、のち衆議院議員
2　和田織衣＝故和田豊治（元九州水力電気株式会社相談役）妻
3　山内範造＝衆議院議員、筑紫銀行（筑紫郡二日市町）頭取
4　池田成彬＝三井銀行常務取締役、のち三井合名会社理事
5　今井三郎＝九州水力電気株式会社常務取締役、本巻解説参照

へ、棚橋氏より磯村〔豊太郎〕[1]君ノ電信ヲ示シ、此際委托スルモ一策ナラント注意ス
梅谷氏相見へ、〔麻生〕観八[2]氏ニ面会ノ末、麻生〔太吉〕カ行詰リ迷惑ナラバ異義ナシト迄返事ヲ得タリトノ事ナリシ故、行詰リ
ニテ宜敷故会社ノ為メニ早く解決ヲ希望スルニ付、更ニ大分ニテ協義会ヲ開ク（梅谷・棚橋両氏帰県ノ上）事ニナ
リタ、昼食ヲナシ帰郡ス

五月二十五日　日曜

瓜生長右衛門[3]・瓜生茂一郎ノ両氏相見へ、排水路ノ件ニ付打合ヲナシ、川下より浚シ漸次進行ヲナスコトニ注意
ス
吉井ニ木村順太郎氏出浮ヲ相談シ、自働車ヲ遣シタリ
書類整理ス

六月一日　日曜

午前八時自働車ニ而直方堀氏ヲ訪問、左京中銀行ノ件ヲ聞キタリ、実ハ福岡ニ而出合ノ筈ナリシモ、〔麻生〕典太[4]出福ナス
ニ付夏子付添候故、直方ニ行キ打合ス

六月四日　水曜

午前九時靏三緒変電所ニ行キ、村上氏ト地下線ノ件ニ付打合ス

六月五日　木曜

森崎屋[5]相見へ、掛物ヲ調査ス、午後六時帰飯アリ
典太一行自働車ニ而午前八時発シ、別府ニ向ヒタリ

六月六日　金曜

在宿、旧節句ニ而使用人皆休ミタリ、故午後一時ヨリ二時半迄掛物倉ノ片付ヲナス

棚橋氏ニ九水ノ地下線問題ニツキ打電ス（電信発シ簿ニ記シアリ）
亀永〔徳太郎〕来リ、冨士山掛物探山〔鶴沢〕[6]ノ筆外二点、三十三円ニ而買入アリ

六月七日　土曜

瓜生〔長右衛門〕・上田両氏来リ、油田[7]耕地整理ニ付道路筋之打合ヲナス
栢森山林一反歩八十円ニ而買収ノ件、瓜生・上田より申入アリ、承諾ス

六月八日　日曜

上田・麻生彦三郎ノ両人来リ、別府山水園湯口ノトンネル□□〔兼用カ〕方満鉄[8]より申入アリ、右ニ付他日故障ナキ様方法研究ノ事ヲ義之介立会申向ケタリ
上三緒区ノ約定改正案ヲ成シ、上田ニ送付ス
矢野氏〔梓〕[9]出京ノ用意ニ而立寄アリ、太賀吉〔麻生〕[10]教授ニ付、第一体育、□〔常カ〕識、教育ノ三順序ニヨリ教育方ヲ懇談ス

1 磯村豊太郎＝北海道炭礦汽船株式会社専務取締役、のち社長
2 麻生観八＝九州水力電気株式会社監査役、酒造業（大分県玖珠郡東飯田村）、第二巻解説参照
3 瓜生長右衛門＝嘉穂電灯株式会社取締役、飯塚町会議員、元麻生商店常務、元福岡県会議員
4 麻生典太＝太吉孫、のち麻生鉱業株式会社専務取締役
5 森崎屋＝木村順太郎、酒造業（飯塚町本町）、株式会社麻生商店監査役、飯塚町会議員
6 鶴沢探山＝江戸中期の画家
7 油田＝地名、飯塚町
8 満鉄＝南満洲鉄道株式会社、半官半民の特殊会社として一九〇六年設立、太吉設立委員
9 矢野梓＝太吉孫麻生太賀吉家庭教師
10 麻生太賀吉＝太吉孫、のち株式会社麻生商店社長

六月九日　月曜

野田勢次郎君相見へ、石洲ニ石崎某所有セシ鉱石実地踏査之打合ヲナス

西園[磯松]銀行[嘉穂]支配人相見へ、椿青柳[市兵衛][1]氏負債ノ件ニ付世話人秀村[健][2]君ト銀行ニテ会合ノ打合セシモ、十日出福ノ用件生シ候故、其旨秀村氏ニ伝達方ヲモ打合ス

書類倉庫ニ而下男ヲ召使、夫々区別ヲナシ整理ス

六月十日　火曜

午前八時五十五分芳雄駅発ニ而出福ス、瓜生長右衛門ハ停車場ニ而、田中安太郎氏[3]ハ折尾迄同車ス、小竹より古川[河][4]ノ坑長ト中間駅迄同車ス

折尾駅より三宅博士・真野[文二][5]惣長・原田[十衛]代議士等同車ス

博多駅二階ニ而永江真郷君ト会談ス、東京ニ而用談ヲ聞キタリ、昼食ヲナス、河内[卯兵衛カ][6]氏辞退アリ、致方ナキニツキ堀氏帰県次第会合ヲ打合ス、尤二十一日出発上京ノ予定ニ付、其時ハ単独上京ノ諸氏ニ尚相談スルコトニ打合

白雪屋自働車ニ而浜ノ町ニ着ス

星野[礼助][7]氏来訪アリ、家政上ニ付書類一切作成アリ、受取、又上三緒坑口場[8]云々モ研究ヲ乞、有利ナリ

堀氏出先キニ電報ス（別ニ控ヱアリ）

山口恒太郎氏相見へ、川内[河]君不承諾ニ付尚協義ヲナスコトニセリ

團[琢磨][9]・野田[卯太郎]両氏ニ伝達ヲ乞タリ（赤間[嘉之吉]ノ件モ聞キタリ

午後五時より伊藤氏相見へ、一同一方亭ニ行キ、午後十一時帰リタリ

六月十一日　水曜

午前九時白雪屋自働車ニ而十一時帰着ス

黒瀬より幅物其他諸品買入、百十円払タリ

六月十二日　木曜

午前七時二十五分芳雄駅発ニ而乗車、別府ニ向ケ出発ス
直方駅森崎君〔欣太郎〕[10]ト同車、折尾駅迄同車ス
小倉駅より東洋製鉄原君〔安太郎〕ト同車、中津駅ニ達、原君より製造業ニ付会社組織ノ内談アリタ
中津駅ニ下車シ、九水田中営業所長ノ案内ニテ浄安寺[11]和田氏〔豊治〕ノ御墓所ニ参拝ス、香典十円僧侶ニ遣シ読軽〔経〕ヲ依頼ス、生花ヲ手向ケ、自働車ニ而午後一時十分中津駅発ニ而午後三時過別府駅着、自働車ニ而山水園ニ着ス
伊藤傳右衛門君ト小倉迄同車シ、九水ノ件種々咄ヲ聞キタリ

1　椿＝地名、嘉穂郡穂波村
2　秀村健＝椿八幡宮（嘉穂郡穂波村）宮司
3　田中安太郎＝料理仕出し、丸安（飯塚町東新地）
4　古河＝古河鉱業株式会社
5　真野文二＝九州帝国大学総長
6　河内卯兵衛＝筑前参宮鉄道株式会社社長、元福岡市会議員、のち福岡市長
7　星野礼助＝弁護士（福岡市）
8　上三緒坑口場＝株式会社麻生商店上三緒鉱業所
9　團琢磨＝三井合名会社理事長
10　森崎欣太郎＝東洋電気雷管株式会社取締役
11　浄安寺＝浄土宗寺院（大分県中津市寺町）

六月十三日　金曜

棚橋君より電話アリ、直チニ自働車ヲ迎ニ遣シ、左記ノ要談ヲナシ、昼食シテ帰ラル

現在一灯ハ十円仕払ナスニ付弐十円近キ実費ヲ要スル故、其ノ利益ヲ生ズル故終ニ現在ノ通ニナリタリ、区域外ハ九水ハ布設ナキモ何等形▨セザル旨明答セラレタリ、委託満期後ハ何等無[ママ]利益ナキト原[嘉道][1]氏ノ鑑定ナリトノ明答アリタ

柴田[善三郎][2]知事ハ三重県ノ知事奉職中電機[気]局長トハ懇意ノ間柄ナリ

四万五千円ノ収入ニテ三十五万円ト二十四万円ノ倉庫品ヲ合計スルトキハ七朱位ニナリ

村上君相見へ、杖立買収ハ麻観[麻生観八]君承知アリト報告アリ、引続麻観君相見へ、無条件ニテ地下線問題大臣ニ一任セシ不法ヲ大ニ立腹セラレタリ

中西[四郎平][3]夫人相見へ、藤田家ノ件内談アリシモ、相断リタリ

渡辺君相見へ、産鉄処[庶]務規程、及鉄道布設ノ件・決算ノ件等研究ス

須藤[首藤三作][4]来リ、山林買収ノ相談セリ

六月十四日　土曜

原勝一ト交換地ノ不始末及野口[5]地代金ノ件ニ付彦三郎[麻生]より聞取、実ニ案外セリ

六月十五日　日曜

午前伊藤君ヲ訪問シ、産鉄鉄道布設ノ件ニ付打合ス

午後一時より自働車ニ而玖珠郡[大分県]越シニテ日田町ヲ軽[経]而、午後七時浜ノ町ニ着ス、無理ノ通行ニテ胆石病再発ノ気味アリ、歯痛ト共ニ大ニ閉口セリ

六月十六日　月曜

森田君相見へ、宮崎県一ノ瀬川電力他人ニ許可ノ旨内報アリ、直チニ九水村上君ニ報知ス
森田君十九日出発上京ニ付金百円補助ス
山道[繁一]6歯医師ニ治療ヲ乞タリ
山田[駒之輔]7先生ノ診察アリタ
吉浦[勝熊]8君ニ電話シ、二十一日産鉄ノ重役会午後一時開会ノ件渡辺君ニ通達ヲ乞タリ
義之介ニ電話シ、三池鉱山ノ一件ニ付松本[健次郎]9氏ニ内談ノ件打合ス（自分ニ戸畑ニ行キ内談スル様申向ケタリ）

六月十七日　火曜

午前安川[敬一郎]氏ヲ訪問、種々懇談ス
山道歯医ニツキ治療ヲ乞タリ

1　原嘉道＝弁護士（東京市）、のち司法大臣
2　柴田善三郎＝福岡県知事
3　中西四郎平＝太吉親族、坑区斡旋業、この年二月まで遠賀郡芦屋町会議員
4　首藤三作＝麻生家田の湯別荘（別府市）世話人
5　野口＝地名、別府市
6　山道繁一＝歯科医（福岡市橋口町）、元福岡歯科医師会長、元福岡県歯科医師会理事
7　山田駒之輔＝医師（福岡市）
8　吉浦勝熊＝株式会社麻生商店家事部長
9　松本健次郎＝明治鉱業株式会社社長、筑豊石炭鉱業組合総長、石炭鉱業聯合会副会長、第二巻解説参照

午後五時より一方亭ニ安川氏ト晩食ヲナス

六月十八日　水曜

山道歯医師ニ治療ヲ乞タリ

義之介より電話シ、松本氏自然ハ出福アルカモ知レヌトノ事ナリ

星野氏相見へ、上三緒約定書案ニツキ研究ヲ乞タリ

中津磯村[豊太郎]氏葬義[儀][1]ニ[麻生]太七郎[2]会スル様電話ス

六月十九日　木曜

歯医師ニ治療ヲ乞タリ

山田[駒之輔]先生ノ診察ヲ乞タリ

渡辺君相見へ、庶務規定ニ付研究ノ上成案ス、人事掛死去ニ付香典百円遣ス

酸素会社[3]重役会ニ列シ、引続惣会ニ出席（九水営業所）

中根寿君より[博多株式]取引所株委任状ノ件ニ付電話アリ、嘉穂銀行ニ電話ス

夏子来リ、今淵[恒寿]先生ノ診察ヲ乞タリ

村上功[巧]児君京都より電信、又棚橋・梅谷より電信アリタルニツキ返電ス（控簿ニアル）

六月二十日　金曜

歯医師ニツキ診察ヲ乞タリ

藤森町長外三人相見へ、産鉄鉄道布設ニ付飯塚町より希望アリ、五万円寄付ノ申出アリタ

山口恒太郎君相見へ、東京ノ模様報告アリタ

義之介来リ、上三緒地元約定書案ヲ示シ詳細他日異論ノ起ラザル様注意ス

堀〔三太郎〕・森崎〔欣太郎〕ノ両氏相見へ、午後五時より一方亭ニ行キ晩食ス
旭〔憲吉〕[4]博士相見へ、仏教青年団[5]ノ布教所建設ニツキ寄付ノ相談アリタリ

六月二十一日　土曜

歯医師ニ付▨〔治カ〕療ヲ乞タリ
渡辺〔阜棊〕・望月外一人（産鉄会社）相見へ、決算書及鉄道布設ニ付調査ス
永江真郷・堀ノ両氏相見へ、種々打合、来期ニ一同打揃上京ノ上相談スルコトニ約ス、渡辺君等一同昼食ヲナス、帰ラル
午後一時（白雪屋自働車）一方亭ノ重役会ニ列ス、五時散会ス
〔欄外〕四〇〇　梅〔梅谷清一カ〕
六〇〇　團〔琢磨カ〕

六月二十二日　日曜

山道氏方ニ行キ治療ヲ乞タリ
午前十一時よりお苑ニ行キ、堀・森崎ノ両氏ト晩食ス

1　磯村豊太郎（北海道炭礦汽船株式会社専務取締役）母茂子死去
2　麻生太七郎＝太吉四男、株式会社麻生商店、のち監査役
3　酸素会社＝九州電気酸素株式会社（浮羽郡田主丸町）、一九二三年九州水力電気株式会社が全株式を取得して筑後電気株式会社と改称、太吉取締役
4　旭憲吉＝九州帝国大学医学部教授、社団法人九州帝国大学仏教青年会長
5　仏教青年団＝社団法人九州帝国大学仏教青年会、一九〇七年京都帝国大学福岡医科大学仏教青年会として設立

六月二十三日　月曜

旭博士ニ仏教団寄付ノ件ハ各自ニツキ交渉セラル、様電話ス
午前十一時半自働車ニ而帰リタリ
土斐崎[三右衛門]1氏相見へ、種々懇談ス
山道歯医ニ治療ヲ乞タリ

六月二十四日　火曜

上田君来リタルニ付、上三緒区約定書ヲ示シ、少シニテモ原按ニ異存アルトキハ絶体約定ヲ見合スコトヲ厳重申付タリ
渡辺君相見へ、産鉄谷口[源吉]2軽[経]理部長トシテ就任スレバ自分ノ専務ハ必要ナキ旨申入アリタルモ、鉄道布設等ニ付尤肝[ママ]要ノ時代ニ付監督方ヲ申含メタリ
相羽[虎雄]君相見へ、谷口俸給千六百円ト百五十円手当、外ニ賞与六百円、浦地[裏地正生]3君同様ノ旨申向ケ、事業成功ノ上ハ相当待遇ヲ期待セラル様申添ヘタリ
土地掛4相見へ、境界ニツキ無責任ノ事ヲ責リ付タリ

六月二十五日　水曜

有田[広]監事相見へ、博済会社之割当株、及黒崎ノ弁債七分五厘（月）付ニテ貸付ノコトヲ談ス

六月二十六日　木曜

自働車ニ而出福、山道歯医ノ治療ヲ乞、午後三時引返シ、五時帰着ス
後藤寺より産鉄惣会ニツキ伊丹[弥太郎]5検査役より注意アリ、七月十一日ニ日延ス
渡辺君より電話アリ、矢張通知上ニ手落アリ旨ニ而七月十一日ニセリ

六月二十七日　金曜
佐伯［梅治］6氏相見へ、産鉄石灰販売大坂［ママ］店ヲ別府田ノ湯ノ別荘ト交換ノコトニツキ懇談ス
渡辺君相見へ、産鉄新聞紙上ニ付種々聞取タリ

六月二十八日　土曜
午前八時自働車出福ス
山道歯医ニ治療ヲ乞タリ
午後三時半帰宅ス

六月二十九日　日曜
福岡九水営業所より電話ニ而、棚橋君明卅日福岡ニ而面会ナシタキ旨申通来リタリ
石工永［長］田幸四郎7来リ、大浦8門敷石着致候ニ付更ニ別ニ記シアル石類注文ス

1　土斐崎三右衛門＝地主（早良郡壱岐村）、壱岐銀行頭取、元福岡県農工銀行相談役
2　谷口源吉＝堀川鉱業所宇美炭坑、元麻生商店、六月二十五日九州産業鉄道株式会社経理部長就任
3　裏地正生＝九州産業鉄道株式会社技師、のち工務部長
4　土地掛＝株式会社麻生商店庶務部
5　伊丹弥太郎＝九州産業鉄道株式会社監査役、翌年退職、東邦電力株式会社長
6　佐伯梅治＝株式会社麻生商店大阪出張所長、のち取締役
7　長田幸四郎＝石材商長田組本店（山口県吉木郡秋穂）
8　大浦＝太吉長男麻生太右衛門家（飯塚町栢森）

六月三十日　月曜

午前六時自働車ニ而出福ス
山道歯医ニ診察ヲ乞タリ
棚橋氏相見へ、九水会社大体方針ニ付親シク打合ス
堀氏より電話ニ而午後四時より一方亭ニ而会合、晩食ス
午後九時帰宅ス

七月一日　火曜

山道歯医ニ診察ヲ乞、其後直チニ午前八時二十分自働車ニ而帰宅ス
〔嘉穂〕電灯会社野田〔勢次郎〕[1]氏重役ニ推挙ノ打合ヲナス
永江真郷氏より電報ニツキ堀氏ニ電話シ、三日午前十時ニ会合ノ返電ス
　金壱千五百円、吉浦ヲ経而銀行預金より受取

七月二日　水曜

午前六時自働車ニ而出福ス、行掛山道歯医ニ治療ヲ乞タリ
浜ノ町ニ村上・棚橋両氏相見へ、社長交代ニツキ縷々異見ヲ聞キタルモ、自発的ニアラザル以上ハ反対スル旨縷々申向ケタリ、社長自カラ辞任申出アルトキハ後任者も自分ニ撰定同意ヲ得ラル、様希望ス、其ノ場合ハ森村〔開作〕[2]氏ヲ
社長ハ同意スル旨申向ケタリ
専務・常務事務内規原案参考ノ為メ渡シタリ
杖立発電所独立ニ付社長ノ内談アリ、無止承諾ス[3]
黒瀬より買物ヲナス

七月三日　木曜

午前十時永江・堀両氏相見へ、永江氏より、今回三池鉱山ノ□動［騒カ］[4]ニツキ平田学氏[5]團氏ノ内意ヲ受出張アリ、将来維持上ニツキ打合ノ結果、銀行談ニ移リ、五百万円ノ銀行團氏自カラ発起セラレ地方ニ而合同スル得策ノ旨縷々陳情ノ末、平田氏も同意セラレ、其ノ旨通告旁同意ヲ求ラレ、一同賛成ス、直チニ平田氏帰京ノ時ハ永江氏ニ上京ノ依頼シタリ、一同昼食ヲナシ自働車ニ而帰宅ス

七月四日　金曜

午前六時出福、山道歯医ニ治療ヲ乞タリ

午後四時自働車ニ而山道氏ト同車、家内ノ入歯ノ治療ヲ乞タリ

七月五日　土曜

午前九時出福自働車ニ而、又自働車ハ買物ナシ直チニ別府ニ行キタリ

堀・永江両氏相見へ銀行ノ件打合ス、三池銀行[6]ニ的田ナル人より種々義ヲ起シタルヨリ、早く三井ニ内談ノ事等報告アリタ

午後四時より一方亭ニ行キ晩食ス、白雪屋自働車

1　嘉穂電灯株式会社＝一九一〇年開業（飯塚町）、太吉社長
2　森村開作＝九州水力電気株式会社取締役、この年十月社長就任、株式会社森村組社長
3　杖立川水力電気株式会社（前年十二月設立）社長に太吉就任
4　六月三日三井鉱山三池製作所の一、五〇〇人の労働者がストライキ、十八日まで全山に波及、七月五日妥結
5　平田学＝三井合名会社嘱託、北海道炭礦汽船株式会社人事課長、元福陵新報（福岡市）記者
6　三池銀行＝一八八六年設立（大牟田市）

七月六日　日曜

山道歯医ニ治療ヲ乞タリ

梅谷氏より電話ニ而、福岡ニ而七日ニ面会ノ電話アリ、承諾ス

午後二時白雪屋自働車ニ而山道氏ト帰宅ス

山道氏ハ家内ノ入歯セラレタリ

麻生茂君[1]相見へ、嶋田〔吉右衛門〕[2]ノ件相談アリ、覚書ヲ以申入ノ事ヲ相含メ、明日面会ヲ約ス

七月七日　月曜

午前八時五十分芳雄駅発ニ乗車ノ積リニ而出カケタル処、時間遅クナリ中途より引返シタリ

黒木〔佐久馬〕[3]君ニ電話シ、梅谷氏ニ明日ナレハ早朝より出福候ニツキ打合ノ電話シ、嘉穂銀行ニ行キ、麻生茂君相見へ、嶋田ノ件ニツキ相談アリタルモ、堤〔達三郎〕[4]氏ニ来飯ヲ乞其上ニ而返事スル事ニセリ

堤氏ニ電話セシニ他行ニ付、支配人出福打合ノ電話ス

加納久郎〔朗〕[5]氏ニ帰国ノ祝電ヲナス

梅谷氏相見へ、九水ノ件ニ付種々懇談アリ、別ニ九水ノ関係簿ニ明記ス、和田〔豊治〕氏より片身〔形見〕掛物頂戴ス

硯石、和田氏秘蔵ノ分悉皆保存方、代価ハ三百五円トノ事ナリシ故、内諾セリ

故池尻〔豊太〕[6]氏親族礼ニ見ヘタリ

七月八日　火曜

西園〔磯松〕支配人相見へ、嶋田ノ件堤氏ノ異見ヲ聞取タリ、又夫々気付ノ廉ハ覚書ヲ製シ相渡シタリ

十日九洲重役会[7]電話アリ、夫故銀行ノ方ハ支配人ヲ呼ヒ打合ス

渡辺君相見へ、産鉄庄内[8]ノ方金策道ナキニツキ、赤坂線[9]ニ接続ノ異見聞タリ

七月九日　水曜

午前七時半別府ニ向ケ出発、午後一時二十分着ス

午後三時過キ棚橋氏相見へ、種々打合ス

七月十日　木曜

午前八時十分自働車ニ而棚橋氏一同九水会儀ニ列ス

会儀ニ而重要ノ打合ヲナス（別記アリ）

午後三時十分大分駅発ニ而帰途ニツキ、午後九時三十五分帰リタリ

梅谷氏ハ別府駅迄、廿三銀行員[10]ハ小倉迄同車ス

七月十一日　金曜

午前七時半自働車ニ而後藤寺産鉄会社惣会ニ出席

1　麻生茂＝麻生惣兵衛男、酒造業（飯塚町向町）、飯塚町会議員
2　島田吉右衛門＝元株式会社島田商店（飯塚町本町）代表取締役
3　黒木佐久馬＝九州水力電気株式会社福岡管理部主任、のち部長、本巻解説参照
4　堤達三郎＝弁護士（久留米市）
5　加納久朗＝麻生夏兄、横浜正金銀行ロンドン支店支配人代理、のち同行取締役
6　池尻豊太＝九州産業鉄道株式会社経理課長
7　九州重役会＝九州水力電気株式会社九州在住重役会
8　庄内＝地名、嘉穂郡庄内村、九州産業鉄道株式会社庄内線
9　赤坂線＝九州産業鉄道株式会社赤坂線、麻生赤坂坑と赤坂（嘉穂郡庄内村）間線路
10　二十三銀行＝一八七七年第二十三国立銀行（大分）として設立、一八九七年改称

溜池方面ニ行キ、工事上ニ付注意ス
後藤寺町長［山口良介］外四人相見へ、才判所地位相定リタル礼ト鉄道許可ノ尽力方ト要談アリタ
惣会ニ而無事相済、午後三時より自働車ニ而帰リタリ

七月十二日　土曜

在宅
上三緒区長より度々請求スルニ付、余リ不礼［ママ］之事ニ付且［勝］手ニスル様返事ス
野田氏相見へ、豆田[1]欠踏［陥］地弁債ノ件打合ス
芳雄新停車場前耕地整理ノ件ニ付上田［穏敬］・花村栄［永］次郎[2]ノ両君相見へ、覚書ヲ調成シ打合ス

七月十三日　日曜

在宿
上野文雄君相見へ、町会議員木村［順太郎］氏ノ件ニ付内談アリタ
麻生惣兵衛[3]氏相見へ、嶋田ノ件ニ付懇談アリタルモ、茂［麻生］君ト支配人ト直接交渉シ其結果ニヨリ重役会ニ而相談ノ事ヲ返事ス
西園支配人ニ嶋田ノ件電話ス
堀氏本日出発上京、二十日頃帰県ノ由福岡より電話アリ
永江君ニ其ノ旨電話スルコトヲ約ス
小野寺博士［直助］[4]診察アリタリ

七月十四日　月曜

在宿

午後一時より嘉穂銀行重役会ニ列ス

七月十五日　火曜

麻生太［多］次郎相見へ、欠落地排水溝等ノ件ニ付異見ヲ聞カレ、是迄ノ手続上ヲ詳細相咄、又伊藤君より委託ノ堀氏ノ件相伝へタリ

森崎屋山内坑[5]ノ件ニ付見舞ニ見ヘタリ

七月十六日　水曜

午前在宅

渡辺皐築君相見へ、［嘉穂］銀行大隈支店不始末[6]ニ付聞取タリ

博済会社臨時重役会ニ午前九時ヨリ出席審議ス、議案協定後担保品ニ付不始末アリ、藤嶋［伊八郎］[7]君ヲ責メ廿日迄ニ始末書ヲ差入方ヲ申付ル、戸畑・北方[8]・姪ノ浜[9]ノ三件ニテ約十一口、三千円壱口

大隈支店ノ始末ヲ協議シ、渡辺君ノ説明ヲ乞タリ

1　豆田＝地名、嘉穂郡桂川村
2　花村永次郎＝酒造業（飯塚町立岩）、元飯塚町会議員
3　麻生惣兵衛＝嘉穂銀行取締役、元飯塚町会議員
4　小野寺直助＝九州帝国大学医学部教授
5　山内坑＝株式会社麻生商店山内鉱業所（飯塚町立岩）
6　嘉穂銀行大隈支店書記不始末
7　藤島伊八郎＝博済無尽株式会社取締役支配人
8　北方＝地名、企救郡企救町
9　姪ノ浜＝地名、早良郡姪浜町

弁債方法ハ後日ニ譲ルコトニセリ、大屋［唯雄］[1]ノ弁債壱千三百弐十六円六十九銭ト仮定シ、各重役ノ割宛［ママ］等案ヲ成シ、
渡辺君ニ研究方ヲ托シ相渡ス

七月十七日　木曜

三池永江［真郷］氏ヨリ電話アリ、平田［学］氏ノ書面ニヨレバ團［琢磨］氏ノ方針確定セズ、廿三日上京、平田氏ト打合、模様報知次第
堀氏ト一同上京ノ事ニ打合ヲナシ、其旨堀氏ニ電報ス（別紙ニ控アリ）
午前十一時半太賀吉［麻生］帰宅ス
午後六時太賀吉心得ニ付教訓ス

七月十八日　金曜

木村順太郎氏上野文雄君同供、中嶋鉱業[2]ニ売掛金問題ニ付内談アリシモ、如何トモ致方ナキ旨相答タリ

七月十九日　土曜

花村久助君相見へ、町会議員之件ニ付咄ヲ聞キタリ
上田来リ、町会議員撰挙ニ付、区長等会合シ地方之希望任セ決定シタル上ニ付援助方ヲ申付ル
星野［礼助］氏相見へ、嶋田へ嘉［穂脱］銀行より貸付ノ道付ニ付懇談アリ
右ニ付西園支配人及堤［達三郎］弁護士ニ来邸ヲ乞、一同打合、両弁護士ノ異見ニ随ヒ解決ス（別紙アリ）
晩食ヲナシ帰飯セラル

七月二十日　日曜

午前九時嘉穂銀行ニ行キ、五十七回ノ惣会ヲ終リ、又貯蓄銀行ノ惣会ヲ終リタリ、博済会社株引受ハ、担保品ニ付
調査中ニ付、明瞭ヲ待チ更ニ御通知ス可キ旨株主ニ懇談ス
松月ニ而昼食ヲナシ、支店長ニ能ク心得方相諭シタリ

星野・堤両氏ヲ自働車ニ而福岡ニ送リタリ

七月二十一日　月曜

午前九時自働車ニ而行橋ニ〔ママ〕駅ニ達、十一時発ニ而別府ニ行キタ

伊藤君〔傳右衛門〕ヲ初メ浜口君〔儀兵衛〕[3]等同車ス

昼食ヲナシ一切仕払タリ

［欄外］二十一日在宿セリ、二十二日ノ誤記ナリ

七月二十二日　火曜

棚橋氏相見へ、梅谷氏ノ希望アリ、調査課分担之件ハ反対シ、矢張時々属托〔嘱〕ノ事ヲ職責トスルコトヲ初メ、職制ノ草按、大分・福岡ノ出張所ヲ先キニアリ、又専務・常務ノ分担内規等打合ス

十二時電車ニ而出張所[4]ニ行キタルモ、麻生観八・長野〔善五郎〕[5]ノ両氏不参ニ付翌日ニ日延ス

七月二十三日　水曜

午前九時九水ノ自働車ニ而大分出張所ニ行キ、十時より会議ヲ始メ、左記之廉協議ス

専務・常務分担ニ付内規（自分ノ草案示セシ分）ヲ其侭原按トシテ提出アリ、皆同意ス

1　大屋唯雄＝嘉穂銀行大隈支店支配人
2　中島鉱業株式会社＝一九一八年設立（若松市）、社長中島徳松
3　浜口儀兵衛＝醤油醸造業（千葉県海上郡銚子町）
4　出張所＝九州水力電気株式会社大分出張所（大分市南新町）
5　長野善五郎＝九州水力電気株式会社取締役、二十三銀行（大分市）頭取、酒造業

出張所ニ軽〔経〕理・営業・技術・調査ノ四課ト重役ニ直続〔属〕ノ文書科ヲ置クコトニ、大分・福岡両所ニ監理部ヲ協定〔ママ〕、各自ノ分担ヲ極メ職制改正ノ協定ス

午後一時四十分自働車ニ而村上・渡辺〔綱三郎〕[1]ノ両君ト日田ヲ軽〔経〕而博多ニ帰リタリ（日田営業所ニ迎ノ自働車着セリ）

七月二十四日　木曜

午前八時浜の町ニ堀・永江両氏相見へ、銀行ノ件打合セ、永江氏ハ午後五時急行ニ而出発セラレ、平田氏ト面会ノ模様電報アリシタイ堀氏ト上京ヲ約ス

伊藤傳右衛門氏ニ、九軌[2]ト電力競争之件、松本〔枩蔵〕[3]氏ノ意向ヲ相確カメ返事ヲ請求ス（電話）

午後一時半自働車ニ而帰宅ス

七月二十六日　土曜

午前野田氏相見ヘタリ

午前十時ヨリ胆石病ニ而臥付

八月七日　木曜

午前ヨリ床起キシテ誕生日[4]ニ而内祝之意ヲ表ス

棚橋君相見へ、東京久野〔昌一〕[5]社長ノ意向詳細聞取タリ、辞表スルト意味ハ表面ノミニ而、真意ハ留任ノ希望アリ、種々重役ヲ外部より任用ノ口気ニ而、余程棚橋君より其ノ不得策ナル旨陳弁アリシ由ヲモ聞キタリ

八月十五日　金曜

在宿

百三十三円卅銭ふよ〔麻生フヨ〕[6]渡、蓄音機代、五百三十円黒瀬買物、八百三十円組田〔鞆之助〕[7]送金、合計千四百九十三円卅銭、一時取かへル、書類ハ吉浦ニ渡ス

村上君より電話ニ付、明日午後出福ノ返話ス

八月十八日　月曜

堀氏相見へ、三池銀行ニ電話シ、永江氏十九日午前出福之返電アリタ
伊藤君相見へ、九軌之松本氏ニ立会ノ件打合ス
午後二時半より自働車ニ而帰宅ス
棚橋君ニ杖立ノ件ニ付出状ス
田川杉木四百五十円添田[8]着ニ而買収方、花村徳右衛門君ニ申付ル

八月二十三日　土曜

矢野[梓]先生ニ電話シ、出発見合ノ事ヲ協義ス、然ルニ既ニ出発ノ間際ニ而縁家ナル小倉某方ニ滞在之事ニナリタ
午後二時五分義之介・岡松[直][9]連レ、自働車ニ而出福、直チニ森田正路氏ニ電話シ、明二十四日別荘ニ見ヘル事ニ打合ス

1　渡辺綱三郎＝九州水力電気株式会社監査役、株式会社紙与商店（福岡市上西町）取締役
2　九軌＝九州電気軌道株式会社（小倉市）、電気軌道と電気供給を目的として一九〇八年設立
3　松本忞蔵＝九州電気軌道株式会社常務取締役支配人
4　太吉、安政四年旧暦七月七日生
5　久野昌一＝九州水力電気株式会社長、この年九月退任、本巻解説参照
6　麻生フヨ＝太吉四女、麻生五郎妻
7　組田鞆之助＝骨董商（東京市）
8　添田＝地名、田川郡添田町
9　岡松直＝株式会社麻生商店庶務部兼麻生本家

八月二十四日　日曜

午前九時森田氏迎ニ自働車ヲ遣シ、相見ヘタルニ付、太賀吉等東京ニ而修学ノ出来ザル理由ニ〔ママ〕打明ケ、黒田〔長成〕公侯〔ママ〕[1]関係、尚先輩諸氏ノ縁故アル修猷館[2]ニ入学ノ懇談シ、押付ケケ間敷ナリテハ不宜ニ付白垣〔栄彦〕校長ニ事情申入方ニ付打合、結果津田利夫君[3]指名アリ、早速電話ニ而福村屋〔家〕ニ招キ紹介ノ労ラル〔ト脱〕、コトノ承諾ヲ得タリ

一宮房次郎〔治〕[4]氏洋行餞別ノ挨拶トシテ相見ヘタルニ付、お苑ニ案内シ、午後五時半博多駅急行ニ見送リタリ

八月二十五日　月曜

森田・津田両氏相見ヘ、津田氏ノ報告ニ明年三月ニ入校承諾アリシモ、学習院ノ転校軽々シク参リ兼候ニ付、侯爵〔黒田〕及先輩ノ縁故アル学校ヲ離レルハ遺感〔ママ〕ニ存ズルモ、此場合福岡中学[5]ニ入校希望ヲ申入、両氏も大ニ同情アリ、津田君より高宮〔乾一〕校長ニ交渉アリ、九月一日ノ編入試験ニ応スル様承諾ノ旨報告アリタリ、両氏ハ丁度昼頃ニ付自宅ニ而昼食ヲ出シタリ

松本健次郎氏出福ニ付面会ノ約定アリ、両氏ノ来訪中ニ付大名町松本氏別荘ニ訪問、午後三時半過キ迄種々懇談ス

安川〔敬一郎〕男爵モ出福中ニ而会話ス

八月二十六日　火曜

新築拾五畳間板張ニテ太賀吉等ノ習業所ニナスコトニ着手ス

南側ノ庭園ヲ花畑ニ変更ス

前ノ二階家ニ飯事場ヲ増築ス

星野氏ニ福中ノ件相談ス、子供ノ寄留ハ夏子借宅シテ居住スルコトニシテ、借宅ノ約定ス

午後四時十分自働車ニ而岡松ト一同帰リタリ

八月二十七日　水曜

花村久助君訪問アリ、久兵衛[花村][6]君町会議員ノ当撰ニツキ挨拶アリタリ

午前在宿

午後一時半倉知[智]伊之介[助][7]君告別式ニ参拝ス、自働車（同供者沢山アリ）

午後三時徳光[8]ノ義[麻生]太賀一同ト同車、自働車ニ而出福ス

八月二十八日　木曜

浜ノ町滞在

八月二十九日　金曜

浜ノ町滞在

八月三十日　土曜

午後六時自働車ニ而大谷[ひさき]・茂田[つや][9]両氏ト帰宅ス

1　黒田長成＝枢密顧問官、この年一月まで貴族院副議長
2　修猷館＝福岡県立中学修猷館（福岡市）、一八八五年開館
3　津田利夫＝福岡県教育協会幹事、日本共立火災保険株式会社福岡出張所長、元福岡日日新聞記者、元福岡市会議員
4　一宮房治郎＝衆議院議員
5　福岡中学＝県立福岡中学校（福岡市）、一九一七年開校、一九二五年福岡県福岡中学と改称
6　花村久兵衛＝嘉穂電灯株式会社技術部長、飯塚町会議員
7　倉智伊之助＝嘉穂銀行監査役、元本店支配人
8　徳光＝地名、飯塚町、麻生義之介家所在地
9　大谷ひさき・茂田つや＝麻生家女中

八月三十一日　日曜

野田[勢次郎]氏相見へ、役員昇給ノ内諾ス
有田[広]氏相見へ、縁談ノ内話アリタ

九月一日　月曜

午前九時半嘉穂銀行重役会ニ出席、午後一時帰宅ス
渡辺君相見ヘタルニ付、大森[林太郎カ][1]ノ事跡詳細相咄シ、将来仮令親藉[ママ]間ノ事デモ惣而手順ノ尽シタル上ナラデハ実行出来ザルコトヲ注意ス
金子国雄[2]銀行[嘉穂]より借リ入金ノ件ニ付別ニ（吉浦ニ申付備忘録ニ記入アリ）責任ノ口約ヲナシ、銀行ノ決議録ニ記シアリ

九月二日　火曜

午前在宿
午後一時麻生屋ニ行キ、底井野笹屋[3]相見へ、左七郎[藤田佐七郎][4]氏身上ニ付約三時間協義ス、其ノ結果笹屋ノ相続者ハ如何ナル場合も左七郎氏ノ負債ノ証人等ノ患ナシトノ事ニ付、夫ナラバ左七郎氏ノ成行ニ任セラル、様注意ス
午後四時自働車ニ而出福ス
伊藤傳右衛門氏より電話アリ、病気ニ而松本[枩蔵]氏ノ会合当時出来ザル旨申入アリ、直チニ黒木[佐久馬]氏ニ電話シテ村上常務ニ通話方申入タリ

九月三日　水曜

森田正路氏相見へ、先日紹介ノ労ヲ謝シタリ、後藤寺[5]関係ニ而田川郡県会議員運動費補助ノ内談アリシ事ヲ聞キタリ

伊藤傳右衛門君病気見舞ニ行キ、松本（九軌常務）面会当分出来ザルニ付致方ナキ旨ヲ打合ス
嘉穂東京学生惣代三名来リ、維持費四百円ノ内弐百円ヲ補助ス、現金三人ニ渡シタリ、赤間嘉之吉君も同供アリタリ
太賀吉一同午後四時博多駅発ニ而上京ス、金壱千五百円夏子ニ渡ス
午後五時自働車ニ而帰宅ス
黒木〔佐久馬〕福岡出張所ノ主任相見へ〔ママ〕、北筑[6]売却ノ件内談アリシモ、不宜旨注意ス、弐十万円現金ヲ入金シテモ約一ケ年壱万六千円ノ利子収入アリ、目下三万六千円現収アレバ弐万円ノ損失スルコトニナル故、矢張及限努力シテ乗車ノ多ク様努力方注意ス
地下線ノ件モ大ニ注意ス

九月四日　木曜

在宿、明日上京ニ付其ノ支度ト又書類ノ整理ヲナス
村上君ニ出状ス
松本健次郎氏より電話ニ付、五日上京シ青山ニ着京ノ上ハ電話ノ事ヲ申向ケタリ

1　大森林太郎＝株式会社麻生商店豆田鉱業所長
2　金子国雄＝太吉親族、金子自動車商会（飯塚町吉原町）、元嘉穂銀行書記
3　笹屋＝藤田次吉、太吉親族、酒造業（遠賀郡底井野村）
4　藤田佐七郎＝藤田次吉家別家（遠賀郡底井野村）
5　後藤寺＝地名、田川郡後藤寺町
6　北筑＝九州水力電気株式会社北筑軌道（早良郡姪浜町・糸島郡加布里村間）

有田〔広〕監事・伊藤〔久〕[1]貸付掛相見へ、宮ノ下藤井[2]〔誠造〕[3]貸金ノ相談アリ、是迄ノ三万四千四百九十九円廿銭、弐千四百九十九円二十銭ヲ現金払込致サセ、三万弐千円、一ケ年一割ノ利子付ニ而一ケ年四季払、一ケ年間貸付スルコト、并ニ手形二口モ根担保トシテ融通スルコトモ打合ス

九月二十五日　木曜

午前十時自働車ニ而出福ス
堀・永江両氏相見へ、團氏より長谷川〔数衛カ〕[4]氏ノ件ニ付来状アリ、其ノ返事ハ各銀行重役会ニ而委托ヲ受ケ其上ニ而来ル一日返書ヲ送ルコトニ打合ス
野田〔卯太郎〕氏ヲ栄屋[5]ニ訪問ス

九月二十六日　金曜

午前八時知事官舎ニ訪問、合併ニ付前提トシテ新銀行組織及中真〔ママ〕人物撰定ニ付親シク申向ケ、尚合併ニヨリ地方銀行営業方針ノ変ワラヌ様、即県内ノ金融ニ関シ重〔ママ〕大ナル関係ノ事等詳細申向ケタリ
委員会[6]ニハ有田〔広〕氏ヲ代理ニ遣ス
於苑ニ於而野田氏一行ヲ招待ス、堀氏ト両人ナリ

九月二十七日　土曜

堀・山内ノ両氏相見へ、十七銀行[7]営業方針ニ付、地方銀行ト一同ニナル様知事より十分ノ懇談ノ件打合ス
午後二時太賀吉等一同自働車ニ而帰宅ス

九月二十八日　日曜

在宿、典太発熱ニ付夏子ニ連サシ出福ス、自働車

九月二十九日　月曜

午前九時嘉穂銀行臨時重役会ニ出席、新設銀行頭取撰定ニ関スル一切ノ委託ヲ受ケタリ
棚橋氏ニ出状ス

九月三十日　火曜

午前六時自働車ニ而出福
浜ノ町ニ永江・堀・山口ノ三氏相見へ、合併ノ打合ヲナシ、團氏ノ返書ニ記名シ、又永江氏より長谷川氏ニ面会ノ上相談ノ件アリ、近日上京ノ旨発電スルコトニ打合、山口氏ハ委員会済迄滞在ヲ懇望、滞在アリタ
お苑ニ而昼食ヲ呈ス
伊丹[弥太郎]・海東[要造][8]ノ両氏悔ミ[9]ニ見ヘラレタリ

十月一日　水曜

永江・堀・山内[範造]三氏相見へ、委員会進行方ニ付打合セ、又十七銀行交渉問題ニ付山内氏ノ気付ノ点永江君ニ伝ヘタ

1　伊藤久＝嘉穂銀行貸付掛、のち本店支配人
2　宮ノ下＝地名、飯塚町宮ノ下町
3　藤井誠造＝共福無尽株式会社長、貸家業
4　長谷川数衛＝三井銀行参事
5　栄屋＝旅館（福岡市橋口町）
6　委員会＝福岡県内銀行合同委員会
7　十七銀行＝第十七国立銀行として一八七七年設立（福岡）、一八九七年私立銀行に転換して改称
8　海東要造＝東邦電力株式会社取締役、九州鉄道株式会社常務取締役、本巻解説参照
9　太吉妻麻生ヤス九月十四日死去

リ
典太午前二時より聞痛ミ[耳カ]、午前五時半山田氏[駒之輔]ニ来診ヲ乞、夏子ヲ呼ヒニ遣シタリ、午前十時半着ス
村上巧児氏上京ニ付、社長辞任之問題ニ付充分念入進行方棚橋氏ニ伝言ス
山口氏ニ電話ニ而滞在ノ労ヲ謝シ、帰京ノ事ヲ申向ケタリ
有田君相見へ、来ル三日委員会開催之通知アリ、一同午後二時半より自働車ニ而帰ル
県庁保安課ニ有田氏代理トシテ八木山越[1]自働車競争ノ許可ナキ様申入タリ

十月二日　木曜

午前二時目□[醒]シテ梅谷君ニ社長進退問題ニ付発電ス
午前五時より墓所移転ニ付監督ス

十月三日　金曜

午前六時半より自働車ニ而出福、途中故障アリ、九時半過キ着ス、堀・永江両氏待受アリ、合同ノ件打合、尚会済後三時頃右両氏相見へ、来ル九日午前十一時委員会開会スルコトニナリ、其ノ用向ハ新銀行ヲ創立スルコトニナリタル旨申向ケラレタリ
三時半過キヨリ有田氏ト一同自働車ニ而帰宅、三週日ノ仏事ヲナシタリ

十月四日　土曜

三週日ノ仏事ヲナシ、午後三時より墓所ニ而終日監督ス

十月七日　火曜

午前九時渡辺・谷口両氏相見へ、産鉄会社之件ニ付、地元ノ某、溜池問題ニ付故障申立、其末取付キ様ニ至リタルヲ以、先年地元耕地組合当時ノ古不債[負]ヲ以訴訟ヲ提出シ末、下方ニ而何ニカ工夫ワナキカト申込タリ、結局程度問

題ニ付両氏ニ於而十分注意アル様申向ケタリ
九水ノ件棚橋・梅谷両氏より電信来リタリ
墓所ノ改埋終リタリ、是より石碑建方ヲナスコトヲ申付タリ

十月八日　水曜

午前十時半おきよ［上野はな］[2]連レ自働車ニ而出福
午後二時ヨリ於苑ニ行キ、堀氏ト晩食ス

十月九日　木曜

午前十時県庁ニ銀行合同委員会ニ列ス
資本金五百万円ノ新銀行創立スルコトニ決議ス
　産業部商工課白水憲（ケン）一
来ル十一日各郡長ヲ召集ノ上知事より訓示方申入、承諾アリタリ
昼食ヲ西洋料理屋（川淵）ニ行キタリ（堀氏一同分立替アリ）
午後四時より於苑ニ行キ、堀氏ト晩食ス
県庁銀行合同委員会済後底井野村長嶺要一郎・折尾町長末松由承ノ二氏相見へ、堀氏ト一同遠賀銀行[3]救済方依頼アリタリ、前日別荘ニ岡垣村長太田達雄・中間町長村田謙次郎ノ両氏モ来訪アリシモ不在セリ

1　八木山越＝嘉穂郡鎮西村八木山を経て糟屋郡篠栗村と飯塚町を結ぶ峠
2　上野はな＝おきよ事、麻生家女中
3　遠賀銀行＝一八九七年設立（遠賀郡芦屋町）、一九二〇年遠賀郡折尾町に移転、一九二七年解散

十月十日　金曜

午前八時中西四郎平男[ママ]青木君カ白井元太郎ト申人相連レ金融上ニ付種々懇談アリタルモ断リタリ、其末博済会社ノ方ニ借入方調査ノコトヲ約シタリ

午前十時自働車ニ而帰リ、夏子及下女同車、五時より仏事ヲ営ム

十月十一日　土曜

午前墓所改築ニツキ実地ニ臨ミタリ

九時より四週日ノ仏事ヲ営ミ、午後二時墓参ス

池上駒衛氏[1]・赤羽[克巳]満鉄理事・松本健次郎ノ三氏ニ電信ヲ発ス（別記アリ）

棚橋氏より帰福来訪電話アリシモ、明日出福之事ヲ約ス

中山[柳之助][2]ニ移転家屋予算上ニ付不都合ノ廉アリ、始末書差出方ヲ命ス

花村徳右衛門君ニ、愛蔵[瓜生愛造]ノ交換地調査、与四郎[瓜生]より平市[鬼丸]ヲ以申入候山林交換ノ件、并ニ八木山[3]松材切取方ニ付打合ス

知事官房ニ電話シ、銀行合同ノ件九洲日報[4]記載ノ件ハ誤悔[解]ナキ様知事ニ伝言ノ事ヲ申入タリ

瓜生[長右衛門]より竹田[田能村][5]ノ愛物沢山持込タルモ、代価不明ノ事ヲ申向ケタリ

十月十三日　月曜

午前瓜生来リ、竹田品物買収之件ハ断リタリ

西野伊之吉[6]跡ノ件ニ付内談、及元藤棚巡査某雇入方申入タリ

郡長[樫田三郎]相見候ニ付、銀行合同ノ件従来ノ成行ヲ咄シ、将来其ノ方針ニ而援助方申入タリ

棚橋君より電話ニ付、送電会社[7]委任状ニ付重役会決議必要アリ旨申向ケ、今井[三郎]君来十五日福岡ニ立寄上京為致方

ニ付、出福ノ事承諾ス
花村徳右衛門及鬼丸平一［市］来リ、交換山林ノ実地踏査ス
　十月十五日　水曜
棚橋氏相見へ、東京社長交代問題聞取タリ
送電会社之件ハ今井君ニ托シ、山口［恒太郎］氏ノ進行通委員会ニ於テ異見ナキ時ハ、委任状ニ調印シテ送付スルノ外ナキ旨
伝言ス、尤九水重役会開催ノ上、評義ノ上ニ而取計方申添タリ
松本氏ト十八日午後三時より四時ノ間ニ面会ヲ約ス（福岡ニ而）
午後一時赤十字社［福岡］支部商議員会ニ列ス
午後五時より自働車ニ而帰宅ス
一瓜生鈴木某履歴書持参相見へ、銀行ニ雇入ルコトニセリ

1　池上駒衛＝石炭鉱業聯合会幹事
2　中山柳之助＝株式会社麻生商店本店鉱務部
3　八木山＝地名、嘉穂郡鎮西村
4　九州日報＝玄洋社機関紙福陵新報として一八七七年創刊、一八九八年改題（福岡市）
5　田能村竹田＝江戸時代後期の南画家
6　西野伊之吉＝長五郎改名、元麻生商店主事補芳雄山内坑務課長
7　九州送電株式会社＝宮崎県五ケ瀬川水力開発のために九州水力電気・九州電灯鉄道（東邦電力）・住友・電気化学・九州電気軌道によって計画された共同会社、九州電気軌道を除く四社によって一九二五年設立、太吉相談役

十月十六日　木曜

在宿

堀氏ニ柴田〔善三郎〕知事ニ面会ノ件打電ス（電文別ニアリ）

赤十字社支部谷保馬氏[1]ニ注意状発ス（別紙アリ）

十月二十一日　火曜

午前八時伊藤傳右衛門君ヲ訪ヒ、銀行合併ノ前提トシテ新銀行資本金五百万円ナリ設立スルコトトナリ、席上ノ模様ト従来三井関係い才〔委細〕懇談シ、又地方銀行従来営業方針ヲ以十七銀行ニ於而合同ノ中真〔ママ〕トナリ尽力方知事より申入アリタルモ、古井専務相断タル等〔由之〕申向ケタルニ、伊藤ハ秘蜜ニ申入ラザルハ残念ナリトノ口気故、夫レハ大ニ慎ムベキコトニ而、両天ビンニ掛ル如クナリ、如何ナル親友ニテモ不宜旨申向、大ニ笑ラレタリ〔ママ〕、知事より申入ハ何等其辺ニ心配ナキナリ、今日ニ於而モ知事外申入ノ通新株未募収〔集〕全部引受、十七銀行カ従来地方銀行営業方針通尽力アレバ此上ナキ旨申向ケタリ

一午後十時自働車ニ而帰宅ス

一渡辺君相見へ、産鉄入水灰山[2]貸金ノ件懇談アリシモ、七千円一割利付ニテトンネル無料ニテ、其ノ以上ハ不宜旨申向ケタリ

十月二十二日　水曜

午前十時嘉穂銀行重役会ニ出席、新銀行株引受ニツキ打合、博済株式会社ニ而引受、代人トシテ中野〔昇〕・伊藤〔傳右衛門〕三人名義ニ而引受ケルコトニセリ

午後弐時半自働車ニ而出福、午後五時着ス

梅谷・村上両氏相見へ、東京ニ而社長交代ノ手続キ報告アリタリ、地下線問題ハ当然発表スルニ付、五ケ年後ニ至

リ権利移転ノコトヲ説明スル必要アルコト
将来本社ヲ九洲ニ移ス希望アル旨梅谷氏へ大分某三氏カ申入タルコト等咄アリタリ、梅谷君ハ食事ナシ帰宅アリタ
金千円別口預ケ金受取タリ

十月二十三日　木曜

堀氏相見へ、合同談ニ付打合、午後三時より一方亭ニ行キ晩食ス
呂升〔豊竹呂昇〕[3]来リタリ
丸太や[4]ニ着物類注文ス（一切ニ而約五百円）
松居[5]へ柊屋[6]行キ帯地注文ス

十月二十四日　金曜

山道氏ニ診察ヲ乞タリ
堀氏相見へ、株募集ニ付冨安〔保太郎〕[7]又▨〔在カ〕京中ノ山内範三〔造〕氏ニ福岡ニ集合ノコト打電ス
渡辺君相見へ、産鉄溜池問題ノ協義ヲナス

1　谷保馬＝日本赤十字社福岡支部主事
2　入水＝地名、嘉穂郡庄内村
3　豊竹呂昇＝本名永田仲子、女義太夫
4　まるた屋＝呉服商（福岡市中島町）
5　松居＝松居織工場株式会社（福岡市東中洲）、合名会社を一九一九年改組
6　柊屋＝旅館（京都市麩屋町）、支店（東京市麹町区内幸町）
7　冨安保太郎＝瀬高銀行（山門郡瀬高町）頭取、九州電気軌道株式会社取締役、元衆議院議員

福岡南組消防組器械修繕代ノ内ニ百五十円寄付シ、吉浦より其後受取

十月二十五日　土曜

冨安［保太郎］氏より午後三時着博ノ返電来リタリ
永江［真郷］君出福ノ打電ス
山道氏ニ診察ヲ乞タリ
堀氏ト自働車ニ而相政［お］1ニ行キ、冨安氏待受、十七銀行ニ株引受ノ内交渉ヲ懇談ス
山内氏帰県出来ザル旨返電アリタルニ付、堀氏ト打合、別記ノ発シ帰県ノコトニナリタ

十月二十六日　日曜

知事ヲ訪問セシモ不在ナリシ
冨安氏ヲ松嶋屋2ニ訪問、詳細打合ス
相［お］政ニ而永江・冨安・堀氏ト会合シ、合同ノ協義ヲナシ、午後四時堀氏ハ帰直アリ、何れも夫より引上ケタリ
午後五時知事官舎ニ訪問、十七銀行へ株引受ニ封［ママ］スル事ヲ懇望シ、又二十七日ノ申込株数発表ナキ様注意シ、周囲
ヨリ防［妨］害ノ起ザル様申入タリ
冨安君より電話ニ而、十七銀行ハ古井［副脱］頭取帰福、合同ニ反対ノ旨申通シアリタ

十月二十七日　月曜

早朝冨安・永江相見へ、十七銀行之態度ニ付詳細聞取タリ
［欄外］後
伊藤傳右衛門君相見へ、十七銀行ハ撰食ナラバ合同スルモ、不始末ノ銀行多ク、嘉穂銀行ノ如キハ巻込ニ合ハザル
様トノ意味申向ケアリタ、撰食ノ表称ハ不宜も、合同ノ事実ハ自然ト其ノ意味ニナルモノナレバ深ク考慮セラレ、

尚合同ヲセザレバ新株引受ハ極力尽力アル様申入タリ

［欄外］前

山内範三［造］君東京より帰県アリ、模様聞取タリ、折柄伊藤君より電話ノコト別荘［浜の町］より電話セシニ付、お政ニ居タルモ

直チニ別荘ニ引取、伊藤ニ面会ス

相［お］政ニ行キ、待受ノ冨安・山内・堀・永江ノ諸氏ニ報告ス

後藤寺渡辺君より溜池問題郡長［古田義一郎］[3]ノ尽力ニ而解結［決］ノ電話アリタ

午後八時半お政より帰リタリ

　十月二十八日　火曜

棚橋氏ニ送電会社ノ件ニ付打電ス

お苑ニ而三井銀行渡辺［省二］[4]・久留［幸吉］両氏ヲ招キ、永江・堀ノ諸氏ト打合ス、午後十時帰リタリ

　十月二十九日　水曜

堀・永江両氏相見へ、一同お政ニ行キタリ

午後四時飯塚ニ返［ママ］リタリ

1　お政＝おまさとも、矢野ソデ（マサ）経営待合満佐（福岡市東中洲）

2　松島屋＝旅館（福岡市中島町）

3　古田義一郎＝田川郡長

4　渡辺省二＝三井銀行福岡支店長

十月三十日　木曜

午前九時自働車ニ而自宅ヲ発シ、笹[篠][1]栗ノ前ノ処ニ而看護婦連ニ逢ヒタリ

堀・永江両氏相見へ、銀行ノ持株十七銀行より断リ来リタルモ、知事ハ将来ノ立場上強而勧告セザリシ理由ヲ聞キタリ、永江君ハ帰郡アリタ

堀氏ト伊藤君ト一同相[お]政ニ行キ、午後九時帰宅ス

十月三十一日　金曜

山道氏診察ヲ乞タリ

青柳某来リ、外交問題ニ付三時間余懇談ス、大木[遠吉][2]伯ノ書状持参ス

お政ニ行キ、伊藤・堀ノ両氏ト会合、午後七時帰リタリ

十一月一日　土曜

永江・堀両氏相見へ、一同打揃委員会ニ列ス

十二時昼食ヲナシ

午後一時より市[福岡]役所三階ニ而銀行合同ノ惣会ニ列ス、別記ノ口演ヲナセリ

午後四時半帰宅ス

政友会支部ニ行キ打合ス

壱千円

八百八十円

三百二十円　懐中

十一月二日　日曜

棚橋君相見へ、提案ノ職員ノ臨時休日及日給者ノ日曜日支給方ハ絶体〔ママ〕不宜旨ヲ申述べ、強而希望スルナラバ致方ナク直チニ解職ノコトヲ打合ス、其他杖立・地下線問題ニツキ打合ス
午後九時半より自働車ニ而帰宅ス
上田〔穏敬〕ヲ後藤寺ニ遣シ、助役ノ模様ヲ見舞サセタリ
渡辺君帰リ、模様聞キ取タリ
金七十五円三十日黒瀬払、五十円三十一日黒瀬払、金廿円看護婦連ニ遣シ、合計百四十五円浜ノ町より一時仕払セシ分、茂田〔つや〕さんニ相渡シタリ

十一月三日　月曜

恵比須神社祭例〔ママ〕ニ而氏神八幡宮[3]参詣ス
渡辺〔皐築〕・野田〔勢次郎〕・麻生義之介・麻生屋〔麻生太七〕訪問アリタ、横書ノ打合ヲナス
　産鉄ノ件・加納家借地ノ件・鉄道売炭・（健之介ノ身上）
相羽君相見へ、炭田ノ打合ス（図面持参ス
樫田〔三郎〕郡長相見へ、町制之義ニ付内談アリタ
午後四時芳雄駅発ニ而上京、岡松〔直〕門司迄同供ス

1　篠栗＝地名、糟屋郡篠栗村
2　大木遠吉＝元司法大臣・鉄道大臣
3　氏神八幡宮＝負立八幡宮（飯塚町栢森）

十二月五日　金曜

午後十二時過帰着

十二月六日　土曜

午後一時半政友会支部ニ而山内・堀両氏ヲ待合セ、知事官舎ニ柴田知事訪問、左記ノ報告ス、い才［委細］ハ合同銀行事績ニ綴リタリ

午後四時お政ニ行キ、堀・山内・森田ノ三氏ト打合ス

午前十時自働車ニ而出福ス

十二月七日　日曜

午前八時半棚橋君相見へ、賞与引下ケ・東望［東邦］内容調査ノ打合ヲナス

午後一時ヨリ産鉄重役会開会ス

堀・伊藤・中村［武文］[1]三氏出席アリタ

産鉄より渡辺・谷口・［空白］三氏出席アリタ

十二月八日　月曜

午前十一時幸袋工作所[2]重役会ニ伊藤君宅ニ出席

松本［健次郎］君辞任ノ内諾シ、事業ハ収支相債［償］フ程度ニ引下ケ整理、営業持続スルコトニ決ス

柏木商治君[3]相見へ、種々会社ノ事ヲ聞キタリ

十二月九日　火曜

中野六郎君[4]死去ニツキ悔ミニ行ク

田川福田繁次郎[5]・渡辺皐築ノ両氏相見ヘタリ

一午後二時自働車ニ而本宅ニ返リ［ママ］、午後七時帰福ス
一樫田郡長・有田監事相見ヘタリ

十二月十日　水曜

午前山道歯医ニ治療ヲ乞タリ
午後二時より自働車ニ而帰宅
堀氏より電話ニ而、中嶋君［徳松］6より坑区図面来リタルニ付留書留［ママ］ニ而送布［ママ］ノ電話アリタ

十二月十一日　木曜

午前十一時より自働車ニ而一同中野氏告別式ニ仏参ス

十二月十二日　金曜

堀・伊藤両氏相見ヘ、産鉄専務給料協定ス
堀氏トお政ニ行キ晩食ス

十二月十三日　土曜

午前七時三十七分博多発ニ而九水重役会大分出張所ニ出席、重要問題協義ス、殊ニ営業方針ニ付大ニ努力方協定ス、

1　中村武文＝九州産業鉄道株式会社取締役、田川銀行取締役、酒造業（田川郡猪位金村）
2　株式会社幸袋工作所＝一八九六年合資会社設立、一九一八年株式会社に改組（嘉穂郡幸袋町）、太吉取締役
3　柏木商治＝柏木勘八郎甥、麻生縫弟
4　中野六郎＝中野昇（中野商店株式会社長）弟
5　福田繁次郎＝田川銀行取締役、元田川郡後藤寺村長
6　中島徳松＝中島鉱業株式会社（若松市）社長

九軌及東望[東邦]より合同希望アル事情ヲモ内報ス
午後五時自働車ニ而一同別府ニ来リ、山水園別荘[1]ニ一泊ス
　佐藤虎雄[2]君午後八時半過キ相見ヘタル由ナルモ、正門ニ而引返シアリシ

十二月十四日　日曜

午前七時起キ園内ヲ見廻リ、手入方川田[十][3]君ニ申伝ヘタリ
午前九時九水自働車来リ、乗車シテ別府駅より午前九時十七分ニ而乗リ、車中渡辺[綱三郎][監]検査役・黒木主事ノ両人より検査ニツキ聞取タリ、尚前月ノ増減ニツキ厳重調査ヲナシ、其ノ結果ヲ基礎トシテ営業上ニ十二分ノ努力セラル、様注意ス、爰ニ驚クベキハ梅谷常務ノ平素行為内知セリ
午後四時博多駅ニ着、渡辺・黒木ヲ送リ、お苑ヨリ山口君電話アリ、直チニ訪問シ、柴田知事ニ野田[卯太郎]君之伝言ヲ伝ヘタリトノ事ナリシ
森田・山内・永江ノ三氏ト晩食ヲナシ、帰リタリ
博多停車場ニ而山家村長[塚本栄太郎]・内野村長[山内剛]外有志者より冷水線[4]ニツキ挨拶ニ見ヘタリ
　五円ヲ松丸[勝太郎][5]、十円ヲ川田氏見舞ス、五十円孫等ニ遣ス

十二月十五日　月曜

福田[繁次郎]（田川銀行）君相見ヘ、合同銀行ニツキ種々心配セラレ居タルモ、知事ニ報告セシ末、山口君より何ニカ東京ノ模様伝達ナルベクニ付、夫迄成行ヲ待タレル様注意ス
森田君より、来ル十八日午後委員会開催之件、柴田知事ト打合ノ上内報アリタ
黒瀬より百五円ノ買物ヲシ、八月廿五日買入セシ品物現金受取返還セリ
吉浦ニ電話シ、鮎川[義介][6]・松野[鶴平]両家香典及直方火災見舞ノ注意ス

十二月十七日　水曜

堀氏別荘ニ相見へ、中嶋坑業会社より申入之吉隈坑区[7]譲受ノ区域、相羽君ニ命シ製図堀氏ニ相渡ス
含有高ハ先方ニハ通知ナキ様注意セシモ、調査高五百五十一万屯、煽石[8]共含有セシコトヲ堀氏ニ咄シタリ

十二月二十六日　金曜

上京中ナリシモ、浜ノ町別荘ニ野見山平吉[9]・城嶋春次郎[10]・西嶋連[11]ノ三氏訪問アリタルヨリ、帰県シテ聞取タリ

十二月二十七日　土曜

午後十二時東京より帰県、直チニ下ノ関より加納［鎰子］[12]様御一行及迎ノ太賀吉等一同着、直チニ迎之自働車ニ而浜ノ町ニ着ス

1 山水園別荘＝麻生家別荘（別府市）
2 佐藤虎雄＝大分県会議員
3 川田十＝株式会社麻生商店別府駐在員、別府農園主任、元山内農場（飯塚町立岩）主任
4 冷水線＝冷水トンネルで筑紫郡筑紫村原田と嘉穂郡上穂波村長尾間を結ぶ鉄道
5 松丸勝太郎＝麻生家別荘山水園（別府市）
6 鮎川義介＝戸畑鋳物株式会社社長、株式会社木津川製作所社長、のち満洲重工業開発株式会社総裁
7 吉隈坑区＝株式会社麻生商店吉隈鉱業所（嘉穂郡穂波村ほか四ケ村）の一部
8 煽石＝ハシリとも、炭層の中に火山岩が入り、石炭が無煙炭または天然コークスに変質したもの
9 野見山平吉＝福岡県会議員
10 城島春次郎＝早良郡長、元福岡県農林課長、のち産業組合中央会福岡県支部常務理事
11 西島連＝元福岡県会議員
12 加納鎰子＝故加納久宜妻、麻生夏・野田勢次郎妻八重子母

十二月二十八日　日曜

津田利夫君相見へ、中学校先生招待之件打合セ、二十九日ニ決定シ、直チニ案内ヲナス
大分日々新聞社[1]員来リ、百円相渡ス
午後三時より自働車ニ而太賀吉等一同帰宅ス

十二月二十九日　月曜

故保子[麻生ヤス][2]預金五人ニ分与ス
太右衛門[麻生][3]勧業債券二百七十円、操子[麻生ミサヲ][4]渡ス
ふよ[麻生フヨ]預金千四百円余、本人ニ渡ス
午前整理シ、午後二時より出福ス（義ノ介一同自働車）
故保子小口当座通帳ハ解約トナリタルニ付、解崩シ古反[ママ]ニセリ
午後四時義ノ介一同自働車ニ而出福ス
午後五時一方亭ニ於而先生方之招待会ニ列ス

十二月三十日　火曜

一方亭ニ行キ、安川[敬一郎]氏ト会談ス
石田[精一][5]氏葬式ニ列ス
午後八時一方亭より帰リタリ
津田利夫君相見へ、家庭教師ノ件ニ付懇談セラレタリ、然ルニ安川氏ノ秘蜜驚クベキ事ニ而何ニトモ挨拶ニ困リタリ、乍併世間ニ発表ナキ様呉々注意ス

十二月三十一日　水曜
午前六時自働車ニ而帰宅ス
名和〔朴〕[6]氏相見ヘタリ、従来警察上之件ニ付内情聞取タリ
花村父子相見ヘ、挨拶セラレタリ
黒瀬来リ、掛物買入タリ

金銭出納録

大正十三年一月二十日
金弐百三十二円　　博済会社七月より十二月迄賞与金
同二百三十一円十五銭　　〔嘉穂〕貯蓄銀行同上
同千六百廿九円四十八銭　　嘉穂銀行同上

1　大分日日新聞＝一九一一年創刊、社長衛藤又三郎
2　麻生ヤス＝太吉妻
3　麻生太右衛門＝太吉長男
4　麻生ミサヲ＝麻生太右衛門妻
5　石田精一＝弁護士（福岡市）、元判事
6　名和朴＝元飯塚警察署長、のち田川郡後藤寺町長

〆二千九十二円六十三銭　　現在

一月二十日

　金三十円　　松月女中

　同三十円　　嘉穂銀行小使・給仕

　〆有田渡　　懐中より

　同十円　　松月女中ニ重而遣ス

　義太賀・太助[介]ニ遣ス

　十二円七十六銭　　油絵具用五品代

　三円九十銭　　同上一品

　〆十六円六十六銭

　　ノ内

　　弐円六十銭　　已前買入分品返シタル代金入金

　残而十四円六銭払ヒタリ

　二十九円　　自働車

七月二十日　　十三年一月より六月迄上半期

　貯蓄銀行賞与金

金百九十四円三十一銭
嘉穂銀行同　同[ママ]
金千四百四十三円九銭
博済会社同
金四百三十円十五銭
博済同期手当
金弐百円
貯蓄銀行日当
五円九十銭
同
五円九十銭　七月十四日
〆弐千弐百七十九円三十五銭
内
三十円　松月女中
三十円　銀行小使
〆
残而弐千二百十九円三十五銭
内
弐千二百円　別封

十九円三十五銭　懐中ス
［欄外］此外夏子四百円
［欄外］此外百八十円　懐中ニアリ
〆三千七百九十九円三十五銭
十三年七月廿一日調査ス
外ニ四百四十八円掛物代取かへ分アリ
四千二百四十七円三十五銭

十三年七月廿一日　中元
金壱千五百円　義之介
同五百円　太七郎
同五百円　五郎[1]
〆
五十円　夏
四十円　太賀吉・典太・つや［ツヤ子］・たつ［辰子］[2]
百円　太右衛門
五十円　操
五十円　米［ヨネ］[3]
二十円　義太賀・太助［介］

五十円　　　　　君生〔きみを〕[4]
十円　　　　　　たきよ〔多喜子〕[5]
五十円　　　　　ふよ
二十円　　　　　摂郎・忠二[6]
〆二千九百四十円
　　五百六十円アリ
残而千三百七円三十五銭
　内
千百八円　　　　別封
二百円　　　　　懐中
〆　　　　　　　七月廿一日現在
　　此内ニ二百円五郎渡分引
残而千百八円

1　麻生五郎＝株式会社麻生商店
2　麻生ツヤ子・辰子＝太吉孫
3　麻生ヨネ＝太吉三女、麻生義之介妻
4　麻生きみを＝太吉四男太三郎妻
5　麻生多喜子＝太吉孫
6　麻生摂郎・忠二＝太吉孫

十三年八月九日

金四千四百円　受取

内

二千九百四十円　人々ニ仕払セシ分

残而千四百六十円　受取トナル分

金三千円　嘉穂銀行ニ預ケル

差引

八月九日現在

千四百円　別封

九百六十円　同

百二十五円　懐中

四十円　孫等ニ誕生自祝

〆三〔ママ〕千五百廿五円

内

百三十三円三十銭

五百三十円

八百三十円

〆千四百十〔ママ〕三円三十銭

残而九百八十六円七十銭
　内
八月十五日現在
六百三十五円　現在
百三十円　仕払
〆七百六十五円
残而二百二十円　不足、費消セリ

［貼紙］
八月十五日現在
　十三年九月五日迄ニハ悉皆出入ニ異状ナシ
六百三十五円　九月五日受取勘定ス
八百三十円　組田送金一時立替
三千円　銀行より受取（別口預金）
〆四千四百六十五円　趣味之九洲社記者中村伊勢次ニ金十円遣ス
　内
三百円　浜ノ町家費立替
壱千五百円　夏子渡、東京行
〇二千三百五十円　現金

○弐百四十円　　　　　懐中

〆四千三百九十円　　　此内より五十円、孫等ニ□〔洋カ〕食費渡ス

　　　　　　　　　　七十五円不足トナル

○銀貨入ニ十円斗リ有ル

○印三ツ、九月五日上京ノトキ持参ス、上京日誌ニアリ

［貼紙］

九月五日上京ノトキ

　二千三百五十円

　二百四十円

外ニ

　十円現在

　五十円　　　福村女中

　五十円　　　お静

　二百円　　　典太買物

　九百円　　　柊屋預ケ

　百円

　〆千三百円

残而千三百円

十月十一日
九百円
百四十五円
三十三円
［〆］千七十八円
残而二百廿八円　　　　不足

十一円四十銭　　　　十月十五日赤十字社商議員日当受取タリ

［貼紙］
十二月五日夕調査
金八百円　　　　百円札八枚
同弐百九十五円　　　　懐中

［貼紙］
十二月十六日
黒瀬払ノ仕約三百廿八円
外ニ
弐百円　　　　受取

〆五百二十八円

十二月二十九日

金五千円　　義ノ介より受取

内

千五百円　義ノ介

五百円　太七郎

五百円　五郎

五十円　夏子

四十円　太賀吉・典太・艶子・辰子

百円　太右衛門

五十円　操

五十円　米子

二十円　義太賀・太助[介]

五十円　君生

十円　たきよ

五十円　ふよ

二十円　接[摂]郎・忠二

〆二千九百四十円

残而二千六十円
四千六百六十四円六十五銭　十三年六月より十一月迄半期九水重役賞与
〆六千七百二十四円六十五銭
　内
六千円　別口預ケ、吉浦渡ス
残而七百二十四円六十五銭
　外ニ懐中分及一時立替分等一切ニ而
金千百十円三十五銭
廿九日現在
〆千八百三十五円
　内
千六百円　封
二百三十五円　懐中
金弐百円　黒瀬買物代払
同百円　卅一日貸付、同人
同百九十円　同人買物代払
同三百円　君男〔麻生きみを〕・つや子両人助勢

同弐百円　　　　お苑払（君男［勇カ］[1]渡）
同五十五円
同五十円
〆百五円　　　　仕払
〆千九十五円
同七百四十円　　現金有、十二月卅一日夕調査
〆千八百三十五円

1　君勇＝水茶屋券番（福岡市外）芸者

一九二五（大正十四）年

一月一日　木曜

天皇陛下・皇后陛下・摂政宮殿下・良子女王殿下拝賀ヲ終リ、四方神社仏閣ヲ拝ス

氏神八幡宮[1]ニ参詣及墓所ニ参拝ス

一月二日　金曜

午前花村徳右衛門[2]連レ天神坂・地蔵山等ニ行キタリ

午後ハ大浦屋敷[3]柿植及杉山ヲ竹林ノ目的ニ而手入方日役ニ申付ケ着手ス

一月三日　土曜

午前九時開店、年頭ノ挨拶ヲナシ御酒・鯣ニ而祝盃ヲ催ス（挨拶ハ別記ス）

午前十時半赤坂駅[4]迄軌道ニ而渡辺〔皐築〕[5]君ト産鉄線[6]実地踏査ニ臨ミ、筒野溜池迄ニ行キ重要之場所、則赤坂駅ヲ基点トシテ延長スルコト、又松風[7]運搬道路ハ産鉄ヲ下ニシテ運搬路ヲ上ニスル等打合ス、又其ノ東側ニ停車場ヲ置クコトニ内話ス、昼食ハ持参ノ有合せニ而仕舞、〔上野〕喜五郎[8]ヲ置キ、渡辺氏ト二時半赤坂駅ニ乗車帰宅ス

堀〔三太郎〕[9]氏より四日出福之義安川〔敬一郎〕[10]氏より伝達アリシモ、断リタリ

一月四日　日曜

野田〔勢次郎〕[11]君相見ヘ新年招待之件ニ付打合、是迄通ヨリ成可ク節倹之意ヲ用ヒ、可成親切ニ待遇方注意ス

〔瓜生〕与四郎之件ニ付麻生屋[12]・酒屋〔麻生〕[13]尚敏・瓜生〔長右衛門〕[14]三君相見ヘ、区民ニ対シ謝罪書ヲ呈シ将来謹〔ママ〕身スル意味ニヨリ解決スルコトヲ打合ス

上田〔穏敬〕[15]君相見ヘ、寿像建立之内諾スル様申入アリタル、営業安定ニ至ル迄相待チ呉レル様申向ケタリ、上三緒区[16]之改約之件も当方より示セシ通ニ而申来〔ママ〕リルノ外一切対手ニセザル様注意ス

一月五日　月曜

午前在宿
森田［正路］17・山内［範造］18両君ハ欠席、博多連来リ、午後八時自働車ニ而夏子［麻生夏］19一同出福ス

1　氏神八幡宮＝負立八幡宮（飯塚町栢森）
2　花村徳右衛門＝太吉親族、株式会社麻生商店家事部
3　大浦屋敷＝太吉長男麻生太右衛門家（飯塚町栢森）
4　赤坂駅＝九州産業鉄道赤坂駅（嘉穂郡庄内村）
5　渡辺皐築＝株式会社麻生商店会計部長、嘉穂銀行嘱託検査係、この月より九州産業鉄道株式会社専務取締役
6　産鉄＝九産鉄・産業会社とも、九州産業鉄道株式会社（田川郡後藤寺町）、一九一九年設立、一九二二年より太吉社長
7　松風＝松風工業株式会社（京都市下京区）、旧赤松炭抗（嘉穂郡庄内村）経営
8　上野善五郎＝麻生家車夫兼雑事
9　堀三太郎＝第一巻解説参照
10　安川敬一郎＝第一巻解説参照
11　野田勢次郎＝株式会社麻生商店常務取締役、元久原鉱業株式会社
12　麻生屋＝太吉弟麻生太七、株式会社麻生商店取締役、嘉穂銀行取締役、嘉穂電灯株式会社取締役
13　麻生尚敏＝酒屋、麻生惣兵衛養子、酒造業（飯塚町栢森）、元飯塚町会議員、元福岡県会議員
14　瓜生長右衛門＝嘉穂電灯株式会社取締役、飯塚町会議員、元麻生商店常務、元福岡県会議員
15　上田穏敬＝株式会社麻生商店庶務部長、飯塚町会議員
16　上三緒区＝地名、飯塚町
17　森田正路＝立憲政友会福岡県支部幹事長、元福岡県会議員、元衆議院議員
18　山内範造＝筑紫銀行（筑紫郡二日市町）頭取、衆議院議員、元福岡県会議員
19　麻生夏＝太吉三男故麻生太郎（元株式会社麻生商店取締役）妻

一月六日　火曜

政友会支部ニ而山内範三[造]・森田正路・堀三太郎・中村清造[1]ノ諸氏ト会ス、一同打揃お政[2]ニ而昼食及晩食ヲナス、仕払相済シタリ

一月七日　水曜

午前八時自働車ニ而帰宅ス
相羽君[虎雄][3]ヲ呼ヒ、瓜生[長右衛門]より申込之肥前坑区踏査之件申談、尚上三緒坑[4]排水之件調査方ヲ命ス
森崎屋[5]相見へ、組田[駒之助][6]より送布[ママ]屏風之鑑定ヲ乞、買入ルコトニシタリ
午後弐時半より自働車ニ而出福、直チニ政友会支部ニ山口氏[恒太郎][7]訪問、夫よりお政ニ行キ晩食ヲナシ、山内範三[造]・森田正路等ノ諸氏会同アリタ、お政ノ仕払ハ皆済ス

一月八日　木曜

午前村上功[巧]児君[8]旅館水野[9]ニ電話シ、後刻来訪之返話アリタリ
堀氏ニ電話セシモ、昨夜之侭帰宅ナキ旨返話アリタ

一月十日　土曜

午前八時自働車ニ而操[麻生ミサヲ][10]・米[麻生ヨネ][11]其他一同自働車ニ而出福、金八十円小遣及食費遣ス
十二時政友会支部ニ而山口・山内・堀氏等会見、銀行合同問題ニツキ山口氏より東京ノ模様聞キタルモ、別ニ変事モナク、只知事ニ上京尽力方申入ラ[ママ]タル由ヲ聞キタリ
十二時半知事官舎ニ而柴田[善三郎][12]知事へ面会、合同問題ニ付目的之方針ニハ、三井ニ不拘何辺ノ方面ニテモ何等指問ナキニ付、組織サヱ変更セザレバ充分尽力セラレ、又憲政派ノ上京必要ノトキハ吉田磯吉[13]君上京も相談ス可キ旨申入タリ

二時県庁ニ而委員会[14]ニ出席ス
三時半山口氏ヲお政ニ案内シ、午後六時一同ト八時過キ帰着ス

一月十一日　日曜

午前九時嘉穂銀行[15]重役会ニ列ス
午後二時より〔麻生〕義之介[16]外連中ト自働車ニ而出福ス

1　中村清造＝衆議院議員
2　お政＝おまさとも、矢野ソデ（マサ）経営待合満佐（福岡市東中洲）
3　相羽虎雄＝株式会社麻生商店鉱務部長
4　肥前坑区＝長崎県北松浦郡鹿町村坑区
5　森崎屋＝木村順太郎、株式会社森崎屋（酒造業、飯塚町本町）代表取締役、株式会社麻生商店監査役、飯塚町会議員
6　組田鞆之助＝書画骨董舗（東京市）
7　山口恒太郎＝東邦電力株式会社取締役、九州電気軌道株式会社取締役、衆議院議員
8　村上巧児＝九州水力電気株式会社常務取締役、第二巻解説参照
9　水野旅館＝福岡市東中洲
10　麻生ミサヲ＝太吉長男麻生太右衛門妻
11　麻生ヨネ＝麻生太吉三女、麻生義之介妻
12　柴田善三郎＝福岡県知事
13　吉田磯吉＝若松帆船運輸株式会社社長、山九運輸株式会社監査役、衆議院議員
14　福岡県銀行合同委員会
15　嘉穂銀行＝一八九六年設立（飯塚町）、太吉頭取
16　麻生義之介＝太吉女婿、株式会社麻生商店取締役

午後六時一方亭[1]ニ而新聞連ヲ招待シ、午後十時過キ帰リタリ

一月十二日　月曜

午前十一時お苑[2]ニ而昼食ヲナシ、午後四時帰リタリ

午後六時ヨリ福村屋〔家〕[3]ニ而〔福岡〕県庁・才判所・市役所・坑務所〔鉱務署〕[4]招待会ニ出席、午後十時帰ル

一月十三日　火曜

棚橋〔琢之助〕[5]君相見へ、会社整理ニツキ打合ス

堀氏相見へ、中嶋〔徳松〕[6]君より相談ノ坑区ノ件申入アリタ

加勢〔清雄〕[7]内務部長相見へ、銀行合同問題ニ付充分打合ス

聖福寺[8]之隣ノ勘任庵〔幻住庵〕[9]主百丈韜光君相見へ、寄付ノ相談アリタルモ断タリ

組田〔駉之助〕来リ掛物ヲ見タリ

午後四時半より夏ニ・ト自働車ニ而帰宅ス

一月十四日　水曜

午前十時自働車ニ而行橋駅ニ行キ、〔麻生〕摂郎[10]等一同二等車ニ乗車シテ午後三時半別府駅ニ着、直チニ自働車ニ而山水園[11]ニ着ス

麻生観八[12]君より電話アリ、明朝来訪ノ約ヲナス

梅谷〔清一〕[13]氏別府駅ニ而面会シ、明日来訪ヲ約ス

一月十五日　木曜

梅谷氏ニ来訪者アリ、十六日ニ来訪ノ事ヲ電話ス

麻生観八相見へ、村上〔巧児〕案ハ甚タ不都合ナリ、則同氏カ出過シナリトノ意向アリタリ、長野〔善五郎〕[14]君モ相見へ、其ノ結果棚

橋君ヲ九水自働車[15]ヲ迎ニ遣シ相見へ、決局[結]社長・専務ニ一任シ、会場ニテハ異見ヲ発表セラレヌ様トノ穏当ナル打合ヲナス、尤実行方ハ自重セラル、様注意ス

昼食及晩食ヲ饗応シ、九水自働車ニ而帰リラレタリ[ママ]

一月十六日　金曜

衛藤又三郎[16]君相見へ、新聞株式組織ノ内談アリ、異見ナシト返答セリ

1　一方亭＝料亭（福岡市外東公園）
2　お苑＝於苑とも、元馬賊芸者桑原エン経営貸座敷（福岡市外西門橋）
3　福村家＝福村とも、料亭（福岡市東中洲）
4　鉱務署＝農商務省福岡鉱山監督局、元福岡鉱務署
5　棚橋琢之助＝九州水力電気株式会社専務取締役、のち副社長、本巻解説参照
6　中島徳松＝中島鉱業株式会社（若松市）社長
7　加勢清雄＝福岡県内務部長
8　聖福寺＝栄西開山日本最初の禅寺、臨済宗妙心寺派寺院（福岡市御供所町）
9　幻住庵＝聖福寺（福岡市）の塔頭寺院
10　麻生摂郎＝太吉孫
11　山水園＝麻生家別荘（別府市）
12　麻生観八＝九州水力電気株式会社監査役、酒造業（大分県玖珠郡東飯田村）、第二巻解説参照
13　梅谷清一＝九州水力電気株式会社常務取締役、本巻解説参照
14　長野善五郎＝九州水力電気株式会社取締役、二十三銀行頭取、酒造業（大分市）
15　九水＝九州水力電気株式会社（東京市）、太吉一九一三年から取締役、のち社長
16　衛藤又三郎＝大分日日新聞社長

村上君相見へ、杖立発電所地元困難ノ事情アリ[1]、社長土産金トシテ千円出金ノ書▨▨[類二]捺印ス
梅谷君相見へ、恒久[清彦][2]君ヲ久恒坑山[3]ニ任雇ニツキ内談アリタリ
村上君ハ棚橋氏到底一人ニテハ難堪ヲ見掛セリ、又今井[三郎][5]君ハ村上ノ発案ニ不服セリ
自分ハ明年上期満期ヲ以心能ク辞退スル旨内意アリタ
大別府新聞[5]鎌城実君来リ、出金ノ相談セシモ、川田[十][6]君ニ申伝へ置ク旨相答、帰リタリ

一月十七日　土曜

午前九時半九水之自働車来リ、麻観[麻生観八]氏ト一同大分営業協義会ニ列ス
常任重役中止等一切社長・専務ニ一任スルニ決ス
九軌[7]カ火力三万五千キロヲ設備ニ対スル調査、左ノ順序ニヨリ調査方ヲ打合ス
一九軌カ何故三万五千キロヲ増設スルカ理由
一九水今後増加シ線路・変電所等利用シテ何程ノ料金安クナルカ
午後三時十時[分]大分駅発ニ而棚橋・梅谷・衛藤[又三郎]氏等同車、行橋駅より下車シ、迎之自働車ニ而午後七時半帰リタリ
組田[鞆之助]ニ五十円、田山[クマ][8]ニ百円家費ヲ渡ス

一月十八日　日曜

午前九時半嘉穂銀行・同貯蓄銀行物会[9]ニ臨ミ、午後博済[ママ][10]重役会ヲ開キ十二時閉会ス
松月[11]ニ於而職員一同ニ別記ノ口演ヲナシタリ
午後二時自働車ニ而麻生屋ト帰宅ス
野田[勢次郎]・相羽[虎雄]・義之介ト中嶋[徳松]より相談ノ坑区ノ打合ヲナス

一月十九日　月曜

午前十時相羽君吉隈坑区[12]ノ含有炭量調査書ヲ持参アリ、夫レヲ持参シ午前十時廿分中野昇[13]氏自働車ニ而出福ス、浜ノ町[14]滞在

棚橋氏十二時過キ相見へ打合ス

常務中止之件ハ任期迄延引スルコト

□〔技カ〕師長ハ直チニ実行スルコト

九水ハ現在ノ侭ニ而整理スルコト

1　杖立発電所＝杖立川水力電気株式会社杖立第一水力発電所（熊本県阿蘇郡北小国村）
2　恒久清彦＝株式会社麻生商店赤坂鉱業所長
3　久恒坑山＝久恒鉱業株式会社（嘉穂郡熊田村）、一九二〇年設立、代表取締役久恒貞雄
4　今井三郎＝九州水力電気株式会社常務取締役
5　大別府新聞＝一九一九年宿屋組合機関紙別府新聞から分離（別府市）
6　川田十＝株式会社麻生商店別府駐在員、別府農園（別府市）主任、元山内農場（飯塚町立岩）主任
7　九軌＝九州電気軌道株式会社（小倉市）、電気事業および電気軌道経営、一九〇八年設立
8　田山クマ＝麻生家浜の町別邸管理人、元小学校教師
9　嘉穂貯蓄銀行＝一九二〇年設立（飯塚町）、太吉頭取
10　博済＝博済無尽株式会社（飯塚町）、太吉社長、博済貯金株式会社として一九一三設立（嘉穂郡大隈町、一九一四年改称）
11　松月＝松月楼とも、料亭（飯塚町新川町）
12　吉隈坑区＝株式会社麻生商店吉隈鉱業所（嘉穂郡穂波村ほか四ケ村）坑区
13　中野昇＝株式会社中野商店社長、嘉穂銀行取締役、九州産業鉄道株式会社監査役
14　浜ノ町＝麻生家浜の町別邸（福岡市浜町）

杖立ニ而需用ノ電力ヲ起業ナスコト
北筑鉄[軌][1]道調査ノ件打合ス
棚橋氏上京用事之トキハ何時ニ而も上京スルコト

〆

一月二十日　火曜

午前堀三太郎君相見へ、中嶋氏より申込之吉隈坑区分割譲渡之件、含有炭量ヲ示シ本家ニ而協義之意味ヲ明、先方ニ於而買入価□[ヲカ]中向[ママ]カラレル様申入タリ、書類モ相渡ス
朝、知事[福岡県]官房ニ電話シ、両三日中上京ノ筈ナリシトノ返話アリタ
午後二時より産鉄重役会ヲ開キ、堀[三太郎]・伊藤[傳右衛門][2]両氏、中村[武文][3]氏等出席、浦地[裏地正生][4]・渡辺[皐築]等ニ而協義ス
午後五時半、自働車ニ而渡辺・浦[裏]地ノ両氏ト帰リタリ

一月二十一日　水曜

午前山林ヲ見廻リタリ
下位春吉[5]氏ノ口演アリ、皆ナ聞キニ行キタリ
九水より電話アリ、尚模様ヲ聞キ返話ノ打合ヲナス
渡辺・浦[裏]地両氏相見へ、産鉄工事受負上又直営ニ付、一々項目ニツキ利害ノ研究シタル結果、上野[定雄][6]ニ、第一着手ニ幾分ノ名義金ヲ仕払、入札ニ付スルコトノ方針ニ而実行スルコト、第二本人ガ金員ヲ受クル事ヲ断リ幾分減額ヲ申入タルトキハ協義ヲナスコト等打合ス
山内範[造]三氏ニ銀行合同ニ関スル発電シタ

一月二十二日　木曜

在宿

渡辺君相見へ、中野昇君ニ産鉄手形裏書ニ己人〔ママ〕ニ而迷惑ニナラザル様念証差入□〔ベ〕クニ付、銀行ノ方ガ承諾セザル旨申入タル末、松本〔健次郎〕[7]氏ノ意向ヲ聞キ返事ノ事ニナリタル旨報告アリタ

工事受負ハ前日ノ通ノ意味ヲ打合、設計認可ヲ急グ様打合ス

一月二十三日　金曜

午後一時着ニ而自働車ニ乗リ夏子〔麻生〕・縫子〔麻生〕[8]等一同出福ス

堀氏より電話ニ而午後四時お政ニ行キ、中嶋君より相談坑区ノ件咄シアリタリ、又銀行合同問題[9]ニ付山内範三〔造〕氏ニ電信之事モ聞キタリ

午後八時帰リタリ

1　北筑軌道＝今川橋（福岡市）・加布里（糸島郡加布里村）間の鉄道、一九二二年九州水力電気株式会社の路線となる

2　伊藤傳右衛門＝第一巻解説参照

3　中村武文＝九州産業鉄道株式会社取締役、田川銀行取締役、酒造業（田川郡猪位金村）

4　裏地正生＝九州産業鉄道株式会社技師、のち産業セメント鉄道株式会社取締役

5　下位春吉＝国士舘教授、皇国青年党主、童話口演家

6　上野定雄＝土木請負業（嘉穂郡庄内村）

7　松本健次郎＝第二巻解説参照、株式会社中野商店相談役

8　麻生縫＝太吉弟故麻生八郎（株式会社麻生商店山内上三緒鉱業所長）妻

9　福岡県内中小銀行合同計画

一月二十四日　土曜

午前十一時自働車ニ而帰リタリ（縫子一同）

一月二十五日　日曜

本村農園[1]ヨリ鯰田山[2]ヲ経而又旗ケ辻[3]ノ山林等、［麻生］太右衛門[4]一同実地ニ臨ミタリ

花村徳右衛門君ト下ノ山交換田地検査ス

一月二十六日　月曜

在宿

鈴木［敬一］[5]警察部長及署長一行管内巡視立寄アリタ

一月二十七日　火曜

午前十時自働車ニ而出福

お政ニ行キ、堀氏ト産鉄設計認可ノ件・合同銀行ノ件等打合ス

森田正路君産鉄設計認可急グ旨県庁ニ上伸方ニ付尽力アリタリ

お政方ニ五十円遣ス、又仕払も一切仕出方命シタリ

森田君より撰挙運動費不足ニ而困難補助之内談アリ、金七百円寄付ス

一月二十八日　水曜

伊藤氏相見へ、九軌松本［泰蔵］[6]氏等会合ノ件、及九水本社九州移福等ニ付異見アリタリ

午後二時より自働車ニ而帰リタリ

相羽君相見へ、吉隈坑区中嶋より相談ノ区域含有炭量之件ニ付、実地踏査方申込アリタル旨聞キタリ

明日実地ニ臨［ママ］ミマル、様申付タリ

奥村ノコトニ付不心得ノ次第ヲ聞キ取リタリ

奥村ニ手当金補助ハ、多数使役人有之、間接保護上ニツキ、同人斗リニ無之、宮柱[喜代太][7]其他ニモ遣シ居ル旨い才[委細]申伝へ置キタリ

一月二十九日　木曜

山内吉川[庄兵衛][8]・上三緒大塚[万助][9]ノ両人ニ、両坑ヲ一坑トシテ排水ニ付調査方電話ス

渡辺皐築君ニ、産鉄十七銀行[10]より借リ入ハ中野[昇]裏書出来得ハ直チニ借リ入方電話ス

福間久一郎[11]来リ、奥村辞任ノトキ慰労金給付等ノ件ニ付聞キタリ

堀氏より、上京ニ付東邦[12]ノ福沢[桃介][13]氏より上京急電アリタリトノ事ニツキ、着京必要ノトキハ上京ス可キ旨電話ス

1 本村＝飯塚町立岩の通称地名
2 鯰田山＝飯塚町鯰田
3 旗ケ辻＝地名、八高辻とも、飯塚町立岩
4 麻生太右衛門＝太吉長男
5 鈴木敬一＝福岡県警察部長
6 松本杢蔵＝九州電気軌道株式会社常務取締役支配人
7 宮柱喜代太＝九州産業鉄道株式会社、元株式会社麻生商店人事係
8 吉川庄兵衛＝株式会社麻生商店山内鉱業所長、飯塚町会議員
9 大塚万助＝株式会社麻生商店上三緒鉱業所長、飯塚町会議員
10 十七銀行＝第十七国立銀行（福岡）として一八七七年設立、一八九七年私立銀行転換
11 福間久一郎＝株式会社麻生商店本店庶務部、飯塚町会議員
12 東邦電力株式会社＝一九二二年九州電灯鉄道株式会社（福岡市）と関西電気株式会社（名古屋市）が合併して発足（東京市）
13 福沢桃介＝大同電力株式会社長、元関西電気株式会社長

又合同銀行ノ件モ、知事大坂ニ而病気ニツキ、電報ニヨリ内務部長[加勢清雄]ニ上京相談ノ事モ打合ス
鯰田山及□[旗]ケ辻山林、松岡[芳右衛門]・武田[星輝][1]ト午後四時半頃迄行キ、岡松[直][2]来リ、堀氏より電話ノ旨申来リ、帰リタリ

一月三十日　金曜

午前九時自働車ニ而出福
午後一時村上功[巧]児君ヲ初メ九水新開[真貝貫一][3]・永井[菅治][4]・渡辺[綱三郎][5]・黒木[佐久馬][6]ノ諸君相見へ、九水営業上・実力調査上ニ付、現在ノ発電所ニ而供給ト其ノ収支ノ予算[以下空白]
需用家ノ電力増加ハ従来ノ増加率ニヨリ杖立発電所漸次ニ起業ナスモノト其ノ収支ノ予算ヲ調成[ママ]ニ関シ、翌三十一日再会ヲ約ス、橘屋[7]ニ而晩食ヲ饗ス、橘ニ七十円、お苑ニ三十円遣ス

一月三十一日　土曜

村上・渡辺・黒木ノ三君相見へ、前日ノ調査ヲ聞キ、又杖立発電所ノ為メニ既設ノ電線其他ニツキ聞キタルニ、電線ノ利用丈ケニテ六千キロニ而八十万円余、壱万五二キロ迄達スルトキハ約百五十万円余ノ利益ナリトノ事ヲ聞キタリ
昼食ヲ饗応シ、午後二時半帰ラル
大雪ニテ電話・電線不通トナル
午後四時過キ於政ニ行キ、伊藤君[傳右衛門]ト晩食ヲナス

二月一日　日曜

太賀吉[麻生][8]等一行ハ古賀[9]ニ自働車ニ而山猟ニ行ク
辰子[麻生][10]等一同自働車ニ而十時より大宰府ニ参詣ス（十円神納、十円朝日家、十円入用、〆

二月二日　月曜

大雪降リニ而自働車不通トナリ、八時四十分博多駅発ニ而午前十一時過キ帰着ス

浜ノ町ニ青柳来リ[市兵衛]、椿湯場之事ニ付会社組織カ行悩ミタルニ付、何ニトカ工夫ハナキカト相談ヲ受ケシモ、現在出湯之為メ一日ニ付約十円内外ノ収入アレバ、夫ヲ以自重セラル方得策ノ旨申向ケタリ

二月三日　火曜

野田・相羽両氏相見、吉隈坑中嶋坑業[11]より譲受相談ノ件打合ス

先方ノ希望ノ通含有炭トシ、行違ノ分ハ譲渡外トスル事ニ打合、廉書モ為念調成ス

花村徳右衛門君相見へ、本村楠森永遠借地其他打合、吉浦[勝熊][12]ノ備忘録ニ記ス

1　松岡芳右衛門・武田星輝＝株式会社麻生商店本店庶務部

2　岡松直＝株式会社麻生商店本店庶務部

3　真貝貫一＝九州水力電気株式会社技師長、元三菱神戸造船所技師、本巻解説参照

4　永井萱治＝九州水力電気株式会社支配人、本巻解説参照

5　渡辺綱三郎＝九州水力電気株式会社監査役、株式会社紙与呉服店（福岡市下土居町）常務取締役

6　黒木佐久馬＝九州水力電気株式会社福岡管理部長、本巻解説参照

7　橘屋＝料理屋（福岡市東中洲）

8　麻生太賀吉＝太吉孫、のち株式会社麻生商店社長

9　古賀＝地名、糟屋郡席内村

10　麻生辰子＝太吉孫

11　中島鉱業株式会社＝一九一八年設立（若松市）、社長中島徳松

12　吉浦勝熊＝株式会社麻生商店本店庶務部

渡辺皐築君相見へ、トンネル受負ノ事諸方より申込アリシモ、他人ニテハ争論生スルニ付、穏当ナル人ニ受負セ、直接充分ノ注意シテ監督スル様申向ケタリ、上野定雄君ノ関係ヲ先キニ片付候様注意ス

三月二十四日　火曜

午後一時浜ノ町より自動車ニ而帰リタリ、気分悪敷臥付居タルモ、午後六時半過キ渡辺皐築君相見へ、産鉄ノ用件聞キタリ、晩食シテ帰ラレタリ

三月二十五日　水曜

午前九時半嘉〔穂〕銀行重役会ニ列シ、博済ト一同種々評義ヲナシ、又銀行局長之厚意之アルコトヲ報告ス、尤安田[1]ハ日本銀行ト変名シテ報告ス

午後一時より書類整理ス

有隣保険[2]ニ三万円申込タリ

三月二十六日　木曜

午前十時より自働車ニ而出福、浜ノ町ニ而午後一時半棚橋君ニ東京滞在中東望〔東邦〕ノ意向及松方幸次郎[3]氏面会ノ件ヲ懇談シ、左之打合ヲナス

奥田〔正吉〕[4]氏及木村〔平右衛門〕[5]氏ノ書状并ニ自分ノ記億〔憶〕書ハ棚橋氏ニ渡ス

　東望〔九州電灯鉄道〕ノ元九鉄区域内ノ情態〔ママ〕ハ奥田正吉氏より報告アリ次第調査ヲナスコト

　寸又川[6]権利及冨士水電[7]ノ買収ハ秘蜜ニスルコト

　〆

梅谷君相見へ、棚橋君一同松永〔安左衛門〕[8]君ノ意向十分慥カメル必要アリ、蜜〔ママ〕カニ已人ノ用向ノ如クシテ上京セラルコトニ打合ス

梅谷君ニ注意ス、井上準之介[助]9氏ハ社長ノ関係其他岩崎家関係アリ候故、余程慎重ニセラル、様十二分ノ注意ス、又松永氏意向聞キ取、万一一存ニ而御高配ノ届キ兼タル場合ハ、一電次第棚橋・小生何時ニテモ上京スルコト等打合ス

三月二十七日　金曜

午前七時福岡ヨリ自働車ニ而帰リタリ
十一時過キ、伊藤[傳右衛門]君より松本松蔵[枩]君大坂より帰リ次第出福[ママ]ニ相見ヘル事ニナリタトノ電話ニ而、直チニ冨安[保太郎]10君ニ九水之電話ト電報ニテ相通シタリ、右ニ付午後十二時二十分より又々自働車ニ而出福
福村屋[家]ニテ松本松蔵・宮田[兵三]11ノ両氏ト伊藤・冨安ノ両君招待ス
棚橋・梅谷ノ両氏臨席ノ筈ニ手配セシモ、松本君不服之由伊藤君より聞込タリ、夫故両君ハ見合セタリ

1　安田＝安田銀行、一八八〇年安田商店を安田銀行と改称、一九一二年株式会社に改組、一九二三年第三銀行など十一銀行が合同
2　有隣保険＝有隣生命保険株式会社、一八九四年設立、仏教系生命保険会社
3　松方幸次郎＝九州電気軌道株式会社社長、株式会社川崎造船所社長、元衆議院議員、のち衆議院議員
4　奥田正吉＝仲立業奥田事務所長（東京市丸の内、東京海上ビル）
5　木村平右衛門＝九州水力電気株式会社常務取締役、本巻解説参照
6　寸又川＝大井川水系（静岡県榛原郡）
7　富士水電＝富士水力電気株式会社、一九〇七年設立（東京市）、この年十月東京電灯株式会社と合併
8　松永安左衛門＝東邦電力株式会社副社長、本巻解説参照
9　井上準之助＝貴族院議員、元日本銀行総裁、元大蔵大臣、のち大蔵大臣、日本銀行総裁
10　冨安保太郎＝九州電気軌道株式会社取締役、瀬高銀行頭取、元衆議院議員、のち貴族院議員
11　宮田兵三＝九州電気軌道株式会社取締役

三月二十八日　土曜

午前九時過自働車ニ而帰宅、梅谷君ニ、松本氏ノ意向荒キ故、漸次ニ融和策ヲ講ズルノ外無之旨電話ス、棚橋君ハ
午前七時半ニ而大分ニ帰ラル
山口恒太郎君ニ昨日ノ通至急報ニ而電報ス
午前十一時自働車ニ而帰宅ス
午後四時芳雄駅[1]ニ而遺髪ヲ持参、一同京都ニ参詣ス[2]
店員[3]一同見送リタ、戸畑ニ而若松店員見送アリタリ、枝光駅[4]ニ而〔吉川〕真之介[5]養子見送リタリ

三月二十九日　日曜

午前大坂〔ママ〕駅ニ而店員一同見送リアリタ
佐伯〔梅治〕[6]君旅館俵屋[7]ニ相見へ、仏事ニ関シ打合ヲナス、外ハ参詣ニ行キタリ

三月三十日　月曜

午前九時ヨリ〔西〕本願寺ニ而読経アリ、昼食ヲ頂キタリ
心光院様[8]ニ拝謁、及執行長等面会ス
大谷ノ墓所ニ納骨ノ読軽〔経〕ヲ乞タリ、大谷ニ而読軽、及墓所ニ而読軽アリタ
桃山[9]ニ参拝ス
伏見稲荷神社ニ参拝ス、義之介・〔麻生〕太七郎[10]・〔麻生〕五郎[11]一行ハ大坂ホテル[12]ニ向ケ出発シ、太賀吉一同俵屋ニ泊ス

三月三十一日　火曜

午前七時京都駅発ニ而伊勢大神宮ニ参拝ス、太賀吉等一同ナリ
午後一時四十分山田駅ヲ発シ、大坂湊川駅ニ午後七時四十分着、直チニ自働車ニ而大坂ホテールニ一泊ス

四月一日

午前九時大坂駅発ニ而帰途ニツキ、鑶[汽]車中太田清蔵君[13]ト同車ス

午前壱時博多駅ニ着、直チニ浜ノ町ニ着ス

四月二日　木曜

堀君相見へ、産鉄県道ニ関スル件及奥田君[正吉]ニ対スル返書之件ニ付打合ス

渡辺皐築君も相見へ、県道南側ニ延長スルハ、経費ニ於テ四割以上ノ減少ノ見込ニテ、又将来石灰石ヲ採収之場合ニモ故障ナク尤[ママ]有益ナル道路発見セリ旨打合ス

1　芳雄駅＝筑豊本線（飯塚町立岩）、のち新飯塚駅
2　太吉妻ヤス前年一九二四年九月十四日死去
3　店員＝株式会社麻生商店社員
4　枝光駅＝鹿児島本線（八幡市）
5　吉川真之介＝太吉親族
6　佐伯梅治＝株式会社麻生商店大阪出張所長、のち取締役、元若松出張所長
7　俵屋＝旅館（京都市麩屋町通）
8　心光院＝大谷光尊裏方枝子
9　桃山＝伏見桃山御陵、明治天皇御陵（京都市）
10　麻生太七郎＝太吉四男、のち株式会社麻生商店監査役
11　麻生五郎＝太吉女婿、のち株式会社麻生商店取締役
12　大阪ホテル＝大阪市中の島
13　太田清蔵＝徴兵保険株式会社専務取締役、博多湾鉄道株式会社長、元衆議院議員

四月三日　金曜

午前安川[敬一郎]氏ヲ松本別荘[1]ニ訪問、貴族院議員之件ニ付内談アリタリ、事情ヲ陳シ辞退ノ申入ナシタリ

棚橋君相見へ、送電会社[2]実地踏査ノ必要アリ、創立事務所ニ技師出張ヲ打電ス

四月四日　土曜

瓜生長右衛門・瓜生熊吉両人来リ、上谷壁屋亀吉[3]倅山口高等[商業脱]学校ニ入学ニ付学資金融通ノ件申入タルニ付、成人ニナリ人格ニ誤ラザル様十二分ノ教諭ヲナシ、資金融通ノ事ニセリ

渡辺皐築君相見へ、瓜生[長右衛門]より坑区買入之件懇談アリシモ断リタリ

広畑[4]ニ仏参ス

山口恒太郎君より送電会社実地踏査ニツキ返電来リ、直チニ棚橋君ニ電話ニ而通知シタリ

四月五日　日曜

在宅

四月六日　月曜

在宿

福岡日々新聞支局[飯塚][5]橋本[速男]氏貴田[献一][6]君同供相見ヘタリ

麻生屋来リ、所有地売渡ノ事ニ付談合ス

四月七日　火曜

午前九時自働車ニ而午後二時別府山水園ニ着ス

午後四時頃直方堀氏より電話アリ、名和[朴][7]氏ノ件・後藤[文夫カ][8]氏ニ発電ノ事・入水越[9]県道延期ノ件・奥田氏より打電等ニ関シタル件ナリ

金壱百円、女中お石[野畠いし]渡ス

四月八日　水曜

午前八時別府駅発乗車、棚橋・梅谷・今井・佐藤[長太郎カ][10]（土木主任）諸氏ト延岡駅ニ向ケ出発ス

午後一時延岡ニ着、駅ニハ笠原[鶩太郎][11]・大和田[市郎][12]ノ両氏及東望[東邦]ノ大西[重次郎]技師待受アリ、直チニ自働車ニ而三田井[13]ニ向ケ出発、

中途ヨリ天ノ岩戸[14]ニ参詣、金壱百円神納ス

三田井新三田屋ニ一泊ス

1　松本別荘＝松本健次郎家別荘（福岡市大名町）

2　九州送電株式会社＝宮崎県五ケ瀬川水力開発のために九州水力電気・九州電灯鉄道（東邦電力）・住友・電気化学・九州電気軌道によって計画された共同会社、九州電気軌道を除く四社によってこの年六月設立、太吉相談役

3　上谷＝地名、飯塚町下三緒

4　広畑＝地名、飯塚町、太吉弟故麻生八郎家

5　福岡日日新聞飯塚支局この月開設

6　貴田猷一＝新聞販売店、元飯塚町助役、元飯塚町収入役

7　名和朴＝元飯塚警察署長、翌一九二六年田川郡後藤寺町長

8　後藤文夫＝台湾総督府総務長官、のち内務大臣

9　入水越＝嘉穂郡庄内村入水と田川郡後藤寺町弓削田を結ぶ峠

10　佐藤長太郎＝九州水力電気株式会社土木主任技師

11　笠原鶩太郎＝延岡電気株式会社顧問、この年五月より九州送電株式会社取締役

12　大和田市郎＝日向水力電気株式会社社長、この年五月より九州送電株式会社取締役、のち九州水力電気株式会社取締役

13　三田井＝地名、宮崎県西臼杵郡高千穂町

14　天ノ岩戸＝天岩戸神社（宮崎県西臼杵郡高千穂町）

四月九日　木曜

午前八時ヨリ五ケ瀬川[1]上流ニ臨ミ、高千穂神社ニ参詣ス
神橋ノ茶屋ニ而三田井〔高千穂〕町長ヨリ待受アリ、食事ノ饗応ヲ受ケタリ、穂藪ケ淵ヲ見物ス
三田井旅館ニ而昼食ヲナシ、午後三時より自働車ニ而別府ニ向ケ帰リ、大吉[2]ニ一同着、〇ノ料理[3]ニテ晩食ヲナス、
棚橋・今井・佐藤ノ三氏ナリ
　三十円、大吉茶代
　十円、女中

四月十日　金曜

山水園滞在

四月十一日　土曜

村上〔巧児〕・内本〔浩亮〕[4]両氏相見へ、杖立会社[5]ノ件ニ付打合ス、尚九軌之関係注意ス
小川[6]来リ一泊ス
棚橋氏ニ午後六時宴会欠席電話ス
本宅より東京安川〔敬一郎〕氏より十四日上京ノ電信アリタルモ、欠席ノ返電ヲ命ス
田口環[7]君相見へ、上山田[8]并ニ牛隈所有坑区[9]ノ付近ノ件ニ付有益ナル咄ヲ聞キタリ
献上品ニツキ松居織工場主任益蔵〔久保益造〕[10]君来リタリ

四月十二日　日曜

神沢〔又市郎〕[11]市長ニ電話セシモ不在ナリシ、十一時過キ同氏相見へ、種々懇談セシ末、田之湯別荘[12]別府市ノ公会堂敷地ニ買入度ニ付尽力致呉レ度トノ申込アリ、市ニ引受ケ之事ハ御同意申スニツキ、い才〔委細〕調査シテ返答スル旨申向ケタリ

一川田［十］君ニ湯入客相談ノ時ハ適宜取計方申付ケタリ
花類移植・池浚・花蒔付等廉書ニ而申付ケタリ

四月十三日　月曜

午前五時三十分別府駅発ニ而浜ノ町ニ向ケ出発ス
新田原[13]より筒井［省吾カ］[14]君小倉迄同車ス
小倉駅ニ而一時間余待受、急行ニ而博多駅ニ十一時三十分着、直チニ浜ノ町ニ着ス

1　五ケ瀬川＝宮崎県と熊本県境の向坂山に源を発し延岡市で日向灘に注ぐ川
2　大吉＝旅館（別府市埋立地）
3　スッポン料理
4　内本浩亮＝杖立川水力電気株式会社取締役支配人、元九州水力電気株式会社、のち九州送電株式会社長、本巻解説参照
5　杖立川水力電気株式会社＝一九二三年設立（東京市）、太吉社長
6　小川＝麻生家別府田の湯別荘内居住
7　田口環＝元合名会社鈴木商店神ノ浦炭鉱（嘉穂郡穂波村ほか）
8　上山田＝地名、嘉穂郡熊田町、五月山田町と改称、株式会社麻生商店坑区所在地（元大朝炭坑）
9　牛隈所有坑区＝株式会社麻生商店牛隈炭坑（嘉穂郡大隈町・熊田町）、この時期休止中
10　久保益造＝株式会社松居織工場（福岡市東中洲）販売主任
11　神沢又市郎＝別府市長
12　田の湯別荘＝麻生家別荘（別府市田湯）
13　新田原＝新田原駅、日豊本線（京都郡仲津村）
14　筒井省吾＝福岡県会議員

森村〔開作〕[1]社長相見ヘタリ
午後四時より社長旅館訪問、午後五時半より一方亭宴会ニ列ス、お苑ニ立寄帰リタリ

四月十四日　火曜

午〔前脱〕八時加勢内部々〔務部〕長訪問ス
午前十一時四十分森村社長博多駅ニ見送リタリ
森田氏相見ヘ種々懇談ス
藤井清蔵〔誠造〕[2]君相見ヘ、銀行借リ入金之件ニ付懇談アリタ
午後二時自働車ニ而帰宅ス

四月十五日　水曜

渡辺阜築君来リ、産鉄補給問題ニ付打合ス
野田〔勢次郎〕氏相見ヘ、坑業上及電灯料問題ニ付打合ス
政友会惣裁田中〔義一〕[3]氏ニ祝電ヲ発ス
堀氏ニ十七日出発上京ノ電話ス
中村清造氏より石炭売込問題ニ付電話アリタリ
狸坂及亀ノ甲[4]付近ノ山野ニ行キ、又中嶋卯一郎屋敷等ノ実地踏査ス
書類整理ス

四月十六日　木曜

在宿
上田〔穏敬〕君電話シ而、別府田之湯別荘別府市長ノ希望ニヨリ売渡ノ件、及別府土地ニ関シ軽営〔経〕ノ事等打合ス

瓜生茂一郎来リ、瓜生徳一郎屋敷道路敷地ニ相談ノ件内諾ス
嘉穂銀行重役会ニ出席

四月十七日　金曜

上田及義ノ介両君来リ、別府別荘売却ノ件ニツキ打合ス
飯塚町長［藤森善平］ニ産鉄補助問題決定ノ件電話ス
午後四時発ニ而上京ス

四月二十四日　金曜

午後十二時浜ノ町ニ東京より着ス
午後二時ヨリ安川氏ト一方亭ニ而会合ス、午後八時半帰リタリ

四月二十五日　土曜

午後一時過キヨリ一方亭ニ行キ、安川・伊藤・堀氏ト種々懇談ヲナス、午後八時ヨリ自働車ニ而本宅ニ帰リタリ
午前十時伊藤傳右衛門君相見へ、大分セメン［ママ］[5]社長問題内談アリ、大坂喜多［又蔵］[6]氏ヲ推撰［ママ］ノ申出アリ、同氏承諾ナキ時ハ止ムナキコトナラン、可成ハ払込ヲナシ、其ノ模様ヲ見テ可然ト懇切ニ注意ス

1　森村開作＝九州水力電気株式会社長、株式会社森村組社長
2　藤井誠造＝貸家業（飯塚町宮ノ下町）、共福無尽株式会社（鞍手郡直方町）取締役、元無尽共済貯金株式会社（飯塚町）社長
3　田中義一＝立憲政友会総裁就任、元陸軍大臣、のち総理大臣、外務大臣など
4　狸坂・亀ノ甲＝地名、嘉穂郡稲築村
5　大分セメント株式会社＝一九一八年設立（大分市）、のち小野田セメント製造株式会社に合併
6　喜多又蔵＝喜多合名会社代表社員、日華紡織株式会社長、日本綿花株式会社長

星野〔礼助〕[1]氏、米吉[2]ヨリ嘉穂銀行ニ払入金ノ件ニ付内談アリシモ承諾セザリシ
一方亭ニ而金弐百円女中其他ニ遣〔シ〕スタリ

四月二十六日　日曜

午前十時二十分発ニ而下ノ関森〔祐三郎〕氏[3]御母堂告別式ニ臨ミ、午後四時四十分門司駅発ニ而帰リタリ
春帆楼[4]ニ而昼食ヲナシ、金五十円茶代、三十円すまこ・お千代ノ両人、三十円ハ女中ニ遣ス
森氏香典百円、春帆楼より前日博多より電話ニ而依頼セシニ付仕払ナシタリ
田川銀行[5]取締役植田与六・紅(コウ)田小一ノ両氏訪問アリシモ、下ノ関ニ行不在セリ

四月二十七日　月曜

在宿
渡辺皐築君相見へ、産鉄補介問題ニ付鉄道省ニ情〔請〕願ノ件打合ス
野田勢次郎氏相見へ、中嶋坑業ニ坑区分割譲渡ノ件打合ス
遠賀銀行支配人[6]奕野(エキノ)澄若(スミワカ)君相見へ、銀行合併ノ懇談アリタ
知事官房ニ銀行合併問題大蔵省より内命ナキカ聞キ合セシモ、柴田〔善三郎〕知事病気ニ而官舎ニ而静養中ナリシ

五月十六日　土曜

午後十一時四十分帰着ス
遠賀郡長〔勝野重吉〕より電話アリ、十九日出福ノ打合ヲナス
掛物ヲ整理ス

五月十七日　日曜

嘉穂郡長〔樫田三郎〕より電話アリタルモ、後藤寺町長〔山口良介〕等相見ヘニツキ他日面会ノ約ス

後藤寺町長等ノ事ハ十八日ニ記ス
堀氏より、産鉄十七円三十銭売渡ノ事東京より電報アリタト電話アリタ、及吉隈坑区ノ代金ノ事等電話アリタ

五月十八日　月曜

野田・義之介両君相見ヘタリ、坑山一同軍人団組織（約六百人内外）、并ニ青年団組織（約百二十人位）ノ件ヲ聞キタリ
十七日分
（後藤寺町長及田川銀行員等七人相見へ、倶楽部[7]ニ而昼食ヲ饗応シ、田川銀行閉店ニ而金融上ニ付懇談アリ、提供ノ担保持参、柴田知事ニ十九日面会ノ事ヲ約ス、又目下如何トモ立行兼、町長・助役ニ一時金五千円融通ヲ約ス
瓜生〔長右衛門〕来リ、井上〔博通〕[8]就職ノ内談アリタルモ、〔九州〕送電会社社長新任之トキ尤〔ママ〕好時機ナリト申向ケタリ
区長来リ、道敷代・井戸掘賃補助等打合ス

1　星野礼助＝弁護士（福岡市）
2　米吉＝島田家具店（飯塚町本町）
3　森祐三郎＝井上馨甥、元三井銀行下関支店長
4　春帆楼＝旅館（下関市阿弥陀寺町）
5　田川銀行＝一九〇〇年設立（田川郡後藤寺町）
6　遠賀銀行＝一八九七年設立（遠賀郡芦屋町）、一九二〇年遠賀郡折尾町に移転
7　倶楽部＝株式会社麻生商店集会応接所（飯塚町立岩、本店前）
8　井上博通＝瓜生長右衛門女婿、貝島商業株式会社会計部長、この年貝島乾餾・貝島石灰鉱業株式会社監査役、のち九州送電株式会社支配人

天神坂[1]より戸石場道路ノ実測ヲナシ、工事ニ着手ス
［欄外］筑後川[2]改正工事起工式ニ祝電ス

五月十九日　火曜

太七郎家内一同自働車ニ而出福ス
堀氏相見へ、産鉄株十七円三十銭ニ而内諾之通知アリタル旨報告アリ、又中嶋〔徳松〕関係ノ三菱坑区代金モ送金ノコト通知アリタ
午後七時病院ニヨネ〔麻生〕病気見舞ニ行キタリ
午後五時柴田知事官舎ニ訪問、田川銀行二十万円ノ件及遠賀銀行カ鞍手銀行[3]ト合同ノ出来ザル理由等詳細聞キ取タリ

五月二十日　水曜

午前遠賀郡長勝野重吉・岡部種実[4]・久野惣吉[5]三氏訪問アリ、遠賀銀行ノ件内談アリタ、県知事之意向ヲ聞キ再会ヲ約ス
田川銀行支配人伊藤潜・植田与六・紅田小一[6]・後藤寺福嶋〔嘉一郎〕[7]四氏相見へ、銀行ノ件内談アリタルモ、遠賀同様再会ヲ約ス
午前十一時堀・山内〔範造〕ノ両氏ト県庁ニ而柴田知事ト面会シ、来ル二十九日合同ニ関シ委員会ノ打合ヲナシタリ
産業主事井関善一氏ニ産業科ニ而面会シ、二十万円田川銀行ニ融通ニツキ残余五万円ノ貸出出来得ルカ、左モナクバ公金仕払ニ困難セシ居ルニ付融通スルカニツキ、堀・山内両氏立会セシニ、当座預金ノ根担保ニ付明日重役会スル筈ニ付其上ニテ返事アル筈ニ打合セ、夫より政友会支部ニ行キ、遠賀銀行ハ調査ニ着手シ、鞍手銀行より行員出張、尤合同実行ハ井上準之介〔助〕氏朝鮮より帰京ノ上、同氏ノ了解之上ニテ実行ノ条件内談アリタルニツキ、其ノ打合

ヲナシ、堀氏モ銀行ト打合セアルコトニ協議ス、田川ハ二十万円融通ハ明日調査ノコトニ一同打合ス

一午後四時よりお政ニ行キ、森田・山内・堀ノ三氏ト会食ス（ヨネ□二日市[8]某連レ来リ）

五月二十一日　木曜

午前十時今宿[9]ニアル対嶋[ママ]古門材料実品視察ノ為メ自働車ニ而黒瀬[元吉][10]同供ス、夫より元冠[寇]防塁ヲ見物ナス

午後三時福岡日々新聞菊竹[淳]君ニ面会、合同ニツキ大蔵省当局者尽力ノ模様内談ス、帰途明石[赤司][11]ニ立寄植物買入ナス

午後五時ヨリ森田・山内両氏トおまさニ行キ晩食ヲナス

五月二十二日　金曜

西大路吉光子爵相見へ、貴族院議員撰挙之件ニ付研究会[12]ニ入会方尽力スル様申入アリ、全ク事情分リ兼候条、其

1　天神坂＝地名、飯塚町下三緒カ
2　筑後川＝阿蘇山を源流とし杖立川・大山川を上流とし、筑後平野を貫流して有明海に注ぐ
3　鞍手銀行＝一八九六年設立（鞍手郡直方町）
4　岡部種実＝遠賀銀行取締役、元福岡県会議員
5　久野惣吉＝遠賀銀行取締役、若松信用組合理事、のち若松市会議員
6　植田与六・紅田小一＝田川銀行取締役
7　福島嘉一郎＝後藤寺水道株式会社取締役、田川郡後藤寺町会議員
8　二日市＝地名、筑紫郡二日市町
9　今宿＝地名、糸島郡今宿村
10　黒瀬元吉＝古物商集古堂（福岡市上新川端町）
11　赤司＝園芸店、赤司広楽園分園（福岡市新大工町）、本園（久留米市東久留米）
12　研究会＝貴族院の院内会派、故加納久宜らが創設した政務研究会が源流

上ニ而通報ヲ約ス
田川福嶋君〔嘉一郎〕相見へ、銀行預金ニ対スル後藤寺公金之融通ニツキ支配人伊藤潜君ト紅田小一君ト一同打合セ、町債ヲ五万円融通尽力スルコトニ内諾ス、尤銀行よりハ其ノ根担保トシテ嘉穂銀行ニ提出之事ハ何等指問ナキ旨申答ヘタリ
渡辺阜築君相見へ、産鉄株買入ニツキ打合ス、及後藤寺公金嘉穂より貸出手順ニ付打合ス
伊藤傳右衛門君相見へ、〔九州〕送電会社引受株三百株ト内定シ、其他大分セメン〔ママ〕会社ノ整理問題ニ付内部ノ不始末ヲ内報シ、深ク考慮セラル、様注意ス
田川銀行支配人伊藤潜君嘉穂銀行より貸出之内談アリシモ、断リタリ
午後三時より相政〔お〕ニ行キタリ

五月二十三日　土曜

午前十一時熊本行急行ニ乗車、村上・真貝ノ両氏ト出発、昼食ヲ鐡〔汽〕車中ニナシ、午後二時上熊本ニ着、内本君〔浩亮〕待受アリ、直チニ知事〔中川健蔵〕1・内務部長・警察部長一同訪問シ、綿屋旅館ニ着ス
熊本城ヲ見物シ、城誌六冊ヲ買入各自ニ分配ス
午後五時四十分料理屋ニ而知事一同招待ス（主人側ハ村上・内本・佐藤・真貝・坂本〔一簣〕2）
　杖立発電所余程已前より計画セシモ、種々事情ニ而漸ク最近会社成立、時代後レノ私カ会社代表スルコトニナリ、迚も微力ニ而行届兼マスルカ、九水会社ノ応援〔ママ〕ヲ乞、目的ノ事業遂行致度ニ付、今後御指問ナキ限リ御指導ト援助ヲ乞旨挨拶ス
大分衛藤又三郎君相見へ、村上君来訪中ニ付、同新聞〔大分日日〕3ニ関シ尚二千円融通ヲ諾ス
午前八時村上氏相見へ、熊本行ノ打合ヲナス、

五月二十四日　日曜

午前八時熊本市綿屋旅館出発、自働車ニ而九水連一行ト自働車ニ而小国峠ヲ経テ杖立発電所第一・第二・第三ノ場所実地ニ臨ミタリ
第三取入口ノ場所ノ某茶家ニ立寄昼食ス、杖立職員六名ニ会シ将来整理方ヲ申談ス
大山川[4]取入場所ヲ見而日田ヲ経而午後六時お苑ニ着、夕食ヲナス（村上・内本・真貝三氏招待ス）

五月二十五日　月曜

浜ノ町ニ而午後四時迄滞在、夏子来リタルニ付自働車ニ而帰宅ス、末次[5]君来リ看護方ニ付内談セシモ、他ニ縁付セシ旨内報ス
午後六時帰リタル、花村徳右衛門〔長右衛門〕呼ニ遣シ、愛蔵〔瓜生愛造〕地所直〔値〕段取極メス
道路新設之場所臨検ス（瓜生ニ申付ル）

五月二十六日　火曜

午前八時自働車ニ而出福ス、花村徳右衛門来リ愛蔵地所買入内諾セシモ、瓜生ニ頼ミ置キタルニ付一応相談之上決定スルコトニセリ、百七十四円六十銭出入帳ニ記シアル分吉浦より受取、中嶋看護婦同車ス

1　中川健蔵＝熊本県知事
2　坂本一簀＝杖立川水力電気株式会社嘱託、元県土木課長
3　大分日日新聞＝一九一一年創刊（大分市唐人町）、社長衛藤又三郎
4　大山川＝筑後川水系（大分県）、津江川・杖立川（熊本県）が大分県日田郡で合流すると大山川となる
5　末次＝元看護婦

午後一時過キ棚橋君相見へ、杖立ノ実地踏査之模様ヲ打合、土地買入ヲ早キ[ママ]、又三好[芳]発電所[1]及五馬[2]水力等惣而杖立
ニ属シセシメ[ママ]、同会社ノ資本ヲ増加セシムル目的ニツキ協義ス、及大分川筋[3]発電所安直[値]ナラハ買収得策ナラン事
等十分ニ申含メタリ
本期ノ予算ニ対スル決算出来タルニ付内見ノ相談アリ、滞福ヲ諾ス、中嶋看護婦ハ帰宅セリ

五月二十七日　水曜

臼[碓]井村長松隈和四郎、佐谷[道哉][4]・福田[梅之助][5]両氏相見へ、八丁峠[6]ヲ経而鳥栖[7]ニ達鉄道之件ニ付異見ヲ問ワレタルモ、容易ノ事
ニナキ旨、冷水線[8]之事ヲ初メ地況ヲ咄、昼食ヲナシタリ
青柳君[市兵衛カ]来リ、午後四時一同自働車ニ而帰リタリ

五月二十八日　木曜

朝来工事場所ニ臨ミタリ
合同銀行ニ関スル書類整理ス
午後五時自働車ニ而出福ス
イチゴ皆様ニ分配ス

五月二十九日　金曜

午前八時永江真郷[9]君相見ヘタリ、銀行合同談ヲナス
午前十時銀行集会所[10]ニ而銀行合同委員会ニ列シ、大蔵省ヨリ井上準之介[助]へ某有力銀行ニヨリ合同進行方ニツキ、従
来組合ヲ持続シ進行ナスコトニ協定アリタ
昼食ヲナシ、午後一時より銀行団惣会[11]アリ（別記ノ通之旨意ヲ陳シタリ）
午後三時物産陳列所[場][12]ニ而買物ヲナシ、相政[お]ニ行キ山内氏ト晩食ス、ヨネ達ニ金五▨円遣ス

五月三十日　土曜

午前八時半山道［繁一］[13]歯医師ニツキ診察ヲ乞、歯抜取タリ

午後二時半より帰途ニツク（自働車）

五月三十一日　日曜

午前後藤寺福嶋［嘉一郎］助役［名誉］相見へ、田川銀行担保トナルベキ分下地調査方申入アリタリ

午後〇時二十分自働車ニ而森崎屋ト出福、常盤館[14]松本氏所蔵品売却ニ付下地見セリ

1　三芳発電所＝筑後川水系玖珠川水力発電所（大分県日田郡三芳村）、一九三七年使用開始
2　五馬＝地名、大分県日田郡五馬村
3　大分川＝大分県由布岳を源流とし、大分郡を流れ別府湾に注ぐ
4　佐谷道哉＝元嘉穂郡碓井村長、元嘉穂郡会議員、元嘉穂郡医師会長
5　福田梅之助＝元嘉穂郡碓井村長
6　八丁峠＝夜須郡秋月町野鳥と嘉穂郡千手村泉河内を結ぶ峠
7　鳥栖＝地名、佐賀県養父郡鳥栖町
8　冷水線＝嘉穂郡内野村と筑紫郡山家村の間の冷水峠を突き抜け筑豊本線長尾駅と鹿児島本線原田駅を結ぶ鉄道
9　永江真郷＝三池銀行（大牟田市）常務取締役、翌年頭取
10　銀行集会所＝福岡市春吉、のち福岡県庁裏に移転
11　銀行団総会＝福岡商業会議所で福岡県下銀行合同及配当率減少に関する協議懇談総会開催
12　物産陳列場＝福岡市天神町福岡県庁前
13　山道繁一＝歯科医（福岡市橋口町）、元福岡歯科医師会長、元福岡県歯科医師会理事
14　常盤館＝料亭（福岡市外水茶屋）

午後四時お苑ニ而木村〔順太郎〕[1]氏ト晩食ス

安藤丹二浜ノ町御出浮ニ付お苑ヨリ引返シ面談ヲナシ、又お苑ニ来リタリ

六月一日　月曜

小国河野正男ト申人相見へ、杖立発電所地元契約上ニ付不行届キノ点アリ、金壱千円特別ニ而包金セラル、様村上氏より口約アリ、其金引渡呉レ度トノ希望アリ、村上君ニ電話シテ確報ヲ申向ケタリ、金十円相談ニヨリ貸渡ス

勧業銀行福岡支店長田辺加多丸君相見へ、嘉穂銀行より佐賀貯蓄銀行[2]ニ破産仲請〔ママ〕ノ分ノ内佐賀▨▨〔貯蓄カ〕銀行員地所買受ケタル分、名換未済ニテ困難セシニ付免除ノ相談アリタルモ、〔嘉穂〕銀行重役会決義ノ上返事ス可キ旨約ス

病院ニよね子〔麻生ヨネ〕見舞ニ行キタリ

午後五時半小野寺〔直助〕[3]博士一行商業会儀〔ママ〕所ノ地下室みかとホテル[4]ニ招待ス、五十七円七十五銭ト三円弐十五銭ホーイ〔ママ〕ニ遣ス

六月二日　火曜

九水福岡出張所ニ行キ、大分村上君ニ電話打合セシ末、工事認可ノトキ地元ニ挨拶ス可キトノ事ヲ聞キタルニ付、河野正男君博多ニ◯カ〔にわか〕[5]師方ニ宿泊セシニ付、直チニ電話シ河野君ニ申伝へタリ

森田〔正路〕・中村清造ノ両君相見へ、六月十日政友会大会ニツキ坑業組合[6]ヨリ招待ノ件ニ付相談アリタリ

福岡日々新聞中野阿善〔唖蟬〕[7]君相見へ、聖福寺千涯〔仙厓〕[8]和尚ノ古居住所ヲ移転、其ノ跡ニ□□建設之件相談アリ、先キニハ現住職ニ寄付断タルモ既ニ建築セシ由ニ付幾分寄付ス可キ旨相答、安川〔敬一郎〕男ノ記帳ノ次キニ記名セリ

午後一時より一方亭ニ行キ晩食ヲナシ、午後八時過キ帰リタリ

六月三日　水曜

堀〔三太郎〕氏相見へ、東京より帰県ニ付来ル十日政友会大会ノ来県者及山口〔恒太郎〕君より坑山買入ノ件等伝達アリタリ

午後二時相政［お］ニ行キ、午後八時過キ帰リタリ

六月四日　木曜

午前十一時半自働車ニ而帰宅ス

午前九時坑業組合山県素介君[9]浜ノ町へ相見へ、六月十日政友会惣裁［田中義一］一行招待ノ件ニ付森田正路君も相見へ打合ス

六月五日　金曜

渡辺皐築君相見へ、行員貸金ノ件打合ス

本店ニ立寄、吉隈坑区ノ分割譲渡ニ関スル件、野田・相羽等打合

嘉穂銀行重役会ニ出席、田川銀行及後藤寺町債融通ノ件ニ付打合ス

郡長相見ヘタリ、冷水・入水越鉄道ノ件ニ付懇談ス

奥野君来リ、彦三郎［麻生］[10]就職ノ件申入タリ

1　木村順太郎＝株式会社麻生商店監査役、株式会社森崎屋（酒造業）代表取締役、飯塚町会議員
2　佐賀貯蓄銀行＝一八九六年設立（佐賀市呉服町）
3　小野寺直助＝九州帝国大学医学部教授
4　みかどホテル＝福岡市西中洲
5　博多にわか＝博多言葉で面をつけ演じる即興芝居
6　坑業組合＝筑豊石炭鉱業組合、一八八五年設立（若松市）、太吉元総長
7　中野唖蟬＝熊太郎、福岡日日新聞社会部長
8　仙厓＝仙厓義梵、江戸時代後期の禅僧・画家、元聖福寺住職
9　山県素介＝筑豊石炭鉱業組合幹事
10　麻生彦三郎＝太吉親族、株式会社麻生商店測量係

赤間嘉ノ吉君[1]相見ヘタリ、杖立会社ニ雇入呉候様申入アリタ（瓜生某□□〔推薦カ〕アリ）

六月六日　土曜

上尾惣七[2]親子来リタルニ付、住宅ニ而何ニカ商業ヲ営ム様申伝へ、資本ハ融通ス可キ旨申向ケ置キタリ、うとや〔ん脱〕・サイタ〔ダー〕・平の〔野〕水等位、極而少程度ノ商業ノ予算ヲ出ス様申付タリ

藤森〔善平〕[3]・篠崎〔団之助〕[4]両氏相見へ、貴族院議員今回継続致呉度郡内ノ町村長決義ナリトテ申入アリタルモ、到底御受致難ニ付両君より十分弁解シ、右等ノ希望立消候様尽力方申答ヘタリ

氏神ニ参詣、宮地嶽神社・恵比恵〔須〕[5]神社神殿及鳥居移転ノ場所、区長ト立会取極メタリ

六月七日　日曜

午前七時半自働車ニ而義太賀〔麻生〕・太助〔介〕[6]・五郎〔麻生〕等自働車ニ而来リタリ

堀氏ト博多取引所[7]株ノ打合セシテ持続ノ方得策ナラントノ事、及三菱関係吉隈分割坑区ハ書類東京送布ニ付取返シ、金員引渡ノ旨申入アリタ

お政ニ行キ昼食及晩食ヲナシ、森田・山内・中根〔寿〕[8]氏等相見へ晩食ヲ会ス

六月八日　月曜

午前十一時伊藤傳右衛門君相見へ、種々打合ヲナス

十一時半より相政〔お〕ニ行キ、午後九時帰リタリ、堀・伊藤三人割

六月九日　火曜

午前十一時二十分博多停車場ニ田中〔義一〕惣裁迎ニ行キ、栄屋[9]ニ同車、挨拶シテ帰リタリ

午後五時より福村家ニ招待会ニ列シタリ、夫よりお苑へ行キ、午後十一時半帰リタリ、福村ノ来賓田中惣裁・浜田〔国松〕・森〔悟カ〕・藤田〔包助〕[10]・沢田牛麿[11]・松岡〔俊三〕[12]・秘書・佐藤・秘書・尾崎・書記、従者森田・冨安〔保太郎〕・吉原〔正隆〕・崎山〔克治〕[13]・若木〔栄助〕[14]・堀ノ六氏、

現代議士十名、合計二十七名、外ニ日々新聞、[福岡]［空白］・渡辺綱三郎、惣員二十八名ナリ[ママ]

六月十日　水曜

岸[敬二郎]君相見へ、耕作物ニツキ電化ノ談話ヲナス[15]

午前十一時二十分高橋元惣裁[是清]ヲ迎ニ行キタリ[16]

有田広[17]・渡辺阜築・後藤寺福嶋[嘉一郎]ノ三氏相見へ、後藤寺銀行貸付金ノ打合ヲナス

1　赤間嘉之吉＝大正鉱業株式会社監査役、衆議院議員
2　上尾惣七＝株式会社麻生商店倉庫掛
3　藤森善平＝飯塚町長、元飯塚警察署長、のち福岡県会議員
4　篠崎団之助＝元福岡県会議員
5　宮地嶽神社・恵比須神社＝負立八幡宮（飯塚町栢森）境内社
6　麻生義太賀・麻生太介＝太吉孫
7　博多取引所＝株式会社博多株式取引所（福岡市下鰯町）、株式会社博多米穀取引所として一八九三年設立
8　中根寿＝元貝島鉱業株式会社取締役
9　栄屋＝旅館（福岡市橋口町）
10　浜田国松＝衆議院議員、のち衆議院議長　森恪＝衆議院議員　藤田包助＝衆議院議員
11　沢田牛麿＝元福岡県知事、のち北海道庁長官
12　松岡俊三＝衆議院議員
13　吉原正隆＝元衆議院議員　崎山克治＝元衆議院議員
14　若木栄助＝福岡県会議員
15　岸敬二郎＝九州水力電気株式会社相談役、株式会社芝浦製作所常務取締役
16　高橋是清＝衆議院議員、この年四月まで農林大臣兼商工大臣、元日本銀行総裁、元総理大臣、のち大蔵大臣
17　有田広＝株式会社麻生商店監査役、嘉穂銀行取締役監事

午後弐時お政ニ行キ堀氏ト面会、午後五時より一方亭ニ行キ田中・高橋両氏歓迎会ニ臨ミ、午後十一時帰リタリ
お政ニ行キ、古物ノ掘出ニ出合[ママ]タリ

六月十一日　木曜

午前八時四十分博多駅ニ而田中・高橋両氏御一行見送リセリ
村上巧[児]二君相見へ、杖立ノ件ニ付当分現在之侭ニスルコトニ打合ス
田中惣裁ノ代理トシテ松岡俊三君（豊多摩郡千駄ケ谷町字原宿）相見ヘタリ
第一銀行支配人竹内善造、鍋山伊之助両氏見ヘタリ
組田鞆之介[助]より照合ノ下条氏払物ニ関スル件ニ付発電ス

六月十二日　金曜

午前七時半自働車ニ而福岡より帰リタリ、引返シ夏子つや子[麻生][1]看病ノ為メ出福
瓜生茂一郎及麻生屋来リ、小学交電話料三百円寄[付脱]ノ相談ナシ、承諾ス
聯合会[2]及惣理大臣ニ電信ヲナス

六月十三日　土曜

午前八時五十五分芳雄駅発ニ而鉄道大臣[仙石貢][3]ノ招待会ニ門司倶楽部[4]ニ行ク
午後三時十五分門司駅発車ニ而仙石大臣小倉迄見送、小倉駅ニ而下車シ、別府行ノ列車ニ乗車ノ大臣一行ヲ見送リタリ
柴田知事同車、博多駅ニ而下車シ、自働車ニ而お苑ニ行キ晩食ヲナス

六月十四日　日曜

午後四時半お苑ニ行キ山口恒太郎君ニ面会、鹿町坑区[5]之件打合ス

午後六時常盤館有馬[頼寧]代議士ノ招待会ニ列シ、帰途お苑ニ立寄、午後十一時半帰ル（浜男[ママ]）、有馬氏招待会ニ而左ノ意味ノ挨拶ヲナス

僭越デアリマスガ来賓ニ代リ御挨拶申上マス、盛宴ヲ御催シニナリ御寵招ヲ蒙リ一同深ク光栄ニ存マス、有馬代議士ハ旧薄[藩]主ノ御家柄ニアラセラル御方ニモ不拘、国家政治ニ重キヲ置ク衆議院議員トシテ、温健[ママ]ト勢力ヲ有スルト世評アル政友会員トシテ御尽力ニナリマスノハ心強ク次第[ママ]デアリマス、益御健康、国家ノ為メ御尽瘁アランコトヲ希望シテ止マザル次第デアリマス、一同ヲ代表シテ御懇[ママ]待ヲ深謝シ難有頂戴致マス

六月十五日　月曜

東京棚橋君ニ、二十日出発上京及入江隆吉君任用之件書状ス
午後一時自働車ニ而帰リタリ
東京堀氏及東京柴田徳次郎君[6]より電報ニ付、二十日出発上京ノ返電ナシタリ
相羽君より呼[ママ]ヒ楽一[市]坑区[7]ニ対スル意向ヲ聞キ取タリ

1　麻生ツヤ子＝太吉孫
2　石炭鉱業聯合会＝送炭調節を主目的として一九二一年十月結成、太吉会長
3　仙石貢＝衆議院議員、元筑豊鉄道・九州鉄道株式会社長、元鉄道院総裁、のち南満洲鉄道株式会社総裁
4　門司倶楽部＝筑豊石炭鉱業組合・門司石炭商組合・西部銀行集会所・九州鉄道を中心とした社交倶楽部として一九〇三年設立（門司市清滝町）
5　鹿町坑区＝太吉所有坑区（長崎県北松浦郡鹿町村）
6　柴田徳次郎＝国士舘設立者、のち国士舘大学長
7　楽市坑区＝株式会社麻生商店所有坑区（嘉穂郡穂波村楽市）

六月十六日　火曜

午後二時自働車ニ而出福ス

中沢勇雄君[1]相見へ、訴訟取下ケニツキ包金弐万円吉田〔磯吉カ〕氏ニ謝礼ノ程度ニ付打合セ、昼食ヲナシ帰ラレタリ

　金三百円、吉浦より受取

六月十七日　水曜

浜ノ町滞在

六月十八日　木曜

午前例ノ持病再発ノ意味〔気カ〕アリ、食事ヲ注意ス

山田〔駒之輔〕[2]先生ノ診察ヲ乞タルモ、左迄強イ事モアリ間敷注意スル様トノ事ナリシ、下痢薬ヲ服シ多量ノ下痢ヲナシ、十五日食事ノモノヲ下痢ナシタリ

村上氏相見へ、杖立及九水ノ事聞キ取タリ

六月十九日　金曜

梅谷・村上両氏相見へ、九軌水力〔ママ〕会社カ中嶋鉱業会社ニ切込[3]ノ内報ヲ聞キ、実ニ驚キタリ

野田〔勢次郎〕氏相見へ、吉隈坑区ノ譲渡代金ヲ受取リタル旨ヲ報告アリタリ

山口恒太郎氏ノ招待会ニ列ス、製鉄所長官〔中井励作〕及大学物長〔真野文二〕[4]等ノ一行ナリシ、福村〔家脱〕午後十時帰ル

六月二十日　土曜

午前十二時福岡ヨリ自働車ニ而帰リ、西田〔得二〕[5]先生ノ診察ヲ乞タルニ、盲腸炎ノ痛ミトノ事ニ而、食事ニ注意シ尚床ニツク

午前八時半博多駅ニ山口氏見送リタリ

六月二十一日　日曜

病気ニ而床ニツク、夏子小河ト申ス看護婦連レ帰リタリ

六月二十二日　月曜

病気ニ而床ニツク

渡辺皐築君相見ヘ、綱分[6]〔嘉穂〕銀行代理店ノ件ニ付聞キタルニ付、実際調査ノ上再報ヲ約ス

六月二十三日　火曜

渡辺皐築君相見ヘ、綱分銀行代理店ノ事ニ付聞取タリ、全ク収入役ノ処置ナル事ヲ聞キ安心ス

終日床ニツキ静養ス

六月二十四日　水曜

床ヲ起キ天神坂付近ニ行キタリ

小河看護婦帰リタリ

1　中沢勇雄＝若松築港株式会社取締役
2　山田駒之輔＝医師（福岡市上名島町）
3　九州電気軌道株式会社と九州水力電気株式会社の電力市場獲得競争
4　真野文二＝九州帝国大学総長
5　西田得一＝医師、株式会社麻生商店飯塚病院長
6　綱分＝地名、嘉穂郡庄内村

六月二十五日　木曜

産業会社重役堀〔三太郎〕[1]・中野〔昇〕ノ両氏ト渡辺〔皐築〕氏ト決算及取締・検査〔監〕役ノ件ニ付打合ス
昼食ヲナシ午後二時より堀氏ト自働車ニ而出福、相〔お〕政ニ行キ晩食ヲナシ、午後十時帰ル
午前三時頃迄安眠出来ズ、大閉口セリ

六月二十六日　金曜

午前十一時相〔お〕政ニ行キ堀氏ト昼食ヲナス
午後六時過キ帰ル

六月二十七日　土曜

午前九時浜ノ町より自働車ニ而帰リタリ
有田〔広〕・西園〔磯松〕[2]ノ両人相見へ、博済〔無尽〕ノ件及銀行決算并ニ職員昇給ノ打合ヲナス
後藤寺町〔山口良介〕長病気見舞ニ相見ヘタリ
後藤寺福嶋君銀行ノ件ニ付内談アリタルニ付、田川銀行ニ而調査ノ上、嘉穂銀行員出張之件ハ、目下決算ノ際ニ而如何トモ凌キ兼ネルモ、可成御希望ニ添候様可致旨申向ケ、其次第銀行及渡辺皐築君へ電話シタリ

六月二十八日　日曜

柳武勝〔亀〕太郎[3]、田川郡安真木村ノ人ニ而口春惣兵衛[4]〔永富宗兵衛〕[5]ノ家内ノ父ナリ、相見へ、銀行合同談及田川銀行ト嘉穂銀行トノ関係ノ実際ヲ報告ス、柳武氏己〔個〕人保証ニツキテハ内容不明ニ付御自決アル様申向ケタリ、昼食ヲナシ帰ラレタリ
麻生屋来リ、笹屋[6]ニ電報ス、○瓜生肥前〔長右衛門〕ノ坑区引受方懇談セシモ、弐万五千円ナレハ一時買切他日ニ渡ツ〔ママ〕事ハ紛儀〔ママ〕ノ恐レアリト断タリ、再応来リタルモ同様申向ケタリ
井上準之介〔助〕氏より書留ニ而銀行ノ件不調ノ書状到着ス

書類整理ス
篠崎団之助氏相見ヘ、瓜生之件懇談アリシモ、弐万五千円以上ハ出金難相成旨相断、銀行より借リ入方ニ付注意ス
笹屋相見ヘ、謙三郎［木村］[7]夫婦ニツキ麻生屋ハ離縁ノ主張セシモ、矢張是迄ノ通ニシテ、増加之費用ハ折半ニ而負担ノコトヲ申向ケ、夫レニテ麻生屋も承知セリ

六月二十九日　月曜

瓜生長右衛門モ買入ニ付挨拶ニ来リタルニ付、如此事ハ不宜旨ヲ申向ケ、将来紛義ナキ様書面差入方ヲモ申談タリ
野田・上田両氏相見ヘ、別府田之湯[8]之売却問題及同地経営ニ付打合ス
瓜生ハ［嘉穂］銀行より借リ入ルコトニシテ、六千円三ケ月期限トシ、麻生屋保証ニテ融通之事ヲ支配人ニ電話ス
山口恒太郎氏ニ、井上［準之助］氏より住友家之不成立ノ書面相達シ候故、銀行局長松本［修］氏ニ報告ノ事ヲ打電ス
堀氏ニ、三十日山内氏一門会会［ママ］之電話ス
午後二時半自働車ニ而野田・義ノ介・相羽ト出福ス

1　産業会社＝産鉄・九産鉄とも、九州産業鉄道株式会社、一九一九年設立（田川郡後藤寺町）、太吉一九二二年から社長
2　西園磯松＝嘉穂銀行本店支配人
3　柳武亀太郎＝田川銀行監査役、元共済貯金株式会社社長
4　口春＝地名、嘉穂郡稲築村
5　永富宗兵衛＝太吉甥、株式会社麻生商店本店鉱務部
6　笹屋＝藤田次吉家、酒造業（遠賀郡底井野村）
7　木村謙三郎＝木村順太郎男、麻生太七女婿、元嘉穂銀行書記
8　別府市が麻生家田の湯別荘（別府市田湯）の購入を希望

一方亭宴会ニ列ス

六月三十日　火曜

棚橋氏相見へ、東京ノ用向報告アリタ
瓜生より申入ノ肥前坑区買入ニ付三宅[作太郎カ][1]・相羽・野田ノ三氏ト打合セ、星野[礼助]氏ノ研究ヲ乞、立案ス
政友会支部ニ而、山内・堀両氏ト井上[準之助]氏より書面相達タル事ニ付打合ス
夫より[お]相政ニ行キ食事ヲナス

七月一日　水曜

瓜生坑区持主ノ肩書ニ間違アリ、受引ヲナス、相羽・三宅ノ両氏来リタリ
午後二時[お]相政ニ行キ、午後六時福村ニ而笠原[鷲太郎]氏九水より招待会ニ臨ミタリ、午後九時帰ル
笠原氏より電話アリ（水野旅館）、晩食ヲ案内セシニ、棚橋氏より持田[重夫][2]氏相見へ会食ノ案内アリ、夫故笠原氏も九水ニ譲リタリ
吉田鞆明[3]氏相見、九洲人事相談所設立ニ付相談アリ、金五百円寄付スルコトニ申向ケ現金相渡シタリ

七月二日　木曜

水野旅館笠原氏訪問、延岡より三田井ノ鉄道ノ件ニ付送電会社[九州]ニ而尽力之件、及送電会社ノ起業ヲ急ガレザル様注意ス
笠松[原]氏浜ノ町ニ訪問アリタリ
［欄外］一日ナリシ
　福岡中学校長高宮乾一氏相見ヘタルニ付、書籍講[購]入代九百三十一円寄付ス
午後六時半より自働車ニ而吉浦・青柳両氏ト帰リタリ

午前吉浦君ヲ電話ニ而浜ノ町ニ呼ビ、井上順[準]之助・笠原・山口・永江等ノ諸氏ニ出状ス（控ハ別ニアル）

七月三日　金曜

嘉穂郡長相見へ、銀行減配問題ニ付訪問アリ、重役会ニテ決定一歩減ヲ惣会ニ提案ノ旨申向ケタリ、又田川郡金融救済ノ旨意ニヨリ嘉穂銀行支店惣会ニ提案ノ事ヲモ申述、了解アル様頼ミタリ

有田君相見へ、博済ノ方ハ増資トシテ現在計算ニヨル利益ハ増株ノ払入トシテ、其ノ資金配当金ガ不足シタル時ハ権利放棄ノ事ヲ立案シ、研究ノ事ニ打合ス

七月四日　土曜

堀氏より三菱村上[伸雄][4]氏より招待ノ案内アリシモ、少シク先キニ引延ノ旨相談シ、尚出状セリ

渡辺皐築君相見へ、明五日福岡ニ而産鉄協義ノ件申入アリ、伊藤[傳右衛門]君ニ電話在宿ヲ乞タリ

三菱関係ノ交換坑区調査ノ件、野田氏ニ電話ス

坂井大助[輔][5]君後藤寺出張中立寄アリタ、八月十日頃出発海外ニ旅行ノ由聞キタリ

花村[徳右衛門]同行、山林ヲ見廻リタリ

七月五日　日曜

午前渡辺皐築・浦地[裏地正生]ノ両人相見へ、産鉄第二期工事ニ付打合ス

1　三宅作太郎＝株式会社麻生商店本店鉱務部

2　持田重夫＝九州水力電気株式会社、のち九州送電株式会社調査部長

3　吉田鞆明＝九州人事相談所長、福岡毎日新聞社長、元福岡日日新聞政治部長、のち衆議院議員

4　村上伸雄＝三菱鉱業株式会社参事筑豊礦業所長、この年九月総務部長

5　坂井大輔＝衆議院議員、玄洋社

お政ニ行キ、晩食ヲナス

七月六日　月曜

午前九時伊藤君ヲ訪問、銀行利子・配当率ノ打合ヲナス

堀氏モ相見ヘ、一同自働車ニ而相政〔お〕ニ行キ、昼食ヲ及〔ママ〕晩食ヲナス

七月七日　火曜

午後六時半帰着ス（自働車）

田川郡福嶋〔嘉一郎〕君相見ヘタリ

若松町〔市〕岡崎靍吉[1]・市会議員藤田実造・水嶋頼二[2]・大町美種[3]ノ四氏浜ノ町ニ相見ヘタルモ、帰宅旨申通シタリ、何用カ不明ナリ

七月八日　水曜

午前十時より嘉穂銀行重役会ニ臨ミ、午後一時半帰リタリ

田川銀行より伊藤支〔潜〕配人・福嶋〔嘉一郎〕外一人相見ヘ、同行ノ仕約方ニツキ申入アリタリ

七月九日　木曜

午前六時芳雄駅発ニ而赤坂駅ニ至リ産鉄新線ヲ踏査ナシ、トンネル迄実地ヲ見而異見ヲ打合セ、又後藤寺ニテ産鉄工場ヲ見テ昼食ヲナシ、自働車ニ而同地午後一時半発ニ而帰リタリ、渡辺・浦〔裏〕地両君及上野〔定雄〕受負人ハ入水ト〔ン脱〕ネル口迄同供ス

山内ガス捨場[4]、巻場[5]ニ臨ミ注意ス

有田氏博済ノ件ニ付打合ス（十三日重役会ノ協義ス

七月十日　金曜

五郎[麻生]来リ、安藤家[6]之始末ニ付内談ス、右ニ付丁度義之介来リ合居候間、打合セ返事ヲナスコトニセリ、又今後モ打合セスル様談合ス

一末永[伊礎夫]検事[7]相見へ、転勤之挨拶アリ、外ニモ多少不満之事モ聞及タリ

一吉川[庄兵衛]来リ、断層先キノ調査図ヲ示シ含有炭之模様承知セリ

七月十一日　土曜

午後一時半自働車ニ而出福ス、若松佐藤[慶太郎]君[8]より電話アリ、午後三時佐藤慶太郎君相見へ、石炭不況気ニ付採掘制限[9]ノ件ニ付懇談アリタ

七月十二日　日曜

棚橋・梅谷両氏相見へ、東望[東邦]合併問題ニ付内意打合ス

木村[平右衛門]君ニ電報アリ、其ノ返事ニヨリ梅谷・棚橋両氏上京ノ事ニ打合、又用向アルトキハ何時ニテ[モ脱カ]上京ノ打合ヲナス

1　岡崎鶴吉＝金物商（若松市明治町）、元若松市会議員
2　水嶋頼二＝元若松市会議員
3　大町美種＝醬油醸造業（若松市西新町）、元若松市会議員
4　ガス＝硬（ぼた）や不用な廃石
5　巻場＝坑内から坑外へ石炭などを捲上げるための捲揚機を据付けた場所
6　安藤家＝太吉女婿麻生五郎実家（茨城県西茨城郡）
7　末永伊礎夫＝飯塚区裁判所検事、佐世保区裁判所に転勤
8　佐藤慶太郎＝佐藤商店（石炭販売・炭鉱経営）主、三菱鉱業株式会社監査役、若松築港株式会社取締役
9　石炭鉱業聯合会による生産調整カルテル

七月十三日　月曜

午前十時博済会社重役会ニ出席、惣会ニ関スル重要問題協義ス
午後十二時半帰宅、昼食ヲナシ[ママ]
野田氏相見へ、賞与贈与方ニ付打合ス（十四年上半期営業上意外ノ好都合ニ付、臨時増加スル案ニ同意ス
午後二時半より自働車ニ而出福ス
九水村上君より電話ニ而面会ノ申入アリタルニ付出福シ、村上氏ニ電話セシモ、明日面会ノ電話アリタ
午後四時過キヨリ一方亭ニ行キ中根[寿]氏ト合[会]食ス

七月十四日　火曜

麻生観八君相見へ、専務ノ勤務上不宜旨申向ケアリタ
村上君相見へ、一同種々会談ス、杖立ノ給与方ニ付捺印ス
梅谷・棚橋両君相見へ、種々業務上ニ付注意ス
　福岡地方ノ鉄道・別府地方鉄道[1]ヲ引離シ、一ノ会社トシテ切下ケ、クレムアム[ママ]ノ利益ヲ得ル方針ニ而調査方ヲ
　注意ス
九軌松本[泰蔵]君ニ梅谷己人[ママ]ノ質[資]格ニ而面会ノ件、棚橋氏ニ注意ス
午後二時半自働車ニ而帰リタリ
後藤寺福嶋君相見へ、田川銀行ノ件ニ付懇談アリタルモ、惣会後ナラデハ公式ニ進行六ツケ敷旨申向ケタリ
活動之九洲社々長吉田準一来リ、金百円寄付ス（茂田[つや][2]ニ預ケ置ケタリ、電話ナシ次第引渡事ヲ談シ置キタリ

七月十五日　水曜

国士舘花田[半助][3]君相見へ、三千円寄付ノ内壱千円ト五千円ノ残金五百円、合金一千五百円相渡ス

中津田口[環]君ニ十六日夕着別[別府]ノ電報ス

七月十六日　木曜

午前八時半より自働車ニ而女中連別府ニ向ケ出発、午後二時過キ着ス
田口氏ト電話シ、明朝七時山水園ニ而面会ヲ約ス
麻生商店ニ電話シ、相羽君出別ノ件ヲ申入タリ
村上君より明日山水園ニ而重役会ノ件ヲ申入アリタリ

七月十七日　金曜

田口環君相見ヘ、上山田坑区付近関係者及古川[河]坑区[4]ノ件ニ付聞キ取タリ、来ル二十五日本宅ニテ面会ヲ約ス
午前十時ヨリ九水重役協義会ノ為メ村上[巧児]・麻生[観八]・今井・長野[善五郎]・大藪[守治][5]・棚橋各重役相見ヘ協義ス、昼食ヲ饗応ス、
　九軌ト戦防[ママ]ノ為メ村上博多ニ定詰メノコト
　東望[東邦]ハ九洲区域[6]ナラバ合同ノ件
　化学及現在カワバイトウ製造工業ニ付調査ノ件、其他諸事件アリ（決議録別ニアリ）
午後二時帰ラレタリ

1　九州水力電気株式会社傘下の電気鉄道事業
2　茂田つや＝麻生家女中
3　花田半助＝大助改名、国士舘創設者の一人、のち国士舘大学理事
4　古河坑区＝古河鉱業株式会社下山田炭鉱（嘉穂郡山田町・大隈町ほか）
5　大藪守治＝九州水力電気株式会社取締役、元筑後水力電気株式会社長、のち貴族院議員
6　東邦電力株式会社の元九州電灯鉄道株式会社管内

七月十八日　土曜

相羽君別府宿所ニ迎ニ遣シ、上山田及牛隈坑区・古川〔河〕坑区ノ含有炭調査ヲ図面ニ記載ナサシメ、来ル二十五日田口君本宅ニ相見ル〔へ脱カ〕ニツキ、其ノ間ニ合ヒ候様調査方打合、昼食ヲナシ午後十二時卅分別府駅発ニ而帰店アリタ

小川[1]来リ、午後六時帰リタリ

七月十九日　日曜

村上・内本両氏相見ヘ（自働車）、杖立会社〔杖立川水力電気〕之件及十七日協議ノ九軌ノ戦防〔ママ〕ノ為メ村上君福岡出張承諾之旨申向ケアリタ

棚橋君相見ヘ、二十二日より東望〔東邦〕（九洲区域引離シ合同ノ件ニ付上京、森村社長ニ親シク打合、井上準之介〔助〕氏ノ東望全体ト間違ナキ様申入方呉々注意ス

麻生〔観八〕監査役専務ノ如ク本走〔奔〕アリ〔ママ〕旨聞キタリト申居シタリ〔ママ〕

七月二十日　月曜

一宮房次郎〔治〕[2]氏挨拶ニ見ヘタリ

小川来リタリ

七月二十一日　火曜

午前九時半ヨリ自働車ニ而帰途ニツキ、午後四時帰着ス

七月二十二日　水曜

午前瓜生〔長右衛門〕来リ、明日加勢内部長〔務脱〕相見候由ニ而晩食ノ打合ヲナス

後藤寺福嶋・元助役両氏相見ヘタリ

午前九時半ヨリ嘉穂銀行惣会ニ列ス、博済会社分離処分等重要ノ事決定シ、午後一時惣而相済帰宅ス

七月二十三日　木曜

加勢内部々[務部]長相見へ、晩食ヲ一同ト会ス

午後八時半より自働車ニ而出福ス

有田広氏相見へ、博済会社株主照合ノ文案ノ件ニ付打合ス

七月二十四日　金曜

柴田知事ヲ訪問ス、田川銀行一件ニ付中村[俊雄]郡長呼ビ出アルコトニナリタ、内務部長ニ面会ス、警察部長ニ面面[ママ]、坑夫同盟[3]問題ニ付取締方申入タリ

若松町[市]大町美種外一人、寄付ノ相談ノ為メ見ヘタリ

七月二十五日　土曜

午前十時常盤館ニ山口[恒太郎]氏訪問、鹿町坑区ノ件聞キ取タリ

田口環君相見へ、上山田坑区之件ニ付相羽君等ト打合ス

七月二十六日　日曜

田口環君相見へ、上山田古川[河]坑区及筑紫坑区[4]、近接スル坑区図ヲ借受ケ、相羽君ニ渡ス

午後一時より、山口君相苑[お]ニ泊リアリ、訪問ス

1　小川＝麻生家田の湯別荘内居住

2　一宮房治郎＝衆議院議員

3　坑夫同盟＝九州炭坑夫組合、一九二四年設立（田川郡後藤寺町）、光吉悦心など

4　筑紫坑区＝橋本信次郎経営筑紫炭鉱（嘉穂郡山田町）

七月二十七日　月曜

皇典研[講]究所[1]ノ理事桑原芳樹君相見へ、学校寄付金ノ内談アリタルニツキ、他ニ打合セ返事ナスコトニセリ
午前七時半お苑ヲ帰リ、義之介・五郎来リ面会ス
田川郡長中村俊雄氏相見へ、田川銀行ノ件ニ付談合ス

七月二十八日　火曜

田川福嶋君相見へ、銀行ノ件ニ付郡長帰リ不調ノ口気ヲ洩セシ由ニ付如何ナル成行カ聞キセ[合脱カ]ニ見ヘタリ、成行ヲ申向ケ、直チニ帰郡アリ
棚橋君帰県、直チニ相見ヘタルニ付、東望[東邦]合併当分望ナキ旨、佐藤技師[長太郎カ]送電ニ転任、鈴木彦政肥料会社[2]之件等、博多土地河内氏[卯兵衛][3]より買受望アリタル旨ニ聞キタルモ、他日必福岡ニ営業所移スニ至ルベク、夫迄其儘ニナスコトヲ申向ケタリ
川卯[4]主婦来リ、雇入之事ニ付内談アリ

七月二十九日　水曜

午後四時半自働車ニ而、山口恒太郎・森田正路ノ両氏ト□□[相伴カ]ヒ、緒方氏[道平][5]告別会ニ列ス、帰路一方亭ニ立寄喰ス
午前十時ヨリ一方亭ニ行キ山口氏ト会合シ、午後九時迄滞在、晩食ヲナシ帰リタリ
貴族院議員之事ニ付一任スル様申入アリタルモ断リタリ
百円ハ一方亭お梅・おかよ外一人、百円ハつや子[6]・おちよニ遣シタリ

七月三十日　木曜

午前八時半自働車ニ而お石[野畠いし][7]ト帰リタリ
野田氏ヲ呼ヒ、松本健次郎氏訪問聯合会ノ件ニ付異見打合セタキ旨ヲ含ミ戸畑行キヲ命ス

田川郡長中村俊雄・福嶋ノ両氏見へ、田川銀行整理之件申入アリ、更ニ郡代表ト来ル二日ニ博多ニ而面会ヲ約ス

七月三十一日　金曜

渡辺阜築君相見へ、鉄道之工事及森崎屋ノ件及田川銀行整理之事ニ付談合ス
相羽君ヲ呼ヒ、上山田古川[河]坑区調査方ニ付牛隈[8]ノ炭脈ノ関係打合タリ（八月二日田口君より電報ノ筈ナリ）
松田飯塚警察部長、政界及貴族院議員諾否ニ付尋ネアリタリ
花村徳右衛門ヲ呼ヒ、中嶋[9]道路及山林堺之件ニ付聞取タリ
午前十時半より嘉穂銀行重役会ニ列シ、星野氏出飯アリ、地料之事ニ付打合ス

八月一日　土曜

花村徳右衛門召連金池[10]山林ノ界境[ママ]ヲ調査ス
有田[広]監事ヲ呼ヒ、鞍手銀行預金ノ件ニ付注意ス

1　財団法人皇典講究所＝一八八二年設立（東京市麴町区飯田町）
2　九州水力電気株式会社の窒素肥料製造会社設立計画
3　河内卯兵衛＝筑前参宮鉄道株式会社社長、元福岡市会議員、のち福岡市長
4　川卯＝旅館（門司市）、本店は下関市
5　緒方道平＝元福岡県農工銀行頭取
6　つや子＝水茶屋券番（福岡市外）芸者カ
7　野畠いし＝麻生家女中
8　牛隈＝地名、嘉穂郡大隈町
9　中島＝地名、飯塚町立岩
10　金池＝地名、飯塚町立岩

福原夫人〔鶴〕[1]昼食ヲ饗応ス

八月二日　日曜

午前八時自働車ニ而出福

田川郡惣代郡長初メ村長・県会議員等十六人相見へ、救済ノ申入アリ、順序覚書ヲ示シタル末県庁ニ申入アリタ、

昼食ヲ饗応シ、午後二時帰ラレタリ

相羽君より電話アリ、上山田古川〔河〕坑区ハ他より調査中ニ而入坑ヲ断リタリトノ事ナリシ

八月三日　月曜

野田勢次郎君より松本〔健次郎〕氏面会ノ結果電話アリ、直チニ若松佐藤慶太郎氏ニ電報ス（電文別記アリ）

田川郡長外八人相見へ、柴田知事より紹介方申入アリタル時ハ尽力致呉レル様申入アリタリ

柴田知事より午後一時半官舎ニ出ル様電話アリタ

午後一時半官舎ニ行キ、田川郡ノ打合ヲナシ、銀行課長ニ打合セノコトヲ申向ケラレ、其上ニ而日本銀行ニ申入ノ

順序ニ進ミ帰リタリ

午後五時お政ニ行キタリ

田川福嶋嘉一郎君相見へ、知事ノ意向電話ス

八月四日　火曜

午前十時県庁ニ出頭、加勢内部〔務部〕々長ヲ訪問、田川ノ件懇談ス、原口銀行課長も同席ナリ、柴田知事ノ添書アリ、門

司日本銀行支店長ニ救済ノ件ニ付原口課長ト訪問ノ打合ヲナシ（柴田知事ガ当春遠賀銀行救助之件ニ付東京ニ而御

咄アリ、其ノ手初メニ終ニ田川郡ニ移リタル始末詳細加勢氏ニ陳情ス）

日々〔福岡日日〕新聞中野節郎君、菊竹復〔淳〕[2]氏ノ紹介状持相見へ、合同ノ件及田川銀行ノ始末秘蜜ニ咄シタリ

午後五時よりお苑ニ行キ中村［武文カ］氏ニ面会ス

八月五日　水曜

午前八時四十三分博多駅発ニ而、銀行課長原口氏ハ柴田知事ヨリ添書ヲ貰田川郡銀行不始末ニツキ救済方懇談ノ為メ門司日本銀行支店長ニ面会、親シク事情陳情ノ末、田川銀行財産尚調査シ其ノ調査書持参アラバ尚研究可致トノ事ニ而帰リタリ、原口課長ハ柴田知事ニ報告アリ、自分折尾より帰リ麻生酒屋[3]ニ悔ミニ行キタリ
博多駅より小倉、森田氏同車ス
門司一時三十五分発ニ而帰途ニツキ、直方より自働車ニ而帰リタリ（門司［駅脱］二階ニ而急キ昼食ヲナス）
酒屋ニ悔ミニ行キタリ

八月六日　木曜

午前八時自働車ニ而出福ス
堀氏浜ノ町ニ相見へ、日本銀行支店長ノ意向報告シ、田川銀行ノ件進行ハ県庁ノ調査ヲ待ツ旨申向ケタリ
お政へ行キ伊藤・堀ノ両氏ニ懇談ス
森田・山内両人も相見へ、昼食及晩食ヲナシ、午後九時帰リタリ

八月七日　金曜

銀行局長聞合セシニ、出張中ノ由電話アリ、午後一時四十分自働車ニ而おいし［野畠］一同帰リタリ

1　福原鶴＝故麻生八郎妻縫妹、麻生太三郎妻花姉
2　菊竹淳＝福岡日日新聞編集監事、のち副社長
3　酒屋＝麻生惣兵衛、嘉穂銀行取締役、元飯塚町会議員

福嶋氏（嘉一郎）電話アリ、日本銀行支店長意向、県庁より田川銀行調査ノ旨申向ケ、郡長明日午後一時県庁ニ呼出ノ旨内話アリ、右調査ノ書類持参ノ注意ス
野見山平吉[1]氏浜ノ町別荘ニ相見へ、貴族院議員撰挙スルニ付承諾之懇談アリシモ、事情ヲ陳シ絶体断[ママ]、尚野見山氏も一己[個]人ニテ其ノ方ニ尽力之事ヲモ頼ミタリ、豊前ニ運動之必要モアレバ自分又ハ店員ヲ遣シマスト迄申向ケタリ

八月八日　土曜

酒屋ニ悔ミニ行キタリ
告別式ニ臨ミ、墓所ニ行キ午後五時過キ帰リタリ
午後七時より自働車ニ而出福ス
野田[勢次郎]氏ト北海道聯合会[2]出頭ニツキ詳細打合ス

八月九日　日曜

午前十一時博多駅ニ多賀吉[太]等一同ヲ迎ニ行キタリ
午後四時より一方亭ニ行キ、堀・中根氏等会合ス

八月十日　月曜

一方亭ニ行キタリ
吉原正隆君相見へ、貴族院議員ニ推挙之内談ヲ受ケタルニ付考慮中ナルモ候補者ノ意向ナキカトノ咄シアリタルモ、承諾不能旨申向ケ候処、自分ヲ夫レナレバ御受致兼ル等ノ口気アリタルニ付、夫レハ甚タ宜クナキ事ニ付貴君ヲ推挙スルハ自然ナリ、小生ノ御受出来ザルト同一ノ事ニナルニ付心得違アラザル様申入、折柄堀氏送物[ママ]之礼ニ見ラレタリ

冨安・若木[栄助]其外八名相見へ、貴族院議員ニ推挙スルコトニ同志者一同決定シタルニ付承諾ノ旨縷々申向ケアリタルモ、病気及時代後レノ老人ニテ今回改正[3]ノ意旨ニ不自然ニナリ絶体承諾不能旨申向ケタリ
壱方[亭脱]より帰リ面会セシニ付、右用談ヲ済マシ直チニ同方ニ行キ、十時ニ帰リタリ

八月十一日　火曜

午前八時伊藤傳右衛門君相見へ、貴族院議員ニ推挙之件ニ付同志者より尚申入方依頼ヲ受ケタリトノ意味ヲ以申向ケアリタルモ、昨日同志者相見へ懇切ナル御言ヲ拝シ只々恐縮スルノミニテ到底御受致兼候、同志者帰ラル際ニ承諾ナキモ推挙抔と手荒之御言ヲ拝シ、万一右様ノ手段ニ出ズレバ御懇情ヲ報スル事ハ出来ズ、却而アイソウヲツカサル、結果トナリ候故、此意味ヲ深ク御申入アリ、他ニ適任者推挙之事ヲ申向ケタリ
午前九時半自働車ニ而岡松[直]・お石[野畠]一同帰リタリ
貴族院議員候補辞退之件了知セリトノ伊藤君より電話ニ接シタリ

八月十二日　水曜

藤森[善平]町長相見へ、市制之件[4]及架橋ノ件ニ付内談アリタ
瓜生長右衛門来リ、庄内[5]ト飯塚町ト合併ノ談話ス

1　野見山平吉＝福岡県会議員
2　石炭鉱業聯合会の札幌市における臨時評議員総会（八月十三日開催）
3　大正十四年勅令第二三四号多額納税者互選規則による互選方法の改正
4　飯塚町の市昇格問題
5　庄内＝地名、嘉穂郡庄内村

中村清造君、安川伊三郎（福岡市会議員）・徳永勲美[1]ノ両氏相連レ、太田清蔵君貴族院議員候補者ニ内諾アリ、緩〔援〕助ノ申出アリタ

田川福岡〔嶋〕嘉一郎君相見へ、田川銀行ノ件ニ付内談アリ、明日中村郡長来訪待合ノ内談アリタ

八月十三日　木曜

田川銀行ノ件ニ付、福嶋嘉一郎君より、郡長午前中用件操〔繰〕合出来ズ午後三時ニ来訪ノ旨電話アリタルニツキ、監事有田君ニ面会ノ旨ノ返電ス

有田広君ニ電話シ、田川銀行ノ件ニ付郡長面会ノ旨い才〔委細〕申含メタリ

渡辺皐築君相見へ、森崎屋ノ件内談アリタリ

相羽君相見へ、筑紫上山田炭田[2]ノ件打合ス

午前十一時自働車ニ而出福ス

午後四時過堀氏より電話アリ、相〔お〕政ニ行キ午後九時帰ル

八月十四日　金曜

午前十時相政ニ行キ、堀・伊藤氏等会合ス、午後九時過キ帰ル

八月十五日　土曜

午後一時より九水協義〔ママ〕会開催アリ、織田経二[3]氏より講話アリタ

杖立ノ工事・設計等協定アリタ

明朝六時発自働車ニ而日田行ノ協定アリタ

八月十六日　日曜

午前二時より少シク不工〔ママ〕合ニ而日田行ヲ棚橋氏ニ断タリ

森田正路君相見へ、若松方面及柏木〔勘八郎〕[4]氏ニ出状ノ旨申入アリ、二日市大賀〔直次郎〕[5]・中嶋町ノ児嶋[6]氏等ニ出状ノ申向ケアリ、承諾ス

吉浦ヲ取リ、右出状并ニ東京組田〔駒之助〕ノ掛物等調査ス

午後津屋崎[7]ニ行キ、午後八時半帰宅ス

坑業組合山県〔素介〕幹事ニ内務大臣〔若槻礼次郎〕招戴ノ件電話ス

八月十七日　月曜

午前四時相政〔お〕ニ行キ、午後九時帰ル、伊藤傳右衛門君ト会合ス

内務大臣歓迎会ニ出席ヲ促シタリ

買入ノスホン〔スッポン〕ヲ料理、持参ス

山県素介坑業組合幹事相見へ、内務大臣招待ノ件ニ付県庁ニ而打合セアリタ

八月十八日　火曜

午前九時自働車ニ而帰宅ス

1　徳永勲美＝実業家、福岡市会議員
2　筑紫上山田炭田＝橋本信次郎経営筑紫炭鉱（嘉穂郡山田町）
3　織田経二＝九州帝国大学工学部教授
4　柏木勘八郎＝地主（京都郡行橋町）、宇島鉄道株式会社社長、元福岡県農工銀行取締役
5　大賀直次郎＝酒造業（筑紫郡二日市町）
6　児島＝洋紙商児島善一郎（福岡市中島町）カ、皮革商児島善四郎（中島町）カ
7　津屋崎＝地名、宗像郡津屋崎町、麻生家別荘所在地

〔瓜生〕和一郎方ニ悔ミニ行キタリ
金池土取工場ニ行キタリ
病院ニ〔麻生〕ふよ[1]見舞
村上君浜ノ町ニ相見へ、種々打合ヲナス

八月十九日　水曜

書類整理ス、礼状・祝電等夫々記帳サセタリ
掛物類虫干ノ手配ヲ命ス
午後二時半自働車ニ而鞍手郡植木より赤間[2]ヲ経而津屋崎ニ行キ、午後七時自働車ニ而浜ノ町ニ行ク

八月二十日　木曜

午後四時停車場ニ内務大臣迎ニ行キタリ
午後六時公開〔会〕堂[3]ニ而官民歓迎会ニ臨ミタリ
午後七時半一方亭ニテ坑業者ノ歓迎会ニ臨ミ、坑業者代表シテ別書ノ挨拶ヲナス

八月二十一日　金曜

若松恵批〔比〕須神殿建設ニ付寄付ノ相談アリ、打合セ申込可致旨申答ヘタリ、社掌伊高林ト申人ナリ
午前十一時半より一方亭ニ行キ安川〔敬一郎〕男ト会合ス
加勢〔清雄〕氏より、堀田・裏松両貴族院〔ママ〕相見へ明朝訪問之電話アリタ

八月二十二日　土曜

堀田正恒伯爵・裏松友光子爵加勢氏ト訪問アリ、貴族院議員之事ニ付種々申向ケアリシモ、太田〔清蔵〕君当撰ノ上黒田〔長成〕侯爵ニ申入之方可然ト申向ケ、又撰挙ニツキテハ政友会員十二分ノ尽力中ニ付其侭之方可然ト申向、了解アリ、午後

六時お苑ニ而食事ヲ差出スコトヲ案内ス
梅谷・村上両氏相見へ、東望[東邦]合同問題ニ付井上[準之助]ノ意向又福沢[桃介]氏より申入等ノ事ニ付打合セ、九洲区域トナレバ九水ニハ異存ナキ旨等打合セ、靏丸[卓市][4]君カ送電[九州]会社ノ件ニ付棚橋氏より内談アリ、異見ヲ付シタリ
午前十一時半過キお政ニ行キ、堀・伊藤ノ両氏ト打合ス
午後六時よりお苑ニ而堀田・裏松両氏招待ス

八月二十三日　日曜

午前六時浜ノ町ヲ自働車ニ而本家ニ立寄、用事ヲ済マシ、午前八時半より自働車ニ而仁ホ[保][5]浦ニ至リ、運転用ノ油ヲ入レ忘レ引返シ、烏尾峠[6]ニ而待合セ、約三十五分間余遅刻ス、大津[ママ]より椎田[7]ニ直通ス
午後二時別府山水園ニ着ス
梅谷氏より後藤[新平][8]子爵立寄ナキ旨電話アリタ
二十五日重役会[九水]二十七日ニ日延之旨棚橋氏より電話アリタ

1　麻生フヨ＝太吉四女
2　赤間＝地名、宗像郡赤間町
3　公会堂＝福岡県公会堂（福岡市西中洲）
4　鶴丸卓市＝九州水力電気株式会社、のち副支配人
5　仁保浦＝地名、嘉穂郡庄内村
6　烏尾峠＝田川郡糸田村と嘉穂郡頴田村を結ぶ峠
7　椎田＝地名、築上郡椎田町
8　後藤新平＝拓殖大学長、元内務大臣、元東京市長、元台湾総督府民生長官

八月二十四日　月曜

田川福嶋嘉一郎氏相見へ、金弐万五千円融通ノ相談アリ、其旨嘉穂銀行ニ電信ス（別記アリ）

義之介午後三時ニ而帰店ス

八月二十五日　火曜

柴田徳次郎氏相見へ、国士舘寄付一時払ノ相談アリタルモ、内情困難ノ旨申向ケ断リタリ

善光寺[豊前][1]住職（大嶋真厚）相見へ、仏堂保存ニ付国費ノ下ケ渡ニテハ不足ノ旨相談アリ、金五百円寄付ス

日出工場[2]ニ一同連レ行キ見物ス、金三十円職員一同ニ遣ス

八月二十六日　水曜

棚橋君相見へ、故和田氏[豊治][3]家屋ノ件・電車分割ノ件・土地分割等ノ内談アリタ

中津田口[環]氏より古川[河]坑区及上山田筑紫坑区ノ件ニ付内報アリタ

渡辺皐築君より着別ノ電報アリ、自働車迎ニ遣リ、午後十一時過キ福間[嶋]嘉一郎君ト相見ヘタリ

京都ノ土木受負人西松光次郎[4]・手代馬場正健両氏訪問アリタ

八月二十七日　木曜

午前九時麻生観八氏立寄アリ、一同棚橋・梅谷同車、午前九時四十分大分営業所ノ協義会ニ列ス、見積書モ一応森村[開作]社[長脱]ノ了解ヲ受ケ其上ニ而実行方申述タリ、協義決定書ニ夫々調印ス

午後三時迎之自働車ニ而麻生[観八]検[監]査役ト帰リタリ

米子[麻生ヨネ]ニ金三百円遣金ヲ渡ス

渡辺皐築・福嶋嘉一郎両氏相見へ、田川銀行より手形ニ而金弐万五千円融通ノ申入アリ、其旨同行ニ通シ、手続上ノ研究ヲ乞コトニシタリ、午前九時帰ラレタリ

八月二十八日　金曜

午前五時半別府山水園自働車ニ而出発、義太賀[麻生]・太介[麻生]両人連タリ、宇佐今井[5]ニ参詣シ、午後十二時十分帰着ス

田川郡長（中村俊雄）書記一名連ラレ、田川銀行調査之件ニ付県庁より申達シノ次第アリ、直接嘉穂銀行より調査方申入アリ、又如何様ノ便利モ可致ニ付時々打合ノ事注意アリタ、昼食ヲナシ帰ラレタリ

麻生屋来リ、森崎や[屋]ノ関係相談ヲ受ケタルモ、大事ノ件ニ付盆後ニ親族打寄協義ノ旨申向ケタリ

八月二十九日　土曜

野田勢次郎君北海道聯合会ヨリ帰店ニ付、聞取タリ

渡辺皐築君相見へ、鉄道補介問題ハ明年工事竣工之上ニテ着手シ、今回上京ニツキ迷惑ニナラザル様挨拶方注意ス

麻生屋来リ、森崎屋ノ負債ノ件打合ス

渡辺君より木村家[6]仕組ニ付異見アリシモ、孝太郎[木村][7]ノ異見ニ任セル方穏当ナラント申向ケタリ

1　豊前善光寺＝芝原善光寺とも、浄土宗寺院（大分県宇佐郡高家村）

2　日出工場＝九州水力電気株式会社日出工場（大分県速見郡日出町）、元日本窒素肥料株式会社カーバイト工場、翌年九州電気工業株式会社

3　和田豊治＝元九州水力電気株式会社相談役、元富士瓦斯紡績株式会社社長、第二巻解説参照

4　西松光次郎＝土木建築請負業西松工業所

5　今井＝今井神社（大分県宇佐郡安心院町）

6　木村家＝森崎屋、酒造業（飯塚町）

7　木村孝太郎＝木村順太郎（株式会社森崎屋商店代表取締役、株式会社麻生商店監査役）長男

八月三十日　日曜

午前六時津崎屋〔ママ〕別荘ニ行キ、庭木手入・道路造リ等ノ打合ヲナシ、午前九時半帰福ス

棚橋氏ニ、亀川間ノ電車[1]ヲ布設シ、大分別府間ノ電車ハ□〔仮カ〕手ヲナシ、枕木二本ツヽ、位増加ノ事注意ス

午前十一時より東公園一方亭ニ行キ、伊藤・中根氏ト晩食ヲナス

八月三十一日　月曜

午前六時自働車ニ而帰リタリ、中途朝食ヲナス

大学火災[2]見舞ノ電信ヲ発ス

九月一日　火曜

旧十三日盆祭ニ付墓所ニ花筒打ニ参詣ス

初盆ニ而休業ス

九月二日　水曜

旧盆祭

九月三日　木曜

旧盆祭

九月四日　金曜

午前五時太賀吉等一同自働車ニ而出福ス

お政ニ而堀氏ト会合ス

九月五日　土曜

太田清蔵氏相見へ、失格者之件[3]ニ付懇談アリタ

午後七時過キ太田清蔵・中村清造ノ両氏相見へ、失格者ノ氏名等報告アリタ

福岡毎日新聞社社長浜崎義雄ノ名刺ヲ以[ママ]鹿毛馬[4]ノ人ニテ中西某来リ、賛成ノ申入セシモ断、金弐十円鎎[汽]車賃トシテ相渡ス

九月六日　日曜

松本健次郎氏相見へ、採掘制限ニツキ制限ト一方ハ満鉄ニ対シ報洲[酬]ノ件ニ付内容ヲ打明、表面ハ三井・三菱ノ意向ニヨリ進行ノ打合ヲナス

働[ママ]労者ヲ悪化セシムル者ノ取締ニ付、特ニ坑業組合ヲ人撰スルコトニ内談ス

午後四時聖福寺稲垣氏[栄子][5]ノ葬儀ニ列ス

帰途相政[お]ニ行キ、森先君[森崎欣太郎カ][6]ト会合ス

九月七日　月曜

貝島君[太市][7]代理峠氏[延吉][8]相見へ、制限問題ハ不賛成之旨申向ケアリタリ

1　亀川＝地名、大分県速見郡亀川町
2　八月三十日九州帝国大学医学部第一外科より出火、第二第三内科・第一外科・整形外科・衛生学・法医学教室全焼
3　勅令第二三四号貴族院多額納税者互選規則の互選方法改正による選挙権失格者
4　鹿毛馬＝地名、嘉穂郡頴田村
5　稲垣栄子＝故稲垣徹之進（元明治坑業株式会社専務取締役）妻、勝俣英（三菱鉱業株式会社筑豊礦業所副長、元九州帝国大学助教授）義母
6　森崎欣太郎＝東洋電気雷管株式会社取締役
7　貝島太市＝貝島商業株式会社社長、貝島鉱業株式会社取締役、第二巻解説参照
8　峠延吉＝大辻岩屋炭礦株式会社専務取締役、貝島合名会社理事

午後四時より自働車ニ而帰宅ス
花こよみ社有光武視ナル者来リ、賛助ノ相談セシモ断リ、鐖[汽]車賃トシテ金弐十円遣ス

九月八日　火曜

渡辺皐築・福嶋嘉一郎両氏相見ヘタリ
日高氏[民蔵]1ノ意向ニツキ懇談セシモ、余程困難ノ情況ナル故、同氏ノ意向ニ任スコトニセリ
瓜生長右衛門・栢森区長来リ、2満洲ノ寄付ノ懇談セシモ、他方面ヲ先キニセラル様申向ケタリ
中村清造・赤間嘉之吉・伊藤傳右衛門氏等ニ電話ス
午後五時自働車ニ而出福、お政ニ行キ堀・伊藤両氏ト会談、晩食ヲナシ帰リタリ

九月九日　水曜

午前九時栄屋旅館ニ行キ事務員一同ニ挨拶ス
堀氏も見ラレ居タリ
お政ニ行キ昼食ヲナシ、午後八時帰宅ス

九月十日　木曜

午前九時県庁ニ出頭、貴族院議員太田清蔵君撰挙ス
瓜生来リ、和田六太郎氏3同供出頭セリト申通シ、又綿旦[勝]4屋敷銀行ニ買収ノ相談ス
太田清蔵・赤間嘉之吉・伊藤傳右衛門三氏相見ヘタリ
午後二時一方亭ニ行キタリ、中根氏ト会合ス
伊藤傳右衛門君ニ電話シ、中村昇[野カ]君ニ注意ヲ乞タリ
村上巧二[児]君相見ヘ、肥料会社之件ニ付水嶋君[勝正]5ヲ信用シ、意向ヲ相分タル上ニ而正式ニ鈴木家ニ申入順序トシ、是レ

モ織田博士［経二］ト打合ノ上ニセラル、様十二分ノ注意ス
　お梅[6]へ八十円一時立替ス

九月十一日　金曜

午前八時福原［島カ］貞次郎[7]・神崎勲[8]・若木栄助・柏木勘八郎・石崎敏行[9]ノ諸君、太田君当撰ニ付挨拶ニ見ヘタリ
赤間嘉之吉・野見山平吉ノ両人、太田君当撰ニ付挨拶ニ見ヘタリ
太田清蔵氏ヲ訪問、祝意ヲ表シタリ
午前九時半より自働車ニ而帰ル
堀氏ニ電話、明日上京ニ付諸氏ニ伝達ヲ頼ミタリ
松本氏ニ出状、十六日欠席、模様ニヨリ直チニ上京ス

九月十二日　土曜

午前十一時自働車ニ而赤十字社商議員会ニ列シ、午後三時半より自働車ニ而帰ル

1　日高民蔵＝田川銀行取締役、元福岡県会議員
2　栢森＝地名、飯塚町、麻生家所在地
3　和田六太郎＝和田屋、呉服及び醬油醸造業（飯塚町本町）、飯塚町会議員
4　綿勝＝寺坂勝右エ門、綿勝旅館（飯塚町向町）経営
5　水島勝正＝のち昭和肥料株式会社、朝鮮化学工業株式会社常務取締役
6　お梅＝料亭一方亭（福岡市外東公園）女中
7　福島貞次郎＝地主（京都郡行橋町）、元行橋電灯株式会社取締役
8　神崎勲＝宇島鉄道株式会社取締役、築上銀行取締役、元福岡県会議員
9　石崎敏行＝九州化学工業株式会社社長、九州耐火煉瓦株式会社社長、元福岡県会議員、のち衆議院議員

午後四時より岩井〔智海〕[1]和尚相見へ、午後七時より嘉穂館[2]ニ而講演アリタ

九月十三日　日曜

午前岩井師ノ講話アリタリ
仏前ニ読経済後昼食ヲ呈シ、午後二時より立岩小学校[3]ニ而一般ノ講話アリ、午後四時ニ終リ、瓜生方ニ一泊アリ
宝華院[4]一週〔ママ〕季ニ而読経アリ、法要ヲ営ム

九月十四日　月曜

午前七時半岩井和尚外一僧墓所ニ参拝アリ、夫より自働車ニ而博多ニ送ル
正恩寺[5]一行読経アリ、一週〔ママ〕年ノ法要ヲ営ミ、参詣之人々ニ昼食ヲ呈セリ
午後五時より自働車ニ而出福、西大寺〔西大路吉光〕子爵より電話ニ付、太田〔清蔵〕氏面会ノ為メナリ
正恩寺ヲ芳雄駅付近ニ移シ、二千円ノ基金ヲ墓地ノ維持ト正恩寺ノ修繕費等ニ充当スル為メ、五十ケ年据付ノトキハ約三万円近クナリ、是レヲ五朱トシテ壱千五百円トナリ、五百円ヲ墓所ノ方ニ千円ヲ正恩寺ノ方ニ使用スルトキハ、門徒ノ負担ヲ経〔軽〕クスル良策ナリトノ説アリタルモ、明季より希望ナキ限リハ承諾不致旨申向ケタリ

九月十五日　火曜

午前八時太田氏ニ電話セシニ、十一時頃迄ニ浜ノ町ニ可参ニツキ西大寺〔路〕子爵一同待合セノ旨申向ケアリタリ
午前十時過キ西大寺〔路〕子爵訪問アリ、夫より間もナク太田氏相見へ、研究会ニ加会ノ相談アリタルモ、上京ノ上御挨拶可相成旨申向ラレ、入会ニ関スル書類等ヲ受ケラレ、黒田〔長成〕侯爵・野田卯太郎[6]氏等懇談ノ上決定スルコトニ進行セリ
麻生屋ニ電話シ、昼食ヲナシ、十二時過キより自働車ニ而帰リタリ
森崎屋ノ件ニ付笹屋・上野〔文雄〕[7]氏・麻生屋ノ三氏相見へ相談アリタルニ付、森崎屋親子ト尚打合アル様注意ス

九月十六日　水曜

午前例ノ持病之気味アリ、在宅静養ス

麻生屋より、森崎［屋脱］負債ノ始末ニ付親籍［ママ］打寄相談ス可キトノ事ニ而電話アリ、同家ニ行キ、午後六時半迄一同ト協義シテ整理法ノ筆記ヲ貰ヒ帰リタリ

九月十七日　木曜

栄転之知事諸氏ニ祝電ス

書類整理ス

森崎屋挨拶ニ見ヘタリ

野田及義之介来リ、大坂出張所ノ件及古川［専之助］8君ノ件ニ付打合ス

［麻生太介］太助誕生日ニ付牛ノ掛物祝ニ遣ス

1　岩井智海＝浄土宗僧侶、のち浄土宗管長
2　嘉穂館＝嘉穂郡公会堂（飯塚町）、一九二一年竣工、嘉穂館（旧嘉穂郡議事堂）は一九一六年解体
3　立岩小学校＝飯塚町
4　宝華院＝太吉妻故麻生ヤス
5　正恩寺＝浄土真宗本願寺派寺院（飯塚町川島）、麻生家菩提寺
6　野田卯太郎＝衆議院議員、立憲政友会副総裁、この年八月まで商工大臣、元逓信大臣
7　上野文雄＝福岡県会議員、元嘉穂郡庄内村長
8　古川専之助＝株式会社麻生商店大阪出張所相談役、この年十一月退職

九月十八日　金曜

名和［朴］君相見へ、坑業組合嘱託之内意打合ス、目下困難之模様ニ付金三百円呈ス

渡辺君相見へ、森崎屋ノ件打合ス

外障子等立付掃除ヲナサシム

堀氏より電話アリ、明日午後出福ヲ約ス

九月十九日　土曜

午前九時相羽君相見へ、上山田・下山田坑区ノ模様聞取タリ

午前十時三十分ニテ赤坂坑[1]ニ行キ、産鉄ノ引込線ノ打合ヲナス、野田・義ノ介・渡辺・相羽［虎雄］・浦地［裏地正生］・恒久［清彦］等ノ諸氏ト立会打合ス、調査ナスコトニセリ

赤坂駅午後三時ニ而帰リタリ

午後四時青柳自働車[2]ニ乗リ相政［お］ニ行キ、堀・森田・伊藤ノ三氏ト立会、打合ス

宮崎県三田井ノ田尻［藤太郎］氏等相見へ、博多ニ而面会ノ件吉浦より電話アリタ

九月二十日　日曜

午前八時三田井田尻藤太郎・佐藤秀男外一氏訪問アリ、五ケ瀬川発電所着手并ニ鉄道布設ニ付希望申込アリ、両方ハ迚も六ツケ敷ニ付一方之着手ニツキ希望書面ニ而申込アル様申向ケタリ

午後十二時半みかとホテル階下ノ食堂ニ而昼食ヲ差出タリ

午後二時相政［お］へ行キ、堀・山内・伊藤三氏ト晩食ス

杖立書類ニ五通ニ捺印ス

九月二十一日　月曜

村上・真貝・今井・八塚〔秀二郎〕[3]・内本ノ各氏相見へ、杖立工事受負ニ付打合セ、其ノ書類ニ捺印ス

後藤寺福嶋氏相見へ、田川銀行ノ整理書類持参アリタリ

県庁ニ堀口〔功〕課長ニ面会、預金者より誓約書申受方ヲ述べ、知事ト打合返事ノ旨申向ケ帰リ

銀行ノ所有地所実地ニ臨ミタリ

一山中立木氏[4]相見へ、打合ス

九月二十二日　火曜

加勢〔清雄〕内部〔務部〕々長転任ニ付挨拶ニ行キタリ

午後一時よりお苑ニ行キ、晩食ヲナス

九月二十三日　水曜

田辺加多丸氏[5]相見へ、銀行ノ件ニ付種々打合ス

午後六時よりお苑ニ於而鈴木〔敬一〕[6]氏送別会ニ列ス

午後四時過キより相政〔お〕ニ行キ、堀氏ト会談ス

1　赤坂坑＝株式会社麻生商店赤坂鉱業所（嘉穂郡庄内村ほか）
2　青柳自動車＝青柳近太郎経営青柳自動車商会（飯塚町宮ノ下町）
3　八塚秀二郎＝九州水力電気株式会社福岡管理部、杖立川水力電気株式会社取締役
4　山中立木＝旧福岡藩主黒田家家令、元福岡市長、元嘉穂郡長
5　田辺加多丸＝日本勧業銀行福岡支店長、のち同銀行理事
6　鈴木敬一＝福岡県警察部長、警視庁保安部長に転任

九月二十四日　木曜

午前堀氏より電話ニ付、十時頃より相政ニ行キ打合ス
田川後藤寺福嶋嘉一郎君銀行整理之件ニ付相見へ、打合ス
午後六時よりお苑ニ行キ晩食ス

九月二十五日　金曜

久野耕一・岩尾英甫[1]氏相見へ、玉屋呉服店持之件ニ付申入アリタリ
午前十時十分自働車ニ而帰リタリ
渡辺君相見へ、森崎屋整理案ニ打合ス
麻生屋来リ種々打合ス

九月二十六日　土曜

嘉穂郡長相見へ、救助金[2]十万円ノ始末ニ付報告書ヲ申受ケタリ
午後弐時半より自働車ニ而野田・義之介・太七郎・五郎ト出福ス
午前十時瓜生区長・麻生屋来リ、氏神〔負立八幡宮〕敷地及正恩寺敷地ノ件申入アリタリ
十一時佐伯〔梅治〕君来リ、野田・義之介一同大坂商店出張之件ニ付打合ス

九月二十七日　日曜

午前十時半よりおゑん〔苑〕ニ行キ、中根氏等午後四時迄会談シ、午後五時卅六分加勢内部〔務部〕々長見送リタリ

九月二十八日　月曜

午前七時半村上功〔巧〕児氏相見へ、精紛〔製粉〕会社[3]電力売込ニツキ東望〔東邦〕会社ニ助力及門司変電所壱万五千円内外ノ投資ノ件
ハ同氏ノ方針ニ同意ス

午前七時五十分自働車ニ而帰宅ス、掛物等整理ス
中学校長〔高巣庄太郎〕[4]・女学校々長〔赤間富次郎〕[5]寄送〔贈〕[6]書籍ノ挨拶ニ見ヘタリ

九月二十九日　火曜

在宅
森崎屋整理之件ニ付渡辺皐築君より電話アリタリ
加納様〔鎰子〕[7]御帰京ニナリ、夏子下ノ関ニ見送、同方ニ而後藤様〔文夫〕[8]奥様台湾行ヲ見送リ、午後十時発ニ而博多ニ行ク

九月三十日　水曜

在宅
渡辺皐築君相見へ、森崎屋ノ融通六千円ヲ担保ニテ貸付日前未貸ノ分ヲ貸付ルコトニセリ
本村宅地ニ臨ミ、又金池屋敷土盛方ニツキ打合ス
太賀吉ニ種物〔腫カ〕出来、三宅博士〔速〕[9]ニ手術ヲ乞為メ入院スルコトニ打合セ、夏子出福ス

1　岩尾英甫＝元福岡銀行第二部支配人、久留米市玉屋呉服店の博多移転・デパート化に尽力
2　嘉穂郡宏済会（仏教系福祉組織）事業カ
3　製粉会社＝日本製粉株式会社大里工場（門司市大里）、株式会社大里製粉所として一九一〇年設立、一九一九年日本製粉に合併
4　高巣庄太郎＝福岡県立嘉穂中学校長
5　赤間富次郎＝福岡県立嘉穂高等女学校長
6　太吉、『勤王文庫』を嘉穂郡内の小中学校に寄贈
7　加納鎰子＝故加納久宜妻、麻生夏・野田勢次郎妻八重子母
8　後藤文夫＝麻生夏義兄、台湾総督府総務長官、のち内務大臣
9　三宅速＝九州帝国大学医学部教授

十月一日　木曜

午前六時芳雄駅〔発脱〕ニ而若松築港会社[1]重役会ニ臨ミタリ
午後三時三十五分発ニ而帰リタリ
院外団[2]東京府大久保百人町片山二郎ト申人来リ、金十円遣ス

十月二日　金曜

午後三時お政ニ行キ堀氏ト打合、森田君も相見ヘタリ

十月三日　土曜

午前病院ニ行キタリ
お苑ニ行キ堀氏ト会合ス

十月四日　日曜

午前八時義太賀ト自働車ニ而帰リ、渡辺皐築君ニ田川銀行整理ノ打合ヲナシタリ
別府藤沢〔良吉〕[3]氏相見へ、田ノ湯別荘、市ノ公会堂敷地ニ譲受度ノ希望アリ、容易ニ発表ナキ様注意ス、温泉鉄道[4]負債ノ件請求之本年中ニハ片付ノ旨申入アリタリ
午前十二時半お苑ニ着、昼食及晩食ヲナシ午後十時帰リタリ

十月五日　月曜

午前十時瓜生長右衛門訪問、飯塚町田中新聞〔保蔵〕[5]ノ件ニ付金壱千円融通ノ内談ヲ受ケタリ、早速本店義ノ介ニ電話ス
十一時半より古渓町万〔満〕財家[6]ニ行キ昼食ヲナシタリ、不計主人及仲江〔居カ〕ニ知人ニテ金五十円遣シ、外ニ弐十五円食費払ヒタリ
午後二時一方亭ニ行キ坑業組合常議員会ニ列シ、採掘制限ニ関スル評義ニ至リ、貝嶋ノ異論アリタルモ、是非同意

ノアル様申向ケ、決定セズ他日ニ譲リタリ
午後五時公会堂ニ而片岡[直温]7大臣招待会ニ列ス
同七時半一方亭大臣坑業者より招待会ニ列ス
同九時過キ大臣お苑ニ招待ス

十月六日　火曜

午前七時片岡商工大臣博多駅ニ見送リタリ
病院ニ行キ、三宅博士[速]ノ診察ヲ待チ、別条ナキ旨聞キ引取タリ
警察部長[大久保留次郎]挨拶ノ為メ玄関迄訪問セラレタリ
野田勢次郎君ニ電話シ、貝嶋ノ一件ニ付嶋本君[徳三郎]8ニ内談ノ打合ヲナシタリ
大分県佐藤虎雄君9相見へ、杖立工事ノ件ニ付申入アリタリ

1　若松築港株式会社＝一八九二年若松築港会社設立、翌九三年株式会社と改称、太吉取締役
2　院外団＝国会外で政治政党活動を行う団体
3　藤沢良吉＝別府市会議員、別府温泉鉄道株式会社（未開業）清算人（元専務取締役）
4　温泉鉄道＝別府温泉鉄道株式会社（別府市）、太吉株主
5　田中保蔵＝筑陽日日新聞（元飯塚報知新聞一九一四年創刊、一九一九年改題）社主、のち福岡県会議員
6　満財家＝料理屋（福岡市古渓町）
7　片岡直温＝商工大臣兼大蔵大臣、元日本生命会社社長
8　島本徳三郎＝貝島鉱業株式会社取締役総務部長
9　佐藤虎雄＝大分県会議員

大名町許斐君相見へ[1]、就職之懇談アリタリ

十月七日　水曜

鬼木醤油会社常務取締役宮崎俊亮君相見へ[2]、会社分離ニ付内談アリタ、調査ノ上返事スルト答ヘタリ

福岡夜間中学会ノ件ニ付幹事内田シゲ外二婦人相見ヘタルモ[3]、鬼木君来談中ニ而両三日中出福スル旨ヲ以、面会ヲ断リタリ

午前九時自働車ニ而帰宅ス

大浦・金池等ニ臨ミタリ[4]

渡辺皐築・浦池外三人相見へ、産鉄線路破損ノケ所工事ニツキ打合ス、受負人ノ負担トハ難申、会社ノ負担トシ、工費ニ多太ノ勉強スル様注意ス

［裏地］［ママ］

渡辺君ニ銀行ノ件ニ付（田川銀行ナリ）調査覚書ヲ示シ、尚研究ノ打合ヲナス

十月八日　木曜

午前八時吉田良春氏より[5]、制限問題ニツキ貝嶋君ニ交渉ニ付坑業組合ヲ代表シ相談ノ為メ面会ヲ求メラレタルモ、能ク了解ナシ居ルニ付、一先内交渉ヲナシ、其上ニ而可打合旨申向ケタリ

午後一時義之介ト同車出福、無線電信ノ為メ中嶋氏より招待ヲ受[6]、午後六時一方亭ニ行キタリ

［久万吉カ］[7]

十月九日　金曜

午後二時一方亭ニ行キ、中根氏ト会合ス

午前九時より九水・杖立ノ重役会ニ列ス

十月十日　土曜

伊藤・冨安ノ両氏より福村ニ而会合ノ旨電話アリ、午後一時同所ニ而会合シ、九軌・九水合同ノ内交渉アリタルモ、

見込ナキ旨ヲ以断リタリ
昼食ヲナシタリ
午前ハ九水之重役会ヲナシタリ

十月十一日　日曜

午前十一時自働車ニ而女中一同帰リタリ

十月十二日　月曜

午前八時半ニ而下ノ関貝嶋合名会社々長貝嶋君[太市]ヲ訪問ス、制限ニハ満鉄ニ於而内地炭ト同一ノ方針ニ而進々[ママ]ムル以上ハ賛成ナリトノ事ニ而、尤実行上ニハ公平ヲ希望ノ旨申向ケアリ、大吉[8]ニテ御馳走ヲ頂キタリ（迎送リ共小蒸氣[汽]）
ニテ井上氏[博通]門司ニ見送リアリタ
午後三時十五分門司駅発ニ而博多ニ行キ、駅より自働車ニ而太賀吉ヲ見物[舞]タリ

1　大名町＝地名、福岡市
2　鬼木醬油株式会社＝社長鬼木万次郎（福岡市大浜町）
3　福岡夜間中学会＝私立福岡夜間中学（一九二三年創立、福岡市大名小学校内）運営団体
4　大浦＝地名、飯塚町栢森
5　吉田良春＝住友合資会社理事若松炭業所長、筑豊石炭鉱業組合常議員、元山口高等学校教授
6　無線電信＝日本無線電信株式会社、この年設立、太吉創立委員
7　中島久万吉＝日本無線電信株式会社取締役、東洋製鉄株式会社専務取締役
8　大吉＝大吉楼、料亭（下関市阿弥陀寺町）

十月十三日　火曜

午前八時四十三分博多駅発ニ而戸畑明治坑〔鉱〕業会社[1]ニ松本〔健次郎〕・吉田〔良春〕両氏ヲ訪問、昨日馬関貝嶋合名会社ニ而貝嶋太一〔市〕君ト面会ノ件、同氏ハ反対ニアラズ、公平ニ実行方希望アリシ旨申向ケ、来ル十六日常議会[2]ヲ開設ノ事ニ打合（戸畑駅ニ松本氏ノ自働〔車脱〕送向〔ママ〕ヒアリタリ）

瓜生来リ、正恩寺之移転希望申入アリタ

戸畑十二時七分駅〔発脱カ〕ニ而直方駅ニ帰リ、自働車ニ而義太賀ト同車ス

十月十四日　水曜

有田広氏・青柳〔茂〕[3]課長ノ両君相見ヘ、田川銀行ノ調査ノ打合ヲナス

午後六時二十分自働車ニ而出福ス

野田・義之介・渡辺三氏相見ヘ、綱分事件[4]聞取タリ

鬼木醤油会社之件ニ付岩戎〔自助〕[5]君相見ヘ打合ス

麻生惣兵衛[6]君寺〔正恩寺〕移転ノ件ニ付挨拶ニ見ヘタリ

十月十五日　木曜

九水重役会ニ列ス、杖立工事入札之件

午後三時五十分自働車ニ而帰宅ス

十月十六日　金曜

午前八時五十分芳雄駅発ニ而若松坑業組合常議員会[7]ニ列ス

午後三時十六分若松駅発ニ而福岡ニ行キタリ

十月十七日　土曜

午前杖立工事入札之件ニ付九水事務所ニ出頭、開封シテ受負人ヲ決定ス

午前十二時黒瀬［元吉］宅ニ行キ、其子ニ面会ス

県属近藤幸作君[8]相見ヘ、黒瀬関係之土地買収之件ニ付八千五百円トノ事ナリシモ、一万千三百六十六円ノ元利ニ付、如何トモ致方ナキ旨申答ヘタリ

有田氏ニ電話シ、右黒瀬関係ノ土地之聞取ヲナシタリ

午後五時お苑ニ行キ晩食ス

大学病院[9]ニ行キ、藤山［雷太］[10]氏病室ヲ名刺ニ而挨拶ス

十月十八日　日曜

午前八時自働車ニ而大学病院ニ立寄、黒瀬同車帰宅ス

1　明治鉱業株式会社＝明治鉱業株式合資会社として一九〇八年設立（嘉穂郡頴田村）、一九一八年株式会社に改組（遠賀郡戸畑町）
2　常議会＝筑豊石炭鉱業組合常議員会
3　青柳茂＝嘉穂銀行書記、この年十二月より支配人代理兼科長
4　綱分事件＝株式会社麻生商店綱分鉱業所採鉱責任者収賄事件カ
5　岩成自助＝株式会社麻生商店庶務部、のち弁護士（飯塚町）
6　麻生惣兵衛＝酒屋、嘉穂銀行取締役、元飯塚町会議員
7　筑豊石炭鉱業組合若松事務所
8　近藤幸作＝有限責任福寿住宅組合（福岡県庁内）代表
9　大学病院＝九州帝国大学医学部附属病院
10　藤山雷太＝大日本製糖株式会社社長、東洋製鉄株式会社取締役、東京商業会議所会頭、貴族院議員

渡辺皐築君電話ニ而呼ビ、田川銀行調査ノ打合ヲナシタリ
有田広君相見へ、黒瀬関係ノ土地県庁売却之件ニ付打合ス
渡辺君及義之介ト採掘制限問題ニ付打合ス
大浦・金池等実地ヲ見分ス

十月十九日　月曜

有田君相見へ、飯野[勇造][1]ガ県庁ニ出状セシ理由ヲ報告アリタルモ、其侭ニテハ打捨難ニ付出行ノ上打合ノコトニセリ
嘉[嘉穂]銀行ニ出頭、黒瀬関係土地八千五百円ト残余ハ十ケ年賦トシテ売却ニ打合ス、家代ハ半額ハ黒瀬、半額ハ年賦ニ積立ルコトニ打合ス
午後一時より有田操君・千代等自働車ニ而着セリ
星野[礼助]氏相見へ、田川銀行ノ件関係者より書類之草案ノ調成[ママ]ヲ乞タリ
有田・杉本書記[政夫][2]両氏一泊アリタ

十月二十日　火曜

有田広君県庁ニ出頭、黒瀬関係地所之交渉之末、返事ヲ聞キ絶縁トナレリト報告アリタ
星野・渡辺皐築ノ両氏相見へ、田[田川]銀行整理ニ付同関係者より要求スル書類ヲ草案ヲ調成シタリ
筑豊坑業組合小林[英男]書記相見へ、送炭之件ニ付調査ヲ乞タリ
峠[延吉]・嶋本[徳三郎]両氏相見候も要領ヲ不得、廿四日委員会[3]ニ出席ノ打合ヲナス
渡辺君より、産鉄ノ谷口[源吉][4]君久恒炭坑々長トシテ就任之内談アリ、承諾スル旨申向ケタリ
筑豊坑業組合山形[山県素介]君ニ電話シ、廿四日委員会ノ件打合ス
杉本書記一泊ス

十月二十一日　水曜

午前嘉穂銀行ノ杉本君前夜より泊リ、尚地所整理方ニ付打合ス
午後二時柴田知事ニ県庁ニ訪問、田川銀行預金及債権者より誓書差入方郡長ニ命令方申入タリ
午後三時一方亭ニ行キ、中根・堀両氏ト打合ス

十月二十二日　木曜

午前後藤寺福嶋氏相見へ、田川銀行之件ニ付打合ス
黒瀬元吉来リ、銀行借入之件ニ付年賦ノ金額減少方銀行ニテ承諾セシ如ク申向ケ、順序不都合ニ付十分責リ付、嘉［嘉穂］銀行ニ電話シ打合ス
午後二時相政ニ行キ堀氏ト打合ス［お］
堀氏相見へ、東望［東邦］合同ノ件及煽石無煙[5]ニ変化事業[6]ニ付申入アリタ
福岡部夜間中学ニ付千□［葉カ］・内田両婦人相見へ、緩助［援］之申入、追而返事之事ヲ申向ケタリ

十月二十三日　金曜

午前ハ県庁近藤幸作氏より昨夜電話アリ相待チタルモ相見へ不申ニ付、電話ニ而明日午後一時より二時迄ニ面会ヲ

1　飯野勇造＝嘉穂銀行本店書記預金係、のち支店支配人
2　杉本政夫＝嘉穂銀行本店書記土地係
3　委員会＝筑豊石炭鉱業組合送炭調節調査委員会
4　谷口源吉＝九州産業鉄道株式会社経理部長、元麻生商店
5　煽石＝石炭の種類、噴出した火成岩に包囲され地下で急激な乾溜作用を受けた炭塊
6　煽石は火に投ずれば激しく爆散するため粉末化して無煙炭化すること

約ス
村上・八塚両氏相見へ、村上ハ棚橋氏営業上ニツキ関係ノ件、八塚氏ハ電化特許料之件ニ付東京ノ模様報告ト将来処理方ニツキ異見ヲ問ハレ候ニ付、法律者ニヨリ研究シ其ノ結果ニ付進行スルノ外ナキ旨申向ケタリ
午前十時四十分自働車ニ而帰宅ス
金池其他ヲ見廻リタリ
十月二十四日　土曜
午前九時半自働車ニ而直方坑業組合事務所ニ出席、午後五時過キ同所出発帰宅ス
十月二十五日　日曜
渡辺君相見へ、田川銀行重役困難問題ヲ聞キタリ
午前九時半自働車ニ而浜ノ町ニ十一時四十分着ス
県属近藤幸作君午後一時半相見へ、地所利子ノ差金折半ニ而負担之事ニ協定ス
午後三時四十分自働車ニ而帰宅ス
十月二十六日　月曜
田川銀行ノ件ニ付福嶋君相見へ、重役保証ノ件ニ付懇談アリタルモ、方針不立ニ付面会セザルコトニシテ頂キタシト申向ケ、帰ラル
渡辺皐築君呼ヒ、担保価格ノ見込ヲ聞キタリ
福岡[岡]久一郎・義之介両人相見へ、鯰田地所買受ノ件ニ付打合ス
十月二十七日　火曜
午前十時自働車ニ而野田・渡辺ノ両氏ト直方駅ニ行キ、堀氏ニ福岡より帰リヲ待受、産鉄上野[定雄カ]ノ件ニ付懇談ス

直方駅十一時五十分発ニ而直方坑業組合採炭制限問題ニ関スル会議ニ列シ、決定ス
若松五時廿五分ニテ直方駅ニ帰リ、夫より自働車ニ而帰リタリ

十月二十八日　水曜

午前十時自働車ニ而出福ス
午後五時半より一方亭、勧銀理事杉浦[俊一]氏ノ宴会ニ列シ、午後十時帰リタリ
青柳看護婦見習迎タリ、婦付添来リタリ

十月二十九日　木曜

午前堀氏相見へ、日高民蔵氏融通ノ件ニ付申入アリタルモ、三菱ノ関係上如何トモナス不能旨申答ヘタリ
杉浦日本勧業銀行理事栄屋ニ前夜之挨拶ニ名刺ヲ出ス
午後二時勧業銀行福岡支店長訪問、田川銀行貸金ノ件懇談セシニ、担保品ノ調査書提出方申向ケアリ、来月十五日頃上京ノ由ニ付、其上ニ而何分之尽力ス可キトノ事ナリ
午後二時半一方亭ニ行キ中根氏ト会合ス
お梅ニ金弐百円遣ス
棚橋氏相見へ、株買入ノ件ニ付内談アリタ

十月三十日　金曜

星野氏午前相見へ、家政上ニ付成案[1]ノ下付ノ打合ヲナス

1　麻生家「家憲」案カ、「家産分与」案カ

野見山[平吉]・上の[上野文雄]・吉田[久太郎]ノ県会議員、藤森[善平]町長・瓜生[長右衛門]ト相見へ、農学校昇格[1]及田中[保蔵]新聞ノ件ニ付中向ケアリタ
吉浦君相見へ、家政上ノ草案清書ヲ乞タリ

十一月一日　日曜

午後五時自働車ニ而帰リタリ、青柳看護婦ニ面会ス

十一月二日　月曜

田川福嶋嘉一郎・田川銀行幸田[紅田小一]ノ両氏相見へ、田川銀行勧銀支店より借リ入之件ニ付懇談アリ、保証人ニ立ツ以上ハ各重役より保証書差入方ヲ請求セリ、承諾セラス[ママ]
有田[広]家ノ件ニ付瓜生・渡辺・田中ノ諸君相見へ、義之介立会解決之内談ス

十一月三日　火曜

恵比須祭リニテ神前ニ例年通備[供]物ヲナシタリ
下位春吉氏相見へ、昼食ヲ呈ス
赤間・篠崎両君相見へ、田中新聞ノ件ニ付援助ノ申入アリタリ
野田氏相見へ、警察署長之一身上ニ付内談ヲアリタ

十一月四日　水曜

午前八時自働車ニ而出福、吉浦・看護婦青柳同車ス
浜ノ町ニテ堀・伊藤両氏相見へ、産鉄上野ノ処分ニ付懇談シ、堀氏ニ解決ヲ一任ス
午後一時より相政[お]ニ行キ、午後五時半伊藤君自働車ニ而帰リ、十円運転手ニ心付遣ス

十一月五日　木曜

午前八時田川福嶋嘉一郎君昨夜より電話ニ而面会ヲ約シ相見へ、田川銀行ノ件ニ付郡長出福ニ付面会ノ時注意方ノ

件
勧銀支店長田辺[加太丸]氏訪問、田川銀行貸金之件相談ス、惣裁[梶原仲治]・副惣裁[柳谷卯三郎]ニ申添方希望アリ、承諾ス
郡市委員会欠席之件庶務科ニ電話ス
八塚君相見へ、東京ニテ評決之模様報告アリタ
午後二時過キ自働車ニ而帰宅ス

十一月六日　金曜

午後四時芳雄駅発ニ而上京ノ途ニツク、岡松[直]同供ス

十一月七日　土曜

午後八時半東京駅着、柊屋[3]手代・組田[駒之助]等停車場ニ来リ、自働車ニ而柊屋ニ着ス、宿所手狭ニ而控室ニ而待合セ、午後九時予定ノ室ニ入タリ

十一月八日　日曜

午前野田[卯太郎]氏訪問ス（自働車十一時ニ而帰宅セラル、旨聞キタリ）
池上駒衛[3]君相見へ、聯合会惣会ノ順序打合ス

1　農学校＝嘉穂郡立農学校として一九一〇年設立、一九一三年県立移管し、この年県立嘉穂農学校（飯塚町）となる。
2　柊屋＝旅館（東京市麹町区内幸町）、本店は京都市中京区麩屋町
3　池上駒衛＝石炭鉱業聯合会常務理事

昼食、直チニ美術倶楽部[1]ニ井上[勝之助][2]侯ノ売品ヲ見而、同地ニ而侯爵御夫婦・馬越[恭平][3]氏等面会ス
三越ニ而買物ナシ、岡松[直]脳貧血病ニ罹リタリ、自働車ニ而直ニ柊屋ニ帰宅ス

十一月九日　月曜

勧業銀行副惣裁ニ面会、田川銀行借リ入之件ニ付相談ス
十二時二十分上野駅発ニ而新橋之電車ニ乗リ、同車ニ松本[健次郎]氏も乗車アリ、一同上野ニ達シ、同所より川口駅ニ行キ、
商工省ノ石炭試検[ママ][4]所ニ行キ、渡辺ノ所長ノ説明ニ而工場ヲ見、同地午後三時半過キ一同帰リ、上野駅より舟田氏ノ
自働車ニ而松本氏一同工業倶楽部[5]ニ達シ、午後五時より聯合会ニ出席ス
　理事会ニ而評義ス、済後直チニ聯合会ニ列シ、会長ノ席ニツキ提案及協義案決定ス
宴会ニ列シ、別記ノ挨拶ヲ陳シタリ、午後九時帰宅ス

十一月十日　火曜

午前八時京橋区中橋泉[和]町中村[作五郎]好古堂来リ、風呂[炉]先屏風ハ到底手ニ入兼候旨申向ケ候ニ付、組田ヲ呼ビ六千三百円ニ
入札ヲナサシム
［欄外］松永安左衛門氏相見ヘ、東望[東邦]合併談ニ付親シク申込アリタ
木村平右衛門氏訪問アリタルニ付、九水之件打合、別ニ社長ニハ面会ヲナサズ故其旨伝達ヲ頼ミタリ
野田氏ヲ訪問ス、堀氏も相見ヘ種々打合ヲナス
團[琢磨][6]氏ヲ訪問ス

十一月十一日　水曜

午前八時四十五分東京駅特急ニ乗車ス
鏇[汽]車中ニ而野崎[広太][7]・益田[孝][8]明石町[9]・伊丹[弥太郎カ][10]ノ三氏ニ食堂ニ而逢ヒ、種々緩[ママ]談ス

門司監理〔鉄道〕局長并ニ経理課長ニ面会ス
午後七時二十分京都駅ニツキ、佐伯〔梅治〕氏相見へ、同氏ト直チニ俵屋ニ泊ス

十一月十二日　木曜

大谷墓所[11]ニ行キ、夫より本願寺ニ執行諸僧ニ面会、相托シ呉レ様ノ等ノ事ニ而一任ス
こ〔ぶ〕分し屋ニ而昼食ス
伏見[12]ニ参詣ス、神前ニ御備〔供〕ヲ願ヒ、直チニ大徳寺孤蓬庵ニ行キ、同寺ニ而遠州〔小堀〕[13]公等ノ墓所ニ参詣、午後六時過キ帰リタリ

1　美術倶楽部＝株式会社東京美術倶楽部（東京市芝区愛宕下町）、一九〇七年設立
2　井上勝之助＝枢密顧問官、式部長官、元駐独大使
3　馬越恭平＝大日本麦酒株式会社長、南満洲鉄道株式会社監事、貴族院議員
4　石炭試験所＝商工省燃料研究所（埼玉県北足立郡川口町）、農商務省燃料研究所として一九二〇年設立
5　工業倶楽部＝社団法人日本工業倶楽部、工業振興を目的として一九一七年設立
6　團琢磨＝三井合名会社理事長、社団法人日本工業倶楽部理事長
7　野崎広太＝太吉の古道具古美術の友人
8　益田孝＝三井合名会社相談役、茶人、美術愛好家
9　明石町＝地名、東京市京橋区、益田孝邸所在地
10　伊丹弥太郎＝東邦電力株式会社長、元九州産業鉄道株式会社監査役
11　大谷墓所＝大谷本廟（京都市東山区）
12　伏見＝伏見稲荷神社（京都市深草藪之内町）
13　小堀遠州＝小堀政一、安土桃山時代から江戸時代前期の大名、茶人、建築家

十一月十三日　金曜

午前八時三十分京都駅発ニ而福岡ニ向ケ帰リタリ
門司駅ニ而秋月〔種英〕子爵（貴族院議員）博多駅迄同車ス

十一月十四日　土曜

午前令〔零〕時二十分浜ノ町別荘ニ着ス、義太賀病気ニ而出福ナシ居タリ
午後三時四十分頃より自働車ニ而帰リ、引返シ午後七時半より米子〔麻生ヨネ〕・太助〔介〕等出福ス

十一月十五日　日曜

九水之件ニ付棚橋氏ト〔ママ〕電話アリ、十五日夕福岡ニ而面会ヲ約ス
東京行より京都立寄帰宅迄ノ整理ス
午後四時半自働車ニ而出福ス、棚橋氏午後八時浜ノ町ニ相見へ、森村〔開作〕社長より東望〔東邦〕合併ノ件ニ付上京促シ来リタル
旨内談アリ、自重セラル、様打合ス

十一月十六日　月曜

義太賀病院ニテ手術アリ、病院ニ行キ午後帰宅
午後八時より自働車ニ而帰宅ス

十一月十七日　火曜

午前堀氏帰県アリ、昼食後相〔お〕政ニ行キ堀氏会合、晩食シテ帰リタリ

十一月十八日　水曜

花村久助君[1]相見へ、田地見合ニ而新停車場設立ノトキ借リ入金返済方法、委員撰定ノ件申入アリタリ
後藤寺元町長山口良介氏挨拶ニ見へタリ

一〔嘉穂〕中学校長高巣庄太郎君寄付金ノ挨拶ニ見ヘタリ
一杖立器材買入ノ調印シテ送布〔ママ〕ス

十一月十九日　木曜

午前在宿
一午後一時より山林界境見廻タリ、実ニ誠意遣リ方ニ而驚キ入タリ

十一月二十日　金曜

午前九時ヨリ嘉穂銀行ニ出頭、中野〔昇〕氏貸付金之件ニ付支配人〔西園磯松〕ニ注意シ、尚松井君〔松居甚一郎〕[2]ニも電話セシニ用〔一字空白〕ヲ不得リシ
十時半より重役会ニテ、渡辺君より杉本〔政夫〕君ニ伝立〔達〕悪敷トテ口入人瓜生ニ訴ヘタルコトニツキ同情シタル口気アリタルニ付、重役ノ立場トシテ不宜旨大声ヲ発シ、創立已来初而銀行監督上ニ付順序ヲ申述タリ
若木〔栄助〕其他諸氏新聞ノ件ニ付相談ニ相見へ面談シ、松月ニ而昼食ヲ出シタリ

十一月二十一日　土曜

名和〔朴〕氏相見へ、小倉助役ノ件守永〔平助〕[3]市長ニ電話ス、生活上ニも困難ト察シ金三百円寸志ス
直方堀氏ニも後藤寺町長ノ電話ナシタリ
瓜生来リ、飯塚町側ハ庄内合併反対ノ由聞キ取タリ、成行ニ任セ立入ラザル様申向ケタリ
東京棚橋君より上京促シ来リ、廿二日夕特急ニ而出発ノ返電ス

1　花村久助＝醤油醸造業（飯塚町立岩）、かつて笹原炭坑を太吉と共同経営、元飯塚町会議員
2　松居甚一郎＝株式会社中野商店取締役支配人
3　守永平助＝小倉市長

十一月二十四日　火曜

午後二時杖立工事起工式ニ臨ム為メ自働車ニ而九水ニ行キ、村上君代理ヲ頼ミ帰リタリ

十一月二十五日　水曜

午前七時半義之介ト同車ニ而帰リタリ

産鉄工事ニツキ浦[裏]地・上野ヲ連レ渡辺君相見へ、打合ス

十一月二十六日　木曜

藤森町長外二人相見へ、耕地整理之件ニ付打合ス

赤間嘉之吉相見へ、演舌会ノ件ニ付咄シアリタリ

渡辺皐築君相見へ、銀行支配人病気ニ付懇談アリタリ

午後四時十五分芳雄駅発ニ而下ノ関ニ行キ、廿七日朝棚橋氏ト会同ノ筈ナリ、下ノ関春帆楼ニ行キ一泊ス

十一月二十七日　金曜

午前九時棚橋氏帰着アリ、九水・東望[東邦]ノ合併ノ件及外資ニ付上京ノ懇談アリタルモ、九水重役ノ意向ヲ聞ク為メ博多営業所ニ廿八日午後三時集会ノ打合ヲナシタリ

午後三時四十分門司駅[発脱]ニ而博多駅ニ午後六時過キ着、直チニ自働車ニ而帰リタリ

春帆楼ニ百円、召使ニ五十円、大吉之女中・老妓[楼脱]ニ百円ヲ遣シタリ

十一月二十八日　土曜

午前八時村上・内本ノ両氏相見へ、杖立ノ報告アリ、又杖立電気会社買収ノ内談アリ、同意ス

渡辺・名和ノ両氏相見へ、名和氏ハ町長之内談シ、渡辺氏ハ東望[東邦]・九水合同之利害問題ニ付調査ヲ乞タリ

原九水調査掛相見へ、秘蜜ニ調査ノ打合ス

午後三時九水営業所ニ行キ、東望・九水合同ニハ東望ノ財産ヲ調査シ、折半ニ而株持事ノ打合ヲナシタリ
六時半より小野寺博士〔直助〕ヲ〇ノ料理ニ而御夫婦浜ノ町ニ御招待ス

十一月二十九日　日曜

午前六時半自働車ニ而帰宅ス
山内[1]・大浦等工事場ニ臨ミタリ、金池ノ地行□〔場カ〕ニ行キ、石材之運搬ニ付道路悪敷ナリ居タルニツキ修繕ヲ申付タリ
吉川監十郎[2]相見へ、八幡ノ官林立木払下ケ之内談アリ、花村〔徳右衛門〕遣スコトニセリ

十一月三十日　月曜

渡辺皐築君相見へ、嘉穂銀行有価証券買入、預金及現在金ノ利害ノ研究書類ヲ実見シ、書類ハ渡辺氏ニ渡ス
一井上〔叩端〕[3]正恩寺相見へ、京都本願寺ノ墓所ノ件ニ付報告アリタ
田川福嶋嘉一郎君相見へ、預金貸金ノ誓約書ヲ各人より受取、勧銀借リ入跡廻しニスルト云フ事ヲ賛成ナシ、銀行諸氏ト協義セラル、様申向ケタリ

十二月一日　火曜

午前十時嘉穂銀行重役会ニ列ス、重要ナル打合[4]ヲナシ、支配人代理ノ決定ヲ乞タリ

1　山内＝地名、飯塚町立岩
2　吉川監十郎＝太吉女婿、故麻生ヤス甥
3　井上叩端＝麻生家菩提寺正恩寺住職
4　株式会社麻生商店振出約束手形の割引および株式会社森崎屋商店への貸越契約に太吉保証人となること

野見山米吉君[1]相見ヘ、長岐繁[2]より来状ノ始終ヲ聞キタリ
名和朴君銀行ニ相見ヘ面会ス

十二月二日　水曜

午前八時渡辺君相見ヘ、森崎屋銀行負債残リ之件ニツキ打合ス
藤嶋博済[伊八郎]支配人来リ、小倉ノ蜜柑畑処分ノ件ニツキ打合ス
田川福嶋君より、田川銀行より福岡勧銀より借リ入之件ニ付内談ノ電話アリ、支店長三日帰福ニ付出福之事ヲ約ス
藤森町長相見ヘ、耕地整理ニ関県[ママ]有ナル廃川地[3]払下ニ関スル県庁ノ意向ヲ聞キタリ、又飯塚町浦山林埋立ノ件打合ス
堀氏帰京ニ付、三日福岡ニ而面会ヲ約ス

十二月三日　木曜

村上氏より鈴木商店電力之件電話、二銭二厘ニテ承諾ナキ時ハ満期ヲ待テ契約スルコトニセラレタシト電話ス
瓜生来、演舌会ニ付補助之相談セシモ、断リタリ
午後三時自働車ニ而出福ス、竹中ト申ス婦人自働車ニ飯塚浦より乗セ、両親病気ニ付不仕合ノ事ヲ聞キ金十円ヲ遣シ、又住吉町[4]行先キ日暮ニナリ浜ノ町ニ一泊サス
　竹中ノブ住吉町ノ行先キハ藤川惣兵衛ト申人ナリ、弟ハ川端町ノ菓子屋ニ居ルト云フモ不明ナリ
午後四時半お政ニ行キ堀氏ニ面会、東京ノ模様ヲ聞キタリ

十二月四日　金曜

柏木商治[5]君見ヘタルニ付、営業上ニ付細心注意ノ事ヲ申向ケタリ
村上氏相見ヘ、鈴木商店電力ノ件ニ付報告アリタリ

勧銀支店長ニ面会、田川銀行借リ入金ノ件ニ付懇談セリ
午後四時半よりお苑ニ行キ、松野鶴平君[6]ヲ待受セシモ相見ヘズ、堀・村上両氏ニ晩食ヲナシ帰リタリ
竹中ノブノ行先キ住吉町ニ音吉[田辺][7]ニ連レサセ尋ネサセタルモ不明ナリ、又弟モ川端町菓子屋ヲ尋ネセシモ不明ナリ、
宇美町親藉[ママ]ニ午後二時ノ氣[汽]車ニ行ク

十二月五日　土曜

松野鶴平氏相見へ、前夜ノ厚意ヲ謝ラレタリ
森田正路氏相見へ、坑区買収ノ件申入アリタ
田川銀行植田[与六]・加治[三益][8]・紅田[小一]・伊藤[潜]・福嶋[嘉一郎]ノ五君相見へ、預金者より書面差入ニ付縷々協義シ了解アリ、勧銀支店長ノ融通ノ口気申向ケタリ
渡辺皐築君相見へ、産鉄ノ件・宮田より申入ノ[件脱カ]役員慰労金問題、堀氏ニ面会ノ為メ直方ニ行キタルモ帰直ナク出福ノ旨申向ケアリ、丁度堀氏ト行違ニナリ、電話ニ而直方ニ通話アリタ

1　野見山米吉＝太吉妹婿、株式会社麻生商店取締役、嘉穂銀行監査役、嘉穂電灯株式会社監査役
2　長岐繁＝元株式会社麻生商店商務部長（一九一七年退職）
3　廃川地＝飯塚川付替えによって作成された土地
4　住吉町＝地名、福岡市住吉、元筑紫郡住吉町
5　柏木商治＝故麻生八郎妻縫弟、麻生太三郎妻花兄
6　松野鶴平＝衆議院議員、元杖立川水力電気株式会社取締役、のち鉄道大臣
7　田辺音吉＝麻生家浜の町別邸雑用
8　加治三益＝田川銀行頭取、医師（田川郡後藤寺町）

十二月六日　日曜

午前九時半過キ田川銀行紅田・植田・伊藤（支配人）・加治・福嶋嘉一郎ノ五氏相見へ、種々打合セシモ、決局[ママ]預金者より証書ナクデハ整理ノ道ナキ迄尽シ、帰郡ノ上重役一同ト協義ノ上返事アルコトニナリ、昼食ヲナシ帰郡アリタ

渡辺皐築氏ハ、勧銀支店長ハ本店ニ三十万円迄ハ融通ノ見込アリ、其余ハ保証人ニヨリ返済ニハ別条ナキ旨上伸ノ事ニ通知アリタル旨報告アリタ

午後二時過キ自働車ニ而渡辺氏ト一同帰郡ス

堀氏より産鉄ノ件一切片付タル旨電話アリ、又名和氏ノ件中向ケアリタリ

十二月七日　月曜

林田晋君ヲ呼[1]、長岐[繁]ニ対シ野見山ノ関係ヲ中止スル様上坂[阪]ヲ打合ス

午前九時半出福ス、自働車

午後四時柴田知事訪問ス

午後六時半お苑ニ行キ晩食ス

十二月八日　火曜

午前六時二十分自働車ニ而帰宅ス

名和氏相見ヘタリ

林田晋君来、長岐ニ対スルコトハ野見山弱腰ヲ聞キ驚イタリ、右ニ付千円以内[ママ]ナラバ先方ノ相談ハ聞入ザル様、林田ガ友宜[誼]上当方より困難ヲ察シ遣ス可キニ付、無粉[紛]様心得方打合ス

吉川庄兵衛相見へ、神社ノ建設及道路ノ打合ヲナス

福間久一郎来リ、飯塚浦土地ノ件打合ス

十二月九日　水曜

午前九時半過キ田川郡長、郡書記及福嶋嘉一郎君召連相見へ、預金者より証書差入ノ件ニ付懇談ス

耕地整理組合ニ出頭、工事ハ建設出来次第着手スルコトニシテ地所割当ヲ先キニナシ、其ノ為申合洩アリ、来ル十三日惣会開会ノ打合ヲナス

嘉穂銀行支配人[西園磯松]・監事[有田広]相見へ、行務上ニ付打合ス

篠崎団[助]之介君相見へ、上山田坑区并ニ古川[河]坑区買収ノ件申入アリタリ

十二月十日　木曜

金池・山内・大浦等工事ノ場所ニ臨ミ、夫々適当ノ差図ヲナシタリ

午後書類之整理ヲナス

渡辺阜築君東京より電信ニ依リ十四日産鉄重役会間ニ合兼ベクトノ事故、堀氏ニ電話シ浦[裏]地君ト出納掛ニテ可然カ異見ヲ聞キタルモ、留主[ママ]ニテ返話ヲ頼ミタリ

十二月十一日　金曜

午前瓜生長右衛門・瓜生茂一郎小作米割引之件、本村通一割二分五厘ニ地主ノ異儀ナクバ決行方打合ス、氏神昇格之申入アリタ

森崎屋挨拶ニ見ヘタリ

1　林田晋＝株式会社麻生商店商務部長

午後一時産鉄実地ニ臨、浦[裏]地其他ノ面々ト来ル十四日重役会ノ打合ヲナス

十二月十二日　土曜

在宿

林田晋君大坂ニ而長岐[繁]面会ノ事ヲ報告ス

耕地整理ニ付林田書記[1]・武田[星輝]ノ両氏相見へ、十三日耕地整理ノ惣会ノ打合ヲナス

福嶋嘉一郎・伊藤[潜]支配人相見へ、田川銀行ノ件ニ付成行ヲ聞キタリ

上田穏敬君相見へ、別府田ノ湯別荘譲渡ニ関スル件聞取タリ、又耕地整理ノ異見も打合ス

小野寺博士徳光[2]ニ往診ヲ乞、本家ニ而晩食ヲ呈ス

十二月十三日　日曜

午前十時耕地整理組合惣会開会、契約ヲ改正ス、尤惣会前評議員会ヲ開催シ、其ノ評決ニ基キ議案トシ、惣会ニ付議決定ス

田川郡長中村[俊雄]外六氏田川銀行ノ件ニ付打合ス

十二月十四日　月曜

自働車（青柳ノ定期）渡辺[皐築]君及産鉄会計ト三人ニテ出福、浜ノ町ニテ産鉄重役会開会ス、昼食ヲ出ス

午後四時お政ニ堀・伊藤両氏ト行キ晩食ス

一産鉄会社重役会ハ別ニ決議録アリ

十二月十五日　火曜

午前七時二十分博多駅[発脱]ニ乗車、大分九水営業所ニ而九州重役協義会[3]ニ列ス、大分駅ニ九水ノ自働車迎ニ来リ乗車シテ出席ス

折尾駅より小倉駅迄渡辺阜築君同車シ、田川銀行ニ関シ預金者誓約証ノ件、及勧銀より借リ入不足ノ分他より借リ入ニ付保証ノ内談アリシモ、勧銀ノ外ハ一切保証ハ断度、勧銀ニ対シテモ気之毒ナリト詳細申向ケタリ

大分営業所ノ協義会ハ随分立入タルモノ多クアリ、夫々捺印ス、又予算書ニ比例ノ見安[易]イ様注意ス、十九日上京ハ持病ノ為メ断リ、東望[東邦]ト合同ノトキハ何時ニテモ上京ノ約ヲナシタリ

自働車ニ而一同別府ニ帰リ、山水園ニハ午後六時過キ着ス、自働車運転手ニ十円遣ス

河野[寿男カ][4]様御二方御出ニアリ、御帰リ後晩食ス

十二月十六日　水曜

梅谷氏山水園別邸ニ見へ、大分県ノ水力税ノ件ニ付内談アリタ

村上・八塚・内本三氏相見へ、杖立ノ事務上ニ付談合ス

棚橋氏相見へ、桜木[亮三カ][5]氏監査役就任ノ内談アリ、又□□[故原カ]氏ノ書幅持参アリタ

十二月十七日　木曜

麻生観八氏相見へ、九水之件ニ付内談アリタルモ、左迄重要ハナカリシ

嘉穂銀行ニ電話シ、[幸袋]工作所[6]融通金之件ニ付注意ス

1　林田＝飯塚町役場書記
2　徳光＝麻生義之介家（飯塚町）
3　九州重役協議会＝九州水力電気株式会社九州在住重役会議
4　河野寿男＝子爵
5　桜木亮三＝東邦電力株式会社取締役、株式会社東邦電機株式会社代表取締役、元九州電灯鉄道株式会社取締役支配人
6　幸袋工作所＝株式会社幸袋工作所（嘉穂郡幸袋町）、太吉取締役、一八九六年合資会社として設立

田之湯別荘市ニ譲渡ニ付、実地ヲ見テ小川方ニ立寄、野口[1]ノ山林ヲ見廻リ、午後五時半帰リタリ

十二月十八日　金曜

午後三時二十分別府駅発ニ而福岡浜ノ町ニ帰リタリ、小倉駅より福岡太田君ト同車ス、午後八時過キ着ス

十二月十九日　土曜

午前星野氏ト電話ニ而打合セ、午前九時自働車ニ而帰リタリ
渡辺皐築君相見へ、田川銀行ノ件聞取タリ、又預金者より差入ノ証書ニ関シ追而書記入ノ件ニ付打合ス
堀氏ト電話シ、廿一日午後出福ヲ約ス
義之介帰県シ、東京ノ模様聞取タリ
麻生彦三郎来リ、身片付ニ付異見ヲ聞キタルニ付打合ス
午後麻生屋不幸[2]ニ而、悔ミニ行キタリ

十二月二十日　日曜

午前在宿、書類整理ス
堀氏ニ明後廿二日午前ニ面会ノ電話ス
麻生屋ニ悔ニ行キ、火葬場ニ会葬ス

十二月二十一日　月曜

麻生屋告別式ニ而同家ニ行ク
渡辺・浦地産鉄ノ件ニ付相見へ、打合ス〔裏〕
野田・義之介両君相見へ、賞与金ノ打合ヲナス
午後六時自働車ニ而浜ノ町ニ着ス、夏子

十二月二十二日　火曜

渡辺皐築君相見へ、産鉄買入品之件ニ付打合、堀氏ヲ博多駅ニ而待受打合ス

渡辺氏ハ十二時定軌[ママ]ニ而帰飯アリ、堀氏トお苑ニ行キ昼食及晩食ヲナシ、八時ニ帰宅ス、伊藤・中根ノ両氏も相見へタリ

十二月二十三日　水曜

村上氏相見へ、九水之件ニ付打合、梅谷氏ノ行為ニツキ聞取タリ

十二月二十三日　水曜

午前七時自働車ニ而帰リタリ

午前十時嘉穂銀行重役会ニ臨ミタリ

野見山・上野・篠崎之三氏相見へ、新聞[筑陽日日][3]出金之件相談アリ、弐千円既ニ銀行ニ振込、演舌会費出金之件ハ断リタリ

十二月二十四日　木曜

午前七時半自働車ニ而相羽君ヲ連レ赤坂坑ニ行キ、産鉄布設ニツキ工事ノ打合ヲナス

午後三時半自働車ニ而帰リタリ

福嶋君相見へ、加治・植田両氏より壱万円手形ニ而借リ入ノ相談アリ、其他田川銀行ノ件ニツキ話アリタ

飯塚地所借地料ノ件ニ付支配人・貸付掛伊藤[久][4]両君相見へ、星野氏ノ意外ノ鑑定ニ驚キタリ、右ニ付建坪及収入其他

1　野口＝地名、別府市別府
2　麻生太七女カメ死去
3　筑陽日日新聞＝社主田中保蔵、元飯塚報知新聞として一九一四年創刊、一九一九年改題
4　伊藤久＝嘉穂銀行貸付係、のち本店支配人

利害ノ調査ヲ打合ス
藤嶋[伊八郎]君ハ鮎坂六口貸付ニツキ打合ス
瓜生・田中[保蔵]（新聞）両人来リ、融通金一千五百円貸付之コトヲ諾ス、将来飯塚町ノ為ノ十二分努力ヲ誓タリ

十二月二十五日　金曜

午前八時半自働車ニ而後藤寺産鉄惣会ニ臨ミ、惣会閉会後自働車ニ而稲築野見山[米吉]君同車、帰リタリ
天神坂より下車シ、野見山君ハ飯塚ニ送リ、金池ノ工事場ニ而工事ノ打合ヲナシ帰リタリ
福嶋嘉一郎君・加治氏一同相見へ、嘉穂[銀行]より壱万円手形融通ノ相談アリ、融通ノコトニセリ、昼食ヲ一同ナシ銀行ニ行カル、自分ハ自働車ニ而午後一時発ニ而浜ノ町ニ来タリ
香椎宮・櫛田宮[1]ニ参詣ス

十二月二十六日　土曜

黒瀬[元吉]来リ、買物ヲナス
渡辺君より名和氏ノ件及後藤寺山道ノ件ニ付電話アリタ
午後三時お石[野畠いし]連レ自働車ニ而帰リタ
クリスマスノ祭日ニ而一同集リタリ

十二月二十七日　日曜

花村徳右衛門君相見へ、山林ノ実地踏査之模様報告アリ
名和氏相見ヘタリ
渡辺・浦地[裏]・望月・福沢[謙治カ][2][ママ]ノ五氏相見へ、産鉄之工事赤坂坑トノ区境ニ付打合ス
年末賞与金ヲ送ル

書類整理ス

十二月二十八日　月曜

野田氏[勢次郎]相見へ、新保[広吉]3辞任及日野[丈助]4取込金弁償ノ件打合ス、一段[ママ]帰店後再応相見へ、尚打合ス

十二月二十九日　火曜

渡辺君相見へ、新保ノ件及産鉄道路敷地取消之件等打合ス

十二月三十日　水曜

午前家政上ニ付調査、山再調査ヲナス
野田氏相見へ、新保辞職ニ付、日野弁償方ニ付報告アリタ
篠崎・瓜生両人相見へ、上山田古川[河]ノ坑区譲受ニ付内談アリタ
瓜生ニハ庄内ト合併ニ付費用セシ金三百円遣ス、外ニ演舌会費金弐百円渡ス
浦[裏]地氏より事業ノ報告アリタ
嘉穂銀行より合屋[利吉]5氏より借入金之件電話アリタ
麻生観八・森田氏ノ名前ニ而高橋光威6君ニ打電ス

1　香椎宮＝糟屋郡香椎村　櫛田宮＝櫛田神社（福岡市社家町）
2　福沢謙治＝株式会社麻生商店測量係
3　新保広吉＝株式会社麻生商店綱分鉱業所長
4　日野丈助＝株式会社麻生商店綱分鉱業所会計係
5　合屋利吉＝飯塚運輸株式会社取締役、元嘉穂銀行取締役、元嘉穂郡穂波村長
6　高橋光威＝衆議院議員、元内閣書記官長

午前七時半渡辺君相見ヘタリ

十二月三十一日　木曜

早朝大雪降ニ而外出不能、参内[年カ]ノ書類一切整理ス

金銭出納録

大正十四年一月十八日

金壱千七百九拾壱円六十銭　嘉穂銀行七月より十二月迄賞与金

同弐百六十七円八銭　貯蓄[嘉穂]銀行[1]同上賞与

同五円九十銭　貯蓄銀行ヨ当

同弐百円　博済会社七月より十二月迄報洲[酬]金

〆弐千二百六十四円五十八銭

内

金三十円　小使援助金

同三十円　松月女中

〆

残而二千二百四円五十八銭

七百四十円　懐中

〆二千九百四十円
内
千九百七十円
同七百円
〆二千六百七十円
同三百円
同百円
同五十円
同八十円
同二百円
〆三千四百円
残而七百三十円

ふよ及五郎上京
一月十六日別府ニ而田山〔クマ〕
同月同日組田〔駒之助〕へ遣ス
一月十日自働車ニ而渡ス
別府送金、合原[2]氏渡ス

過上、調査ノコト

十四年三月二十五日
金三百六十九円六十八銭　博済会社十三年七月より十二月迄賞与金受取

1　嘉穂貯蓄銀行＝一九二〇年設立（飯塚町）、太吉頭取
2　合原＝看護婦カ

金七百円
三百七十八円五十銭　約手
残而三百廿一円五十銭
外ニ二十円
四十五円入

十四年七月二十二日
十四年上期
金四百六十円　博済会社賞与金
同壱百九十八円四十四銭　貯蓄銀[行脱]賞与金
同五円九十銭　七月八日重役会日当
同壱千九百弐十八円四十銭　嘉穂銀行賞与金
〆二千五百九十二円七十四銭
内
金三十円　給仕渡（西園[磯松]支配人渡）
残而二千五百六十二円七十四銭
内
二円七十四銭　小貨
二千五百六十円　封金

〆

太加〔賀〕吉・義ノ介為持遣ス

十四年七月二十一日夜

金壱千五百円

同五百円

同五百円

同五百円

同壱千円

同五十円

同四十円

同百円

同五十円

同五十円

二十円

中元

義ノ介

太七郎

五郎

大浦[1]

野田勢次郎

夏

太賀吉・典太〔麻生〕[2]・つや〔ツヤ子〕・たつ〔辰子〕

太右衛門

操〔ミサヲ〕

米〔ヨネ〕

義太賀・太助〔介〕

1　大浦＝太吉長男麻生太右衛門家

2　麻生典太＝太吉孫

五十円　［麻生きみを］君生[1]
十円　［麻生多喜子］たきよ[2]
五十円　ふよ
二十円　摂郎・忠二[3]
〆四千四百四十円
入金五千円　義ノ介より受取
残而五百六十円　残金
十四年七月廿一日現

金弐百円　産業会社十四年上半期手当金社長ノ分
渡辺氏より十四年八月廿九日受取
金弐百円　十四年十二月廿三日受取
博済会社十四年七月より十二月迄手当
同三百円　嘉穂銀行同上
〆五百円

十四年十二月廿七日
金壱千五百円　義ノ介

同五百円　太七郎
同五百円　五郎
同五百円　大浦
同壱千円　野田
同百円　太右衛門
同五十円　操
同五十円　夏子
同四十円　太賀吉・典太・艶・辰
同五十円　君生
同十円　たきよ
同五十円　米子
同二十円　義太賀・太介
同五十円　ふよ
同三十円　摂郎・忠二・幸子〔孝〕4

1　麻生きみを＝麻生太七郎妻
2　麻生多喜子＝太吉孫
3　麻生摂郎・麻生忠二＝太吉孫
4　麻生孝子＝太吉孫

〆四千四百五十円　受取
金五千円
残而五百五十円　残金トナル

十二円六十銭　十二月十七日なるみ[1]払
五円四十五銭　同干ふく、大丸食料払
四円五十五銭　十二月十七日温洲蜜柑代払
〆二十二円六十銭
同弐十円　松丸[勝太郎][2]ニ遣ス
同三十円　中山[3]茶代

1　なるみ＝料亭（別府市楠町）
2　松丸勝太郎＝麻生家別府別荘山水園
3　中山旅館＝別府市上の田湯

一九二六（大正十五／昭和元）年

一月一日　金曜

天皇陛下・皇后陛下・摂政宮殿下・皇太子妃殿下拝賀ヲナス
四方神社仏閣ヲ拝ス
八幡宮〔負立〕[1]ニ太賀吉〔麻生〕・典太〔麻生〕[2]一同参詣、夫より先祖ノ墓所ニ参拝ス
嘉穂館[3]新年祝賀会ニ列ス
太賀吉等一同自働車ニ而別府ニ行ク
午後三時ヨリ自働車ニ而太助〔麻生太介〕[4]ト浜ノ町[5]ニ行ク

一月二日　土曜

箱〔筥〕崎・香椎・宮地嶽神社・宕護〔愛宕カ〕神社・大宰府[6]ニ参詣、午後五時半帰着ス、義之介〔麻生〕・義太賀〔麻生〕[7]・太助〔介〕三人同車ス、浜ノ町ニ昼食ヲナス
別府太賀吉等ニ電話ス

一月三日　日曜

午前九時商店[8]ニ於而開店ノ為メ鯣酒ニ而祝盃ヲナシ、店員諸君ニ新年ノ挨拶ヲナス、別記アリ
上山田古川〔河〕坑区[9]・上山田筑紫坑[10]等ノ件ニ付、相羽〔虎雄〕[11]も一同打合ヲナス
名和〔朴〕[12]・渡辺〔阜築〕[13]ノ両氏相見へ、昼食ヲナス
赤間嘉之吉氏[14]も相見ヘタリ
渡辺阜築君より田中〔幸太郎〕[15]受掘ニ付出金之件相談アリタルモ、直接軽〔経〕営ニツキテハ出金断タリ、然ルニ支人死去ニ付子分連生活出来ザル由ニ付、其ノ子分連ニ直接経営為致、全ク義挙的ナラバ融通ノ旨申向ケタリ、又銀行借地ノ件ハ田中・瓜生〔長右衛門〕[16]等より交渉ナスハ不宜ニ付見合方懇々申向ケタリ

一月四日　月曜

瓜生来リ、飯塚地料之件ハ深キ意味アルニ付断然交渉見合方申向ケ、又田中之件ハ前日渡辺君之通申向ケタリ

金池・立岩[17]両所ニ臨ミ、建築ニ付地線之調査ヲナス

1　負立八幡宮＝氏神（飯塚町栢森）
2　麻生太賀吉＝太吉孫、のち株式会社麻生商店社長　麻生典太＝太吉孫、のち株式会社麻生商店取締役
3　嘉穂館＝嘉穂郡公会堂、一九二二年竣工、一九三一年嘉穂郡より飯塚町に移管、嘉穂館（旧嘉穂郡議事堂）は一九一六年解体
4　麻生太介＝太吉孫
5　浜ノ町＝麻生家浜の町別邸（福岡市浜町）
6　筥崎宮（糟屋郡箱崎町）　香椎宮（糟屋郡香椎村）　宮地嶽神社（宗像郡津屋崎町）　愛宕神社（早良郡姪浜町）　太宰府天満宮（筑紫郡太宰府町）
7　麻生義之介＝太吉女婿、株式会社麻生商店取締役会計部長　麻生義太賀＝太吉孫
8　商店＝株式会社麻生商店（飯塚町立岩）
9　上山田古河坑区＝古河鉱業株式会社下山田炭鉱（嘉穂郡熊田町・大隈町ほか）
10　上山田筑紫坑＝橋本信次郎経営筑紫炭鉱（嘉穂郡山田町）
11　相羽虎雄＝株式会社麻生商店鉱務部長
12　名和朴＝元飯塚警察署長、この年九月より田川郡後藤寺町長
13　渡辺皐築＝九州産業鉄道株式会社専務取締役、嘉穂銀行嘱託検査係、元株式会社麻生商店会計部長
14　赤間嘉之吉＝大正鉱業株式会社監査役、衆議院議員
15　田中幸太郎＝株式会社麻生商店系炭鉱坑夫取締、顧問兼相談役
16　瓜生長右衛門＝嘉穂電灯株式会社取締役、飯塚町会議員、元麻生商店常務、元福岡県会議員
17　金池＝地名、飯塚町立岩　立岩＝地名、飯塚町

棚橋[琢之助][1]氏より出福聞合来リ候ニ付、六日午前出福之旨返事ナス
渡辺皐築君相見へ、田中之件前日之通ニ而中向ケタル旨報告アリタ、後藤寺[2]ニ行カル、帰宅、電話ニ而名和君町長[後藤寺]之件至極順序能ク相運候旨通知アリ、明日午前九時赤坂行打合ス

一月五日　火曜

午前八時半より相羽[虎雄]・渡辺・五郎[麻生][3]一同自働車ニ而赤坂坑[4]ニ行キ、産鉄[5]引込線ニ付打合ス
午後六時半出福ス、自働車、九水連[6]ト六日ノ打合ノ為メナリ

一月六日　水曜

午前九水新貝[真貝貫一][7]・黒木[佐久馬][8]・原・棚橋・村上[巧児][9]ノ五氏相見へ、九軌[10]ノ内容ニ付調査ノ打合ヲナシ、異見一致ス
午前十二時昼食ヲ催シ、午後三時より自働車ニ而帰リタリ
木村順太郎氏[11]相見へ、組田[鞆之助][12]より送リ来タル掛物之評判ヲ乞タリ

一月七日　木曜

嘉穂銀行[13]重役会ニ出席、地料未払ノ件ニ付打合セ、午後六時松月[14]ニ而郡ノ有志者招待会ニ列ス

一月八日　金曜

田中幸太郎来リ、子分ノ生活上ニ付受負掘ノ為メ資本三千円ヲ要スルヲ以本人ノ営業ハ不免[ママ]ザルモ、右受負ヲ以子分等ノ生活スルノミニ決心スル旨親シク懇談シ、右ハ前以渡辺氏より申入之次第モ有之、事情相確カメ間違ナキニ付融通セリ
麻生屋[15]仏事ニ参詣ス
午後三時より自働車ニ而出福ス
午後六時一方亭[16]ニ新聞連招待会ニ列ス

一月九日　土曜

午前十一時一方亭ニ行キ昼食及晩食ヲナシ、午後八時半過キ帰リタリ

一月十日　日曜

午前柴田［善三郎］[17]知事ヲ訪問ス

1　棚橋琢之助＝九州水力電気株式会社専務取締役、本巻解説参照
2　後藤寺＝地名、田川郡後藤寺町
3　麻生五郎＝太吉女婿、株式会社麻生商店、のち取締役
4　赤坂坑＝株式会社麻生商店赤坂鉱業所（嘉穂郡庄内村）
5　産鉄＝九産鉄・産業鉄道とも、九州産業鉄道株式会社（田川郡後藤寺町）一九一九年設立、一九二二年より太吉社長
6　九水＝九州水力電気株式会社（東京市）、一九一一年設立、一九一三年より太吉取締役
7　真貝貫一＝九州水力電気株式会社技師長、本巻解説参照
8　黒木佐久馬＝九州水力電気株式会社福岡管理部長、本巻解説参照
9　村上巧児＝九州水力電気株式会社常務取締役、第二巻解説参照
10　九軌＝九州電気軌道株式会社（小倉市）、電気軌道と電気事業を目的として一九〇八年設立
11　木村順太郎＝株式会社森崎屋（飯塚町本町）代表取締役、株式会社麻生商店監査役、飯塚町会議員
12　組田鞆之助＝書画骨董舗（東京市）
13　嘉穂銀行＝一八九六年設立（飯塚町）、太吉頭取
14　松月＝松月楼とも、料亭（飯塚町新川町）
15　麻生屋＝太吉弟麻生太七、株式会社麻生商店取締役、嘉穂銀行取締役、嘉穂電灯株式会社取締役
16　一方亭＝料亭（福岡市外東公園）
17　柴田善三郎＝福岡県知事

午後六時福村屋〔家〕[1]ニ招待会ニ列ス

　一月十一日　月曜

午前星野〔礼助〕[2]氏ニ家政主旨書之電話シ、草案等ヲ廻シ十四日再会ヲ約ス
午前九時ヨリ義之介・五郎・太七郎〔麻生〕[3]ト一同帰リタリ
十二時ヨリ赤坂坑ニ自働車ニ而行キ、引込線工事ニ付福沢〔諭治カ〕[4]及五郎一同立会打合ス
相羽〔虎雄〕・浦地〔裏地正生〕[5]両氏相見へ、引込線縮沙〔ママ〕ニ付図面ニ而打合、他日坑山ノ差閊ノ場合ハ拡張之条件付ニテ辛抱スルコトニ
セリ
相羽・浦地ノ両氏ト自働車ニ而帰リタリ

　一月十二日　火曜

午前金池ニ而実地ニ臨ミ工事ノ差図ヲナス
午前十時半〔嘉穂〕銀行重役会ニ列ス
飯塚借地主より地料引下ケ之件ニ付吉田久三郎〔太カ〕[6]君より申込ニ付、同人午前十一時半銀行応接ニ而有田〔広〕[7]監事・西園〔磯松〕[8]支
配人及地料主任ト立会、引下ケ余地ナキ旨吉田君ニ縷々申向ケ、又将来貸出方針ニ付重太ノ〔ママ〕関係アリ、株主及飯塚
町ニ其旨申入リタキ〔ママ〕旨ヲモ申向ケ、借地引下ケノ出来ザル事ヲ詳細申向ケタリ
午後四時半自働車ニ而出福ス

　一月十三日　水曜

村上巧児君より棚橋君上京ノ旨電話アリタ
野田俊作[9]君相見へ、大牟田運動費出金之内談アリ、金弐千円遣ス、栄屋[10]ニ本家より送付ス
山口恒太郎[11]君より電話アリタ

午後五時九水会社より柴田知事一行招待会ニ列ス

一月十四日　木曜

梅谷〔清一〕[12]常務相見へ、鉄道及東望〔東邦〕[13]合併等ニ付打合ス
田口懐〔環〕[14]君相見へ、下山田坑区ノ件、二月十日上京ノ旨内話アリタ
名和〔朴〕氏相見ヘタリ
相羽君ニ電話、赤坂坑井水ノ件ニ付打合ス

1　福村家＝福村とも、料亭（福岡市東中洲）
2　星野礼助＝弁護士（福岡市）
3　麻生太七郎＝太吉四男、のち株式会社麻生商店監査役
4　福沢謙治＝株式会社麻生商店本店測量係
5　裏地正生＝九州産業鉄道株式会社技師、のち工務部長
6　吉田久太郎＝福岡県会議員
7　有田広＝嘉穂銀行取締役監事、株式会社麻生商店監査役
8　西園磯松＝嘉穂銀行本店支配人
9　野田俊作＝野田卯太郎長男、衆議院議員、のち福岡県知事
10　栄屋＝旅館（福岡市橋口町）
11　山口恒太郎＝東邦電力株式会社取締役、九州電気軌道株式会社取締役、衆議院議員
12　梅谷清一＝九州水力電気株式会社常務取締役、本巻解説参照
13　東邦＝東邦電力株式会社（東京市）、一九二二年九州電灯鉄道株式会社（福岡市）と関西電気株式会社（名古屋市）が合併して発足
14　田口環＝元合名会社鈴木商店神ノ浦炭鉱（嘉穂郡穂波村ほか）

渡辺皐築君より電話、十七銀行[1]より借リ入ノ件ハ二十日伊藤〔傳右衛門〕[2]君帰県ニ付夫迄相待ラレル様電話ス
午後五時一方亭ニ招待会ニ列ス

一月十五日　金曜

午前九時太七郎一同自働車ニ而帰リタリ
福嶋嘉一郎[3]君より午前本宅ニ訪問ノ筈ナリシモ、預金委員一同集会ニツキ、其為メ訪問ナカリシナリ

一月十六日　土曜

在宿
十七日行員〔嘉穂銀行〕一同ニ口演〔ママ〕ノ順序書ヲナス
田川銀行[4]預金者委員六名相見へ、従来成行打合ス、預金者ハ委任状捺印ナス方穏当ナル旨縷々申向、昼食ヲナシ帰郡アリタ、久井為吉・二宮靍吉
棚橋氏ニ久原電力[5]ノ件電報ス

一月十七日　日曜

福嶋嘉一郎君相見へ、支店開設願進達方懇談アリタ
午前九時嘉穂銀行ニ行キ、貯蓄[6]・博済[7]ノ惣会閉会後別記ノ旨意ヲ以職員ニ懇談ス
午後三時帰リタリ
田川中村〔俊雄〕郡長ニ電話シ、用向アレバ出福スルモ、営業停止ニ関シ出福スル事ハ致兼ル旨申向ケタリ、浜ノ町より電話ヲ以、十八日何時頃出福スルカトノ質問ナルヲ以田川郡長宿所ニ電話セシナリ

一月十八日　月曜

午前二時頃県知事より田川ノ件ニ付出福ノ義電信来リ、出福ノ旨返電ス

午前十時自働車ニ而出福ス
渡辺皐築・福嶋嘉一郎ノ両氏相見ヘタリ、昨日中村郡長ト電話之件ヲ渡辺君ト打合セ、其ノ結果秘蜜ニ渡辺君ハ田川ニ行キ打合セラレタル結果、福嶋君も同供セラレタルモ、知事より招電之件相咄タリ
午後十二時十五分県庁ニ出頭、知事・内務部長〔三沢寛一〕・堀口〔功〕[8]ノ三氏并ニ田川中村郡長立会、書類草案セリ
お苑[9]ニ行キ晩食ヲナシ、午後十時帰宅ス

一月十九日　火曜

午前伊藤〔久〕[10]行員貸付掛来リ、大名町〔天神〕林君〔真一〕[11]貸金之件ニ付打合ス、尚支店開設ニ付内伺書等作成ス
県庁ニ出頭、内務部長ト堀口氏ト打合ス、田川銀行ノ契約文案及預金者ノ証書等再打合ヲナス、又支店開設ニ関シ内伺ノ内見ヲ乞タリ

1　十七銀行＝第十七国立銀行（福岡）として一八七七年設立、一八九七年私立銀行転換
2　伊藤傳右衛門＝第一巻解説参照
3　福島嘉一郎＝後藤寺水道株式会社取締役、田川郡後藤寺町会議員、元後藤寺町名誉助役
4　田川銀行＝一九〇〇年設立（田川郡後藤寺町）
5　久原＝久原鉱業株式会社佐賀関精錬所（大分県北海部郡佐賀関町）
6　貯蓄＝嘉穂貯蓄銀行、一九二〇年設立（飯塚町）、太吉頭取
7　博済＝博済無尽株式会社（飯塚町）、太吉社長、博済貯金株式会社として一九一三年設立、一九一四年改称
8　堀口功＝福岡県庶務課長
9　お苑＝お苑亭、於苑とも、元馬賊芸者桑原エン経営待合（福岡市西門橋）
10　伊藤久＝嘉穂銀行貸付係、のち本店支配人
11　林真一＝大正鉱業株式会社取締役、不動炭鉱（田川郡大任村）坑主

星野[礼助]氏相見へ、田川銀行預金者ノ証書・田川銀行ト契約証案等打合ス

伊藤久君ニ書類ヲ托、嘉銀[穂]銀行ニ而清書ヲ頼ミタリ

一月二十日　水曜

峠[延吉][1]氏より電話アリ、午後三時面会ノ電話シ一方亭ニ而面会、同氏より進[一カ][2]氏学生寄宿舎[3]寄付ノ内談アリタ、当方よりハ太市[貝島][4]氏ニ聯合会ノ理事ノ内諾、吉岡[友愛][5]大佐之記念碑寄付ノ内談ス

松本健次郎[6]氏ト面会、太一[市]氏聯合会理事内諾及吉岡大佐記念碑寄付金五百円出金之打合ヲナシ、五百円ハ大名町ニ為持遣ス、風邪ニ付一方亭より帰宅ス

一月二十一日　木曜

午前七時自働車ニ而帰宅ス、風邪之為メ注意ス

午前田川郡役所湯元郡書記、郡長ノ名刺持参アリ、田川銀行預金者より可申受証書案ヲ渡ス、外ニ参考之為メ債権者より差入アルベキ証書案ヲ相渡ス

西園[嘉穂]銀行支配人相見へ、重役記念賞与ノ件并ニ行員給料及田川銀行預金ノ証書類持参アリ、又東望[東邦]株買入之打合ヲナス

風邪ニ而外出見合ス

一月二十二日　金曜

風邪ニ而終日引籠リタリ

一月二十三日　土曜

午前九時自働車ニ而夏子[麻生][7]一同出福ス

午前十二時半過キ相政[お][8]ニ行キ、堀[三太郎][9]氏ト会合ス

午後十時過キ相政より帰リタリ

一月二十四日　日曜

堀氏訪問アリタ

午前十一時半より相政ニ行キ、伊藤〔傳右衛門〕・堀両氏ト会合ス

伊藤君ニ、林〔真一〕君貸金断リタルモ、同君ハ坪二百円余ニ売却出来ルニ付十分見込アルトノ異見故、銀行ニ打合返事ノ事ニ打合ス

柴垣田川郡書記及福嶋嘉一郎君相見へ、田川銀行ノ財産処分シテ其ノ代金ヲモ分配金ニ加入ノ申入アリ、証書ニ加筆スルコトニ打合ス

1　峠延吉＝貝島合名会社理事、大辻岩屋炭礦株式会社専務取締役
2　進一＝医師（嘉穂郡碓井村）
3　学生寄宿舎＝嘉穂学舎（東京市小石川区小日向台町）、山内確三郎設立
4　貝島太市＝貝島合名会社代表業務執行社員、貝島商業株式会社長、若松築港株式会社監査役、第二巻解説参照
5　吉岡友愛＝日露戦争時歩兵第三十三連隊長、奉天会戦で戦死、福岡市西公園に銅像創建
6　松本健次郎＝明治鉱業株式会社長、石炭鉱業聯合会副会長、筑豊石炭鉱業組合総長、第二巻解説参照
7　麻生夏＝太吉三男故麻生太郎妻、故加納久宜六女
8　お政＝おまさとも、矢野ソデ（マサ）経営待合満佐（福岡市東中洲）
9　堀三太郎＝第一巻解説参照

一月二十五日　月曜

午前十一時自働車（飯塚青柳博多滞在ノ分）[1]雇入、一方亭ニ安川[敬一郎][2]男ト同車、午後八時半帰宅ス

阿部伊之介[3]君訪問アリタルモ、香椎宮奉納ノ件ハ承知居ル故金額ノ程度可申報ト申向ケ、面会断リタリ

九水より二十七日大分市ニ而九水協義会ノ電話アリ、出席返話ス

一月二十六日　火曜

午前西園支配人より東望[東邦]壱千株買入電話アリ、承諾ス、天神丁[町]林[真一]貸金ハ伊藤君ニ断タリ

後藤寺福嶋嘉一郎君より電話ニ而、預金者証書面中貸付金残余ハ除キ度トノ希望アリシモ、断リタリ

田川郡書記・福嶋嘉一郎ノ両氏相見へ、星野氏ニも来郡ヲ乞、預金者より指入ノ証書ノ文案ニ付打合ス

松居[4]ニ命、テイフル掛大倉男[喜八郎][5]進呈ノ分注文ス

一月二十七日　水曜

午前病気ニ付大分九水協議会ニ欠席ス

伊藤君ニ電話シ、林家屋敷担保ハ坪数ノ減少ト勧銀壱万六千円余以上一番担保ニナリ、貸付断タリ、本人ハ不満足ニ而、他ニ其ノ以上ノ担保ハナキ抔□法外ノ口気アリタルモ、勧銀ニ対シテモ大ニ考慮ヲ要スル旨電話ニ而申向ケタリ

下三緒山本三郎[6]来リ、困難ニ付救助ノ方法懇願セリ、得と思慮シテ研究スベキ旨申答タリ

午後四時自働車ニ而帰リタリ

一月二十八日　木曜

渡辺皐築君訪問アリ、田川銀行百円以下ノ預金ニ違算ハナキカ、後藤寺ニ出張ヲ乞、其ノ報告ニ何等間違ナキ旨確報ヲ得タリ

瓜生〔長右衛門〕来リ、氏神[7]神殿大拡張ニ付明日区員協義ヲナス旨申向ケタリ
支配人〔西園磯松〕より東望〔東邦〕買入相談セシモ、仲買ナル者不都合セシニ付一旦断、時宜ヲ見而買入之注意ス、蓄貯〔ママ〕ノ有価証券売替ハ同意ス
門司日銀支店長関根〔善作〕氏ニ田川銀行ノ件報告ス

一月二十九日　金曜

麻生太〔多〕次郎[8]産鉄買入度旨申入アリ、会社実際ヲ申聞カセタリ、又区有地売却ニツキテハ氏神殿拡張ハ間違ナキモ昇格ノ事ハ六ツケ敷ニ付、評議ノ場合十分含マル、様申向ケタリ
嘉〔穂脱〕銀行田川支店開設ニ付答仲〔ママ〕書案加除シテ支配人へ送リ、又電話ス

一月三十日　土曜

〔北樺太〕石油株式会社[9]創立ニ付野田〔勢次郎〕[10]君ニ打合、五百株申込之件打合、松本〔健次郎〕氏ニ聞キ合ノ注意ス

1　青柳＝青柳近太郎経営青柳自動車商会（飯塚町宮ノ下町）
2　安川敬一郎＝元明治鉱業株式会社社長、第一巻解説参照
3　阿部伊之助＝香椎宮宮司
4　松居＝株式会社松居織工場（福岡市東中洲）
5　大倉喜八郎＝山東鉱業株式会社代表取締役、元合名会社大倉組代表
6　山本三郎＝元嘉穂銀行書記
7　氏神＝負立八幡宮（飯塚町栢森）
8　麻生多次郎＝麻生家新宅、元飯塚町長、元福岡県会議員
9　北樺太石油株式会社＝この年設立、社長中里重次
10　野田勢次郎＝株式会社麻生商店常務取締役、元久原鉱業株式会社

渡辺君相見へ、後藤寺町長ノ件ニ付内談アリタ
田川支店設置ニ付名称ノ打合セシモ、矢張田川支店ニスル方得策ナリト打合ス
芳雄製材所不白[ママ]面ニ付調査方ヲ命ス
栢森[1]区買受氏神大修繕ノ件区民打合セリ旨申通来リタリ
本村[2]山林墓所ノ近傍弐口買入之件ニ付、花村徳右衛門[3]より申込アリタ
十二時十分夏子一同自働車ニ而出福
棚橋氏ト社債ノ打合ヲナシ、外資ニハ何等指問ナキ旨申向ケアリタ
午後五時お政ニ行キ堀・伊藤両氏ト面会ス

一月三十一日　日曜

午前十一時相[お]政ニ行キ堀・伊藤両氏ト食事ヲナシ、午後七時半帰宅ス

二月一日　月曜

午前八時半自働車ニ而帰宅
谷田[信太郎][4]仲買人来リ、面会ス
東望[東邦]新弐十九円四十銭ニ而買入之電話アリ（壱千五百株）、西園支配人ニ承諾ス

二月二日　火曜

午前八時田川銀行整理ニ関シ郡書記柴垣氏相見へ、郡内有志者ニ於而引受（林田春次郎[7]氏等ノ面□[触カ]）整理ノ希望アリ、来ル四日郡内町村長面[会の誤カ]開催ノ内報アリタ、右ニ付別記之通県庁庶務科長堀口氏ニ支店設立内伺進達方見合ノ電信ナシタリ
家政ニ付趣旨書并ニ遺言書ニ関シ午後八時半迄調査ス

発熱ノタメ午後九時床ニ入ル

二月三日　水曜

病気ニ付療養

二月四日　木曜

病気ニ付療養

立岩・金池両所建築木屋入始メタリ

区長・瓜生〔長右衛門〕両人来リ、山内道路[6]ノ件申入タリ

田川郡役所より電話アリ、田川銀行ノ件ニ付郡長一同訪問ノ旨申入アリタルモ、病気ニ而全快ノ上相見ヘル様返話ス

二月五日　金曜

病気ニ付療養ス

渡辺皐築君相見ヘ家政ニ付打合ス、相羽君も相見ヘ坑区ノ打合ヲナス（古川〔河〕坑区ハ共同坑区[7]ノ関係重太〔ママ〕ナル旨等

1　栢森区＝地名、飯塚町栢森、麻生本家所在地
2　本村＝飯塚町立岩の通称地名
3　花村徳右衛門＝株式会社麻生商店家事部
4　谷田信太郎＝株式仲買人（福岡市）
5　林田春次郎＝田川郡伊田町長
6　山内＝地名、飯塚町立岩
7　共同坑区＝共同石炭株式会社日吉炭鉱（嘉穂郡大隈町・山田町）

聞キタリ）

二月六日　土曜

病気療養

有田広・渡辺皐築ノ両氏ヲ呼ヒ、田川郡長ニ行キ田川銀行整理断リノ件野田氏等打合セ、青木［柳］ノ自働車ニ而両氏香春[1]ニ行カレタルモ、他行ニ而八日再会ノ事ヲ申残シ帰ラル

二月七日　日曜

病気ニ付□［療］養

堀氏ニ電話シ、博多取引所株[2]ノ件十五日迄待合ノ事申入アリタ

太七郎別府行キ、義之介帰県ス、麻生屋ニ不幸[3]アリタ

二月八日　月曜

午前九時定期ノ自働車ニ而有田広・渡辺皐築両君後藤寺役場ニ而田川郡長ニ面会、田川銀行整理郡内有志ニ而纏メアレバ無此上ニ付、整理方断リタリ、午後四時帰村、重而再▨［考カ］スル様申向ケアリタルモ、絶体［ママ］断リ絶縁セリ旨報告アリタ

瓜生［長右衛門］・篠崎［団之助］[4]両氏相見ヘタルニ付、古川［河］坑区買収之件ハ共同坑区ヲ先キセザレバ区域ノ関係上坑業出来ザル旨申向ケタリ

晩食ヲナシ帰ラレタリ

二月九日　火曜

麻生屋仏前ニ参拝ス

麻生惣兵衛君[5]相見ヘ、銀行ノ咄ヲ聞キタリ

二月十日　水曜

福嶋嘉一郎君相見ヘタルニ付、銀行整理ハ十二分誠意貫徹セシニ付種々ナル走奔［ママ］ナキ様注意ス
藤森［善平］[6]町長及芳雄［ママ］耕地整理ノ件ニ付相見ヘ打合ス
瓜生長右衛門来リ、杉山松太郎[7]困難ニ付救助ノ申入アタ［リ脱］、得と調査ノ上心付ス可キ旨申答タリ
麻生屋告別式ニ参拝ス

二月十一日　木曜

一午後三時半棚橋・梅谷［清一］両氏相見ヘ、社債ノ件・九送会社[8]ノ件打合ス

麻生屋墓所ニ参詣ス

二月十二日　金曜

花村与七郎[9]病気ニ付見舞金百円送ル

1　香春＝地名、田川郡香春町
2　博多取引所＝株式会社博多株式取引所（福岡市下鰯町）、株式会社博多米穀取引所として一八八四年設立
3　麻生太七長男直三郎（直次郎とも）死去
4　篠崎団之助＝元福岡県会議員
5　麻生惣兵衛＝酒屋、嘉穂銀行取締役、元飯塚町会議員
6　藤森善平＝飯塚町長、元飯塚警察署長、のち福岡県会議員
7　杉山松太郎＝元目尾炭坑（穂波郡目尾村等）・糸飛炭坑（田川郡金川村等）経営者
8　九州送電株式会社＝宮崎県五ケ瀬川水力開発のために九州水力電気・東邦電力・住友・電気化学四社によって一九二五年六月設立、太吉相談役
9　花村与七郎＝嘉穂銀行本店為替係

午後六時ヨリ自働車ニ而出福ス

二月十三日　土曜

午前八時半星野氏相見へ、家政上ニ付研究ヲ願タリ

午後二時一方亭ニ行キ、晩食ヲナシ帰リタリ

二月十四日　日曜

午前八時半村上〔巧児〕常務ト電話シ、九軌ノ件并ニ社債之件ヲ打合、及小国電力会社[1]株買入ニ付打合ス

伊藤〔傳右衛門〕方ノ照山〔滋カ〕君ニ、吉岡〔友愛〕大佐ノ記念碑寄付金壱百円計リ出金之相談ス旨電話ニ而頼ミタリ

午後十二時十分自働車ニ而帰リタリ

二月十五日　月曜

在宿

二月十六日　火曜

渡辺〔皐築〕君相見へ、株買入ノ件打合ス

大木〔遠吉〕[2]伯爵死去ニ付弔電ス

二月十七日　水曜

赤坂坑ニ行キ、帰途綱分坑[3]ヲ経而帰リタリ

川田〔紀夫〕[4]君相見へ、桃畑ノ移植ス

黒瀬〔元吉〕[5]君来リ、銀行ノ品物ノ代価標価〔評〕ナサシム

二月十八日　木曜

野田〔勢次郎〕氏相見へ、株買入其他坑務上ニ付打合ス

村上君ニ電話、森村社長下ノ関上陸訪問不能ニ付、可然伝達ヲ乞タリ

二月十九日　金曜

折尾ニ而渡辺君電車脱線ノ為メ負傷之旨税務属より電話アリ、飯塚病院西田及外科部長自働車ニ而折尾ニ出張ヲ乞、一方亭ハ大学ニ電話ヲ以博士ノ往診ヲ願タリ、折柄左迄ノ事ナキ故往診見合之電話アリ、見合、午後九時三十分着ニ而帰ラレタルニ付、病院ニ送リ、万事看護手配整ヒタルニ付、午後十一時帰リタリ

二月二十日　土曜

午前十時嘉穂銀行重役会ニ列ス

午後四時過渡辺君病院ニ見舞、福岡医［空白］大学先生往診ニツキ立会、負傷ノ程度ハ心配ナキ旨聞取タリ

五郎方自働車ニ而福岡病院ニ往診願ニ出シタリ

午後二時発ニ而相見ヘル事ニ電話アリタ

1　小国水力電気株式会社＝一九一六年開業（熊本県阿蘇郡北小国村）
2　大木遠吉＝元司法大臣、元鉄道大臣、二月十四日死去
3　綱分坑＝株式会社麻生商店綱分鉱業所（嘉穂郡庄内村）
4　川田紀夫＝株式会社麻生商店山内農場（石炭廃鉱地試験農場）主任
5　黒瀬元吉＝古物商集古堂（福岡市上新川端町）
6　森村開作＝九州水力電気株式会社長、株式会社森村組社長
7　飯塚病院＝株式会社麻生商店飯塚病院、一九一一年竣工、一八年麻生炭鉱病院として社内診療開始、一九二〇年改称して地域に開放して一般診療開始
8　西田得一＝医師、株式会社麻生商店飯塚病院長兼内科部長、この年六月退職
9　大学＝九州帝国大学医学部

二月二十一日　日曜

午前堀氏より電話アリ、直方駅十一時半ニ而渡辺君負傷見舞ハ十二時半相見へ、廿三日重役会之相談ヲナシタリ、又名和氏ノ件モ報告ス、一時ニ而福岡ニ行カル

在宿

二月二十二日　月曜

午前在宿

病院ニ渡辺君見舞ニ行キタリ

西田院長ニ面会、太右衛門[麻生][1]小児時代病状ノ有様等委細申報ス

福嶋嘉一郎君相見ル[ママ]電話アリタルモ、病院ニ而面会ス

加治[三益][2]氏今一期延期ノ相談アリタ

二月二十三E　火曜

午前九時半自働車ニ而出福ス

午後十二時お政ニ行キ、産鉄重要問題ニ付懇談ヲナシタリ

　礦石売込ノ件、クラシヤ買入ノ件、十七銀行より借入利子ノ件、鑛[汽]罐車・質[貨]車買入ノ件

午後八時半帰リタリ

二月二十四日　水曜

県庁ニ出頭セシモ知事・内務部長不在ニ付、官房ニ名刺ヲ托シ田川銀行整理断之旨相頼ミタリ

一方亭ニ行キ、兼而約束ノ掛物一方亭トお梅ニ送リ[ママ]、又女中ニ百円遣シタリ（お梅四、おかよ四、美よ二）

午後十時迄同家ニ而遊ビ帰リタリ

二月二十五日　木曜

午前森田[正路][3]君相見へ、九水ニ採用方依頼アリタ

峠君相見へ、二十七日貝嶋太一[市]氏ト会見ノ打合ヲナス

梅谷氏相見へ、鋼鉄製造長崎三菱ニテ成工ニ付、電力使用上三菱ハ合□[弁カ]ニテモ黒崎[4]ニテ起業ノ異見アリ、果シテ確実ナレハ賛成ノ意ヲ表ス

博多[株式]取引所株売却ニ付、西園君より電話ト堀氏よりモ電話アリタ

午後二時半自働車ニ而帰宅ス

渡辺皐築君親族之御方挨拶ニ見ヘタリ

二月二十六日　金曜

西園支配人訪問、博取引株ノ件ニ付打合ス

堀氏相見へ、博取株之打合ヲナシ、其時帝炭坑区処分ノ件厚意的懇談アリタ

野田・義之介両人相見へ、貝嶋太一[市]君廿七日会合之件打合ス

1　麻生太右衛門＝太吉長男
2　加治三益＝田川銀行頭取、医師（田川郡後藤寺町）
3　森田正路＝元衆議院議員、元福岡県会議員
4　黒崎＝地名、遠賀郡黒崎町、この年十一月八幡市に合併

二月二十七日　土曜

相羽君ヲ呼ヒ、帝炭所有坑区粕屋[1]・遠賀[2]等ノ坑区ノ件調査方ヲ打合ス
午前十時自働車ニ而出福、黒瀬同車ス
午後一時半貝嶋君相見へ、峠・山田〔孝太郎カ〕[3]・青柳〔六輔〕[4]ノ三氏一同ナリ、太一〔市〕君より共同販売ノ件[5]、及聯合会長之件ニ付従来ト反対ニ種々厚意的申向アリ、又理事内諸之旨申入アリ、野田・義之介・林田〔晋〕[6]ノ三君も呼ビ、一同ニ応接之間ニテ太一君より懇切ナル共同販売ノ件申向アリタ
午後五時より一方亭ニ招待シ饗応ス

二月二十八日　日曜

午前九時半峠・青柳・山田ノ三氏相見へ、又貝嶋太一氏モ相見、一同共同販売ノ件打合ス、夫より一方亭ニ行キ昼食ヲ饗応ス（フクハ貝嶋氏持参アリタ）
堀氏相見へ、博多取引所株之件及帝炭ノ所有坑区粕屋郡内ノ分ニ付、石田〔亀一〕[7]氏ヲ呼ヒ打合方懇談ス
午後七時過キ一方亭より徒歩シテ連〔蓮〕[8]池迄帰リ、自働車ニ而帰リタリ
福岡日々新聞[9]斉田耕陽・島田弥策〔栄〕ノ両氏相見へ、新築竣工式[10]ニ寄付ノ相談アリタリ

三月一日　月曜

堀氏ニ電話シ、相羽出福シタリ、相政〔お〕ニ会合ノ打合ヲナス
相羽君飯塚七時半自働車ニ而出福、粕屋及中山田[11]ノ坑区ノ関係聞取タリ
午前十時相羽君ト相政ニ而待合セ、堀・石田両氏相見へ、粕屋ノ坑区ノ打合ヲナシ、図面及試険〔ママ〕ノ況〔ママ〕状通知ヲ約シ、其結果ニ而代金ノ相談ナスコトニセリ
昼食ヲ饗応シ晩食ヲナシ帰リ、夫より自働車ニ而吉浦〔勝熊〕[12]君福岡ニ呼ビ居タルニ付、同道ニ而午後九時半帰宅ス

三月二日　火曜

午前堀氏より電話アリ、博取ノ株売却用領[ママ]ヲ不得、気之毒ニ付最早延期ヲ申入ラザルニ付了解スル様トノ事ナリシ、
又粕屋坑区ノ件ハ御徳坑[13]々長安藤[平吾][14]君ニ面会ノ旨申向ケアリタ
相羽君ニ電話シ、御徳へ出張ヲ乞タリ
上田[穏敬][15]氏相見へ、別府ノ耕地整理ノ方針ニ付打合ス
黒瀬来リ、幅物買入ヲナシタリ

1　粕屋坑区＝帝国炭業株式会社所有坑区（糟屋郡山田村ほか）、この年株式会社麻生商店譲り受け
2　遠賀坑区＝帝国炭業株式会社木屋瀬炭坑（遠賀郡木屋瀬村ほか）、一九二九年九州鉱業株式会社譲り受け
3　山田孝太郎＝貝島木材防腐株式会社取締役
4　青柳六輔＝貝島商業株式会社取締役
5　共同販売＝九州における石炭販売協定組織甲子会（三井・三菱・古河・安川・貝島参加で前年一月結成）、麻生はこの年参加
6　林田晋＝株式会社麻生商店商務部長
7　石田亀一＝帝国炭業株式会社専務取締役
8　蓮池＝地名、福岡市蓮池町
9　福岡日日新聞＝一八七七年筑紫新聞創刊、めさまし新聞、筑紫新報を経て一八八〇年福岡日日新聞と改題
10　福岡日日新聞新社屋建設（福岡市下警固薬院、通称渡辺通六丁目）、四月十日落成式典
11　中山田＝帝国炭業株式会社中山田炭鉱（嘉穂郡山田町）、一九二八年三菱鉱業株式会社に譲渡
12　吉浦勝熊＝株式会社麻生商店庶務部
13　御徳坑＝帝国炭業株式会社御徳鉱業所（鞍手郡勝野村ほか）、一九二九年明治鉱業株式会社へ譲渡
14　安藤平吾＝帝国炭業株式会社取締役
15　上田穏敬＝株式会社麻生商店庶務部長

池上〔駒衛〕[1]君ニ出状ス

三月三日　水曜

在宿

三月四日　木曜

徳乗院[2]命日ニ付正恩寺[3]相見へ、読経アリタ
相羽君ヲ呼ビ、粕屋鈴木坑区[4]之説明ヲ聞キタリ
相羽君ハ瓜生〔長右衛門〕より買入セシ肥前坑区[5]起業ノ希望アリタ
午後四時半〔空白〕博士・西田〔得二〕氏及夏子ト自働車ニ而出福、病院ニヨリ渡辺〔皐築〕氏見舞セシニ、町長撰挙之件ニ付三井坑山之方ニ注意方申向ケアリタ
西田先生太賀吉診察、午後八時半過キヨリ自働車ニ而帰宅アリタ

三月五日　金曜

山田〔駒之輔〕医師ニ昨夜西田氏太賀吉診察ノコトヲ懇談ス
堀氏より電話アリ、十一時相政〔お〕ニ而石田氏ニ面会、粕屋坑区十五万円余トノ口気ニ付、十万円位迄ナラバ可申受（口銭共）旨堀氏ニ内談ス
午後五時半小野寺〔直助〕[6]博士太賀吉診察ニ付相政より帰リタリ
野田氏より電話ニ而、元満鉄理事赤羽〔克己〕[7]氏松嶋[8]やカ〔ママ〕浅野旅館カニ宿泊ノ旨通知アリタ

三月六日　土曜

村上功〔巧〕児君相見へ、九軌より電車買収之件ハ十分同方ノ希望ニ応ズルトシテ何程迄ニ買収スルカ聞キ合スルコト必要アリト申向ケタ、其他地方ハ悪化ナシ居ルニ付十二分注意アル様注意ス

午前十一時相政ニ行キ、堀氏ト午後八時迄会合シ帰宅ス
西田氏相見、太賀吉病気気遣ナキ旨聞キタリ

三月七日　日曜

午前九時斉田〔耕陽〕君相見、福岡日々新聞寄付金之件ニ付相談、安川〔敬一郎〕氏ニ内談アリ、其上ニ而可成従来之通ニ而余リ増減ノ甚タシクナキ様致度旨縷々申向ケタリ、出金ヲ拒ム訳ケニナク故十分了解アル様注意ス
元満鉄理事赤羽君相見へ、炭況之件及坑業軽〔経〕営上ニ付合同ノ必要ナル旨申向ケタリ
西田君相見へ、太賀吉病気も別段心配ナク故、十一時半より自働車ニ而帰宅ス
渡辺君より名和氏ニ宛打電之件電話アリ、柴田知事ニ聞合セシモ武雄[9]ニハ出張ナカリシ

三月八日　月曜

飯塚浦山林・製工所[10]・金池等等ヲ見廻リ、山内積入場ニ臨ミ、貯炭場設計ニ付注意ス

1　池上駒衛＝石炭鉱業聯合会常務理事
2　徳乗院＝太吉三男故麻生太郎（元株式会社麻生商店取締役）、一九一九年三月四日死去
3　正恩寺＝麻生家菩提寺、浄土真宗本願寺派寺院（飯塚町川島）
4　粕屋鈴木坑区＝帝国炭業株式会社（元合名会社鈴木商店名義）の糟屋郡山田村坑区、この年株式会社麻生商店購入
5　肥前坑区＝長崎県北松浦郡鹿町村坑区
6　小野寺直助＝九州帝国大学医学部教授
7　赤羽克己＝この年七月北海道炭礦汽船株式会社常務取締役、元南満洲鉄道株式会社理事、元三井物産業務課長
8　松島屋＝旅館（福岡市中島町）
9　武雄＝地名、佐賀県杵島郡武雄町
10　製工所＝株式会社麻生商店芳雄製工所（飯塚町立岩）一八九四年設立、機械製造修理業

三月九日　火曜

午前十時自働車ニ而太右衛門診察ノ為メ西田先生同車出福、下田〔光造〕[1]博士之診察ヲ乞

午後三時半自働車ニ而帰宅ス

三月十日　水曜

在宿

午後金池工事場より山内積入場ニ臨ミ、積入場貯炭計画ニ付協義ス

森崎屋[2]相見へ、大和直道君九水ニ採用之件申入アリタリ、晩食シテ帰宅アリタ

三月十一日　木曜

午前九時より製工所ニ行キ、積入場設備ニ付打合ヲナス

野田氏相見へ、西田氏ノ件ニ付打合ス

午後五時半帰リタリ、太七郎来リ、藤沢〔幹二〕[3]氏ニ西田氏ノ件内談ノコトヲ申含メタリ

三月十二日　金曜

午前八時直方・植木[4]・西川ヲ経而津屋崎[5]ニ行ク、川田〔紀夫〕・平野〔市三〕・大塚〔幸平次〕[6]同車ス、途中東郷[7]ノ町辺ニ而自働車ノ前ヲ横切掛リ、夫故田面ニ自働車ヲ入ラシメ引上ケニ困難セリ

津屋崎ニハ桑田〔半八〕[8]某待受、昼食後北風・西風ヲ防ク地況トシ松木伐採スルコトニ打合ス、蜜柑苗ハ目下買入分ニテ用達ス、五十円大塚ニ、弐十五円肥料買入代トシテ桑田ニ渡ス

午後四時十分自働車ニ而川田ハ福間駅、自分ハ博多へ午後六時着ス

三月十三日　土曜

午前八時自働車ニ而帰宅ス

書類整理、武田〔星輝〕[9]ヲ呼ヒ、津屋崎別荘図面調査シ、花村〔徳右衛門〕ニ申談、松木運搬等打合ス

三月十四日　日曜

午前二時下痢ノ為ニ引籠タリ

三月十五日　月曜

〔芳雄〕製工所ニ行、工事上ニ付打合ス

午後十時頃より発熱シ三十九度三分、午前二時ニ而四十度位ナラン、中嶋看護婦ヲ呼ヒタリ

〔三沢寛一〕[10]内務部長より銀行ノ件ニ付出庁之事警察電話ヲ以通知アリタリ、十六日出福ヲ御受ス

三月十六日　火曜

発熱ノ為メ療養セリ

発熱ノ為メ十六日出福出来ズニ付、電話ニ而断リタリ

1　下田光造＝九州帝国大学医学部教授
2　森崎屋＝木村順太郎、株式会社森崎屋（酒造業）代表取締役、株式会社麻生商店監査役、飯塚町会議員
3　藤沢幹二＝太吉四男麻生太七郎義兄、医師、小倉市立病院長
4　植木＝地名、鞍手郡植木町　西川＝地名、鞍手郡西川村
5　津屋崎＝地名、宗像郡津屋崎町、麻生家別荘所在地
6　平野市三・大塚幸平次＝麻生家庭師兼雑務
7　東郷＝地名、宗像郡東郷町
8　桑田半八＝肥料商（宗像郡津屋崎町）、翌年から麻生家津屋崎柑橘園責任者
9　武田星輝＝株式会社麻生商店家事部
10　三沢寛一＝福岡県内務部長

三月十七日　水曜

引籠リ療養セリ

麻生屋来リ、おまさ〔マサ〕[1]・高山和太郎[2]家内〔吉田ハツ〕[3]連レ、家政上困難ノ為メ道付方ニ付内談ヲ受ケ、銀行負債及高山負債ヲ引受、仕払方受合タリ、又今後ノ費用ハ予算書ヲ製シ、其上ニテ心配ナキ様取計候故安心スル様懇々申向ケタリ

三月十八日　木曜

麻生屋来リ、家政上ノ内談ヲ受ケ、病気ニ付何事も申向ケ之通取計フ故心配セザル様申向ケ、安心シテ帰リタリ、銀行之負債及高山之負債ヲ払、其外ニ現金五千円入用之由ヲ聞キタリ

渡辺君相見へ、産鉄之鑛〔汽〕鑵車買入ノ件及産鉄株買入之件ニ付打合ス

三月十九日　金曜

午前ヨリ熱度平素之通全快セリ

麻生屋・太三郎〔麻生〕[4]来リ、家政上ニ付相談セシ故、最後安心スル様申向ケタリ

九水電力故障ニ付長井君〔永井晋治カ〕[5]ニ電話シ、約一時間計リニテ発電セリ

三月二十日　土曜

山内積入場ヱンドレス[6]設計ニ付大塚〔文十郎〕[7]・上野〔美満〕[8]両君来リタリ、打合ス

在宿

風邪全快セシモ用心之為メ外出ヲ見合ス

幸袋工作所[9]重役会ニ野田〔勢次郎〕氏出席ヲ乞タリ

三月二十一日　日曜

午前直方堀氏より電話アリ、昨日帰直ニ付二十二日午後出福之事ヲ約ス

田代丈三郎君[10]二二十三日午前ニ面会ノ電報ヲ発ス
安達盛明より電話ニ而力[刀カ]買入不能旨申向ケタリ
中嶋地行ノ場所ニ臨ミタリ

三月二十二日　月曜

午前九時半嘉穂銀行重役会ニ出席、重要問題協議ス
午後三時帰宅
午後五時自働車ニ而出福
堀氏より電話ニ而相政[お]ニ行キ、上京中ノ用件聞取タリ

1　マサ＝麻生太七女
2　高山＝地名、飯塚町上三緒、麻生家親族吉田家所在地
3　吉田ハツ＝麻生太七女
4　麻生太三郎＝麻生太七次男、のち麻生産業株式会社専務取締役
5　永井菅治＝九州水力電気株式会社支配人、本巻解説参照
6　ヱンドレス＝炭車運搬のための環状索道
7　大塚文十郎＝株式会社麻生商店芳雄製工所長
8　上野美満＝株式会社麻生商店本店測量係
9　株式会社幸袋工作所＝一八九六年合資会社として設立、一九一八年株式会社に組織変更（嘉穂郡幸袋町）、太吉取締役
10　田代丈三郎＝元福岡県会議員

三月二十三日

午前堀・森崎〔欣太郎〕[1]両氏相見へ、名和氏ノ件ニ付申入アリ、直チニ渡辺君ニ電話ス、三井坑山側ハ香月〔春蔵カ〕君入院中ナルモ異義ナキ旨申向ケアリタ

お政ニ行キ、重而両氏ト面会打合ス

午後八時半過帰宅ス

田代丈三郎相見へ、遠賀川〔ママ〕[2]銀行ノ件内談アリタ

三月二十四日

午前八時自働車ニ而太賀吉ト帰リ、黒瀬〔元吉〕モ同車ス

篠崎団之介〔助〕及瓜生長右衛門相見へ、博多地所（田川伊藤某）所有地ノ分金融ノ内談アリ、九水乞合ノ上何分之返事ノ旨申向ケ、又牛隈・大分共同坑区ハ田口君〔環〕周旋之事ハ異義ナキ旨申向ケタリ

義之介東京ノ月向報告ト協同販売ノ件貝嶋〔太市〕君尽力之件、聞取タリ

警察電話ニ而内務部長ニ聞キ合セシモ不明ナリシ

三月二十五日

午前本村太七郎屋敷ニ臨ミ、土盛之打合ヲナス、太七郎・加納〔嘉市〕[3]同供ス

製工所ニ行キ、不行届キノ事柄福間〔久米吉カ〕[4]ニ責メ、将来大ニ注意スルコトヲ申立タリ

停電ニツキ、靍三緒[5]池田〔昇〕[6]ト申主任ハ、鯰田火力発電所[7]ハ故障ノ原由明瞭ナリタルル〔ママ〕以上デナケレバ鯰田ヨリ接線出来ズト申向ケタリ

三月二十六日　金曜

午前七時芳雄駅[8]発ニ而別府ニ向ケ出発ス

新開冨太郎君[9]折尾迄同車ス
午後一時半別府駅ニ着、直チニ自働車ニ而山水園[10]ニ着ス
大塚[惟明][11]氏訪問、米村[隆夫]氏ノ手術ヲ乞タリ、長野善五郎[12]氏も相見ヘ居タリ

三月二十七日　土曜

棚橋・梅谷両氏相見ヘ、[九州]送電会社及[東邦]東望会社之件聞キ取リタリ、右ニ付将来大ニ注意ス
十一時半米村氏ノ手術ヲ乞、野口[13]耕地整理之地所ニ臨ミ、十二時半長野善五郎氏ト九水重役会大分営業所ニ着ス

1　森崎欣太郎＝東洋電気雷管株式会社取締役
2　遠賀銀行＝一八九七年に設立（遠賀郡芦屋町）、一九二〇年遠賀郡折尾町に移転、一九二七年解散
3　加納嘉市＝狩野とも、麻生家雑用
4　福間久米吉＝株式会社麻生商店芳雄製工所
5　鶴三緒＝地名、飯塚町下三緒、九州水力電気株式会社飯塚変電所所在地
6　池田昇＝九州水力電気株式会社飯塚変電所技術主任
7　鯰田火力発電所＝九州水力電気株式会社火力発電所（飯塚町鯰田）
8　芳雄駅＝筑豊本線（飯塚町立岩）、のち新飯塚駅
9　新開冨太郎＝醬油醸造業・鉄砲火薬商（飯塚町本町）、この年六月株式会社博多株式取引所監査役就任
10　山水園＝麻生家別荘（別府市）
11　大塚惟明＝元南海鉄道株式会社長、元大阪市会議員
12　長野善五郎＝九州水力電気株式会社取締役、二十三銀行頭取、酒造業（大分市）
13　野口＝地名、別府市別府

間組[1]楠日省介氏杖立[2]負受[3][ママ]人現場掛相見へ、大ニ注意ス
午後四時半自働車ニ而帰リ、田之湯別荘[4]ニ立寄、小川[5]ニ面会ス

三月二十八日　日曜

堀氏より電話アリ、石田氏[亀二]帰県ニ付三十日博多ニ而会合ノ旨電話アリタ
農場[6]ニ臨ミ、川田[十][7]氏ニ面会ス

三月二十九日　月曜

別府滞在ス
米村氏ノ手術ヲ乞タリ

三月三十日　火曜

別府滞在
米村氏ノ手術ヲ乞タリ

三月三十一日　水曜

別府滞在
米村氏ノ手術ヲ乞タリ

四月一日　木曜

別府より午後十二時出発、自働車ニ而五時三十分帰着ス

四月二日　金曜

麻生屋ニ見舞ニ行ク
渡辺皐築君岩崎[8]ノ件ニ而相見ヘタリ

四月三日　土曜

午後四時出福ス

四月四日　日曜

堀氏相見へ、鈴木氏・石田君東京より帰県ニ付粕屋坑区ノ協義スベシキ[ママ]旨申向アリタ

瓜生・篠崎両氏相見へ、地所ノ件及牛隈坑区[9]ノ件申入アリタ、牛隈ハ一坪三十銭より五十銭、製鉄所坑区ニ交換坑区アリ、楽一[市]坑区[10]ト交換ノ旨申入アリタ

山林ハ境界明瞭スル様案内ヲ乞旨申向ケタリ

午後五時半堀氏ト相[お]政ニ行キ、午後八時帰宅

1　合資会社間組＝土木建設業（東京市）、一八八九年創業

2　楠目省介＝のち間組朝鮮支店長、俳人楠目橙黄子

3　杖立＝杖立川水力電気株式会社（大分市、一九二三年設立）杖立発電所（一九二八年発電開始）

4　田之湯別荘＝麻生家田の湯別荘（別府市田の湯）

5　小川＝麻生家田の湯別荘内居住

6　株式会社麻生商店別府農園

7　川田十＝株式会社麻生商店別府駐在員、別府農園（別府市）主任、元山内農場（飯塚町立岩）主任

8　岩崎＝地名、嘉穂郡稲築村、野見山米吉家所在地

9　牛隈坑区＝株式会社麻生商店牛隈炭坑（嘉穂郡大隈町・山田町）

10　楽市坑区＝株式会社麻生商店所有坑区（嘉穂郡穂波村楽市）

四月五日　月曜

八塚[秀二郎][1]君相見へ、杖立出張所ヲ現場ニ移転之内談アリタ
江藤[衛]又三郎[2]君相見ヘタリ
執印[宮夫][3]歯医師ニ手療ヲ乞タリ
山内範造[4]君ニ出福ヲ乞、堀・伊藤ノ両氏ト福岡日々新聞ノ寄付ノ打合ヲナス、福村楼[5]方ニ行ク

四月六日　火曜

執印歯□[医]師ニ手術ヲ乞タリ
中嶋ノ鳥屋ニ而昼食ヲナス
県庁ニ出頭、内部[務]部長ニ面会、田川銀行ノ件断リタリ
三井銀行渡辺[省二][6]氏相見へ、七日晩宴会ノ案内ヲ受ケタリ

四月七日　水曜

午前九時半帰宅、銀行重役会ニ列シ、午後二時青木[柳]乗合自働車ニ而出福、三井銀行渡辺氏九水招待会ニ列ス、お苑方ナリ、午後十時帰ル

四月八日　木曜

午前九時自働車ニ而福岡より帰村ス
午前堀氏方ニ間宮[英宗][7]禅師義之介迎ニ行キ、午後十二時半着セラル、三時半より家族一同、午後七時より法話アリタ

四月九日　金曜

午前間宮禅師仏前読軽[経]、墓所参詣アリ、夫より自働車ニ而博多駅ニ見送リ、お苑[桑原エン][8]ノ主婦も来リ、二階ニ而茶菓子ヲ供シ、十一時二十六分急行ニ而久留米ニ向ケ出発アリタ

頭山満氏[9]東京より帰福ニツキ、博多駅ニ而面会ス
渡辺皐築君相見へ、後藤寺町長之件打合ス
杖立書類持参セシニ付捺印ス
柴田知事ヲ訪問シ、銀行ノ件及町長ノ件懇談ス
午後四時赤松〔治郎〕[10]氏（貝嶋見送リタリ
お苑ニ而晩食ス

四月十日　土曜

午前十一時峠氏相見へ、同供シテ福日祝賀会[11]ニ列ス
堀氏相見へ、柴田知事面会ノコトヲ報告ス

1　八塚秀二郎＝杖立川水力電気株式会社取締役、九州水力電気株式会社支配人
2　衛藤又三郎＝大分日日新聞社長
3　執印宮夫＝歯科医師（福岡市中島町）
4　山内範造＝筑紫銀行（筑紫郡二日市町）頭取、衆議院議員
5　福村楼＝福村家とも、料亭（福岡市東中洲）
6　渡辺省二＝三井銀行福岡支店長
7　間宮英宗＝臨済宗方広寺派管長、元鉄舟寺住職、のち栖賢寺（京都）住職
8　桑原エン＝後藤ハマとともに馬賊芸者の祖
9　頭山満＝玄洋社、元福陵新報（福岡市）社長
10　赤松治郎＝貝島商業株式会社取締役、貝島木材防腐株式会社取締役
11　福岡日日新聞社新社屋完成祝賀会

十二時過キヨリ山内[範造]・森田[正路]両氏一同相[お]政ニ行キ食事ヲナス、伊藤[傳右衛門]も相見ヘタリ、午後八時帰宅ス
福日祝賀会場ニ而佐賀[経吉][1]・福田慶四郎[2]氏等ニ面会ス
安河内政次郎[治]国竜[黒]会[福岡][3]支部長ニ金百円遣ス

四月十一日　日曜

堀氏相見ヘ、知事ト面会ノ報告ヲナシタリ
午前十時半相政ニ行キ、石田氏ト会合ス
粕屋坑区百六十八万坪余十万円、三ケ年乃至五ケ年払ニ而引受方申向ケタリ
昼食・晩食ヲナシ帰リタリ

四月十二日　月曜

執印歯医師ノ手術ヲ乞タリ
渡辺皐築君相見ヘタリ
午後二時間宮禅師迎ノ為メ九鉄[4]電車停留所ニ行キ、夫より伊藤方訪問、折柄間宮禅師相見ヘ、午後三時過キ自働車ニ而お苑ニ御供シ、同方ニ而揮毫アリ、午後五時五十二分急行ニ而帰京セラレタリ、停車場ニ見送リタリ
自働車ニ而操[麻生ミサヲ][5]一同帰宅ス

四月十三日　火曜

渡辺皐築君相見ヘ、後藤寺町長問題打合ス
野田勢次郎氏相見ヘ、産鉄開通式順備[ママ]ニツキ渡辺氏一同打合ス
瓜生及区長相見ヘ、小作人ニ肥料代貸付及寄付金ノ件打合ス
多田鉄男[6]君挨拶ニ来リタリ

午後赤坂坑及製工所・立岩屋敷[7]ニ臨ミタリ

四月十四日　水曜

午前十時半津屋崎ニ自働車ニ而直方・植木・西川ヲ軽［経］而行キ、夫より浜ノ町ニ着ス

執印氏ノ手術ヲ乞タリ

四月十五日　木曜

執印歯医師ノ手術ヲ乞タリ

棚橋・村上・黒木［佐久馬］諸氏相見へ、電灯料整理問題ニ付打合ス、木村［平右衛門］[8]氏も相見へタリ

四月十六日　金曜

九水営業所ニ而棚橋・村上・黒木・渡辺［綱三郎］[9]・梅谷・村上等［ママ］ノ諸氏相見へ、電灯料整理問題ニ付協義ス

午後一時半県庁ニテ知事ニ面会、後藤寺町長問題ニ付打合ス、浜ノ町ニ福嶋嘉一郎君相見へ、行違アリ、重而知事官舎ニ而堀氏一同知事ニ面会シ、堀口課長も相見へタリ

1　佐賀経吉＝鉱業経営者、玄洋社
2　福田慶四郎＝百六銀行（佐賀市呉服町）頭取
3　黒竜会＝国家主義団体、一九〇一年創立
4　九鉄＝九州鉄道株式会社、一九二四年福岡・久留米間開通、元筑紫電気軌道株式会社一九二二年社名変更
5　麻生ミサヲ＝太吉長男麻生太右衛門妻
6　多田鉄男＝株式会社麻生商店大阪出張所長、この年所長就任
7　立岩屋敷＝太吉四男麻生太七郎家（飯塚町立岩）
8　木村平右衛門＝九州水力電気株式会社常務取締役、本巻解説参照
9　渡辺綱三郎＝九州水力電気株式会社監査役、株式会社紙与呉服店常務取締役

お政ニ行キ石田氏ニ面会シ、粕屋坑区ノ件ハ十七日ニ日延ス

四月十七日　土曜

午前八時堀氏ヲ訪問シ、粕屋坑区ノ件石田氏ノ謝礼ノ内意ヲ聞キ方相頼ミタリ
執印氏ノ手術ヲ乞タリ、右側入歯竣工ス
十時より自働車ニ而帰リタリ
田川原田［種憲カ］[1]・福嶋外一人及渡辺君相見へ、［後藤寺］町長問題ヲ聞キ取タリ
上田君相見へ、別府鉄道ノ布設ニツキ公有地ノ件聞取タリ
有田［広］監事相見へ、大隈［嘉穂銀行］支店改築ニ付聞取タリ

四月二十六日　月曜

午後東京より帰途京都ニ立寄帰着ス
本杉［麻生］太七郎屋敷ニ臨ミタリ

四月二十七日　火曜

午前九時久留米植木共進会ニ臨ム積リニ而花村徳右衛門君同供セシモ、福岡より花村一人久留米ニ遣シ、何等希望ノ植木ナク、午後七時帰宅ス
米谷仲買人浜ノ町ニ来リ、東［東邦］望七十一円ニテ旧二千株、三十一円七十銭新千五百［株脱］売物アリ、買受方申合ニ付、銀行ト打合ス可キ旨申合タリ

四月二十八日　水曜

［麻生］太七郎別家新築ニ付、午前四時より立岩ニ行キ差図ス
堀氏より電話アリ、一日出福ヲ約ス

東望［東邦］株買受ニ付有田・西園両名相見ヘ打合中、渡辺皐築君ニ電話セシニ、減配之事毎日新聞ニ掲載セシトノ事故、
暫ラク時宜ヲ見テ買入スルコトニ打合ス
渡辺皐築君も相見へ、名和［朴］君及産鉄来ル一日重役会ヲ打合ス

四月二十九日　木曜

午前七時廿九分発ニ而若松築港会社[2]重役会ニ出席ス、惣会済後二時五分発ニ而帰宅シ、帰途嘉穂銀行ニ立寄、
支配人［西園磯松］ト行務ノ打合ヲナス
篠崎・瓜生来リ、牛隈坑区及博多土地ノ交渉ヲナシタリ

四月三十日　金曜

午前二時半ヨリ中嶋[3]［麻生］五郎別宅新築ニ着手、午前十時頃ニハ既ニ棟上ケヲナシタリ
午後三時半宴会ヲナス

五月一日　土曜

午前十時渡辺［皐築］・浦地［裏］ノ両氏ト自働車ニ而出福ス
午後一時産鉄会社［重役会脱］浜ノ町ニテ開催シ、七月一日開通式[4]ノ打合ヲナスコト及払込之期日打合ス
午後四時より相政［お］ニ而伊藤・堀ノ両氏ト食事ヲナス

1　原田種憲＝田川郡後藤寺町会議員、元後藤寺町長
2　若松築港株式会社＝一八九二年若松築港会社設立、翌九三年株式会社と改称、太吉取締役
3　中島＝地名、飯塚町立岩
4　九州産業鉄道船尾（田川郡後藤寺町）・赤坂（嘉穂郡庄内村）間鉄道、実際には七月十五日開通式

五月二日　日曜

石橋[愛太郎][1]助役及樋口[昌弘]市会議員相見へ、城南線[2]九水布設之件ニ付申入アリタ

牛隈共同坑区之件ニ付田口氏・篠崎・瓜生ノ三君相見へ、早ク決定方申入タリ

相羽君ト打合セ、昼食後帰店ス

五月三日　月曜

午後一時より相政[お]ニ行、堀氏ニ面会、粕屋坑区ハ十五日頃東京より帰県ニ付其時ニ打合スコトニ協約ス

午前七時自働車ニ而帰宅ス

立岩及中嶋及製工所工事ヲ視察シ、津屋崎・別府ノ杭[坑]木ノ調査ヲナサシム

政友会支部中村清造[3]君より電話アリ、四日出福ヲ約ス

貝嶋太一[市]君ニ電話シ、田中[義一][4]惣裁招待ノ件ハ断リタリ

花村徳右衛門君相見へ、酒屋[5]及[瓜生]和一郎跡地所買収之件承知ス

義之介来リ、東京以来之報告ヲナス

渡辺皐築君相見へ、金壱千円相渡ス

五月四日　火曜

午前八時半自働車ニ而出福

中村清造君相見へ、田中惣裁招待会ノ打合ヲナス

五月五日　水曜

午前八時半帰リ、自働車

嘉穂銀行重役会ニ臨ミ[ママ]

午後六時田中惣裁福村屋〔家〕ニテ歓迎会ヲ催シ、招待セリ
田中惣裁・浜田国松[6]・堀切善兵衛[7]・藤田包助[8]・沢田牛磨[9]・吉野従者外坂井〔大輔〕・神崎〔勲〕・赤間〔嘉之吉〕・山内〔範造〕・山崎〔達之輔〕・中村〔清造〕ノ諸代議士、庄野〔金十郎〕[10]・森田〔正路〕・菊竹〔淳〕[11]ノ諸氏ナリシ

五月六日　木曜

棚橋氏相見へ、懇談ス
小野寺博士ヲ病院ニ訪問、猪俣〔為治〕[12]氏診察ヲ願ヒタリ
午後五時一方亭ニ行キ、棚橋・海東〔要造〕[13]ノ両氏ト合併ノ打合ヲナス、棚橋君ハ、東〔東邦〕望ノ九洲区域ヲ新会社ヲ設立シ、

1　石橋愛太郎＝福岡市西南部耕地整理組合副長、福岡市助役
2　城南線＝北筑軌道起点今川橋（福岡市西新町）と九州水力電気市内電車（福岡市渡辺通）を結ぶ電車線路
3　中村清造＝衆議院議員、元福岡県会議員、元宗像郡津屋崎町長
4　田中義一＝立憲政友会総裁、元陸軍大臣、のち総理大臣、外務大臣
5　酒屋＝麻生惣兵衛、嘉穂銀行取締役、元飯塚町会議員
6　浜田国松＝衆議院議員、のち衆議院議長
7　堀切善兵衛＝衆議院議員、元慶応義塾大学教授、のち衆議院議長
8　藤田包助＝衆議院議員
9　沢田牛磨＝元福岡県知事、翌年北海道庁長官
10　庄野金十郎＝福岡日日新聞社長、弁護士、元衆議院議員
11　菊竹淳＝六鼓、この月福岡日日新聞主幹、のち副社長
12　猪俣為治＝福岡日日新聞副社長、五月七日死去
13　海東要造＝東邦電力株式会社取締役、のち九州送電株式会社取締役、本巻解説参照

其ノ資本ヲ三分シ、一ハ東望、一ハ九水、一ハ東望[東邦]・九水ノ有志者ニテ持株ノコト、松永[安左衛門][1]君ト了解得ラレシ如ク
口気アリシモ、海東君ハ九水モ合同シテ右三分割ノ率ニヨリトノ異見アリタリ
午後七時東望・九水、田中惣裁一行招待会ニ列ス

五月七日　金曜

猪俣氏悔ミニ[ママ]行キ
田中惣裁午前八時四十分出発ニ付見送リタリ
村上[巧児]氏相見ヘ、電灯直[値]下ケノ件報告アリタ、及九軌ノ関係聞キタリ
午後十二時半帰リタリ

五月八日　土曜

在宅
本店出務
藤森[善平]町長溝広ノ打合ヲナス
上田[穏敬]君相見ヘ、別府地所買入ノ打合ヲナス

五月九日　日曜

午前従事員勤続表賞[ママ]授与ノ式ヲナス

五月十七日　月曜

午前旧宅ノ解崩シニツキ取片付、又大工ヲ呼ヒ、惣而中嶋建築ノ打合ヲナス
立岩新築場[2]ヲ見而製工所ニ行キ、帰リタリ
田口[環]氏ニ牛隈ノ件ニ付篠崎君ニ電話シ、二十日迄ニ堅返事ノ事ヲ申入タリ

山内範三[造]氏ニ十八日午前十時出福ヲ打電ス

五月十八日　火曜

午前八時自働車ニ而出福、政友会支部ニテ山内範三[造]氏ニ面会、夫より[お]相政ニ行キ晩食ヲ供ス、堀氏モ見ラレタリ

五月十九日　水曜

相政ニ行キ石田・堀両氏ト会見、粕屋坑区ノ打合セシモ価格行違、協議ノ上返事ナスコトニセリ

五月二十日　木曜

執印歯医師ニ診察ヲ乞タリ

下田[光造]博士相見へ、[坑]杭木屋ノ紹介アリタ

田代丈三郎君相見へ、遠賀銀行ノ件申入アリタ

棚橋君相見へ、九水重役撰挙及九洲区域ノ電気株式株買入ノ打合ヲナス

午後五時半より自働車ニテ帰宅シテ、相羽[虎雄]・野田[勢次郎]・[麻生]義之介ノ三人ト粕屋坑区ノ打合ヲナシ、二十四日ニ返事ナスコトニ打合ス

五月二十一日　金曜

午前十時半自働車ニ而出福ス

執印歯医師ニ診察ヲ乞タリ

[坑]杭木商柴田勝平君相見へ、営業ノ模様ヲ聞キ、尚商店ニ電話ナスコトニ申向ケタリ

1　松永安左衛門＝東邦電力株式会社副社長、のち社長、本巻解説参照

2　立岩新築場＝太吉四男麻生太七郎家

午後一時聖福寺[1]ニ進藤［喜平太］[2]氏追悼会ニ参拝シ、香典五十円ヲ供ス
午後一方亭ニ行キ、中根［寿］[3]氏ト晩食ヲナス

五月二十二日　土曜

午後一時鎮西御用邸[4]［ママ］情願ノ件ニ付、黒田［長成］侯別邸[5]ニ於而協義会ニ列ス
山内［範造］代議士八幡ニ行カレタル模様ヲ聞ク為メ相政［お］ニ行キ、聞キタリ

五月二十三日　日曜

福岡日々新聞中野［景雄カ］君来リ、出雲ノ百空［石窟カ］保存会ノ緩［援］助ノ件申入アリタリ
中村［清造］代議士二十四日午後一時博多駅発ニ而八幡行ノ電話アリタ
田代丈三郎君相見ヘ、銀行ノ件申入アリタ
末永節[6]君、宅野田夫[7]ト申ス画工連レ見ヘラレタリ
相羽君相見ヘ、粕屋坑区調査ノ模様ヲ聞キ、付直［値］ニテ買収ノコトヲ打合ス
牛隈坑区共同者より下層買収ニ付行橋渡辺皐築君より電話アリタ

五月二十四日　月曜

産鉄会社ノ件ニ付渡辺・浦［裏］地相見ヘ、野田［勢次郎］氏モ出席、打合ス、昼後散会ス
石田・堀両氏ト相政ニ而会合、粕屋坑区已前ノ付直ノ外ハ増加出来ザル旨打合ス

五月二十五日　火曜

藤森［善平］町長相見ヘ、辞職ノ内談アリ、賛成ス
午後八時半より自働車ニ而二日市[8]ニ行キ、筑紫銀行[9]ニテ山内範造氏同供、関屋[10]ノ斉藤某所有地所ヲ踏査シ、天満宮［太宰府］ニ参詣、宝満神社[11]ニ参詣、玉垣寄付ヲ承諾ス、おいし茶屋[12]ニ而昼食ヲナシタリ、高辻［西高辻信稚］[13]宮司・宝満神社ノ宮司モ相見

ヘタリ
執印歯医師ニ療術ヲナシタリ
午後五時ヨリ自働車ニ而帰リタリ

五月二十六日　水曜

共同坑区買収ニ付、産鉄有馬君相見ヘ打合ス[実]
渡辺皐築君も一同協義ナシタリ、又麻生屋病気ニ付家政上ニ付心配ナキ様注意ス
書類整理ス
森崎屋相見、町長問題ニ付目下辞職ハ尤好時機ナル旨申向ケタリ[ママ]

1　聖福寺＝栄西開山日本最初の禅寺、臨済宗妙心寺派寺院（福岡市御供所町）
2　進藤喜平太＝元玄洋社長、元衆議院議員、前年五月十一日死去
3　中根寿＝元貝島鉱業株式会社取締役
4　鎮西御用邸＝旧福岡城内に誘致しようとした新離宮
5　黒田侯別邸＝福岡市浜町
6　末永節＝黒竜会、玄洋社、もと中国革命同盟会機関紙『民報』責任者
7　宅野田夫＝清征、画家
8　二日市＝地名、筑紫郡二日市町
9　筑紫銀行＝一九〇〇年設立（筑紫郡二日市町）
10　関屋＝地名、筑紫郡水城村
11　宝満神社＝竈門神社（筑紫郡太宰府町内山）
12　おいし茶屋＝江崎いし経営お石茶屋（太宰府天満宮境内）
13　西高辻信稚＝太宰府天満宮司

五月二十七日　木曜

在宿

粕屋坑区買入ニ付、坪数及筆別書抜書ヲ以石田［亀二］氏ニ為伺セタリ

五月二十八日　金曜

午前十一時自働車ニ而別府ニ向ケ発ス、女中二人同車ス、午後四時山水園ニ着ス

午後七時過キ棚橋君相見へ、鹿児嶋電気株担保ニ而融通ノ件、東京木村［平右衛門］常務ニ打電ヲ打合ス、返事ハ福岡棚橋氏宅ニアル様電文発ス

懐中　二百九十円

別府　八百五十円

五月二十九日　土曜

別府滞在

五月三十日　日曜

吉川監十郎来リ、新入青柳氏より山林引受方申込アリシモ、断リタリ

古賀吉川負債道付之内談アリシモ、先年道付書類持参ノ事ヲ申向ケタリ

松下興太郎君九水従事ノ件

棚橋・谷田［信太郎］両君ニ、明日八時ニテ帰リ福岡ニ而面会ノ電報ス

アスハヤクタチ、ソノチニテウチワアス、オフクミコウ　タニタ

アスハヤクタチ、ソノチニユキマス　タナハシ

四十五円、山水園家費渡ス

五月三十一日　月曜

午前七時自働車ニ而帰リ、昼食ヲナシ出福、午後三時浜ノ町ニ着ス
谷田相見へ、鹿児嶋電気株担保ニ而融通ノ打合ス
棚橋氏相見へ、同断打合ス

六月一日　火曜

午後十二時半過キ自働車ニ而帰宅、故宮柱[喜代太][6]告別式ニ焼香ス
午後二時半自働車ニ而出福、四時半過キ浜ノ町ニ着ス
谷田ト交渉ス
棚橋氏ト打合ス、又大分県ノ件打合ス
渡辺君相見へ、鉄道省補助主任ニ面会ノ為メ久留米ニ行カル、香典七十円渡ス
谷田来リ、鹿児嶋電気株融通ノ件覚書ヲナス

1　鹿児島電気株式会社＝一八九八年開業（鹿児島市）
2　吉川監十郎＝太吉妻故麻生ヤス甥、元鞍手郡会議員
3　新入＝地名、鞍手郡新入村、この年九月より鞍手郡直方町
4　古賀＝地名、糟屋郡席内村
5　吉川真之介＝太吉親族
6　宮柱喜代太＝九州産業鉄道株式会社、元麻生商店山内鉱業所人事係

六月二日　水曜

村上・内本[浩亮]1両氏相見へ、杖立2ノ打合ヲナシ、来リ[ママ]十日頃実地踏[査脱カ]之打合ヲナス

午前十二時自働車ニ而帰宅ス

六月三日　木曜

野田勢次郎君相見へ、種々打合ス

堀氏より電話、明日出福ヲ約ス

六月四日　金曜

午前十時半自働車ニ而出福ス（夏子同車）

別府ノ地所ノ件ニ付野田[勢次郎]・藤沢[良吉]3・上田[穏敬]ト打合ス

堀氏相見へ、午後二時お政ニ行キタリ

六月五日　土曜

岩崎寿喜蔵4氏相見ヘタリ

九水木村平右衛門氏相見へ、打合ス

午後五時お政ニ行キ、堀氏ト会合ス

六月六日　日曜

小野寺[直助]御婦夫[ママ]散歩ニ相見ヘタリ

十時四十分三宅[速]5博士御帰福ニ付博多駅ニ御迎ニ行キ、小野寺博士ニ寄、同車ス

帰途ハ小野寺博士・久保[猪之吉]6博士御婦夫[ママ]同車、御送リス

山内範[造]三氏相見ヘタルニ付、みかと食堂7ニ而昼食ヲ饗ス、藤[勝栄カ]県会議員外一人相見へ居タリ

午後三時半お苑ニ行キ、中村清[精]七郎[8]氏ノ招待ニ応ス

六月七日　月曜

午▨[前]十時半お苑▨▨▨[二行キカ]、中村清七郎氏ヲ前夜ノ返礼ノ為メ昼食ヲ饗応ス

午後三時半自働車ニ而帰飯ス

六月八日　火曜

鷲塚[正人][9]郡長相見へ、郡治上跡片付及藤森町長之件ニ付質問アリ、行成[ママ]ヲ報シタリ

十時半自働車ニ而出福、浜ノ町ニ着、三時過キ堀氏相見へ、名和[朴]氏ノ件柴田[善三郎カ]氏面会ハ暫ラク見合ノコトニ打合ス、

鈴木坑区間違ノ旨伝ラレタルニ付、石田[亀一]氏ニ再考ノ旨申入タリ

午後四時よりお苑ニ行キ、中村清七郎氏ト晩食ヲナス

藤森町長相見へ、留任再度申入アリ、如何ス可キヤトノ事故、委員ノ諸氏ニ意向ヲ確カメ返事スルコトニ打合ス

1　内本浩亮＝杖立川水力電気株式会社取締役支配人、元九州水力電気株式会社、のち九州送電株式会社社長、本巻解説参照
2　杖立川水力電気株式会社＝九州水力電気株式会社の系列会社として一九二三年設立（東京市）、太吉社長
3　藤沢良吉＝大分県別府市会議員、別府温泉鉄道株式会社（未開業）清算人
4　岩崎寿喜蔵＝岩崎炭礦（遠賀郡中間町）経営者、翌一九二七年深坂炭鉱設立、元遠賀郡長津村会議員
5　三宅速＝九州帝国大学医学部教授
6　久保猪之吉＝九州帝国大学医学部教授
7　みかど食堂＝西洋料理、みかどホテル地下（福岡市西中洲）
8　中村精七郎＝中村組（海運会社）社長、博多湾築港株式会社取締役
9　鷲塚正人＝嘉穂郡長

六月九日　水曜

午前七時自働車ニ而帰宅ス

午前十一時飯塚町長留任問題ニツキ木村順太郎外九名并ニ藤森町長・助役相見へ、一時間余ニ渉リ藤森町長□〔就カ〕任以来尽力セシコトヲ申向ケ、昨日一旦辞表呈〔ママ〕セシモ再考スル様申入アリ、如何ス可キヤトノ事故、右委員へ、責任ヲ以辞職ノ場合ニ尽力アルナラバ留任勧告ス可キモ、左ナクデハ他日不都合ノ処置アル時ハ申訳ナキ故、責任ノ有無質問セシ末、十日町長・議員集会評義ノ上決定スルコトニセリ、昼食ナシ散会ス

赤間嘉之吉氏相見ヘタリ

六月十日　木曜

午前十一時藤森町長相見へ、留任勧告委員一同相見へ、町会ニ於而留任ニ付十二分ノ務〔努カ〕力セラル、コトニ満席決定ニ付、其ノ旨報告アリタルニ付、辞職見合ノコトヲ勧告承諾アリ、一段落ヲナシタリ

麻生屋来リ、病気ニ而種々様々ノ事ヲ申出ニ付、自分ヨリ病気ヲ何ニトカシテ全快サセタシトノ信念ヲ強クスル様十分ニ申向ケ、帰宅ス

午後二時より出福ス

執印歯医ニ診察ヲ乞タリ

松本〔健次郎〕氏より九日寄付ノ電話アリタ

六月十一日　金曜

午前八時半執印歯医ニ行キ治療ヲ乞、片付タリ

六月十二日　土曜

産業鉄道重役会開会（浜ノ町別荘

午後四時一方亭ニ堀氏ト行ク

六月十三日　日曜

午前七時半お苑来リ、お新〔しん〕[1]救助ノ懇談ヲ受、百円遣ス
午前村上・八塚・内本三氏相見へ、杖立ノ水電事業ノ打合ヲナシ、十五銀行[2]下食堂ニ而昼食ヲナス
午後一時九水重役会ニ出席
午後五時一方亭ニ行キ、山口・堀氏等会合ス
帰途おゑんニ立寄タリ

六月十四日　月曜

中村清造君相見ヘタルニ付、後藤寺町長問題ニ付柴田知事ノ誠意ナキ不徳義ノ行為ヲ申向ケタリ
山口〔恒太郎〕君相見へ、銀行合同談アリタルモ、夫より信托会社新設ノ方良策ナラント打合ス
東望〔東邦〕・九水合併談ハ、一旦株ニテ引受、夫より心配ナキ様売渡ノ契約スルトノ意味デアリ、松永説〔安左衛門〕ニ重キヲ置カル、模様ナリ、来月初旬より松永・福沢〔桃介〕[3]ノ間ヲ三菱ノ手ニ縋リ調和シ合同ニ進ミタシトノ事ナリシ
村上・黒木・八塚相見へ、減配ニ対スル株主ノ迷惑ニナラザル様方法研究ス

六月十五日　火曜

午後一時お苑ニ行キ、山口・堀氏等打合ス、晩食ヲナシ帰リタリ

1　おしん＝水茶屋券番（福岡市外）元芸者、婆族（馬賊）芸者の一人
2　十五銀行＝博多支店（福岡市下川端町）、十五銀行は国立銀行として一八七七年開業（東京）、九七年改組
3　福沢桃介＝大同電力株式会社社長、元関西電気株式会社社長、元衆議院議員

六月十六日　水曜

午前九時過キ村上・黒木両氏相見へ、伊予松山ニ双互ノ会社ヲ評価シ其ノ基礎ニヨリ株券分配セシ実例アリ由ニ付、松山ニ縁故アル人ト黒木君ト松山ニ出張調査スルコトニ打合ス、早クシテモ廿四五日頃ナラン、福岡ニ而再会ヲ約シ、午後一時半より帰リタリ

棚橋氏ニ、上京見合セ来月初旬山口君より打電次第上京ノ旨出状ス

午前八時過キ吉田鞆明[1]君相見へ、人事相談所経費相談ニ付、五百円今回迄ハ出金スルモ今後ハ差控ル旨申向ケタリ

六月十七日　木曜

在宿

七時半頃より立岩屋敷・製工所家屋建築場ニ臨ミタリ

七時ノ頃義之介[2]門司管理局ニ出頭スルニ付立寄リ、炭況ノ事聞取タリ

六月十九日　土曜

田代丈三郎君相見へ、遠賀銀行ノ件懇談アリタ

午後一時山口恒太郎氏栄屋旅館ヲ訪問、同車シテお政ニ行ク

六月二十日　日曜

お政ニ而遠賀郡長勝野[重吉]氏相見へ、銀行救済問題ニ付懇談アリ、又田代丈三郎君相見へ同様ノ咄ヲ聞キ、田代君ハ東京貝嶋太一[市]君ニ同情アル様依頼ノ為メ上京ノコトヲ聞キタリ

六月二十一日　月曜

後藤寺福嶋嘉一郎氏ニ柴田知事ノ返答ヲ電話ス

六月二十二日　火曜

在宅

藤森氏相見へ、郡廃[止脱]ニ付慰労会開催寄付ノ件内談アリ、従来ノ通ノ出金割合ニテ承諾ス

六月二十三日　水曜

野田氏相見へ、別府ノ土地ノ件并ニ青年団組織ノ件[3]ニ付順序聞キタリ

松下君[与太郎]、吉川監十郎一同相見ヘタリ

瓜生[長右衛門]来リタルニ付、町ヲ市ニスルハ大ニ考慮ヲ要スルニ付、自重スル様詳細申含メタリ

午前十一時二十分自働車ニ而出福ス

午後二時村上・黒木両氏相見へ、減配問題ニ付松山調査ノ報告アリ、右ニ付筑後電鉄[気][4]惣会延期ノ必要アリ、棚橋氏ニ帰県ノ電信ヲ乞タリ

山口恒太郎氏ニ電話ス、午後五時訪問アリタ

六月二十四日　木曜

海東氏宴会之挨拶ニ見ヘタリ

1　吉田鞆明＝九州人事相談所長、福岡毎日新聞社長、元福岡日日新聞政治部長、のち衆議院議員
2　門司管理局＝鉄道省門司鉄道局（一九二〇年設置）、元鉄道院九州鉄道管理局
3　この年七月麻生青年訓練所設立、翌一九二七年麻生聯合青年団結成
4　筑後電気株式会社＝一九二三年九州水力電気株式会社が九州電気酸素株式会社（浮羽郡田主丸町）を買収して改称、太吉取締役

吉川真之介来リ、負債ノ件ニ付懇談アリタ
午後六時ヨリ福村屋〔家〕ニ於而海東・山口・堀・村上・真貝等ノ諸氏ヲ招キタリ

六月二十五日　金曜

山口恒太郎君相見へ、鞍手銀行[1]ノ件内談アリタ、右ニ付十七銀行営業方針ヲ変ヘラレ夫々合同スルコト尤〔最〕得策ナラント打合ス
九水永井〔菅治〕君、前夜ノ欠席ノ挨拶ト電灯料直〔値〕下ケ之事ニ付懇談アリタ
十一時半より福村屋〔家〕ニ行、堀・山口両氏ト会食ス

六月二十六日　土曜

村上功〔巧〕児君相見へ、大山川[2]地元ノ水利権関係ニ付町村長一同ノ異見アルモ、初発約定ノ外ハ変更不同意ノ打合ヲナシ、又筑後電気棚橋氏帰県ナキニ付七月三日迄延期ノ打合ヲナス

六月二十七日　日曜

堀氏より帝炭坑区[3]ノ件ニ付二十八日出福ノ電話アリタルモ、産鉄惣会ニ付二十九日ニ変更ヲ返話ス
山口恒太郎氏より電話ニ而、故吉原〔正隆〕[4]君遺骨七月三日朝下ノ関着、博多駅ハ十一時二十六分通過、并ニ本葬ハ七月七日ノ旨為知アリタ
堀氏より帝炭[5]約定電話アリタルニ付、義之介ニ電話ス

六月二十八日　月曜

午前七時自働車ニ而帰宅シ、直チニ野田・義之介・渡辺ノ三君ト一同産鉄惣会ニ列ス、閉会後重役会ヲ終リ自働車ニ而堀氏一同帰リ、直方ニ堀氏ヲ送リタリ
粕屋坑区ノ件ニ付三宅〔作太郎〕[6]来リ、十七銀行より為念一証ヲ貰受ケルニ付文案ヲ作成ス

六月二十九日　火曜

午前十二時半野田氏ト自働車ニ而出福ス

相羽[虎雄]・三宅ノ安田[ママ][震]7ノ三氏ト登録ノコト打合セシモ、鉱務署8ノ都合ニ而未了ナリ、右ニ付前以順備[ママ]セシニ付、一方亭ニ午後六時半より晩食ヲ催シ、其上ニ付約定書ヲ双方取交シタリ

六月三十日　水曜

一方亭ニ行キ、粕屋坑区ノ登録済タルニ付、石田[亀二]・堀両氏ニニ[ママ]面会、登録終了ノ旨ヲ談合ス

粕屋坑区ノ登録終了ニ付夫々取引ノ手続相済ミタリ、堀氏立会アリタ、石田氏欠席ニ付一方亭ニ行キ重而打合ス

田代丈三郎君相見へ、貝嶋[太市]君紹介状ヲ以遠賀銀行ノ件懇談アリタ

七月一日　木曜

箱[宮]崎宮ニ参詣ス

堀氏相見へ、鞍手銀行ノ内情懇談アリタ

1　鞍手銀行＝一八九六年設立（鞍手郡直方町）
2　大山川＝筑後川水系（大分県）、津江川・杖立川（熊本県）が大分県日田郡で合流すると大山川となる
3　帝炭坑区＝帝国炭業株式会社所有粕屋坑区（糟屋郡山田村ほか）、この年株式会社麻生商店譲り受け
4　吉原正隆＝貴族院議員、元衆議院議員、六月二十四日死去
5　帝炭＝帝国炭業株式会社、一九一九年設立（下関市）
6　三宅作太郎＝株式会社麻生商店本店鉱務部
7　安田震＝株式会社麻生商店本店商務部
8　鉱務署＝福岡鉱山監督局、元福岡鉱務署

七月二日　金曜

午前八時棚橋君相見へ、東望[東邦]合同及減配、九洲合同等ノ件ニ付十一時迄打合セタリ
午前十二時昼食ヲナシ帰リタリ

七月三日　土曜

午前六時三十分芳雄駅発ニ而故吉原君遺骨ヲ門司ニ迎ニ行キ、直方より堀氏及貝嶋大浦坑長（嶋本[徳三郎]）[1]ト同車ス
九時四十分特急ニ而折尾迄見送リ帰リタリ、折尾駅ニハ貝嶋栄四郎[2]・峠[延吉]氏等相見へ居タリ、十二時四十分芳雄駅着ス

七月四日　日曜

勧銀、西園[磯松]君相見へ、募債ノ件ニ付懇談アリタ
渡辺皐築君相見へ、産鉄開通式ノ打合ヲナス
田代氏より六日午前ニ来訪ノ電話アリ、承諾ス

七月五日　月曜

西園支配人ト電話ニテ打合、貯蓄[嘉穂]銀行ニ於而五万円勧銀募集ニ応スル打合ヲナス
午前十時半自働車ニ而出福、午後六時十分ニ而帰リタリ

七月六日　火曜

西園支配人・有田[広]監事相見へ、計算ニ付順序打合ス、又明日重役会議案ノ打合ヲナス
遠賀郡中間町長村田謙次郎・水巻村長原田幾次郎・芦屋桑原宗重[3]・田代丈三郎外三人相見へ、遠賀銀行整理上ニ付懇談アリ、貝嶋太一[市]君表面ニ立タ[ママ]、ルトキハ相当援助スル旨ヲ申向ケタリ、昼食ヲナシ午後二時芳雄駅発ニ而帰リラ[ママ]レタリ

七月七日　水曜

午前花村徳右衛門君相見候ニ付、栢森区有買収ニ付取調方相托シタリ、取調子済次第代価ヲ取極メ売[ママ]収手順ヲナスコトヲ命シタリ

午前八時半より嘉穂銀行重役会ニ臨ミ、博済[無尽]・蓄貯[ママ]トモ重役会ニ而評議ヲナシ、午後一時半帰リタリ

金弐百円、十五年一月より六月迄報洲[酬]、博済、受取

七月十日　土曜

午後二時自働車ニ而九水重役会ニ出席ノ為メ別府山水園ニ行キ、午後七時半着ス

七月十一日　日曜

午後一時自働車ニ而大分[九水]営業所ニ行、九水協義会ニ列ス

七月十二日　月曜

棚橋・木村両氏相見へ、九州電気合同[4]ニ付打合ヲナセリ

昼食ヲ饗応ス、中山旅館[5]▨[主カ]婦・下ノ関山口旅館ノ主婦モ来リタリ、両人ニ金壱百円遣ス
中山ニ二十円ト十円心付遣ス

1　島本徳三郎＝貝島鉱業株式会社取締役総務部長
2　貝島栄四郎＝貝島鉱業株式会社長
3　桑原宗重＝元遠賀郡芦屋町会議員
4　九州電気＝筑後電気株式会社（浮羽郡田主丸町）、元九州電気酸素株式会社（一九二三年改称）
5　中山旅館＝別府市上ノ田湯

福沢夫人外二氏相見へ、寄付ノ相談アリ、伊藤等打合セ申極メベ[ル脱]キ旨ヲ約シ帰リタリ

七月十三日　火曜

尾崎教鳳ト申人教会ヲ設立シタキニツキ敷地ノ相談セシモ、他ニ求メラル、様申向ケタリ

藤沢[良吉]・上田両人相見へ、湧湯ノ場所ノ交渉成行ノ報告アリタ、又貸座敷移転問題ハ都市計画之方針ニテ進行セラル、様注意ス

松本勝太郎[1]氏相見へ、藤沢君一同ナリ、鉄道布設ニツキ談話ヲナシタリ

国士舘柴田[徳次郎]氏代理来リ、明年度送金壱千円前払ノ相談セシニツキ、調査ノ上送金ヲ約ス

[欄外] ミタ、ケンサブジスミ、シウンテンヨロシキコトコノウヱナシ、セム[ママ]ハジメミナサンニヨクツタヱコウ、

アソウ、ノタセイジロウ

七月十四日　水曜

午前七時四十分自働車ニ而別荘ヲ発シ、午後一時半帰着ス

七月十五日　木曜

午前七時自働車ニ而後藤寺ニ、野田・義之介ト一同同所より産鉄線ノ開通ヲナス、各駅ニ而大ニ歓迎アリ、芳雄駅ニ而商工会員一同大ニ歓迎セラル、冷酒等ノ寄付アリタ

午後六時ヨリ松月ニテ飯塚町会議員一同旧新宴会ヲ催シ、出席シ、十八日宴会時候柄差控、先祝ノ為メ宴会ヲ催セシ旨挨拶ヲナス

七月十六日　金曜

間宮禅師午前九時御出ニナリ、墓所ニ而読軽[経]ヲ願タリ、一同昼食ヲナス

瓜生来リ、井上[博通][2]君九送会社ニ勤務之内談ヲ受ケタリ、大ニ賛成ノ旨申答ヘタリ

七月二十一日　水曜

午前嘉穂銀行重役会出席

三百円、一月より六月迄報洲〔酬〕、受取

野田勢次郎君相見へ、賞与ノ打合ヲナス

中嶋及芳雄工場ニ臨ミタリ

七月二十二日　木曜

午前九時青柳自働車ニ而長者原[3]迄行キ、迎ノ自働車ニ而出福ス

午後六時常盤館[4]ニ而棚橋・渡辺〔綱三郎〕・徳永〔勲美〕[5]ノ三氏ト会食シ、九州電力統一ノ件ニ付徳永君ノ意向ヲ聞キタルニ、野口君〔遵〕[6]ト余程深キ関係アリタル模様ニ付、大ニ注意シテ進行スルコトニセリ

お苑ニ立寄、廃業ニ付種々打合、午後十一時半過キ帰リタリ

七月二十三日　金曜

谷田君〔信太郎〕来リ、鹿児嶋電灯〔気〕会社借リ入及九水新株買入ハ当分見当ナキ旨打合ス

1　松本勝太郎＝鶴見園（動物園・プール・庭園、大分県速見郡石垣村）経営者、のち別府遊覧電気軌道株式会社長

2　井上博通＝瓜生長右衛門女婿、貝島商業株式会社会計部長、貝島乾溜株式会社・貝島石炭工業株式会社監査役、のち九州送電株式会社支配人

3　長者原＝地名、糟屋郡大川村

4　常盤館＝料亭（福岡市外水茶屋）

5　徳永勲美＝実業家、福岡市会議員

6　野口遵＝日本水電株式会社長、日本窒素肥料株式会社長

永井官[菅]治氏ニ徳永君ニ電力統一ノ方針内談ノ件電話ス
午後四時一方亭ニ行キ中根氏ニ[ママ]晩食ヲナス、午後十時帰宅ス

七月二十四日　土曜

村上・内本両氏相見、杖立第二工事ニ関シ地元寄付ハ地上権使用ノ約定ナシタル上ナラレ[ママ]バ何等不利益ナキ故決行ノ打合ヲナス
午後二時より自働車ニ而帰宅ス
野田氏相見へ、遠賀坑区[帝国炭業]五千五百円ト世話料五百円ニテ買収ノ打合ヲナス

七月二十五日　日曜

午前九時嘉穂銀行惣会出席
藤田氏[次吉][1]相見へ、謙三郎[木村カ][2]ノ身上ニ付打合ヲナシ、麻生や[麻生太七]ニ行キ帰宅ス、中嶋・立岩屋敷ニ臨ミタリ

七月二十六日　月曜

銀行別口預金九千三百九十七円二十銭残リアリ
渡辺君[阜築]相見へ、産鉄社長トシテ一千円見舞金ヲ贈リタリ、受取証会社ニ遣ス
午前十時半自働車ニ而出福ス、飯塚眼科医師タル児嶋君ノ遺児・朝鮮留学生ト同車ス
午後五時一方亭ニ行キ晩食ス
寝付悪敷、頭部ヲ冷シタリ

七月二十七日　火曜

永井管[菅]治君相見へ、徳永ト親交ノ件蜜談アリタ、近日日田鮎狩リ之噂モ聞キタリ
別府保養[養老]院[3]寄付ノ件ニ付矢野嶺雄[4]ト申人相見ヘタルモ、書状セラル、様申向ケ面会断リタリ

堀氏ニ電話シ廿八日出福ヲ約ス

七月二十八日　水曜

順天看護婦会長嶋はるの、津屋崎ノ人、午後八時入込タリ

七月二十九日　木曜

堀氏相見へ、東京ノ模様及名和[朴]氏後藤寺町長撰挙ノ件三井ノ意向聞キタリ
佐伯[梅治]5君相見へ、東京ニ而石炭販売方申入アリ、大河内[正敏]6子爵ノ実弟故人物ニハ異義ナキモ、組合関係ニ故障生ゼザル様注意ス、有田広君モ宮尾[野カ]7銀行合同問題ニ付相見へ、一同十五銀行階下ノ食堂ニテ昼食ヲナス、三井銀行渡辺[省二]・東望[東邦]ノ斉藤[英二]氏も相見へ居タリ
午後四時一方亭ニ行キ、堀氏ト会合ス

七月三十日　金曜

午後二時より一方亭ニ行キ、中根・堀ノ両氏会合、晩食ヲナシタル処、渡辺君より電話ニ而午後十一時過キ迄待受タリ

1　藤田次吉＝太吉親族、笹屋、酒造業（遠賀郡底井野村）
2　木村謙三郎＝森崎屋木村順太郎次男、株式会社麻生商店
3　別府養老院＝別府市最初の老人ホーム（別府市荘園町）、一九二五年設立
4　矢野嶺雄＝僧侶、別府養老院創立者
5　佐伯梅治＝株式会社麻生商店取締役、この年一月大阪出張所長辞任
6　大河内正敏＝財団法人理化学研究所長、貴族院議員、元東京帝国大学工学部教授
7　宮野銀行＝一九〇〇年五月設立（嘉穂郡宮野村）

七月三十一日　土曜

午前六時渡辺皐築君より電話ニ而福嶋嘉一郎君一同相見ヘルコトナリシ故、一方亭ニ自働車ニ而迎ニ遣ス
渡辺・堀・福嶋ノ三氏相見ヘ、後藤寺町長問題ニ付種々聞キ込タリ、川嶋〔淵明〕元鞍手郡長之処ニ福嶋君行カレ、城嶋〔春次郎〕[1]氏ニハ事情モ能ク相通タラントノ事故、昼食ヲナシ午後一時より自働車ニ而一同帰リタリ

八月一日　日曜

谷田仲買人訪問、無線電線[2]ノ買収ノ申込ニ対シ明日確報ノ旨申向ケ帰リタリ、野田氏トモ打合セリ
堀氏より電話アリ、名和之件ハ昨日福嶋・渡辺ト同車帰郡、川嶋君ノ意向ハ先ツ十分貫徹ノ見込ナリトノ意味ヲ洩シタリ
聯合会[3]理事ニ返電ス
〔麻生〕太三郎帰村致候ニ而、〔木村〕謙三郎身上ニ付□〔愚カ〕意相咄シタリ

八月二日　月曜

午前十時半花村徳右衛門同車ニ而出福ス

八月三日　火曜

棚橋氏相見ヘ談判中、永井君モ一同従業員ノ処分ノ件打合ス

八月四日　水曜

午前九時小玉君〔ママ〕相見ヘタリ、福岡警察自働車買収ニ付金五百円補助スコトニ諾ス

八月五日　木曜

午前六時自働車ニ而津崎屋〔ママ〕ニ行キ、直方ヲ経而帰ル

八月六日　金曜

野田・上田・別府藤沢相見へ、別府憤［噴気］起ケ所買収ニ付打合ス

八月七日　土曜

午後六時半自働車ニ而出福ス

永井管［菅］治君より電話ニ付、右出福ノ旨返話ナサシム

八月八日　日曜

永井管治君相見へ、北九洲商業［工カ］会[4]ヨリ□［線カ］切減額ノ件、堀氏より面会ノ旨申入アリ、半減スルハ無止事故其ノ含メアル様注意ス

執印［宮大］歯医ニ診察ヲ乞タリ

八月九日　月曜

永井管治君相見へ、従業員要求アリ、右ニ付起頭者ヲ解雇スルハ不宜モ、運転中止ハ無止事ニ付、其ノ決心ヲ申含メタリ

村上君相見へ、杖立ノ件知事陳情及第二工事指名及従業員処分ノ件等打合ス

執印歯医ノ診察ヲ乞タリ

1　城島春次郎＝産業組合中央会福岡県支部常務理事、元田川郡長
2　無線電線＝日本無線電信株式会社、前年十月設立、太吉創立委員
3　聯合会＝石炭鉱業聯合会、国内石炭需給統制を目的として一九二一年設立、太吉会長
4　北九州商工会＝北九州商工聯合会、一九二二年結成

太七郎家族保養ノ為メ出福セ〔シ脱〕ニ付、金五十円遣ス

八月十日　火曜

永井管〔菅〕治君ニ従業員勤務ノ模様電話ニ而聞キタリ

執印歯医師ノ診察ヲ乞タリ

毎日新聞営業部長ト申者ニ金十円（家費より仕払ナサシム）

八月十一日　水曜

午前七時半自働車ニ而本宅ニ立寄、十時別府ニ向ケ出発ス、午後三時過別府山水園ニ着ス

八月十二日　木曜

三浦数平氏（代議士、九水顧問弁護士）訪問、種々九水会社ノ事情聞キタリ

亀井食堂[1]ニ行キタリ

八月十三日　金曜

別府滞在

八月十四日　土曜

別府滞在

大分重役会[2]ニ出席

八月十五日　日曜

別府滞在

八月十六日　月曜

午前江藤〔衛〕又三郎君相見へ、竹田電[3]株買入ノ咄ヲ聞キタリ

大分物価新聞社坂下新・福岡呉服町画家内間鳳逸君相見ヘタルモ、又三郎氏ト談判中ニ而面会ヲ断リタリ
午後一時自働車ニ而別府発帰途ニツキ、午後五時半帰着ス

八月十七日　火曜

墓掃除ヲナシタリ
後藤寺町長問題渡辺君より電話アリ
午前十一時自働車ニ而出福
中村清造・福嶋嘉一郎外一氏相見へ、後藤寺町長問題ニツキ城嶋〔春次郎〕辞任ノ件懇談ノ末、直接福嶋君カ城嶋氏ニ面会ノ事ニナリタ

八月十八日　水曜

村上君相見ヘタリ
田川福嶋君相見へ、城嶋君ニ面会ノ末辞退申出アリタル由報告アリタ
田代丈三郎君相見へ、遠賀銀行問題ニ付懇談アリ、已前之方針通申向ケタリ

八月十九日　木曜

児玉君相見へ、度衡〔ママ〕量製造会社創立之件ニ付懇談アリタ
福岡日々新聞中野〔景雄〕君ニ、大分日々新聞合同ニ付衛藤〔又三郎〕君より内分ニ申入ノ件ニ付内談シ、其ノ結果衛藤君ニ廿五日面

1　亀井食堂＝亀の井ホテル食堂（別府市不老町）
2　大分重役会＝九州水力電気株式会社九州在住重役会
3　竹田電＝竹田水電株式会社（大分県直入郡竹田町）、一九〇〇年開業

会ノ旨申向ケアリタ
衛藤君ニ廿五日出福ノ打電セシニ、廿六日ニ致呉レ度ノ返電ニ接シ、其旨中野景雄君ニ郷▨ニ向ケ出状及打電等ナシタリ

八月二十日　金曜

後藤寺町長問題ニ付中村清造・福嶋嘉一郎両氏ト相政[お]ニ而会合、城嶋[春次郎]氏辞退申出アリタリ、就キテハ城嶋氏将来身上ニ付同情スル事ヲ誓ヒタリ

八月二十一日　土曜

午後四時半福嶋氏ト一同自働車ニ而帰リタリ
旧盆

八月二十二日　日曜

旧盆ニ付休ミ

八月二十三日　月曜

中野景雄[1]君ト電話シ、来ル二十六日大分日々新聞衛藤又三郎君ト会合指問ナキ旨返話ヲ得タルニ付、直チニ衛藤君ニ電話ス
豆田坑大森[林太郎][2]所長ニ電話シ、中野君ニ面会電話セシニ既ニ帰福跡トナリ
武田[星輝]ヲ呼ヒ、土地埋立及貸家建築ノ件ニ付筆記ヲナシ、注意ス
花村徳右衛門君相見へ、千手[3]坂口[栄カ][4]君関係ノ分部林[ママ]調査方ヲ命ス
麻生太[多]次郎相見へ、坂口氏分部林買収之件ニ付内談アリ、調査ノ上何分之返事スルコトニ返事ス
杖立ノ件ニ付八塚[秀二郎]氏より電話アリ、開封之事ヲ返話ス、尤棚橋・今井[三郎][5]・村上諸氏ト立会ノ上ナリ

八月二十四日　火曜

午前九時自働車ニ而出福、途中伊藤傳右衛門君ニ逢ヒ、赤間君［嘉之吉］病気見舞ニ行トノ事ナリシ、渡辺君同車ス

午後六時児玉・小山両氏ト渡辺君一同福村屋［家］ニ而会合、度量衡ノ件ニ付懇談シ、調査ノ上返事ナスコトニセリ、晩食ヲナシ分袖ス

九水出張所ニ行キ、杖立工事入札狭間［間］組より提出之分予算ヨリ二万円余安クニ付、現地ニ出張シテ特命スルコトニ打合ス

八月二十五日　水曜

午前小山君相見へ、渡辺君ト打合セ帰ラル

午前十時自働車ニ而渡辺君ト帰リ、直方貝嶋君［永二］6告別式ニ列ス、義之介・縫子［麻生縫］7ト同車、帰途赤間氏ニ悔ミニ行ク8

渡辺皐築・福嶋嘉一郎両氏相見へ、後藤寺町長ノ撰定方評義ノ模様報告ヲアリタ

1　中野景雄＝福岡日日新聞編集次長、翌年編集主事
2　大森林太郎＝株式会社麻生商店豆田鉱業所長、のち本社採鉱係長
3　千手＝地名、嘉穂郡千手村
4　坂口栄＝小倉煉瓦製造株式会社取締役、元福岡県会議員、元嘉穂郡千手村長
5　今井三郎＝九州水力電気株式会社常務取締役、本巻解説参照
6　貝島永二＝貝島林業株式会社社長、八月二十一日死去
7　麻生縫＝太吉弟故麻生八郎妻
8　衆議院議員赤間嘉之吉八月二十四日死去

八月二十六日　木曜

午前石垣村熊谷村長相見へ、[1]憤[噴]出湯買収ニ付松本勝太郎氏ノ関係ニ付中[仲]裁的懇談アリタルモ、湯之事ハ契約ニハ到着円満ノ実行不能ニ付其侭[ママ]ニセラル、様申向ケ、昼食ヲナシ帰ラル、大分日々新聞衛藤君も相見ヘタリ

大分日々新聞衛藤君相見へ、福岡日々新聞ニ合同ノ内相談ニ付、午後六時福村楼ニ而中野[景雄]・阿部[暢太郎][2]両氏ト会合ス、実際ニ付十分ノ調査スルコトニシテ晩食ヲナシタリ

八月二十七日　金曜

衛藤又三郎君前夜之挨拶ニ見へ、尚進行方ニ付依頼アリ、断念セラレズ忍堪[ママ]サラレル様注意ス

中野景雄君相見へ、大分日々新聞一時出金方大ニ苦慮セシ旨申向ケアリ、右ニ付大体之調査十分ニヤラレ、請求金ハ跡ニセラル、様注意ス

十一時ヨリ堀・伊藤ノ両君トお政ニ而会合ス

八月二十八日　土曜

午前十時自働車ニ而帰宅、中野景雄君ト同車ス、昼食ヲナシ赤間嘉之吉氏ノ告別式ニ列ス

帰途松月ニ立寄、赤間氏会葬連ヲ招待ス

八月二十九日　日曜

飯塚警察署長相見へ、育英会ノ資金三千円寄付スルコトニ申入タリ

八月三十日　月曜

藤森町長相見へ、栢森火葬場移転ニ付金五百円寄付シ、工事費三百円余ノ受負フ付件ニテ打合ス

油田架橋ノ場所ノ件、[3]福間・武田ノ両人より撰定方申入アリタルモ、調査ノ上指図スルコトニ申向ケタリ

午前十一時半自働車ニ而出福、九水出張所ニ而木村・棚橋等ノ諸氏ト線切問題ニ付協議、堀氏ニ中裁[ママ]方任スルコト

ニ相政[お]ニ行キ打合ス
午後七時ヨリ福村屋[家]ニ而晩食会ヲ催シアリタ（九水より堀氏招待ノ筈ナリシモ欠席ス）

八月三十一日　火曜

午前八時半黒木[佐久馬]氏ト九水自働車ニ而工事現場ニ臨ミ、社員一同ニ第一工事竣工期二ケ月早カリシコト、受負人ニ第二工事特命ノ件ハ模範的ノ実現ニテ此上モナキコトナガラ、尚将来一層注意セラル様訓示ス、金壱百円一同ニ酒料遣ス
日田水月[4]ニ而鮎狩ヲ催シ、内本[浩亮]・黒木ノ両氏ヲ招待ス、金七十九円八十銭、三十円茶代、二十五円女中ニ遣ス
午後八時半松栄館[5]ニ一泊ス

九月一日　水曜

日田松栄館ヨリ帰途ニツキ、天満宮ニ参詣ス
　十五円　宿料、三十円　茶代、二十五円　女中
棚橋氏午後一時相見へ、杖立ノ工事現場ノ模様伝達ス
午後一時半九水出張所ニ出頭、杖立工事受負ノ件打合セ、狭間[間]組ニ特命スルコトニナリ、同方提案ヨリ六分五厘引

1　石垣村＝大分県速見郡
2　阿部暢太郎＝福岡日日新聞編集長、のち同社長
3　油田＝地名、飯塚町
4　水月＝料亭（大分県日田郡日田町）
5　松栄館＝旅館（大分県日田町豆田町）

ニテ受負ナサシムルコトニシテ、若シ承諾セザレバ競争入札ニスルコトニ決定ス

九月二日　木曜

野見山平吉[1]・藤森[善平]町長・上野[文雄]庄内村長・山本章一[2]・松尾[謙三カ][3]・田中[保蔵カ][4]・瓜生[長右衛門]等訪問、義之介衆議員[ママ]候補者ノ申入アリタルモ辞退ノ旨申向ケ、順序トシテ郡内有志者集会シ、其上ニテ折尾辺ニ出掛、遠賀・鞍手ニ候補者撰任方協定セラル、様注意ス

中村清造氏ニ電話ニ而山内確三郎[5]ノ件ニ付東京ニ打電ノ打合ヲナシ、午前十一時自働車ニ而帰宅ス

九月三日　金曜

西園支配人相見へ、行員増給ノ件打合ス

谷田仲買人来リタリ

永冨物[宗]兵衛[6]来、家政上ニ付申入タルモ、調査シテ所有地ヲ売払フ事ヲ申付ル、書類一切渡ス

九月四日　土曜

午前在宿

午後一時半義太賀・太助[介]・岡松[直][7]同車出福ス

渡辺阜築君東京ヨリ帰県アリ、調査ノ結果不宜旨報告アリタ

九月五日　日曜

午前八時九水村上君相見へ、線切問題及杖立工事受負ノ件打合ス

午前十一時半児玉君トみかと食堂ニ而面会、度衡[ママ]量問題慎重調査ノ結果見込ナキニ付相断タリ、昼食シテ分袖ス、談話中、普撰ノ時ハ二人ツ、トシ坑業組合惣長ヲ一名推撰スレバ良法デハナキカ考慮セラル、様内分ニ申含メタリ

午後一時半より相政[お]ニ行キ、午後七時迄遊ヒ、晩食ナシ帰宅ス

九月六日　月曜

お苑跡引受主小徳連レ[8]、開店ノ挨拶ニ来リタリ
十一時半より相政ニ行キ堀氏ト会合、午後七時半帰リタリ
大分衛藤又三郎君相政ニ相見へ、福岡日々新聞交渉ノ結果、社長ハ引受断タシトノ意向ナリ、尚中野［景雄］・阿部［暢太郎］両君ニ別ニ何ニカ方法ハナキカ懇談方申含メタリ
中野景雄・衛藤又三郎両氏別荘ニ相見へ、打合ノ結果、庄野［金十郎］社長ニ衛藤君直接面会セラル様打合ス
午前八時堀氏相見へ、上京ニ付東望［東邦］合同ノ順序打合セ、十四日後ナレバ何時ニテ［モ脱］上京スル旨申向ケタリ

九月七日　火曜

午前八時谷田君来リ、住友銀行ト嘉穂銀行ト合同ニツキ、東京より内報ニヨリ可能的意味ヲ強クスル旨申向ケタリ、上京ノトキハ筆記ニテ順序ヲ示ス旨申含メタリ
太賀吉午前五時起キ、下ノ関ニ夏子迎ニ行キタリ

1　野見山平吉＝福岡県会議員
2　山本章一＝飯塚町会議員
3　松尾謙三＝旅館加島屋経営者、飯塚町会議員
4　田中保蔵＝筑陽日日新聞（元飯塚報知新聞）社主、のち福岡県会議員
5　山内確三郎＝この時補欠選挙で衆議院議員、弁護士（東京市）、元東京控訴院長
6　永冨宗兵衛＝太吉甥、株式会社麻生商店本店鉱務部
7　岡松直＝株式会社麻生商店麻生本家
8　小徳＝水茶屋券番（福岡市外）元芸者、婆族（馬賊）芸者の一人

杖立工事稟議書ニ調印、会社ニ為持遣ス
住吉神社宮司并ニ佐賀経吉ノ両氏相見へ、神社拡張ニツキ九水関係ノ内意ヲ聞キタリ
おゑん〔桑原エン〕・おはま〔後藤ハマ〕[1]両君来リ、中村清造氏一同十五銀行階下ノ食堂ニ而昼食ヲナス
衛藤又三郎君庄野社長ニ面会ノ結果、別案調査ノコトニ打合セリト報告アリタ

九月八日　水曜

吉田鞆明君相見へ、候補者其他ノ事ニツキ懇談アリタ
衛藤又三郎君相見へ、調査ノ結果決行スルコトニセリトノ内報アリ、各方面ニ了解ヲ得ルコトニ致度トノ事ナリシ
十日大分ニテ九洲重役会[2]開催之通知電話アリタ、村上君ニ聞合タルニ水利権問題トノ事ナリシ、出席ヲ受合タリ
午後一時自働車ニ而帰宅ス

九月九日　木曜

原田〔種憲〕・福嶋〔嘉一郎〕・渡辺阜築ノ三氏相見へ、後藤寺町長問題ニ付成行之件聞キ取タリ
午前八時自働車ニ而別府ニ向ケ出発ス、香原ノ町東〔春〕[3]ニ而馬車ニ逢ヒ、馬ガ走リ川中ニ落込タルニ付見舞金五円遣ス
午後一時半着

九月十日　金曜

午前十一時亀井〔の脱〕ホテル[4]ニテ昼食ヲナシ、十二時十分迎之自働車ニ而九水重役会ニ臨ミ、途中長野〔善五郎〕氏邸ニ立寄、同車シテ出社ス
重役会ハ金利問題ハ賛成ス、損害金ハ減少ノ相談ナスコトニ同意ス、契約証十二条ニヨリ損害金ヲ弁スルハ余リ不当ナリトノ意味強ク感シタリ
水利権ハ先方起業セザルトキハ九水ニ復旧スル条件ニ而県庁ノ提案賛成ス

午後五時会社之自働車ニ而帰リタリ

九月十一日　土曜

二六新聞[5]松田某来リタリ

衛藤又三郎君并ニ亀川[6]地所世話人ト相見ヘタルニ付、実地ヲ図面ト引合ス様川田君立会打合セ、其上ニ而測量者遣スコトヲ約ス

九月十二日　日曜

衛藤又三郎君相見へ、大分地方ノ有力者ニ打明ベシトノ意向アリシモ、福日[福岡日日新聞]之方ヲ取極メ其上ニ而打明ケラルベシ、内端ニ故障相起リタルトキハ、衛藤君ノ立場ニ異状ナキモ、前後スルト云フ可カラザル困難可生ト注意ス

亀川地所世話人図面ト公簿ノ反別書抜持参セシニ付、引合セシニ不引合アリ、重而村役場ニ川田[十]君出頭調査シ、間違ナキ時ニ実測者遣スコトニ重而打合ス

上田[穏敬]君相見へ、憤起[噴気]湯買収ノ順序并ニ飯塚町会ノ実際聞取タリ

亀川土地、川田氏一同自働車ニ而臨ミタリ

田中幸太郎君ニ悔電ヲ発ス

1　後藤ハマ＝元水茶屋券番芸者、桑原エンとともに馬賊芸者の祖
2　九州重役会＝九州水力電気株式会社九州在住重役会
3　香春＝地名、田川郡香春町
4　亀の井ホテル＝株式会社亀の井ホテル（別府市不老町）、社長油屋熊八、一九一四年創立、元亀の井旅館
5　二六新聞＝二六新報として一八九三年創刊（東京）、一九〇〇年復刊
6　亀川＝地名、大分県速見郡亀川町

一消防器材買入ニ付補介ノ相談アリ、百円遣ス様川田ニ申付タリ

九月十三日　月曜

午前五時三十分別府発自働車ニ而帰宅、午前十時半着ス

篠崎団之介[助]氏より電話ニ而、一同打揃候補者之件[1]ニ付相談ノ旨申入アリタル、絶体[ママ]承諾不能ニ付御出ナキ様申向ケタリ

九月十四日　火曜

午前九時藤森町長相見へ、合併問題ニ付町会ノ模様聞取タリ、将来進行方ニツキ町ノ不為メニナラザル様注意ス

浜田[市松][2]署長相見へ、町会ニ関シ町民ノ反対セシ理由等詳細聞取タリ、又警[察脱]部長[大久保留次郎]ニも報告方打合ス

麻生茂[3]君相見へ、町会ノ模様聞取タリ

中村清造・野見山平吉・篠崎・田中・瓜生ノ五氏相見へ、候補者ノ件遠賀郡ト協義ノ模様聞取タリ

九月十五日　水曜

町[飯塚]会紛義[ママ]ハ不容易ナラザルニ立至リタルニ付、旧笠松[4]側分離スル方針ニテ調査スル協義ヲ方針トシテ進ミ度意旨ニテ、野田[勢次郎]君ニ三菱会社ニ了解ノ為メ遣シ、自分ハ午前十時より自働車ニ而出福、県庁ニ出頭、柴田[善三郎]知事及内務部長[三沢寛一]・警務[ママ]部長ニ打合セシモ、何等妙案ナカリシニ付、分離ハ不容易モ調査書ヲ以利害ノ研究スルコトニ申入タリ

午後六時より相[お]政ニ而柴田氏より招待ヲ受ケタリ

九月十六日　木曜

午前八時自働車ニ而帰宅ス

渡辺皐築君相見へ、町会紛儀ノ大体報告アリタ

野田勢次郎君相見へ、三菱坑山打合ノ報告アリタ

吉田久太郎・貴田猷一[5]・田中保蔵ノ三氏相見へ、候補者三郡会[6]ニ於テ山内氏［確三郎］候補ニ評決シタル旨報告アリタ、晩食ヲナシ帰ヱラル
午後一時倶楽部[7]ニ旧笠松有志集会ニ付、町会紛儀ノ件ニ付円満解決スルニハ旧笠松側分離スルコトニ付打合ス、別ニ日誌アル

九月十七日　金曜

午前九時自働車ニ而出福ス
山内範造君ト会合シ、山内確三郎氏候補運動費補助ノ件内談アリタルモ、東京ニ而同情ナケレバ地方ノ有志意向引立ズニ付、其旨山口君ニ電信アリ、又堀氏ニ自分よりモ電信シタ
昼食ヲ□［肴カ］屋ノ新店ニ而ナシ、政友会支部ニ中村君［清造カ］訪問セシモ不在ニ而帰リタ
午後四時相政［お］ニ行キ、伊藤傳［ママ］君ト晩食ス

九月十八日　土曜

藤森町長午前七時半頃訪問アリ、町会之紛義ヲ生シ、十七年間ノ長キ間従事シテ不明之申訳ニ辞任スルト申入アリ

1　赤間嘉之吉死去による衆議院議員補欠選挙に麻生義之介を候補者とすること
2　浜田市松＝飯塚警察署長
3　麻生茂＝麻生物兵衛男、飯塚町会議員、酒造業
4　旧笠松＝元嘉穂郡笠松村、一九〇九年六月飯塚町と合併、麻生家所在地
5　貴田猷一＝新聞販売店、元飯塚町助役
6　三郡会＝嘉穂郡・鞍手郡・遠賀郡会
7　倶楽部＝株式会社麻生商店集会応接所（飯塚町立岩、本店前）

タルモ、本日ノ場合何等動ナキト思フ故、其ノ事ハ全般之方々ニ申向ケアルモ、夫より旧笠松ノ分離後自治円満ニ
施行出来得ルカニツキ十分努力セラル、様注意ス、炭標ハ役場買入品ナリシ旨聞キタリ
目貫度衡量[ママ]会社専務相見ヘ、応募方申入アリタルモ断リタリ
中野景雄君相見ヘ、金壱千円融通スルコトニ諾シ、早速本宅ニ電話シ相渡ス
午後午後[ママ]四時自働車ニ而帰リタリ

九月十九日　日曜

麻生太[多]次郎相見ヘタルニ付、町会紛儀問題解決ニ付旧笠松分離スルノ外ナキ旨申向ケタリ
渡辺皐築君相見ヘ、旧笠松分離問題ニヨリ収支調査書持参アリタ
瓜生長右衛門来リ、上京ニ付町会紛義問題ハ可然頼置旨申入タリ
午後一時倶楽部ニテ旧笠松有志者一同打合、各区ヲ区長ヲシテ異見ヲ決定ナサシメ、廿三日更ニ会合ニ打合ス

九月二十日　月曜

午前十時嘉穂銀行重役会ニ列ス、午後三時帰ル
麻生惣兵衛君ヲ見舞タリ
午後六時藤森町長相見ヘ、旧笠松分離スレバ手当金等ヲ要ス可シトノ意向ニテ、余程困難ノ旨申向ケアリ、夫レ等
ハ法ニヨル事故、第一着手ニハ飯塚側之調査必要ト思フ故、其ノ方ニ誠意ヲ以尽力セラル、様申向ケタリ

九月二十一日　火曜

福間久一郎[1]ニ、役場規定調査及飯塚浦地所工事着手ニ付調方申付タリ
中山[柳之助][2]ニ氏神建築見積申付ケタ、共有地代金以内ニテ見積ヲ申談ス
午後一時半自働車ニ而出福ス、用向ハ九水より廿二日之大分重役会及三池永江[真郷][3]氏面会ノ為メナリ

永江君相見へ、銀行ノ打合ヲナス

九月二十二日　水曜

村上君相見ヘタリ

相羽君相見へ、遊舟［友泉］亭坑区[4]現地ニ臨ミタリ

別府市役所土木課長相見へ、競馬場移転願ニ調印ノ依頼アリ、調印ス

午後六時自働車ニ而帰宅ス

午後九時山内確三郎・篠崎団之介［助］・田中保蔵等挨拶ニ見ヘタリ

九月二十三日　木曜

後藤［新平］[5]子爵飯塚駅ニ迎ニ行キタリ

名和［朴］氏・渡辺氏相見へ、昼食ヲナス

三戸助一[6]君相見へ、セメン製造ノ件申入アリタ

午後一時半旧笠松分離問題ニ付倶楽部ニ而協義ス

1　福間久一郎＝株式会社麻生商店庶務部、のち飯塚町会議員・飯塚市会議員
2　中山柳之助＝株式会社麻生商店鉱務部
3　永江真郷＝三池銀行（大牟田市）頭取
4　友泉亭坑区＝株式会社麻生商店所有坑区（早良郡樋井川村）、友泉亭は元福岡藩主黒田家のお茶屋があったための通称地名
5　後藤新平＝拓殖大学長、元南満洲鉄道株式会社総裁、元外務・内務大臣、元東京市長
6　三戸助一＝元搾乳業（企救郡足立村）

九月二十四日　金曜

中嶋及立岩新築ヲ視察シ、火葬場移転ノケ所検査ス

九月二十五日　土曜

吉良〔元夫〕・内野〔辰次郎〕・神崎〔勲〕・山内〔範造〕ノ代議士相見へ、昼食ヲ呈ス

渡辺君相見へ、旧笠松分離ノ問題ニ付打合ス

午後六時半山内〔確三郎〕氏飯塚病院ニ入院アリ、夜中吐血アリ、再病院ニ見舞、三宅〔速〕博士ノ診察ヲ電話ニ而夏子〔麻生〕ヲ以申入タリ、中嶋〔末男〕1ヲ自働車ニ而迎ニ遣ス

九月二十六日　日曜

午前九時半三宅博士飯塚病院ニ山内氏診察アリ、昼食ヲ本家ニ呈ス

副嶋〔廉治〕2博士も来診、午後四時半自働車ニ而御帰リアリ、同車ス

藤森町長相見へ、旧町会議員ニ現状ノ問題ニ付解決方依頼アリタキ旨申入アリ、御見合ニナリタキト申向ケナシ、乍併御自分ノ異見ニテ御依頼アルハ御且〔ママ〕手タルベシト申向ケタ

九月二十七日　月曜

堀氏相見へ、滞京中ニ於ケル東望〔東邦〕問題・銀行問題・候補者ニ付打合ノ事詳細聞キ取タリ

午後二時棚橋君相見へ、住友金融及九洲電気ノ合同等打合ス

午後五時相政〔お〕ニ行キ晩食ス

九月二十八日　火曜

午前中野景雄・衛藤又三郎両君相見へ、庄野〔金十郎〕社長ニ懇情アル様申入方依頼アリタ

庄野氏訪問、依頼之次第申入タルニ、従来軽営〔経〕不適当ノ旨縷々申向ケアリタルニ付、遠慮ナク御申向ニナリ、指問

ナキ限援助方相談ナシタリ、又序ニ飯塚町ノ現状モ相咄シタリ
午前十一時半自働車ニ而帰宅ス
中村清造・山内範造ノ両氏相見へ談話中、金融ノ件支部より電話アリタ
西園〔磯松〕・伊藤両〔久〕君来リ、銀行ノ件種々打合ス
野田勢次郎君相見へ、谷田より申入ノ銀行ノ件、住友交渉ノ件打合ス、筑日金融[3]モ聞キタリ
安川清三郎[4]氏ニ、廿九日欠席ニ付電話ニ而男爵〔安川敬一郎〕ニ断リヲ頼ミタリ

九月二十九日　水曜

野田俊〔作〕策君相見へ、山内氏〔確三郎〕候補之件ニ付東京本部之模様会談ス
藤森町長・助役〔古川林吉〕・収入役〔時枝元会〕相見へ、飯塚側ノ収支調査書持参アリ、三十日福間・渡辺ノ両氏ト会合ノ打合ヲナス
両氏ニ電話セシモ、撰挙後ニ譲ルコトニ助役ニ電話ス
鉄筆彫刻ノ件ニ付、間所〔鉄帚〕[5]相見へ、程度大切油断大敵ノ八字ヲ書ス

1　中島末男＝麻生家運転手、翌年辞職して運送業自営
2　副島廉治＝九州帝国大学医学部助手
3　筑陽日日新聞＝飯塚報知新聞一九一四年創刊、一九一九年改題、社主田中保蔵
4　安川清三郎＝安川敬一郎三男、明治鉱業株式会社副社長、のち社長
5　間所鉄帚＝工芸家（東京市外滝野川町）

九月三十日　木曜

相羽君ヲ呼ヒ、吉隈・綱分地方、上三緒・山内不毛〔フケ〕[1]・三菱関係坑区石炭含有量ノ件打合ス
坂井大輔[2]氏相見ヘタリ
藤嶋〔伊八郎〕[3]博済支配人相見へ、掛員昇給ノ内談アリタ
午後五時半自働車ニ而黒瀬〔元吉〕同車出福ス

十月一日　金曜

荒戸屋敷[4]囲ノ工事ニ付大工末村〔武平〕遣ス、吉浦〔勝熊〕氏ノ報告ト違ヒタリ
十一時ヨリ福村屋〔家〕ニ而柴田知事一行送別会ヲ催シタリ
午後三時五十分大久保〔留次郎〕[5]書記官博多停車場ニ見送リタリ
午後七時堀氏より福村屋ニ而晩食ノ案内アリ、出席ス

十月二日　土曜

執印歯医師ニ診察ヲ乞、丸田屋〔まるた〕[6]ニ立寄、末次〔ミツギ〕[7]ニ面会ス
村上氏相見へ、東望〔東邦〕・九水合同計算黒木明日成案持参出福ノ上申入アリ、又杖立第三工事着手届進達等打合ス
午後一時半久留米御滞在久邇宮〔邦彦〕殿下御機嫌奉伺、午後五時半帰福ス
安川〔敬一郎〕男訪問、松本〔健次郎〕氏も相見へ、国本社[8]福岡支部設立ニ付会談ス
渡辺皐築君より電話ニ而金融上ニ付懇談アリタルモ、山内範造氏振出山崎氏ノ裏書ニテ融通ノ通取計方返話ス
谷田来リ、日本銀行利子下ケ之報告ス
衛藤又三郎君相見へ、日々新聞引受ノ件忍堪〔ママ〕シテ成立スル様大決心ノ事ヲ忠告ス

十月三日　日曜

執印歯医師ニツキ診察ヲ乞タリ

十二時半、国本社福岡支部発会式ニ出席、講演ヲ聴キ、一行歓迎会ニ臨ミ、夫より午後七時一方亭ノ第ノ〔二脱カ〕歓迎会ニ出席、午後九時半帰リタリ

十月四日　月曜

午前八時長谷川〔菊太郎〕[9]所長同車ニ而飯塚才判所ニ帰着、長崎〔中西用徳〕控訴院長ニ面会、帰途加嶋屋[10]ニ立寄一同ニ挨拶ヲナシ、撰挙場ニ而撰挙シ帰リタリ

書類整理ス

立岩・中嶋両所ニ行キタリ

1　フケ＝傾斜炭層深部の採掘困難な石炭層
2　坂井大輔＝衆議院議員、玄洋社
3　藤島伊八郎＝博済無尽株式会社取締役支配人
4　荒戸屋敷＝麻生家別荘（福岡市荒戸）
5　大久保留次郎＝福岡県書記官警察部長
6　まるた屋＝丸太屋とも、呉服商（福岡市中島町）
7　末次ミツギ＝この月麻生家電話交換手
8　国本社＝国粋主義を掲げた民間政治団体（東京市麹町区平河町）、一九二四年設立
9　長谷川菊太郎＝福岡地方裁判所長
10　加島屋＝旅館（飯塚町本町）

十月五日　火曜

午前九時半自働車ニ而出福

柴田知事一行坑業組合[1]ヨリ招待シ、一方亭ニ午前十二時出席ス

午後一時石田〔亀二〕氏トお政ニ行キ、山口・堀ノ両氏ト会合ス

十月六日　水曜

午後六時柴田知事一同見送リタリ

午後七時半頃より少シク不工〔ママ〕合ナルモ自働車ニ帰〔テ脱〕リタリ

操〔麻生ミサヲ〕・吉川監十郎・吉川正夫[2]三君来リタルニ付、婦人科先生ニケン〔レ〕トウケンノ手術ヲ依頼スル様注意シ、自働車ニ而

大学ニ送リタリ

十月七日　木曜

病気付静養

十月八日　金曜

病気静養

十月九日　土曜

病気静養

一村上氏ニ電話シ、東望〔東邦〕ト合併問題ニ付打合、日誌ニ詳細岡松〔直〕ニ記入サス

十月十日　日曜

病気静養中

瓜生長右衛門・瓜生茂一郎両人相見ヘ、氏神境内買上ケ及小作人肥料買入費一時融通セリ

十月十一日　月曜

病気静養

堀氏福岡より相見へ、東望[東邦]合併ノ件、三歩一ノ現金又ハ社債トシ、又其ノ金額ヲ株ニ引直シ、夫ニ相当クレムアミ[プレミアム]付ニテ金員仕払方法トシテ、内容之調査ハ当局者ヲ以シ、大体方針ニ付己人[ママ]的努力ス可キ旨申向ケタリ、社長ハ野田君ニも福沢[桃介]氏ノ主張ナレバ強而故障ハ申立ズ旨申向ケタリ、十二日出発上京ノ旨申居レタリ（自働車ニ而直方ニ送ル）

野見山平吉・吉田久太郎・瓜生・篠崎ノ四人相見へ、撰挙費不足ニ付援助方申入アリタルモ断リタリ

十月十二日　火曜

午前八時半自働車ニ而出福、県庁ニ出頭、貴族院議員撰挙ヲナシタリ

黒瀬・末村両人同車、地所実地ニ臨ミタリ

中村清造氏相見へ、撰挙之挨拶アリタリ

午後六時半自働車ニ而帰宅ス

西田[熊吉]氏[3]ニ診察ヲ乞タリ

十月十三日　水曜

病気ニ付静養

1　坑業組合＝筑豊石炭鉱業組合、一八八五年設立（若松）、太吉常議員、元総長

2　吉川正夫＝太吉妻故ヤス甥、吉川監十郎弟

3　西田熊吉＝医師（福岡市下名島町）

田代丈三郎氏相見へ、遠賀銀行整理ニツキ宮田[兵三カ][1]君ニ依頼スルコトニナリ、不都合免シ呉ル様申入アリ、何等関係無之旨申向ケ、其末同氏実行出来ザル時ハ乍鉄面皮先般之順序ニヨリ相願度旨申入アリ、貝嶋[太市]君サヱ承諾アレハ当方ハ何等変リナキ旨申向ケタリ

薄元[茂夫][2]博士診察アリタ

十月十四日　木曜

渡辺皐築君相見へ、庄内[3]合併問題ニ関シ町会紛義ノ解決方法ニ付内談アリタ

病気ニ付静養ス

福岡管理部[4]より電話ニ付、東望[東邦]合併問題堀氏ニ内交渉ノ事情村上常務[巧児]ニ相通シ、棚橋[琢之助]氏ニ伝達ヲ乞タリ

十月十五日　金曜

病気ニ付静養

山口恒太郎君相見へ、撰挙費不足ノ分援助之内談アリタルモ、有志者一同ニ相談ニナリ応分ニハ援助ス可キ旨申向ケタリ

麻生太次[多]郎相見へ、千手山林引受方相談アリタル、困難ニ付一応相断候ニ付、先方ト親シク御打合セ可然旨申向ケタリ

渡辺皐築君相見へ、町政問題中[ママ]裁ノ件ニ付内談アリタルモ、容易ニ中裁者引出ナキ様注意ス、順序的ニ内約セラレザレバ中裁ハ不得策ノ旨呉々申向ケタリ

村上君より電話アリ、明日出福ヲ約ス

十月十六日　土曜

野田・谷田両氏相見へ、嘉穂銀行・住友合同ニ付大坂ニ於而同地周施[旋]者及上野[植野繁太郎][5]重役ト会見ノ模様聞キタリ

西園支配人来、銀行ノ軽〔経〕営上ニ付調査ノ模様及利率ノ模様詳細聞取タリ、八幡競売地買受等ノ打合ヲナス
渡辺皐築・瓜生長右衛門両氏相見へ、飯塚町政問題ニ付打合ス
永井管二〔菅治〕氏ト明日出福ノ約ヲナス

十月十七日　日曜

午前七時青柳自働車ニ而出福ス
村上・内本・黒木ノ三氏ト東望〔東邦〕合同ニツキ調査之書類ニヨリ尚打合
十五銀行階下ノ食堂ニ而村上・内本・黒木ノ三氏ト昼食ス
棚橋氏ト電気会社ニ関スル件ニ付打合ス

十月十八日　月曜

午前前原[6]南側ノ山林ニ太賀吉ト山猟ニ行キ、午後〔前カ〕十一時過キ帰リタ
黒瀬同供、銀行所有地検査ニ行キタリ
午後五時半青柳自働車ニ而帰宅ス、自働車中飯塚ノ反対者ト同▨〔乗カ〕ス、庄内合併問題ニ付説明ス

1　宮田兵三＝筑豊電気軌道株式会社取締役、九州電気軌道株式会社取締役
2　薄元茂夫＝医師、株式会社麻生商店飯塚病院長兼内科部長、この年六月就任
3　庄内＝地名、嘉穂郡庄内村
4　福岡管理部＝九州水力電気株式会社
5　植野繁太郎＝住友銀行検査役兼本店支配人
6　前原＝地名、糸島郡前原町

十月十九日　火曜

西園支配人ト銀行ノ用件打合ス
冨安保太郎氏[1]、中村[清造]代議士・若木[栄助]県[元脱]会議長・野見山[平吉]副議長ト挨拶ニ見ヘタリ
書類整理ス

十月二十日　水曜

在宿、午前中嶋屋敷ヲ検分ス
午後二時五十八分芳雄駅発ニ而下ノ関ニ向ケ出発ス、廿一日門司ニ於而石炭聯合会要件ノ為メ
銀行預金ヲ壱千円受取
春帆楼[2]ニ一泊ス

十月二十一日　木曜

午前八時自働車ニ而下ノ関停車場ニ臨、聯合会出席員一同出迎タリ
貝嶋所有小蒸鑵[汽]舟ニ而門司港ニ渡、自働車ニ而[門司]倶楽部[3]ニ行キ[ママ]
午前十時ヨリ聯合会惣会ヲ催、会長席ニツキ決議ノ上散会ナス
自働車ニ而税[関カ]官ノ積リ場ニ行キ、夫より門司渡シニテ春帆楼ニ行ク
午後六時半懇親会ヲ催、主催者トシテ挨拶ヲナス

十月二十二日　金曜

午前六時門司ニ渡リ、七時十分門司駅発ニ而午前十時帰宿ス
山内農園[4]ニ行キ、太賀吉一同昼食ヲナス
山内確三郎氏退院ニ付挨拶ニ見ヘタリ

鯰田山[5]ニ行キ猟ニ連ラレ、午後四時帰宅ス

十月二十三日　土曜

午後四時自働車ニ而津屋崎ニ行キ、午後八時自働車ニ而浜ノ町ニ着ス、義之介ハ津屋崎ニ一泊ス

十月二十四日　日曜

午後四時福村屋〔家〕ニ湯地幸平氏[6]ヲ招待シ、食事ヲナシ、来月研究員青木氏等来県ニ付招待順序打合ス

午後六時二十分急行ニ而帰京アリタリ

十月二十五日　月曜

村上功〔巧〕児君相見へ、東京堀氏ノ電報ノ内談ス、別府ニ行カレ棚橋・麻生ノ両氏ニ伝達ヲ頼ミタリ

上野〔美満〕測量ノ為メ出福、地所図面ヲ渡シ実測ヲ申付ル

午後一時ヨリ自働車ニ而帰宅ス

野田氏相見へ打合ス

十月三十日　土曜

午前九時芳雄駅発ニ而若松築港会社重役会〔会カ〕ニ出席、午後二時廿六分ニテ福岡ニ行ク

1　冨安保太郎＝瀬高銀行（山門郡瀬高町）頭取、九州電気軌道株式会社取締役、元衆議院議員、翌月より貴族院議員
2　春帆楼＝旅館（下関市阿弥陀寺町）
3　門司倶楽部＝筑豊石炭鉱業組合・門司石炭商組合・西部銀行集会所・九州鉄道が一九〇三年設立した社交倶楽部（門司市清滝町）
4　山内農園＝株式会社麻生商店山内農場、一九〇八年設立、石炭廃鉱地試験農場（飯塚町立岩）
5　鯰田山＝地名、飯塚町鯰田
6　湯地幸平＝貴族院議員、元内務省警保局長、元福岡県事務官

松本〔健次郎〕氏より聯合会ノ標準額ニ付行違アリ、其ノ解了ノ為メ九日夕出発上京ヲ約ス
　金十三円七十八銭、築港会社旅費受取

　十月三十一日　日曜

午後二時相政〔お〕ニ行キ堀氏ニ面会ス
　東望〔東邦〕・九水合併ノ件三歩ノ二株券、三分一現金又ハ社債
　内容ヲ調査シテ利益ノ率ニ依リ合併スルコト
　実行期日ハ明年五月初旬ニスルコト等ノ内容秘蜜ニ決アリタル旨聞キタリ
鞍手銀行ノ件内談アリタ、晩食ヲナシ午後九時帰ル

　十一月一日　月曜

箱〔筥〕崎・宮地〔嶽脱〕両社ニ参拝ス、自働車ニ而操〔麻生ミサヲ〕古賀迄同車ス
産業〔九州〕鉄道重役会ヲ開キタリ
堀氏より鞍手銀行ノ件ニ付伊藤君ト内談アリタ
午後四時半安川〔敬一郎〕男ト一方亭ニ行キタリ
村上氏ニ堀氏ノ内報電話ス

　十一月二日　火曜

午前二日市山内範造君ニ呼出電話ヲナシタルニ、政友会支部ニ相見候由電話アリ、間モナク相見ヘ、信託会社創立之件ニ付、山口恒太郎氏宛ノ手紙持参アリタ
山内・中村両代議士ト昼食ヲ十五銀行階下ニテナシタリ
午後二時半より自働車ニ而帰リタリ

二日市太[大]丸館[1]ニ、三日夕宝満宮奉納玉垣棟上ケニ付晩食ノ案内ヲナス
本村・中嶋両所ニ臨ミタリ
村上氏ト棚橋氏ノ電報ノ打合ス

十一月三日　水曜

恵比須神社祭典ヲナス、近親参拝ス
午前九時夏子ト自働車ニ而出福
九水ニ電話シ、棚橋君帰着次第別荘ニ而待受ケル旨停車場ニ通知ヲ乞、相見へ、富士紡水力電気[2]九水ニ引受ケハ大体希望ス、尤算率ニ拠ル次第ニテ、今井[三郎]君ノ調査ヲ乞ワレ、其上進行方注意ス
東[東邦]望合同ハ堀氏ノ報告ト同一ナリ、昼食ナシ帰ラル
伊藤・堀両氏相見へ、鞍手銀行ノ件内談アリ、友人トシテ払込額ノ外ニハ多少ノ弁債ハ止ムナキトスルモ、多額ノ責任ハ考慮セラル、様注意ス、急キ詳細ナル調査書成案ノ上打寄協義ノコトニセリ
午後三時より、二日市大丸館ニ宝満宮奉納ノ玉垣棟上ケ式招待会ニ臨ミ、午後十時過キ帰リタリ

十一月四日　木曜

田辺[加多丸][3]支配人より五日招待会出席ノ電話アリ、御受申シタリ
午後一時半自働車ニ而帰宅ス

1　大丸館＝旅館（筑紫郡二日市町湯町）
2　富士紡水力電気＝富士瓦斯紡績株式会社水力発電所
3　田辺加多丸＝日本勧業銀行福岡支店長、のち理事

渡辺[皐築]君より後藤寺電話ニ而、午後七時野田・義ノ介両人ト待合セ之通話アリタ
午後四時太賀吉帰福ス

十一月十八日　木曜

午前神戸より乗船セシ商船会社香港丸門司着、直チニ福岡ニ向ケ乗車ス、十一時半帰ス[ママ]、堀氏ト同船、折尾より下車セラル

十一月十九日　金曜

梁瀬自働車[1]ニ而大演習大宴会[2]ニ参列ス
中野昇君[3]ト同車ス、午後五時半帰リタリ

十一月二十日　土曜

堀氏鞍手銀行書類持参アリ、整理方ニツキ打合セ昼食ヲナス
山内範造氏相見へ、信托会社組織之事ニ付打合ス
堀氏ト一同御政[ママ]ニ行キ晩食ヲナス

十一月二十一日　日曜

午前平尾[4]山林実地踏査ス
十二時半自働車ニ而帰宅ス
森崎屋相見へ、嫁入入費貸与ノ件申入アリタルモ、渡辺[皐築]・臼木[臼杵弥七][5]ノ両氏ニ打合セアル様注意ス

十一月二十二日　月曜

渡辺皐築及義之介来リタルニ付、東京・産鉄ニ関スル報告ナセリ、渡辺君ニハ鞍手銀行内調査ヲ命ス、義之介ニハ宇部坑区買収ノ件打合ス、国本社支部会員申込ノ件、書類相添申込方申▨[渡カ]シタリ

麻生太〔多〕次郎相見、坂口氏子息学資一ケ月二十円貸付ノコト明言〔ママ〕ス
野田君相見へ、聯合会理事会及博多地所買入等打合ス
篠崎君ニ電話、廿三日午前十時出福ノ打合ヲナス
［欄外］組田〔輌之助〕払弐百七十六円、吉浦より受取

十二月一日　水曜

星野〔礼助〕氏相見へ、種々法律上ノ打合ヲナス
堀氏相見へ、午後三時よりお政ニ行キ、午後八時帰宅ス

十二月二日　木曜

福岡警察署長〔桜井敏雄〕午前九時ニ相見ヘル筈ナルモ、公務之為メ取消ノ電話アリタ
村上・内本・黒木・真貝ノ四氏相見、杖立ノ件・鯰田発電所石炭運搬ノ装置ニ付打合ス
午前十一時半より共進亭[6]ニ於テ県会議員一同ト信託会社創立ノ件ニ付打合ス、別記アリ、昼食ヲナシ散会ス（筑後・豊前・筑前ヲ代表シ発起者招集ノ時ハ名義ヲ出スコト承知ス）
午後二時大宰府ニ参詣シ、二日市湯町大丸館ニ而堀・山内両氏ト晩食ス、宰府より婦人連来リタリ

1　梁瀬自動車＝梁瀬自動車株式会社、一九一五年梁瀬商会設立、一九二〇年株式会社に改組
2　大演習＝十一月八日より久留米第一二師団の旅団対抗演習、引き続き仮設師団対抗演習
3　中野昇＝株式会社中野商店（炭鉱経営）社長、嘉穂銀行取締役
4　平尾＝地名、福岡市平尾
5　臼杵弥七＝元株式会社麻生商店会計部
6　共進亭＝西洋料理（福岡市西中洲）

十二月三日　金曜

堀氏鞍手銀行再調査出来上リ、石井徳久次支配人・森田武[1]両氏相見ヘタル旨申入アリタルモ、急要[ママ]ニテ明日午後出福ヲ約シ、午後二時より帰リタリ

黒瀬来リ、木原氏土地買受ノ件ニ付別記ノ順序ニ依リ交渉ス

午前平尾山実地ニ臨ミタリ

渡辺皐築君ト町政問題ニ付庄内村ノ利害問題調査ノ進行ヲ中裁[ママ]ノ旨内話ス

野田氏ト谷田関係ノ住友家ノ銀行問題打合ス

十二月九日　木曜

午後六時廿六分芳雄駅発ニ乗車、上坂ス、岡松[直]折尾駅迄同供ス

門司駅ニ而急行券ヲ買入、下ノ関午後九時五分発ニ乗車

十二月十日　金曜

神戸駅発後朝食ヲナシ、間モナク坂井[大輔]代議士・小橋[一太]代議士ニ面会ス

大坂停車場ニハ佐伯[梅治]・多田[鉄男]両君迎ニ来リ、佐伯氏ト金森[2]ニ着ス

棚橋・木村両氏相見ヘ、鹿児嶋電気会社株買入ノ件并ニ同社支配人長井[永井作次][3]氏ニ面会之件并ニ外国借リ入金ノ件内談アリタ

午後五時ナダ万楼[4]ニ而住友家銀行信託・安田家信託会社重役招待会ニ列シ、午後十時金森ニ帰リタリ

十二月二十二日　水曜

午前十時自働車ニ而帰リタリ

嘉穂銀行株主惣代野見山平吉・瓜生長右衛門・深見某・有田[広]監事相見へ、銀行整理宜キヲ得タルニ付、肖像ヲ持チ

挨拶ニ見ヘタリ
野田氏相見へ、年末賞与ノ件、牛隈久恒[貞雄][5][6]関係ノ坑区ハ共同経営ニサスコトニテ進行方打合ス
谷田相見へ、住友関係聞キ取タリ
書類整理ス、勤続表彰之箱書ヲナス

十二月二十三日　木曜

［欄外］二十四日ノ記事ヲ誤而二十三日ニ記ス
瓜生長右衛門来リ、忠隈鉱山被害田地弁米之義申込アリタ
渡辺阜築君相見へ、牛隈坑区ノ打合ヲナス
午後二時自働車ニ而出福ス
堀氏より、金十万円十七銀行より手形ニ而借リ入度裏書致呉度、尤伊藤君ニも相談ナスコトニセリトノ事ニ而、其ノ保証トシテ九洲鉱山[7]株三千株担保ニ差入ベクトノ相談アリ、承諾ス

1　森田武＝鞍手銀行（鞍手郡直方町）頭取
2　金森＝旅館（大阪市西区江戸堀）、太吉大阪定宿
3　永井作次＝鹿児島電気株式会社常務取締役、のち社長
4　ナダ万楼＝なだ万、料亭（大阪市）、灘屋万助が幕末開業
4　金森＝旅館（大阪市西区江戸掘）、太吉大阪定宿
5　牛隈＝地名、嘉穂郡大隈町
6　久恒貞雄＝久恒鉱業株式会社長、のち衆議院議員
7　九州鉱山＝九州炭礦汽船株式会社カ、九州鉱山株式会社は一九三七年設立（門司市桟橋通）

午後四時相政[お]ニ行キ、中根氏ト会合ス

十二月二十四日　金曜

誤而二十三日ニ記ス

十二月二十五日　土曜

吉田[準一][1]君相見へ、佐賀大串氏地所ノ件内談セシモ、断リタリ

十七銀行ニ而森[采一]支配人ニ面会、堀氏借リ入ノ相談セシモ、保善社[2]ニ許可受ケル必要アリ、伊藤ト両人ニテ手形振出ノ旨内談アリタ、其旨堀氏ト打合スル旨ヲ申答帰リタリ

十二月二十六日　日曜

午前平尾山ニ行キ、午後二時自働車ニ而帰宅ス

渡辺皐築君相見へ、牛隈坑区ノ件ニ付久恒之模様及毛里保太郎氏[3]ノ弁明ヲ聞キ取タリ

十二月二十七日　月曜

堀氏より電話アリ、午後手形ト担保ト持参、渡辺君ニ面会ノ件返話ス

野田君相見へ、堀氏ノ融通ト牛隈坑区ノ打合ヲナス

午前十時太賀吉ト自働車ニ而出福

平尾山山林境界視察ス

十二月二十八日　火曜

午後二時一方亭ニ行キ中根氏ト会合ス、午後八時帰ル

瓜生[長右衛門]電話ニ而田中[幸太郎]ニ関係スル相談アル由ナルモ、廿九日帰宅ノ上聞取可申旨相別レタリ

十二月二十九日　水曜

午前八時半自働車ニ而帰リタリ

内野[4]山内[音次郎カ]家内来リ、家政困難之旨申向ケタリ、安田震君及操[麻生ミサヲ]ニ電話シ、操ハ出浮タル上ニ而打合ノコトヲ話合ス

瓜生・吉田[久太郎][5]両君相見へ、田中[幸太郎]ノ事ニ付懇談アリタルモ、組合対又[ママ]直接ニ重太[ママ]ノ関係アリ、軽率ニハ返事致シ兼ルニ付、能ク取調ノ上返事スル旨申向ケタリ

十二月三十日　木曜

相羽君ヲ呼ヒ、田中ノ関係ニ付親シク聞キ取リ、保険ノ件ニ付寄合中ニ付、尚上田ト一同面会ヲ約ス

午後六時半頃相羽・上田両人相見へ、田中ノ関係ニツキ親シク打合セタル末、組合一同ニも親シク協義ノ必用[ママ]アリ、年内ハ迚も博取不致ニ付、明春ノ事ニセリ

名和[朴]氏挨拶ニ相見へ、又堀氏も同様ナリシ

十二月三十一日　金曜

午前八時五十九分芳雄駅発船尾駅ニ至リ、産鉄惣会ニ臨ミ、無事原案ノ通可決ス

重役臨時慰労金提出之件ハ社長ニ一任アリタルヲ以、重役と協義ノ上決定スルコトニセリ

1　吉田準一＝活動之九州社長
2　保善社＝安田保善社、一八八七年保善社設立、一九一二年合名会社保善社と改称、さらに一九二五年改称
3　毛里保太郎＝門司新報社長、元衆議院議員
4　内野＝地名、嘉穂郡内野村
5　吉田久太郎＝福岡県会議員

船尾十時四十分発ニ而堀・中野・野田・義之介ト一同倶楽部ニ而昼食ヲナシ、賞与率及臨時慰労金等打合ス（伊藤君も出席アリタ）

金銭出納録

十五年一月十七日

金四百二十円　博済会社十四年六月より十二月迄賞与金

同千九百四十一円四十四銭　嘉穂銀行同上

同弐百五十八円四十四銭　〔嘉穂〕貯蓄銀行同上[1]

同十円　十五年一月七日・十二日会義〔ママ〕[2]日当

〆弐千六百二十九円八十八銭

内

五十円　給仕心付

五百円　新聞寄付二千円ノ追加

残而弐千七十九円八十八銭

二千八十円　現在、十五年一月十七日

五月九日
　金壱千五百弐十三円七十四銭
　　右ハ四月十八日出発上京セシ時柊屋旅館[3]ニ預ケタル仕約メ残金、義之介持帰リ受取
大正十五年七月二十五日
　金壱千四百五十七円十銭　　十七年一月より六月迄賞与金、嘉穂銀行
　同弐百二十円七十六銭　　〔嘉穂〕貯蓄銀行同上
　同六百三十二円　　博済会社同上
　同十円　　五月五日・七月七日貯蓄日当
　〆二千二百十九円八十六銭
　　内
　　金四十円　　給仕心付
　残而二千百七十九円八十六銭　　現在

1　嘉穂貯蓄銀行＝一九二〇年設立（飯塚町）、太吉頭取
2　会議＝嘉穂銀行重役会
3　柊屋旅館＝支店（東京市麹町区内幸町）、本店は京都市中京区麸屋町

八月十七日

金五千円

同八百八十円　　別口預金ニ而払出セシ分

同七十円　　よね〔麻生〕[1]・太介〔麻生〕・義太賀三人分

〆五千九百五十円

内

三千四百五十円　　別記ノ通（十四年十二月末ノ分）野田氏分別ナリ

残而金弐千五百円　　受取

昭和元年十二月廿六日

入金五千円　　義之介より受取

金壱千五百円　　義之介

同五百円　　太七郎

同五百円　　五郎

同五百円　　大浦[2]

同五十円　　操

同百円　　太右衛門

同五十円　　夏子

同四十円　　太賀吉〔麻生〕・典太・ツヤ〔ツヤ子〕・タツ〔辰子〕3

同五十円　　君代〔麻生きみを〕4

同十円　　たきよ〔麻生多喜子〕

同五十円　　米子〔麻生ヨネ〕

　二十円　　義太賀・太介

　五十円　　ふよ〔麻生フヨ〕

　三十円　　摂郎・忠二・幸子〔孝カ〕5

〆

壱千円　　野田

〆四千四百五十円

残而五百五十円　　残リ受取

1　麻生ヨネ＝太吉三女、麻生義之介妻

2　大浦＝麻生太右衛門家

3　麻生ツヤ子・辰子＝太吉孫

4　麻生きみを＝麻生太七郎妻

5　麻生摂郎・忠二・孝子＝太吉孫

一九二七（昭和二）年

一月一日　土曜

天皇陛下・皇后陛下・皇太后陛下拝ス
四方神社仏閣ヲ拝ス
諒闇中ニ而恐懼ニ不堪、謹慎ス
氏神参拝ス、太[麻生]賀吉[1]・典太[2]同供ス、先祖之墓所ニ参拝ス
午前九時自働車ニ而太賀吉一行ハ行橋駅ニ達シ、同駅より鐃[汽]車ニ而別府ニ行キタリ
午前九時半青柳之[3]自働車ヲ雇入博多へ行ク、義[麻生]之介[4]・太介同車ス、箱崎八幡[筥]宮[5]ニ参詣ス
昼食ハ〇[6]ノ食事ヲナシ、大宰府[7]ニ参詣、窯[竈門カ]窓神社[8]ニ参詣ス（義之介・太介ト同車）

一月二日　日曜

伊藤傳右衛門・堀三太郎[9]両氏相見へ、年始之挨拶ヲナシ帰宅アリタ
午後十二時半ヨリ自働車ニ而香椎・宮地嶽・宗像神社・多賀神社[10]ニ参詣、午後五時半頃帰宅ス（義之介・太介）

一月三日　月曜

午前九時商店[11]ニ於而開店ノ為メ鯣酒ニ而盃ヲナシ、店員諸君ニ新年ノ挨拶ヲナシタリ（別記アリ）
遠賀坑区[12]及共同坑区[13]ノ（久[貞雄]恒[14]対[ママ]ノ事）件ニ付、野[勢次郎]田[15]・相[虎雄]羽[16]ノ両君及義之介ト打合ス
午前十一時半ヨリ自働車ニ而出福、おま[政]さ[17]ニ立寄、伊藤・堀両氏ト会合ス、午後八時半帰ル（湯町大丸館[18]主人不幸ニ付、黒[元吉]瀬[19]ニ頼ミ会葬ナササシム

一月四日　火曜

棚橋琢之[助]介[20]氏相見へ、九水[21]整理方及鹿児嶋電気会社[22]株買収・九洲送電会社[23]ノ件打合ス、東[東邦]望[24]合併問題ニ付木村常[平右衛門][25]務来県ニ付打合ス

1 氏神＝負立八幡宮（飯塚町栢森）
2 麻生太賀吉・麻生典太＝太吉孫
3 青柳＝青柳自動車商会（飯塚町宮ノ下町）、青柳近太郎経営
4 麻生義之介＝太吉女婿、株式会社麻生商店取締役会計部長　麻生太介＝太吉孫
5 筥崎八幡宮＝糟屋郡箱崎町
6 スッポン料理
7 太宰府天満宮＝筑紫郡太宰府町
8 竈門神社＝筑紫郡太宰府町
9 伊藤傳右衛門・堀三太郎＝第一巻解説参照
10 香椎宮＝糟屋郡香椎村　宮地嶽神社＝宗像郡津屋崎町　宗像大社＝宗像郡田島村　多賀神社＝鞍手郡直方町
11 商店＝株式会社麻生商店本店（飯塚町立岩）
12 遠賀坑区＝帝国炭業株式会社木屋瀬炭坑（遠賀郡木屋瀬村ほか）、のち一九二九年九州鉱業株式会社譲り受け
13 共同坑区＝共同石炭株式会社日吉炭鉱（嘉穂郡大隈町・山田町）
14 久恒貞雄＝久恒鉱業株式会社長、翌年衆議院議員
15 野田勢次郎＝株式会社麻生商店常務取締役
16 相羽虎雄＝株式会社麻生商店鉱務部長
17 お政＝おまさとも、矢野ソデ（マサ）経営待合満佐（福岡市東中洲）
18 大丸館＝旅館（筑紫郡二日市町湯町）
19 黒瀬元吉＝古物商集古堂（福岡市上新川端町）
20 棚橋琢之助＝九州水力電気株式会社専務取締役、本巻解説参照
21 九水＝九州水力電気株式会社、一九一一年設立（東京市）、太吉一九二三年より取締役、のち社長
22 鹿児島電気株式会社＝一八九八年開業（鹿児島市）
23 九州送電株式会社＝宮崎県五ケ瀬川水力開発のために九州水力電気・九州電灯鉄道（東邦電力）・住友・電気化学・九州電気軌道によって計画された共同会社、九州電気軌道を除く四社によって一九二五年設立、太吉相談役
24 東邦＝東邦電力株式会社（東京市）、一九二二年九州電灯鉄道株式会社（福岡市）と関西電気株式会社（名古屋市）が合併して発足
25 木村平右衛門＝九州水力電気株式会社常務取締役、本巻解説参照

午後一時お政ニ行キ堀・伊藤ノ両氏ト鞍手銀行[1]ノ件打合ス

一月五日　水曜

午前十時平尾山附近[2]ニ行キ、夫より伊藤より買収ノ山林ヲ見而午後一時半帰宅セリ、昼飯中白藤仲買人[誠三][3]相見へ、種々株ノ件ニ付懇談ス

折柄渡辺皐築君門司[4]より三時半着ノ電話アリタル旨申伝ヘタルニ付、相待タルモ相見ヘ不申ニ付、午後四時三十七分着博ノ明瞭トナリ、自働車ニ而停車場ニ待受、渡辺君ト帰リタリ

久恒[貞雄]ノ件ニ付毛里[保]安太郎君[5]ノ厚意ヲ聞キ、又異見モ十分申向ケタリ、又産鉄賞与[6]問題、増資ナシ借入金返金ニ対スル打合ヲナシタリ

一月六日　木曜

午前山内農園[7]・山林及中嶋・立岩普請場[8]ニ臨ミ帰リタリ

野田・相羽ノ両氏相見へ、粕屋坑区[9]及牛隈坑区[10]関係之久恒氏ノ件等打合ス

渡辺皐築氏ト産鉄賞与金之計算書ヲ見タリ

産鉄大正十五年七月より十二月迄賞与金弐百円、吉浦[勝熊][11]より受取

下ノ関貝嶋会社[12]ト電話シ、石原君[才助][13]ニ、信託会社之件[14]ニ付御相談シタキニ付其ノ含ニ而御考慮被下、御出福ノトキ面談ヲ約ス

一月七日　金曜

在宿

書類整理ス

堀三太郎氏より電話アリ、東望[東邦]合同問題ニ付各務[幸一郎](カガミ)氏[15]ニ内伺セラル、様依頼ス、又木村来県[平右衛門]アレバ十分ニ談合スル旨

返話ス

葦津［洗造］[16]宮司ノ死去ニ付、相続者及社務所員ニ悔電ス

区長瓜生茂一郎ヲ呼ヒ、火葬場工事ニ付作道ノ件役場より主任出張ヲ乞、又本村[17]芳雄駅ノ際ニ花村末吉建築排水ニ妨害等ニ付注意ス

1　鞍手銀行＝一八九六年設立（鞍手郡直方町）、堀三太郎相談役
2　平尾山＝福岡市平尾
3　白藤誠三＝株式仲買商白藤誠三商店（福岡市下鰯町）
4　渡辺阜築＝九州産業鉄道株式会社専務取締役、嘉穂銀行嘱託検査係、元株式会社麻生商店会計部長
5　毛里保太郎＝門司新報社長、元衆議院議員
6　産鉄＝九産鉄とも、九州産業鉄道株式会社、一九一九年創立（田川郡後藤寺町）、一九二一年より太吉社長
7　山内農園＝株式会社麻生商店山内農場（飯塚町立岩）、石炭廃鉱地試験農場
8　中島普請場＝太吉女婿麻生五郎家（飯塚町）　立岩普請場＝太吉四男麻生太七郎家（飯塚町）
9　粕屋坑区＝元帝国炭業株式会社所有坑区（糟屋郡山田村ほか）、一九二六年株式会社麻生商店譲り受け
10　牛隈坑区＝株式会社麻生商店牛隈炭坑（嘉穂郡大隈町・山田町）
11　吉浦勝熊＝株式会社麻生商店庶務部
12　貝島会社＝貝島商業株式会社および貝島合名会社は一九二〇年下関市唐戸町に移転
13　石原才助＝貝島商業株式会社取締役
14　福岡県内で資本金一千万円の信託会社設立計画
15　各務幸一郎＝東邦電力株式会社監査役
16　葦津洗造＝筥崎宮（糟屋郡箱崎町）宮司、一月三日死去
17　本村＝飯塚町立岩の通称地名

一月八日　土曜

牛隈坑区ノ件ニ付渡辺君より電話アリ、星野〔礼助〕[1]氏ト打合セシモ、自働車ニ而同氏ヲ博多停車場ニ而面会、渡辺氏一同浜ノ町[2]ニ而打合セ、書類ヲ貰置方安全ニツキ、其ノ文案等打合セ、午後一時二十分博多駅発ニ而門司ニ行キ、毛里保太郎面会ニ行カル

相〔お〕政ニ午後四時頃行キタリ

渡辺君より電話アリ、書面ヲ徴シタリ、又毛里氏も電話口ニ而中裁〔ママ〕ノ労ヲ謝シタリ

一月九日　日曜

浜ノ町ニ滞在

杉村俊吉外一名〔平野弘介〕来訪、小野〔隆助〕[3]氏紀念碑賛助員ニ承諾申入アリタルモ、応分ノ寄付ハスルモ過分ノ名誉ニ付断リタリ

（山中〔立木〕[4]氏紹介アリタ）

太賀吉一行午後五時帰リタリ

午後八時半木村平右衛門・棚橋琢之介〔助〕両君相見へ、東望〔東邦〕ニ付松永〔安左衛門〕[5]君誠意ナキ事ニ付懇々打合セ、木村氏帰京、堀・井上準之介〔助〕[6]・賀々見〔各務幸一郎〕氏等ニ請求アリ、都合ニテハ上京スルコトモ約シタリ

一月十日　月曜

午前六時四十分自働車ニ而帰宅

午前九時半より嘉穂銀行[7]ニ重役会ニ出席、来ル二十三日惣会ノ打合ヲナス、貯蓄〔嘉穂〕[8]銀行・博済会社〔無尽〕[9]も同様原案決定ス、金弐百円博済報洲〔酬〕（大正十五年七月一〔日脱〕より昭和元年十二月迄）受取タリ

山内[10]山林切払ノ処ニ行キ、夫より本村ニ行掛ケタルニ、渡辺・花村〔徳右衛門〕[11]両氏相見へ、引返シタリ

小石原[12]杉林買収ニ付渡辺・花村より聞取買入スルコトニ、可成□〔五カ〕万円以内ヲ以交渉ヲ任ス、其ノ結果ニヨリ

福嶋君[嘉一郎カ][13]ニハ謝意ヲ表スルコトニセリ

一月十一日　火曜

午前六時四十五分自働車ニ而相羽君ト外ニ女中同車、今井神社[14]ニ参詣、宇佐神社[15]ハ鳥居内ニ入リ遥拝ス

午後十二時十五分山水園[16]ニ着ス、相羽君ハ菊屋旅館ニ行ク、鶴見[17]溢湯ノ場所ニ臨ミ、付近之買収地ノ模様ヲ見分ス、又工事中ノ有様モ見タリ

1　星野礼助＝弁護士（福岡市）
2　浜ノ町＝麻生家浜の町別邸（福岡市浜町）
3　小野隆助＝元十七銀行取締役、元衆議院議員、元玄洋社
4　山中立木＝元嘉麻穂波郡長、元福岡市長、元黒田家家令
5　松永安左衛門＝東邦電力株式会社副社長、本巻解説参照
6　井上準之助＝この年五月日本銀行総裁、元日本銀行総裁、元大蔵大臣、のち大蔵大臣
7　嘉穂銀行＝一八九六年設立（飯塚町）、太吉頭取
8　嘉穂貯蓄銀行＝一九二〇年設立（飯塚町）、太吉頭取
9　博済無尽株式会社＝一九一四年博済貯金株式会社（一九一三年嘉穂郡大隈町に設立）を改称、本社を飯塚町に移転、太吉社長
10　山内＝地名、飯塚町立岩
11　花村徳右衛門＝株式会社麻生商店家事部
12　小石原＝地名、朝倉郡小石原村
13　福島嘉一郎＝後藤寺水道株式会社取締役、元田川郡後藤寺町名誉助役、町会議員
14　今井神社＝大分県宇佐郡安心院村
15　宇佐神社＝宇佐神宮（大分県宇佐郡宇佐町）
16　山水園＝麻生家別荘（別府市）
17　鶴見＝地名、大分県速見郡朝日村

相羽・上田〔穏敬〕[1]・藤沢〔良吉〕[2]・上野〔美満〕[3]・川田〔十〕[4]等ノ諸君ニ〇ノ料理ヲ饗ス、午後九時頃自働車ニ而旅館ニ送ラス

　一月十二日　水曜

杖立発電所[5]送電開初之打電アリ、内本〔浩亮〕[6]・八塚〔秀二郎〕[7]ノ両人ニ返電ス
田ノ湯別荘[8]ニアル茶室、市より貰受、其ノ引取為メ加納〔嘉市〕[9]・籾田〔喜三郎〕[10]来リ、召連レ実地ニ臨ミ委細申含メ帰リタリ、尤
川田君モ立会致サセタリ

　一月十三日　木曜

鶴見湯工事ニ臨ミ、夫より耕地整理ノ場所ニ臨ミ、亀ノ井[11]ニテ昼食ス、同所若松篠崎金太郎[12]子供連レニテ参リ居
ルタルニ付、金三十円菓子料トシテ遣ス
金子国雄[13]訪問□□講ノ相談アリ、内諾ス
別府第二耕地整理南側之場所ヲ実見ス
　金五十円、女中花ニ渡ス、家費

　一月十四日　金曜

鶴見ノ工事場所ニ臨ミ居タルニ、梅谷〔清一〕[14]・上田相見へ亀ノ井ニ行キ、扇子山付近ニゴルフ設備ニ付内談アリタ
相羽・大塚〔文十郎カ〕[15]・藤沢・梅谷・上田ト昼食ス、十五円五十銭費金払
大坂〔ママ〕清水栄次郎[16]氏ニ梅谷氏ノ紹介ニテ面会ス
野田勢次郎氏ト産鉄補介問題ニ関シ臨時惣会開設ノ打合ヲナス
武田〔星輝〕[17]より博多木原某所有地弐百六十坪買入ノ件黒瀬より電話来リタルトノ事ニ付、買入ノ返話ス
渡辺皐築君産鉄ノ件電話アリタ
　金百円、花ゑニ家費渡ス

一月十五日　土曜

棚橋君ニ電話シ、鹿児嶋電気株買入方及東望[東邦]合同問題ニ付打合セ、又飯塚自転車永嶋[勝太郎]18面会ノ電話シ、承諾アリタ
大坂[ママ]坂神急行電車工務課長戸田一君ニ面会ス
永嶋君菊屋より前日電話ニ付棚橋君へ電話シタルニ付、其ノ事菊屋へ電話セシモ、亀川19ニ宿泊トノ事ナリシニ、

1　上田穏敬＝株式会社麻生商店庶務部長
2　藤沢良吉＝別府温泉鉄道株式会社（未開業）清算人、別府市会議員
3　上野美満＝株式会社麻生商店本店測量係
4　川田十＝株式会社麻生商店別府駐在員、別府農園主任、元山内農場（飯塚町立岩）主任
5　杖立発電所＝杖立川水力電気株式会社小国水力発電所（熊本県阿蘇郡北小国村）
6　内本浩亮＝杖立川水力電気株式会社取締役支配人、元九州水力電気株式会社、のち九州送電株式会社社長、本巻解説参照
7　八塚秀二郎＝杖立川水力電気株式会社取締役、九州水力電気株式会社
8　田ノ湯別荘＝麻生家別荘（別府市田湯）
9　加納嘉市＝狩野とも、株式会社麻生商店鉱務部
10　籾田喜三郎＝麻生家庭師兼雑用
11　亀ノ井＝亀の井ホテル食堂（別府市不老町）
12　篠崎金太郎＝株式会社篠崎商店（若松市）、元株式会社麻生商店若松出張所長
13　金子国雄＝太吉親族、金子自動車商会（飯塚町吉原町）、元嘉穂銀行書記
14　梅谷清一＝九州水力電気株式会社常務取締役、本巻解説参照
15　大塚文十郎＝株式会社麻生商店芳雄製工所長
16　清水栄次郎＝泉尾土地株式会社社長、阪神急行電鉄株式会社取締役、のち別府大分電鉄株式会社取締役
17　武田星輝＝株式会社麻生商店家事部
18　永嶋勝太郎＝自転車商永嶋商会（飯塚町西町）
19　亀川＝地名、大分県速見郡亀川町

間モナク山水園ニ相見候ニ付、大分ニ行キ棚橋氏ニ面会ノ事ヲ申向ケタリ
野口[1]耕地整理ヲ見而亀ノ井ニテ昼食ス、山下〔彬麿〕弁護士・太七郎〔麻生〕[2]・上田等一同ナリ、山下氏ゴルフ設備運動費相談ニ付
金二百円遣ス、十三円五十五銭食費
宇津宮〔ママ〕某（目下耕地整理ノ監督）雇入方依頼アリタ、上田ニ面会ノ事ヲ申向ケタリ

一月十六日　日曜

午前上田・藤沢・太七郎ノ三君相見へ、憤〔噴〕湯之場工事ヲ見テ種々異見ヲ聞キタリ
小川[3]ニ百円、辰子〔麻生〕[4]ニ五十円渡ス
松丸〔勝太郎〕[5]家内ニ五円遣ス
内本〔浩亮〕[6]杖立支配人相見へ、十五万円ヲ予備ニ置クコトニ同意ス（棚橋氏ハ二十万円ノ由ナルモ五万円ヲ減シタリ
午前十一時半より亀ノ井ホテルニテ神沢〔又市郎〕[7]市長・山田料平〔耕〕[8]・高橋□〔欽〕[9]哉ノ三氏ヲ正客ニ、内本・太七郎・藤沢・上田
ヲ同席致サセ、昼食ヲ饗ス、五十円太七郎ニ払ハサス
午後一時半自働車ニ而女中同車帰リタリ、六時着
渡辺阜築君相見へ、産鉄補助問題ニ付打合ス
別府市社会課長斉藤俊次君ニ亀ノ井ニテ面会ス

一月十七日　月曜

午前在宿
氏神新築ノ件ニ付中山〔柳之助〕[10]違法之事ヲナシ、十分責リタリ
山内山林等ヲ初本村屋敷ニ行キタリ

一月十八日　火曜

中嶋・〔芳雄〕製工所[11]実視シタリ

野田・相羽両氏相見、三菱・三井交換坑区之件ニ付図上ヲ以協義ス、大体ノ異見一致シ順序ニヨリ進行スルコトニセリ

午後五時半自働車ニ而出福ス

一月十九日　水曜

杖立書類ニ捺印ス

東京池上〔駒衛〕[12]君ニ、二十四日理事会ニ十六日ニ延期ノ電信ヲ発ス

1　野口＝地名、別府市野口
2　麻生太七郎＝太吉四男、のち株式会社麻生商店監査役
3　小川＝麻生家田の湯別荘内居住
4　麻生辰子＝太吉孫
5　松丸勝太郎＝麻生家別府別荘山水園管理者
6　杖立＝杖立川水力電気株式会社、一九二三年設立、太吉社長
7　神沢又市郎＝別府市長
8　山田耕平＝別府市会議員
9　高橋欽哉＝別府市会議員、元別府町助役
10　中山柳之助＝株式会社麻生商店本店鉱務部
11　芳雄製工所＝株式会社麻生商店芳雄製工所、一八九四年設立（飯塚町立岩）
12　池上駒衛＝石炭鉱業聯合会常務理事

黒瀬[元吉]世話ノ平尾山林弐万二千円ニテ買入スルコトニ打合ス

一月二十日　木曜

午前九時瓜生長右衛門[1]・井上弘通[博][2]ノ両氏来リ、井上君九州送電会社入社セシモ、堀内[秀太郎][3]氏ノ意向不明ニ付異見ヲ聞キタルニツキ、棚橋氏ニ電話シ、二十三日浜ノ町ニテ井上君一同会合ノ事ニセリ

杖立ノ書類ニ捺印セリ

午後一時半許斐友次郎[4]氏相見へ、信託会社之件ニ付意向ヲ聞キ、円満ナル目的之有之候ニ付多田勇雄[5]君ト正式ニ会合ヲ約シタリ

滋[渋]田見登[6]氏唐津町、信託会社之件ニ付種々異見ヲ聞キタリ

大日本国複[ママ]奉賛会吉崎久ト申人来リ、援助ノ申入アリ、金三十円遣ス

一方亭[7]ニ行キ晩食ス、女中四人ニ百円遣ス

松本健次郎[8]氏ニ電報ス（別記アリ）

一月二十一日　金曜

村上功[巧]児[9]君相見へ、種々社務上ニ付聞キ取タリ、又黒木[佐久馬][10]君ニ出福ヲ電話ニ而頼ミタリ

福間久一郎[11]及測量者一人出福、買受土地ノ登記ヲ受ケニ来リタリ

午後一時五十分自働車ニ而帰リタリ

渡辺皐築君より電話アリ、産鉄損益計算書ニツキ星野[礼助]氏ト打合ノ事ヲ打合ス

杖立ノ書類ニ捺印ス

野田氏相見へ、三菱・三井交換坑区ノ件及住友ニ交渉中ノ銀行之ノ[ママ]件打合ス

一月二十二日　土曜

午前七時自働車ニ而出福

黒木君ニ面会、九水ノ件打合

井上弘[博]通君相見へ、棚橋・木村氏ト打合ス

棚橋・木村両氏ト、九送井上ノ件、鹿児嶋電気会社株買入打合ス

午後七時福村楼[12]ニ而晩食ス

一月二十三日　日曜

午前六時四十分自働車ニ而帰リタリ

1 瓜生長右衛門＝嘉穂電灯株式会社取締役、飯塚町会議員、元麻生商店常務、元福岡県会議員
2 井上博通＝この年九州送電株式会社支配人、元貝島商業株式会社会計部長、のち九州電気軌道株式会社監査役
3 堀内秀太郎＝九州送電株式会社専務取締役、元内務官僚
4 許斐友次郎＝許斐工業株式会社代表取締役、元博多土居銀行監査役、元福岡市会議員
5 多田勇雄＝弥寿銀行（朝倉郡三輪村）頭取、福岡県会議員
6 渋田見登＝唐津銀行（佐賀県東松浦郡唐津町）取締役
7 一方亭＝料亭（福岡市外東公園）
8 松本健次郎＝明治鉱業株式会社長、石炭鉱業聯合会副会長、第二巻解説参照
9 村上巧児＝九州水力電気株式会社常務取締役、第二巻解説参照
10 黒木佐久馬＝九州水力電気株式会社福岡管理部長、本巻解説参照
11 福間久一郎＝株式会社麻生商店本店庶務部、飯塚町会議員
12 福村楼＝福村家とも、料亭（福岡市東中洲）

野田・義之介・相羽・渡辺ノ諸氏ト瓜生〔長右衛門〕関係肥前坑区[1]ノ打合ヲナシ、及住友関係打合ス
嘉穂銀行惣会出席

一月二十七日　［欄外］前

検事・警察署長・藤森〔善平〕[2]ノ三氏相見へ、共済〔宏カ〕[3]会ノ件打合ス

一月二十八日　［欄外］先キ

午後四時より帰着
一中嶋屋敷[4]及道路造ノ実地ニ臨ミタリ
一銀行支配人〔西園磯松〕[5]より電話ニ付、小竹某不法ノ事故指押スル様同▨〔意カ〕ス

一月二十九日　土曜

在宿
野田君相見へ、肥前坑区瓜生より買受申出ニ付、手順打合ス
谷田〔信太郎〕[6]来リ、鹿児嶋電気会社株買受申込二十五円ナラハ売放スコトニ打合ス
芳雄停車場前耕地整理主任林田書記相見へ、借リ入及道路工事費及村営道路工事委託ヲ受、更ニ受負人ヲ定メルニハ評議員会ヲ開催〔ママ〕ヲ申談シタリ
中嶋屋敷ニ行キタリ、道路造リ之指図ス

一月三十日

午前九時自働車ニ而出福
商業〔博多〕会議所〔ママ〕[7]ニ而信託会社之件ニ付許斐〔友次郎〕・佐々木・入家・多田〔勇雄〕・永江〔真郷〕[8]・瓜生堀〔直三カ〕[9]氏代理ト会合シ、更ニ二月二十日ニ委

員会ヲ開キ、引続キ廿三日ニ交渉委員会ヲ開クコトニ打合ス
昼食ヲみかとホテル[10]ニテナス、食費ハ自分ニ仕払ナシタリ

一月三十一日

甘木夜須〔弥寿〕銀行[11]ニ而多田勇雄氏ニ面会、三十日ノ打合セ会之模様モアルモ、信託会社ハ現在発起者ニテ重役ノ届出アリタルニ付、外部より関係セズ出願ヲ進メ、不許可ノ場合更ニ県内全般ニ株ヲ募集スル方針穏当ナル旨含マル、様懇談シ帰リタリ
午後五時お政ニ行キ、午後八時半帰リタリ
午後一時より四時半迄平尾山林ニ臨ミタリ

1 肥前坑区＝長崎県北松浦郡鹿町村坑区
2 藤森善平＝飯塚町長、元飯塚警察署長、のち福岡県会議員
3 宏済会＝嘉穂郡宏済会、嘉穂郡仏教各宗聯合社会福祉団体、太吉名誉会長
4 中島屋敷＝太吉女婿麻生五郎家（飯塚町立岩）
5 西園磯松＝嘉穂銀行本店支配人
6 谷田信太郎＝株式仲買人（福岡市）
7 博多商業会議所＝一八七八年福岡商法会議所として創設、福岡商工会議所を経て一八九一年設立（福岡市東中洲）
8 永江真郷＝三池銀行（大牟田市）頭取
9 瓜生直三＝堀礦業株式会社常務取締役
10 みかどホテル＝福岡市西中洲
11 弥寿銀行＝一九二二年設立（朝倉郡三輪村）

二月一日

谷田君来リ、鹿児嶋電気会社株売却ニ付他日有利之思ヒアル趣ナリシモ、内容ハ九水ニ於而調査セシヲ以、此際弐十三円五十銭ハ悉皆売却ヲ申含メ、野田氏ニも重而電話ス

吉田某君来リ、南側谷間ニ平井某ト共同地所之権利買収方申込セシニ付、坪五円ノ割、則実権ハ壱坪弐円五十銭、外ニ五百円仕払フ事ニテ約ス

一友舟亭〔泉〕[1]山林及平尾地方実地ニ臨ミタリ、黒瀬〔元吉〕同行ス

一白藤〔誠三〕君来リ、株式ニツキ種々懇談アリタ

一堀〔三太郎〕氏ノ養子相見へ、病気見舞ノ御礼アリタリ、風邪ニ付静養ヲ要シ見舞ニ遠慮セシ旨申向ケタリ

午後四時半自働車ニ而林ト[2]帰リタリ、中嶋屋敷ニ臨ム

二月二日　水曜

立岩屋敷[3]ニ行キ、花村久助[4]氏ニ面会、夫より花村徳右衛門君一同旗ケ辻[5]付近ノ共有山林ニ臨ミ、大浦垣ヲ越而大浦[6]ニ行キタリ

野田氏相見へ、坑業組合増掘[7]申入ノ件及池上君ニ出状ニツキ打合ス、及鹿児嶋電気株売渡ヲ打合ス

花村〔勇〕[8]君博多土地（平井某共有地南側）買収ノタメ遣シタリ

検事及浜田〔市松〕[9]警察署長相見へ、弘〔玄〕済会之件ニ付打合ス

支配人西園〔磯松〕君ト打合セ、東〔東邦〕望株売却ノ打合ヲナス

二月三日　木曜

午前八時半花村勇君呼ヒ、前日博多地所買入セシ手順ヲ聞キタリ

吉浦〔勝熊〕君ニ材木買入（茶室及別府茶室不足、事務室修繕ニ付不足ノ材木等廉書ヲ渡ス）申談タリ

午後一時半自働車ニ而出福ス

安田銀行員藤原某氏知事之添書ヲ持チ面会請求アリタルモ、他ニ出掛ケノ際ニ而断リタリ

二月四日　金曜

堀氏別荘[10]ニ堀氏ヲ病気見舞ニ行キ、在京中及信託会社ノ件ヲ懇談ス

午後一時[九州]産業鉄道重役会開催ス、渡辺[皐築]・浦地[裏地正生][11]両君ハ午前相見へ、昼食ヲナス、野田・堀・中野[昇][12]・遠入[鉄次郎]・中村[武文][13]・渡辺・

浦地主任等集会アリタ

午後四時半過キ相[お]政ニ行キ晩食ス

1　友泉亭＝元福岡藩主黒田家のお茶屋があったための通称地名、早良郡樋井川村
2　林＝看護婦
3　立岩屋敷＝太吉四男麻生太七郎家（飯塚町）
4　花村久助＝醬油醸造業（飯塚町立岩）、かつて太吉と笹原炭坑の共同経営者、元飯塚町会議員
5　旗ケ辻＝地名、八高ケ辻とも、飯塚町立岩
6　大浦＝地名、飯塚町栢森、太吉長男太右衛門家所在地
7　坑業組合＝筑豊石炭鉱業組合（若松市）、一八八五年設立、太吉常議員、元総長
8　花村勇＝株式会社麻生商店、元麻生久原鉱業所
9　浜田市松＝飯塚警察署長、のち田川郡金田町長
10　堀氏別荘＝堀三太郎別荘（福岡市春吉）
11　裏地正生＝九州産業鉄道株式会社工場主任、のち工務部長
12　中野昇＝九州産業鉄道株式会社監査役、株式会社中野商店（炭鉱経営）社長、嘉穂銀行取締役
13　遠入鉄次郎・中村武文＝九州産業鉄道株式会社取締役

二月五日　土曜

白藤君相見へ、種々株式ノ件ニ付懇談ス

浜崎〔義雄〕[1]日々〔毎日〕新聞ノ代人某来リ、金十円遣ス

午後五時相政〔お〕ニ行キ、江崎〔いし〕[2]・安川[3]ノ両人ニ面会、晩食ス

二月六日　日曜

午前平尾山林ニ臨ミ、義太賀〔麻生〕[4]・太介両人同供ス

十五銀行[5]階下ニテ義太賀・太介・辰子・操〔麻生ミサヲ〕[6]ノ四人ト昼食ヲナス

午後二時ヨリ自働車ニ而帰宅ス

中嶋道路造リ之場所ニ行キ、瓜生ニ工事上ニ付申談シタリ

書類整理ス

二月七日　月曜

午前九時麻生屋[7]法事ニ参詣ス、十一時半帰宅

検事并ニ警察署長相見へ、弘〔宏〕済会社〔ママ〕之件ニ付特別有志之寄付ヲ先キニスルコトニ町村長会ニテ決定ノ由ニ付、伊藤・中野ト内協義〔ママ〕ヲナシ返事スルコトニ協義ス

午後六時立岩小学校[8]ニテ大正天皇様大御柩遥拝、同七時半帰宅

二月八日　火曜

井上弘〔博〕通君九送就職ニ決心ノ旨、滞京中堀内〔秀太郎〕・棚橋氏等打合ノ結果報告アリタ、右ニ付将来九洲ニ於ケル電気ノ関係及火力ト水力ト調和ノ件ニ付有利ナル旨親シク懇談ス、又目下八幡製鉄所ニ付電力売込、発電所竣工間ハ縁故アル九水電気会社より供給スル等ノ直接間接ニ詳細申含メ、又真貝〔貫一〕[9]技師長ニ紹介シ、直接電線等ノ有様聞取ラレル

様注意ス
村区長及瓜生〔長右衛門〕来リ、道路及村社前工事上ニ付親シク打合ス
野田氏相見へ、別府土地ノ件及大分セメン〔下脱〕[10]株等打合ス、又吉隈坑[11]不毛〔フケ〕[12]・三井炭田及朝鮮山林等ニツキ打合ス

二月十一日　金曜

棚橋・木村〔平右衛門〕両氏相見へ、九送〔九州送電〕電力野口〔遵〕[13]より買入希望申込ニ付如何スルヤトノ事ニ付、九水ニ引受ケル覚悟ニ而調査スルコトヲ打合、又日向電気会社[14]買収、其他九水ト九送ノ件打合ス

1　浜崎義雄＝天陽、福岡毎日新聞社長
2　江崎いし＝お石茶屋（太宰府天満宮境内）経営
3　安川＝安川茶屋（太宰府天満宮境内）経営
4　麻生義太賀＝太吉孫
5　十五銀行＝十五銀行博多支店（福岡市下川端町）、十五銀行は国立銀行として一八七七年開業（東京）、一八九七年改組
6　麻生ミサヲ＝太吉長男太右衛門妻
7　麻生屋＝太吉弟麻生太七、株式会社麻生商店取締役、嘉穂銀行取締役、嘉穂電灯株式会社取締役
8　立岩小学校＝一八七四年創立（飯塚町立岩）
9　真貝貫一＝九州水力電気株式会社技師長、本巻解説参照
10　大分セメント株式会社＝一九一八年設立（大分市本町）、のち小野田セメント製造株式会社に合併
11　吉隈坑＝株式会社麻生商店吉隈鉱業所（嘉穂郡碓井村ほか）
12　フケ＝傾斜炭層深部の採掘困難な石炭層
13　野口遵＝日本水電株式会社社長、日本窒素肥料株式会社社長
14　日向電気会社＝日向水力電気株式会社、一九〇七年開業（宮崎市）、この年七月九州水力電気株式会社と合併

二月十二日　土曜

棚橋・今井[三郎][1]・井上・村上・真貝ノ六[ママ]氏相見へ、九送電力野口氏より買込申出ニ対シ反対シ、九水ニ引受スルコトニ打合セ、東京本社ノ社長[森村開作]了解ヲ得ラル、様打合ス

久恒[貞雄]・毛里[保太郎]ノ両氏相見へ、古川[河][2]坑区及共同坑区共同買収ニ付懇談ス、昼食シテ帰ラル

九水今井君相見へ、左記ノ事柄打合ス

一東望[東邦]ノ合併甚タ見込薄クニ付、競争ノ覚悟ヲ以注意ノコト

一九軌[3]ト競争ノ区域図面調成ノコト

一藤山某[常一カ][4]等ノ日向電力[5]何時頃より送電ナシ得ルカ、其ノ時ハ望ノ需用ハ当ニナラザル覚悟ヲ要スルコト

一姪ノ浜[6]より城南線[7]ニヨリ副[複]線ヲ布設シ、其ノ利害調査ノ件

[欄外] 外ニ火力用意希望ニ付、其ノ調査ヲ賛成ス

二月十三日　日曜

香椎神社ニ参詣、又帰途櫛田神社[8]ニ参詣、社殿建築ノ模様ヲ拝シ帰リタリ、黒瀬元吉同車ス

平尾山ニ臨ミ、又蜜柑畑ヲ見而福岡女学校[9]ノ前ヲ見而、自働車ニ而帰リタ

午前九時吉田良春氏[10]ニ先日訪問之謝礼ヲ電話ニ致[ママ]、又指問ナクバ昼食ヲナシタクニ付操[繰]合之電話セシニ、宗像行ニテ不在ナリシ故、帰宅アラバ其旨伝達ヲ頼ミタリ

午後二時半自働車ニ而帰リタリ

野田氏相見へ、福岡ニ而横倉君[英次郎][11]ヨリ内談ノ件ニ付打合セ、又将来九洲ノ事業上後援ニヨリ実行方等懇談シ、一致セリ

二月十四日　月曜

渡辺皐築君相見へ、滞京中ノ報告ヲ聞キ、牛隈坑区久恒[貞雄]君ニ面会共同坑区買収ノ打合ヲナス、折柄久恒君より電話アリ、尚渡辺君ニ其旨申合ス

上野[文雄]12村長ヲ初メ外数名相見へ、農学寄付[校脱カ]13ノ件申入アリ、伊藤・中野ト打合セ返事ノ事ヲ申向ケ、尚少額ノ手当ヲ給、郡内統一ノ出来得ル町長壱名推挙ノ事ヲ切ニ注意ス

井上準之介[助]氏ニ出状ス

吉田良春氏より電話之事ヲ浜ノ町より通シニ付、十五日午後出福ヲスルコトニ野田氏ト打合ス

1　今井三郎＝九州水力電気株式会社常務取締役、本巻解説参照
2　古河坑区＝古河下山田炭鉱（嘉穂郡山田町）
3　九軌＝九州電気軌道株式会社（小倉市）、電気事業および電気軌道経営、一九〇八年設立
4　藤山常一＝電気化学工業株式会社専務取締役、九州送電株式会社取締役この年四月辞任
5　電気化学工業株式会社大淀川発電所電力
6　姪ノ浜＝地名、早良郡姪浜町
7　城南線＝北筑軌道起点今川橋（福岡市西新町）と九州水力電気福岡市内電車（福岡市渡辺通）を結ぶ電車線
8　櫛田神社＝福岡市社家町
9　福岡女学校＝福岡市平尾、一八八五年英和女学校として開校、一九一九年改称、のち福岡女学院中学校高等学校
10　吉田良春＝元住友合資会社理事若松炭業所長、元若松築港株式会社取締役
11　横倉英次郎＝この年九州高等予備学校長、元貝島鉱業株式会社採鉱技師長、元麻生商店
12　上野文雄＝嘉穂郡庄内村長、福岡県会議員
13　農学校＝県立嘉穂農学校、嘉穂郡立農学校として一九一〇年設立（飯塚町）、一九二三年福岡県に移管

二月十六日　水曜

吉田良春君昨夜ノ礼ニ相見へ、住友家ニ対スル懇話アリタルモ、今回横倉君之咄ニハ何等関係ナキト相見ヘタリ

野田氏相見へ、横倉氏ト面会ヲ打合セ候結果、矢張住友家ナル事ヲ明瞭トナレリ

梅谷[清一]氏[1]ニ午前七時半悔ミニ行ク

午後八時野田氏ト自働車ニ而帰リタリ

二月十七日　木曜

午前中嶋屋敷ニ行キタリ

坑業組合小林[英男][2]書記相見へ、増送請求問題打合セ、陳情書ノ草案ス

午後一時より出福ス

午後三時半梅谷氏火葬場へ送ル為メ自宅ニ参拝、自働車ニ而火葬場ニ臨ミタリ

帰途橘[3]ニ立寄、老人連一同晩食ス、主婦ニ五十円、女中ニ二十円遣ス

野田卯太郎[4]氏病気見舞ノ電信発ス

二月十八日　金曜

嘉穂銀行ニ電話シ、東望[東邦]株売却ノ注意ス

大坂朝日新聞中村春三君相見へ、英字雑誌発行ニ付金三百円広告承諾ス

午後一時梅谷氏遺骨博多駅ニ見送リタリ

野田[卯太郎]氏病気見舞、二百円内外ノ品物買入送布[ママ]方山口[恒太郎][5]氏ニ頼ミタリ

二月十九日　土曜

午後一時十四分博多駅発ニ而小倉守永久吉[6]氏葬式ニ臨ミ、徳連[蓮]寺ニ而参拝シ、午後四時四十七分小倉発ニ而博多駅

ニ午後七時帰着、電車ニ而浜ノ町ニ着ス
鏃〔汽〕車中ハ安川家ノ小西〔春雄〕[7]君・伊藤金次君[8]・山本勝次郎若松ノ杭〔坑〕木商等ニ面会ス

二月二十日　日曜

午前十一時商業会議所ニ而県内信託会社委員会ニ臨ミタリ、多田〔勇雄〕・佐藤〔慶太郎〕[9]・永江〔真郷〕・丸林〔丸橋清平〕[10]ノ四氏集会ナリ、多田より東京滞在者ノ意向又許斐〔友次郎〕氏ト交渉ノ大体ヲ報告ナシタリ、其ノ結果在京者帰県ノ上更ニ会義〔ママ〕ヲナシ評議スルコトニ打合ス、先願者ニハ御迷惑ニナラザル様進行方多田氏より内報ノ打合ナシ、昼食シテ散会ス
午後二時半自働車ニ而帰リタリ
後藤寺〔名和朴〕[11]町長、議員一同嘉〔穂脱〕銀行ノ挨拶ニ見ヘタルニ付、晩食ヲ呈シタリ

1　梅谷清一九州水力電気株式会社常務取締役この日死去
2　小林英男＝筑豊石炭鉱業組合書記
3　橘＝橘屋とも、料理屋（福岡市東中洲）
4　野田卯太郎＝衆議院議員、元逓信大臣、元商工大臣
5　山口恒太郎＝東邦電力株式会社取締役、九州電気軌道株式会社取締役、衆議院議員
6　守永久吉＝呉服商（小倉市）、元豊陽銀行頭取、元門司石炭取引所理事
7　小西春雄＝明治鉱業株式会社取締役、のち専務取締役
8　伊藤金次＝伊藤傳右衛門養子、大正鉱業株式会社取締役
9　佐藤慶太郎＝株式会社佐藤商店代表取締役、三菱鉱業株式会社監査役、若松築港株式会社取締役
10　丸橋清平＝小倉商業会議所会頭、呉服商（小倉市米町）
11　名和朴＝田川郡後藤寺町長、元飯塚警察署長

二月二十一日　月曜

午前西園支配人相見へ、銀行ノ打合ヲナス
午前十時嘉穂銀行重役会ニ出席、重要問題協議ス、又山本兵助ニ対シ銀行掛員ガ不行届アリ、挨拶ス
午後五時半帰宅、中嶋ニ行キタリ
聯合会[1]より廿五日理事会ノ照合セシモ、産鉄惣会ニ付二十七日ニ取極メ方打電ス
坑業組合ヨリモ小林君電話アリタ

二月二十二日　火曜

嘉穂銀行ニ電話シ、有田[広]監事ニ下三緒山本兵介[ママ]君ニ挨拶ニ遣シタリ、本人大ニ満足セシ旨電話アリタ
嘉穂銀行規定草案昨廿一日銀行より差廻セシ分、西園支配人相見へ、加除シテ決定ス
多田勇雄氏より、信託会社之件許斐氏より東京より帰県迄ハ困リ入旨ノ申向ケアリタル由ニ付、御迷惑ニナラザル様先願之進行セラル、様己[ママ]人的申向ケアル様重而注意ス

二月二十三日　水曜

午前十時自働車ニ而出福、村上氏より前夜和田[豊治][2]未亡人[織衣]挨拶ニ見ヘル旨電話アリ、御出ナキ様電話セシモ、是非ト申次第ニテ、然ラハ浜ノ町ニテ御面会可申上旨電話シ、其ノ為メ出福ス
福岡日々[新聞]原田義蔵君相見へ、野田[卯太郎]氏ノ感情談[ママ]聞カレ、申向ケタリ[3]
和田氏[未亡人]・梅谷[清一]未亡人・梅谷長男・村上氏相見へ、梅谷氏負債債[償]却ノ為メ尽力方申入アリタ

二月二十四日　木曜

午前七時吉田某来、平尾大串氏半権利九円五十銭ニ而買収申入タルモ、先日ノ南側ノ例ニヨリ坪五円ト五百円ノ割ノ外ハ一切直[値]増出来ザル旨断然ト断タリ

午前八時二十分自動車ニ而帰宅ス
博済[無尽]会社ノ件ニ付藤嶋[伊八郎][4]君相見へ、中西君担保ノ義ハ同意ス
上野[文雄]君相見へ、森崎屋[5]ノ金融アリタルモ、渡辺[阜築]君ト打合之事ヲ申向ケタリ
渡辺君相見へ、地元寄付辞退ノ件・石灰山境界等ノ件打合、及本店計算書等打合ス
　八百七十八円、日誌ニアル三千円ノ内ナリ（吉浦より受取、上京ニ持参ス

三月四日　金曜

木村平右衛門君訪問アリタリ
井上準之介[助]氏ニ面会セシニ、松永[安左衛門]君ノ合同ノ意ナキコト、熊電[6]当方より出状ニ対シ安田家結木[結城豊太郎][7]君ニ内談シ其ノ模様ニヨリ大川[平三郎][8]氏ニ打合セ返事アルコトニ打合ス
外国人ニ井上氏直接ニ照合、合同ノ如何返報ヲ取リ九水ニ為知セ[ママ]アルコト
日向電気合同ハ同意ス

1　聯合会＝石炭鉱業聯合会、国内石炭需給調節を目的として一九二一年十月設立（東京、日本工業倶楽部内）、太吉会長
2　和田豊治＝元九州水力電気株式会社相談役、元富士瓦斯紡績株式会社社長、第二巻解説参照
3　野田卯太郎この日死去
4　藤島伊八郎＝博済無尽株式会社取締役支配人
5　森崎屋＝木村順太郎、株式会社森崎屋商店（酒造業、飯塚町本町）
6　熊電＝熊本電気株式会社（熊本市）、一九〇九年設立、一八九一年有限会社熊本電灯開業後熊本電灯株式会社、株式会社熊本電灯所と変遷
7　結城豊太郎＝安田保善社専務理事、安田銀行副頭取、のち大蔵大臣、日本銀行総裁
8　大川平三郎＝熊本電気株式会社取締役、樺太工業株式会社社長、のち王子製紙株式会社社長

九送野口〔遵〕分割ノ利害・電化[1]関係等ハ詳細調査ノ上何分ノコトヲ申向ケベク旨申答、尚九軌関係等将来油断出来ザル旨注意ス

中野景雄[2]君相見へ、竹内勅[3]・村田□〔繁カ〕蔵ノ両氏楽生病院[4]□〔維カ〕持之件ニ付援助ノ内談アリ、図書館長ニ鑑定ヲ乞ワセル様注意ス、書画返上ス

午後四時三十分自働車ニ而帰リタリ

岩下〔清周〕[5]夫人手術ニ付益田〔孝〕[6]男爵より依頼アリ、病院取調セシニ、高垣イチト申方ニ而楠田〔彰司〕[7]博士手術アリ、好都合ノ旨益田男爵ニ電報ス

三月五日　土曜

中嶋新築家移リニ付祝意ヲ表スル為メ行キ、祝盃ヲ南側二階ニ而受ケタリ

花村勇君召連、松杉植付ノ場所ニ連レ行キタリ

益田男爵・台湾物督〔上山満之進〕等ニ出状ス

三月六日　日曜

午〔ママ〕六時三十分芳雄駅発ニ而野田〔卯太郎〕氏遺骨迎ノ為メ門司駅ニ着、博多駅迄御供シテ下車ス

相〔お〕政ニ堀・伊藤ノ三氏ニ晩食ヲナス

三月七日　月曜

大坂時事福岡出張員　〔空　白〕　相見へ、寄付ノ内談アリ、右ニ付考慮之上返事スルコトニ返事ナス

村上功〔巧〕児君相見へ、九軌支配人宮田〔兵三〕[8]ハ、目下競争ナスハ不得策ニ付何等ノ方法ヲ以協定ノ意味内談セシ由ニ付、当方モ出来得ル限リ協定シテ実行方、又松永〔安左衛門〕ノ誠意ナキコト等打合ス

金弐百円、相藤〔ママ〕ニ遣ス

中村清造君相見へ[9]、政ニ連レ行キ昼食ヲ饗応ス、堀氏も見ヘタリ

三月八日　火曜

午前十時二十分自働車ニ而松本健次郎氏一同岩田[10]ノ野田〔卯太郎〕氏ノ葬式ニ列ス、伊藤・堀両氏も同供ス

午後五時渡辺皐築君一同帰宅ス

午前九時福間久一郎君来リ、遊舟亭〔友泉〕山林買入報告ス

三月九日　水曜

篠崎孫六[11]君病死ニ付、悔ミニ行キタリ

野田〔勢次郎〕君朝鮮より帰県ニ付報告ヲ聞キ、相当見込十分調査決定スルコトニ打合ス

谷田〔信太郎〕来リ、住友より五、六日中ニ通報ヲ得ルニ付其ノ含ヲナス様大坂より内報ヲ得タリ

1　電化＝電気化学工業株式会社、一九一五年設立
2　中野景雄＝福岡日日新聞編集次長、この年編集主事
3　竹内勅＝医師、楽生病院長、のち福岡市会議員
4　楽生病院＝一九一六年設立ハンセン氏病院（福岡市外千代町）
5　岩下清周＝元北浜銀行頭取、元大阪電気軌道株式会社長
6　益田孝＝三井合名会社相談役、元三井物産会社長
7　楠田彰司＝九州帝国大学医学部教授
8　宮田兵三＝九州電気軌道株式会社取締役支配人
9　中村清造＝衆議院議員
10　岩田＝地名、三池郡岩津村
11　篠崎孫六＝嘉穂銀行取締役、株式会社中野商店取締役

中嶋ニ二度行キタリ
中嶋・立岩ノ建具取揃、順序加納[嘉市]ニ中付、調書ヲナス
堀氏より電話アリ、明朝出浮之事ヲ聞キタリ

三月十日　木曜

堀氏相見へ、鞍手銀行ノ件ニ付十七銀行[1]ニ尚救済方申入ノ件頼入アリタ
同氏ノ石灰石ヲ以道路用発明品製造ニ付、三山君ヲ庄野金十郎[2]氏より照合[ママ]アリ、右ニツキ渡辺皐築君出福ナスコトニセリ
後藤寺町議員及町長相見へ、町債ノ件ニ付挨拶ニ見ヘタリ、昼食ヲ饗応ス、福井長一郎・村上長次郎・橋崎清蔵・青木勘二等ノ諸氏
午後二時堀・渡辺両氏ト自働車ニ而出福、渡辺君ハ三山氏等会見ノ為メ堀氏別荘ニ行カル、伊藤君中間坑山[3]出張中ニテ十七銀行ハ十一日ニセリ
伊藤君相見へ、鞍手銀行ノ打合ヲナシ、折柄堀氏も見ヘタリ、後ニ堀氏より川崎銀行[4]可能勢[性]アリト内談アリタ

三月十一日　金曜

午前十一時十七銀行ニ行キ、古井[由之][5]・森[采二][6]ノ両氏ニ伊藤君一同面会、鞍手銀行救助ノ件申入タルモ、何分程遠ク有之、一応堀氏ニ内諾ヲ得テ再会ヲ約ス
谷田君来リ上京ノ報告ス、嘉穂銀行ノ件ニ付住友交渉ノ内談
銀行より帰途、商業会議所階下ニテ昼食ヲナス
黒瀬来、遊舟亭[友泉]不用ノ地買入センモノト考慮スルモ、図面ナキニツキ帰宅ノ上打合スコトニセリ
午後三時自働車ニ而帰宅ス

棚橋氏ト訪問約定セシモ出浮無之、明十二日ニセリ

三月十二日　土曜

瓜生長右衛門来リ、飯塚町政ノ件ニ付順序誤リタルコトヲ責任[ママ]、将来平和ニ進行方注意ス、又肥前坑区買受契約ノ件ニ付、他日遺感[ママ]ナキ様契約之通実行方申談ス
野田勢次郎氏相見へ、朝鮮山林ノ件打合ス
幸袋[7]篠崎孫六君ノ葬式ニ列ス
藤沢[良吉]君相見へ、本店ニ而野田氏立会、別府町付近開発事業上ニ付懇談ス、九水ノ態度聞キ合ス旨申向ケタリ
午後四時半出福、相政[お]ニテ堀氏ニ面会、十七銀行ノ模様申向ケ伊藤決心ノ旨申向ケタルモ、得と考慮セラル、様申向ケタリ

三月十三日　日曜

堀氏相見へ、川崎銀行ノ打合聞キ取タリ、嘉穂[銀行]ハ鞍手ノ成立後ニ相当ノ事ニナレバ合同スル旨申向ケタリ、其ノ場合ハ川崎銀行ノ株主トナルコトモ承諾ス

1　十七銀行＝第十七国立銀行（福岡）として一八七七年設立、一八九七年私立銀行転換
2　庄野金十郎＝福岡日日新聞社長、弁護士、元衆議院議員
3　中間坑山＝大正鉱業株式会社中鶴坑（遠賀郡中間町）
4　川崎銀行＝一八八〇年川崎組を継承して設立（東京）、この年第百銀行を合併して川崎第百銀行となる
5　古井由之＝十七銀行副頭取
6　森采一＝十七銀行取締役
7　幸袋＝地名、嘉穂郡幸袋町

棚橋君相見へ、杖立及九水其他重要ノ件注意ス
村上・内本両氏相見へ、杖立ヲ九水より依属[嘱]ヲ受ケ軽[経]営スルコトニハ同意ス
黒瀬ニ遊舟亭[友泉]買入方不宜旨申向ケタリ
午後四時半自働車ニ而帰リタリ、野田氏ト朝鮮山林ノ打合ヲナス
堀氏より明日内報ノ旨電話アリタ

三月十四日　月曜

在宿
堀氏より十五日ノ報知ノ電話アリタ
上田来リ、別府町発展策ニツキ打合ス、又土地買収ヲ見合ヲ整理方注意ス

三月十六日　水曜

午後一時福岡中学校長[高宮乾一]ヲ訪問ス
大藪氏[守治カ][1]訪問、相底[ママ]病院設備ノ件ニ付内談アリ、棚橋氏ニ打合せ方申入置キタリ
午後三時相政[お]ニ行キ、堀氏ト会合ス
午後六時松永氏[安左衛門]ノ招待宴ニ列ス、福村家ノ二次会ニも出席シテ、午後十一時半帰リタリ

三月十七日　木曜

杉村俊吉外一氏相見へ、小野君[隆助]紀念碑之件ニ付懇談アリタ、寄付スルモ先キニハセザル旨断リタリ
前夜ノ礼ニ地行[2]松永氏自宅ヲ訪問ス
午前十一時半松永氏ヲ見送リ、又外国人も見送リタリ
福村家ニ田中徳次郎君[3]ヲ初メ桜木[亮三][4]其外七、八名ヲ招待ス

午後三時自働車ニ而帰リタリ

三月十八日　金曜

在宿

柏木[勘八郎][5]氏訪問アリタ

三月十九日　土曜

午前自働車ニ而出福、堀氏相見へ、川崎銀行ノ打合ヲナシ、相政ニ行キタリ

石田[亀一][6]氏・堀氏ト食事ヲナシ、又石田氏より地所及炭坑買収ノ申入アリタ

伊藤傳右衛門君相見へ、鞍手銀行ノ決心ヲ早く堀氏ニ進メ度意向アリタルモ、夫レハ友人トシテ遠慮スル方得策ナラン、月末ニハ東京より帰県アルニ付、其上ニ而万事打合セ進行スル方宜敷カルベシト申向ケ、同意アリタ

三月二十日　日曜

渡辺君ニ電信ヲ発ス

1　大藪守治＝九州水力電気株式会社取締役

2　地行＝地名、福岡市地行西町

3　田中徳次郎＝東邦電力株式会社専務取締役、元九州産業鉄道株式会社長

4　桜木亮三＝東邦電力株式会社取締役、株式会社東邦電機工作所代表取締役

5　柏木勘八郎＝二郎熊改名、宇島鉄道株式会社長、元福岡県農工銀行取締役

6　石田亀一＝帝国炭業株式会社専務取締役

三宅博士〔速〕[1]助手副嶋〔鎮雄〕・宮城〔順〕・谷口〔熊雄〕[2]ノ三氏相見へ、留任申入方依頼アリタルモ適任ニアラズ[3]、県会議長・市会議長ニ相談シテ惣長〔大工原銀太郎〕ニ希望申入旨ヲ受ケ合タリ
久世〔庸夫〕[4]氏ニ電話シ同意セラレ、千田精一[5]氏（県会議長）ニ電報ス
花村徳右衛門渡鮮ニ付書類一切相渡シ、野田氏ニ届ケ方頼ミタリ
村上〔巧児〕常務相見へ、熊電ト東望〔東邦〕ト合併ノ模様報告アリ、九軌ト会合ノ事申入アリ、同意ス
谷田君来リ、在京中銀行ノ件報告アリタ
野田氏より打電ノ委任状送布〔ママ〕方ニツキ電話ニテ注意ス

三月二十一日　月曜

堀氏より、福村家ニ小林君も立会ノ筈ニ付川崎銀行ノ件聞キ合セ呉レル様申入ニ付、午前十二時半同家ニ行キ、小林氏より事情聞タリ、昼食ヲ饗応ヲ受ケ午後三時五十七分博多駅発ニテ下ノ関ニ向ケ出発ス
山陽ホテル[6]十五室ヲ借受、渡辺君着駅ヲ待チ、模様ヲ聞キ、指直〔値〕セズ惣而野田君ト打合セ実行方頼ミタリ
渡辺君ハ十一時鑶〔汽〕舟ニ而渡鮮、自分ハ十時五十分連緤〔ママ〕舟ニテ門司駅ニ引返シ、十一時廿五分発ニ乗車、博多駅ニ午後一時四十五分ニ着、直チニ迎ノ自働車ニ而浜ノ町ニ着ス
倉冨氏相見へ、順春〔ママ〕君九水採用ノ件有馬〔秀雄〕[7]氏より照合〔ママ〕アリ、村上氏ニ頼ミタリ

三月二十二日　火曜

午前九時多田勇雄氏相見へ、種々懇談ス
午前十時千田精一県会議長相見へ、久世福岡市会議長ニ電話シ、午前十一時半大学ニ自働車ニ而行キ、大学惣長〔大工原銀太郎〕ニ三宅博士ノ留任ノ事ヲ陳情セシニ、既ニ留任ニ決定セリトノ意向ヲ聞キ、満足シテ帰リタリ
副嶋博士・谷口等ノ諸先生ニ電話ニ而其旨通知ス

午後一時十四分博多駅発ニ而下ノ関ニテ宴会ノコトヲ約シタルモ、村上氏ニ事情ヲ相談シ、二十三日ニ日延ヲ乞タリ

午後一時半自働車ニ而帰宅ス

［欄外］三池郡銀水村千田精一

三月二十三日　水曜

午後一時自働車ニ而遠賀川駅[8]ニ至リ、夫より乗車、村上功〔巧〕児君ト同車大吉楼[9]ニ行キ、松本〔忝蔵〕[10]・宮田〔兵三〕両氏ヲ招待ス、女中ニ三十円、千代・すまこニ二十円ツ、遣ス

帰途三井物産ノ舟ヲ借リ十円遣ス

八時三十分門司駅発ニ而帰途ニツク、午後十一時半帰着ス

有田〔広〕監事見ヘ、〔田川郡〕後藤寺町債務之件ニ付県庁ニテ取調ヲナス為メ出福ヲ命ス

1　三宅速＝九州帝国大学医学部教授
2　副島鎮雄・宮城順・谷口熊雄＝九州帝国大学医学部助手
3　三宅速九州帝国大学教授留任運動
4　久世庸夫＝福岡市会議長、元福岡市長、のち福岡市長
5　千田精一＝福岡県会議長
6　山陽ホテル＝下関市下関駅横
7　有馬秀雄＝元衆議院議員、のち衆議院議員
8　遠賀川駅＝鹿児島本線（遠賀郡島門村）
9　大吉楼＝料亭（下関市阿弥陀寺町）
10　松本忝蔵＝九州電気軌道株式会社取締役支配人、九州土地株式会社専務取締役

三月二十四日　木曜

駒山〔伴造カ〕[1]・田中〔保蔵カ〕[2]両君相見へ、遊術場ノ相談アリタ

白藤〔誠三〕商店員・星野〔礼助〕君来訪、産鉄株ノ件ニ付相談アリタ

野見山米吉[3]君来リタリ

義之介東京より帰リ、報告ス

有田監事相見へ、後藤寺町債ニ付県庁ノ意向聞キ取タリ

三月二十五日

午前九時半直方坑業者[4]送炭調節委員会ニ出席、東京ノ理事会ノ模様報告ス

本店ニ立寄、相羽君ト三井交換地等打合ス

午後四時半自働車ニ而出福、〔お〕相政ニ行キ晩食ス

三月二十六日

相政ニ行キ、堀氏及石田氏ト地所及坑区ノ件打合、午後八時半帰リタリ

三月二十七日　日曜

午前九時半自働車ニ而帰宅ス

野田氏朝鮮より帰ラレ、詳細報告アリタ

名和〔朴〕氏相見、後藤寺町債ノ件聞取タリ

三月二十八日　月曜

野田氏相見へ、朝鮮山林之打合ヲナス

森田〔森坂太郎平カ〕[5]警部転任ニ付挨拶ニ見ヘタリ

堀氏ト午後六時出福約束セシモ、後藤寺より電話アリ、末永邦彦ト申者要監視人ノ由ニ而注意スル様トノ事ニ而、堀氏ニ断リ出福見合ス

大正八年坑山全部引受問題ノ調査書ヲ野田氏相見へ渡シタリ

三月二十九日　火曜

午前七時青木[柳]自働車[6]ニ而出福ス、西公園[7]迄行キタルニ付赤坂門ニ而下車シ、別ニ酒代ヲ遣ス

植木ヲ見ニ行キタリ、黒瀬同供ス

三月三十日　水曜

崇福寺[8]甚外和尚、午前九時より自働車ニ而相見ヘタリ

茶室建築ニ付研究ヲ乞、午後六時自働車ニ而送ル

三月三十一日　木曜

有田広氏相見ヘタリ、銀行ノ打合ヲナス

1 駒山伴造＝中島鉱業株式会社取締役、元飯塚町会議員
2 田中保蔵＝筑陽日日新聞（元飯塚報知新聞）社主、のち福岡県会議員
3 野見山米吉＝株式会社麻生商店取締役、嘉穂銀行監査役、嘉穂電灯株式会社監査役
4 直方坑業者＝筑豊石炭鉱業組合直方会議所
5 森坂太郎平＝飯塚警察署長着任
6 青柳自動車＝青柳近太郎経営青柳自動車商会（飯塚町宮ノ下町）
7 西公園＝地名、福岡市
8 崇福寺＝臨済宗大徳寺派寺院（福岡市外千代町）、福岡藩主黒田家菩提寺

渡辺皐築君相見へ、山内[音次郎カ]娘結婚ニ付金三百円祝義遣ス
病気ニ付三十七度四分ノ発熱セシヲ以、薄本[薄元茂夫][1]君他行ニ付西田[熊吉][2]氏診察ノ目的ヲ以自働車ニ而出福ス

四月一日　金曜

浜ノ町ニ滞在、病気ニ付静養ス
西田先生ノ診察ヲ乞タリ
箱[宮]崎宮ニ参詣ス

四月二日　土曜

西田氏ノ診察ヲ乞、静養ス

四月三日　日曜

午前十一時福岡ヨリ自働車ニ而帰宅ス
野田・義ノ介両氏相見へ、横倉[英次郎]君面会ノ模様報告アリタ

四月四日　月曜

下痢症ニ罹リ静養ス
木村順太郎[3]・同孝太郎[4]・上野文雄・渡辺皐築・臼杵弥七[5]ノ五氏相見へ、木村家整理上ニ付、営業ハ仮成ニ実行出来得ルモ、情実ノ為〆乱費セラレ到底見込不相立ニ付、従来ノ整理方相見合セス可キ旨懇々申入タルモ、本月二十日頃迄ニハ東京より帰県ニ付、夫迄相待ツ事ニナリ、晩食ヲ供シ帰宅アリタ

四月五日　火曜

下痢症ニ罹リ静養ス
栢森区長来リ、共同農作ノ件ニ付契約証類研究ス、岩成[自助][6]君ヲ呼ヒ決定ス

四月六日　水曜

下痢病ニ罹リ在宿静養ス、棚橋氏より日田〔向カ〕大和田〔市郎〕[7]君相見へ橋本[8]ニ招待ヲ受ケタルモ断リタリ

立岩家敷ニ行キ、樹木植替ノ有様ヲ実見ス

九州送電井上〔博通〕支配人訪問アリ、事務上ニ付注意ス

上尾惣七[9]君来リ、倉庫掛員辞任ノ申出アリタルモ、辛抱スル様申謝〔諭カ〕シノ事ヲ申向ケタリ

四月七日　木曜

下痢症ニ罹静養ノ為メ在宿

立岩屋敷植込見分ニ行キタリ

柴田〔善三郎〕元知事来福ニ付、野田・義之介両人遣シ電話セシモ、出発跡ニナリタ

四月八日　金曜

病気静養ノ為メ在宿

1　薄元茂夫＝医師、株式会社麻生商店飯塚病院長兼内科部長
2　西田熊吉＝医師（福岡市下洲崎町）、元福岡医師会副会長
3　木村順太郎＝株式会社麻生商店監査役、株式会社森崎屋商店（酒造業）代表取締役、飯塚町会議員
4　木村孝太郎＝木村順太郎長男
5　臼杵弥七＝元株式会社麻生商店本店会計部
6　岩成自助＝弁護士（飯塚町）、元株式会社麻生商店庶務部
7　大和田市郎＝日向水力電気株式会社長、九州送電株式会社取締役、この年七月より九州水力電気株式会社取締役
8　橋本＝料亭（福岡市外東公園）
9　上尾惣七＝魚屋惣七とも、株式会社麻生商店倉庫係、元麻生芳雄運輸店

堀氏十二時帰直ニ付電話アリ、九日午前中出福ヲ約ス

朝鮮林[省三][1]君相見へ、野田氏ト一同安眠島[2]ノ計[経]営上ニ付懇談ス

金壱千円嘉穂銀行ニ預金ノ分受取、残金四千円余アリト吉浦より聞取タリ

四月九日　土曜

午前八時自働車ニ而大浦・徳光[3]及夏子[麻生夏][4]ト同車出福ス

堀氏及山内範三[造][5]氏相見へ、銀行ノ成行打合セタリ

お政ニ行キ銀行ノ件伊藤[傳右衛門]君ト打合セ、堀氏ヲ呼ヒ、山内範三[造]氏も立会、重役会決定ノ上発表スルコトニ打合ス

四月十日　日曜

村上君相見へ、野口[遵]及九軌松本[枩蔵]氏ノ意向詳細聞取タリ

相[お]政ニ行キ石田[亀二]氏ト会合ス、土地及手形ノ相談アリタ

四月十一日　月曜

知事官房ニ電話、朝鮮物[ママ]務長官招待ノ件ニ付打合ス

午前十時廿五分博多着ニテ野田君ト出迎ニ行キタリ

福村屋[家]ニテ昼食ヲ饗応ス、知事[大塚惟精]・内務部長[山中恒三]・警察部長[有吉実]・市長[時実秋穂]臨席ヲ乞タリ

午後七時二十五分博多駅発ニ御一行見送リ、直チニ自働車ニ而午後九時帰着ス

四月十二日　火曜

西園支配人及渡辺皐築ノ両君相見へ、嘉穂銀行引出ニ応スル金策ノ打合ヲナシ、又重役ニ電話ニ而惣而頭取ニ一任セラル、様異見ヲ聞キ、一任アリタリ

麻生物兵衛[6]君相見へ、右打合セ同意アリタ

野田・義之介両君ト金策ハ一切引受順備〔ママ〕方打合ス、又野田氏より横倉〔英次郎〕ノ件内報アリタ
堀氏より電話アリ、日本銀行支店よりモ電話アリ、仕払停止発表スルコトニ決定セリト通報ニ接シタルニ付、兼而
打合セシ通古井〔由之〕及知事ニ陳情ノ事打合ス

四月十三日　水曜

午前六時半自働車ニ而出福、十七銀行ニ行キ古井氏ニ面会、鞍手銀行仕払停止発表ノ件ニ付内談セシニ、日本銀行
支店より既ニ昨日再々電話アリ、今午前二時半直方十七銀行より発表ノ電話アリタルニ付専ラ手配中ニ而取込セシ
ニ付、知事ニ面会事情申述ル様申向ケアリ
直チニ県庁ニテ知事・内務部長へ面会、親シク事情申述、直チニ自働車ニ而帰宅、十一時半着ス
本店ニテ手配打合セタリ
一福間〔久一郎〕来リ、飯塚浦土地ノ件申含メタリ
午後三時過キ多少嘉穂〔銀行〕ニモ関係アリタルモ重太〔大〕ニハナカリシ、西園・渡辺両氏相見へ打合ス、全部自分ニ引受仕払
旨親シク申談ス

1　林省三＝この年五月より株式会社麻生商店安眠島林業所総務課長
2　安眠島＝株式会社麻生商店安眠島林業所（朝鮮忠清南道瑞山郡）、この年五月設置
3　徳光＝太吉女婿麻生義之介家
4　麻生夏＝太吉三男故麻生太郎妻
5　山内範造＝筑紫銀行（筑紫郡二日市町）頭取、衆議院議員
6　麻生惣兵衛＝嘉穂銀行取締役、元飯塚町会議員

四月十四日　木曜

堀氏より電話アリ、古井氏及県庁出頭ノ事詳細電話ス
飯塚・立岩・菰田・鯰田各小学校々長及町役場主任相見へ、古金銀ノ範造〔ママ〕額寄贈ニ付挨拶ニ見ヘタリ[1]
銀行取付左迄ノ事ナク、右ニ付十五日臨時休業ヲ見合セ、仕払スルコトニ手配シタ
飯塚警察署主任警部ニ知事ニ報告ヲ電話ニテ頼ミタリ

四月二十三日　土曜

堀氏相見へ、銀行休業ニツキ見舞ニ見ヘタリ、昼食ヲナシ帰直アリタ
大宰府〔空白〕相見へ昼飯ヲナス
渡辺君相見へ昼飯ナス
元郡役所ニ町村長会及校長ノ会義〔議〕ニ列シ、銀行ノ件ニ付懇談ス
宮野銀行[2]ニ金弐万円融通ス、担保ハ九水及宮野銀行株券、又借用主ハ宮野ノ有力者ナリ
田川ノ糸田小学校生徒来リタリ

四月二十四日　日曜

午前九時半嘉穂銀行ニ出頭ス

四月二十六日　火曜

山内範造・有吉外一〔林太郎〕[3]君相見へ、金融之相談アリ、渡辺君ヲ呼ヒ打合、四万円迄担保品譲受融通ノ打合ヲナス、晩食シテ七時ニ而帰宅アリタ
藤森町長辞職ノ内意相談アリタルモ、合併問題委員ノ調査落着ノ上辞職ノ申向ケナシタリ
午後一時間宮〔英宗〕[4]禅師御出発ニ付、直方堀氏迄送リタリ

四月二十七日　水曜

午前大宰府電話ニ而筑紫銀行有吉君より、[5]嘉穂銀行ニ相談之件ハ間ニ合候故、二十七日ニ罷出可キニ付渡辺君ニ可然ト電話アリタ

宮野町[村]長実岡半之助氏[6]・江藤靍松[7]両氏相見へ、先日金融之挨拶ニ見ヘタリ

時枝[満雄][8]詞[祠]掌ト瓜生[茂一郎][9]区長ト神殿・拝殿改修之件打合ス

瓜生[長右衛門]来リ、藤森氏辞退之件申入タルニ付不宜旨申向ケ、合併ノ利害実際調査可ナル時ハ合併シ、否ナル時ハ見合ノ事ヲ注意ス

四月三十日　土曜

午前八時卅分博多駅発ニ而門司ニ行キ、日本銀行支店ヲ訪問ス、支店長留主中ニ付次長ニ面会挨拶ス

三井銀行支店長ヲ訪問、次長ト一同面会ス、食事ノ懇情ノ沙汰アリシモ辞シタリ

昼食ヲ二階ニテナシ、十二時二十分門司発ニ而午後二時五十分博多駅着

1　飯塚・立岩・菰田・鯰田小学校＝飯塚町内小学校
2　宮野銀行＝一九〇一年設立（嘉穂郡宮野村）、一九三一年解散
3　有吉林太郎＝筑紫銀行取締役
4　間宮英宗＝臨済宗方広寺派管長、元鉄舟寺（静岡県）住職、のち栖賢寺（京都）住職
5　筑紫銀行＝一九〇〇年設立（筑紫郡二日市町）
6　実岡半之助＝宮野銀行取締役、嘉穂郡宮野村長、この年福岡県会議員
7　江藤鶴松＝宮野銀行取締役
8　時枝満雄＝負立八幡宮（飯塚町栢森）宮司
9　瓜生茂一郎＝栢森（飯塚町）区長

午後四時二十分一方亭ニ行キ中根[寿][1]氏ト会見、晩食ヲナス

五月一日　日曜

午前八時棚橋・村上両氏相見へ、九水之件打合ス

箱崎[宮]八幡神社ニ参詣ス、朝鮮殖産局長外一氏ニ中野商店松井[松居甚一郎][2]君ノ紹介ニ而面会ス

午前九時半自働車ニ而帰宅ス

花村和一[市][3]郎君相見へ、芳介君身持不宜ニ付忠告方内談アリタ

聯合会池上君、名和氏ノ身上ニ付堀氏・沢田牛麿[4]氏ニ祝電ヲ発ス

五月二日　月曜

西園・渡辺両氏ト銀行ノ金融上ニ付打合ス

在宿

五月三日　火曜

午前九時太七郎[麻生]・五郎[麻生][5]・よね子[麻生ヨネ][6]一同出福ス、一行ハ古賀[7]ニ悔ミニ行キタリ

一方亭ニ行キ晩食ス

五月四日　水曜

山田[駒之輔][8]先生病気ニ付大学病院ニ見舞タリ

博多日々新聞古川[初雄][9]来リ、小橋一太[10]氏ノ紹介ニ而種々懇談シテ帰リタリ

午後一時太七郎一同自働車ニ而帰リタリ

青柳茂[11]君来リ、茂七方屋敷買入ノ相談ナシタリ、右ニ付不必用[ママ]ニハ有之モ考慮ス可キニ付、区長ト得と懇談スル様申向ケタリ

五月五日　木曜

午前十時嘉穂銀行重役会ニ出席

五月六日　金曜

午前九時自働車ニ而出福

午後久留米大藪氏〔房次郎〕[12]葬式ニ列シ、帰途大宰府ニ参詣、二日市[13]大丸館ニ建設祝義〔ママ〕百円遣ス

五月七日　土曜

古賀〔吉川〕真之介[14]霊前ニ自働車ニ而参拝ス

1 中根寿＝元貝島鉱業株式会社取締役
2 松居甚一郎＝株式会社中野商店取締役支配人、嘉穂鉱業株式会社取締役
3 花村和市郎＝元飯塚町会議員
4 沢田牛麿＝北海道庁長官に就任、元福岡県知事
5 麻生五郎＝太吉女婿、株式会社麻生商店、のち取締役
6 麻生ヨネ＝太吉四女、麻生義之介妻
7 古賀＝地名、糟屋郡席内村、吉川正夫家所在地
8 山田駒之輔＝医師（福岡市上名島町）
9 古川初雄＝博多日日新聞社長、のち福岡県会議員
10 小橋一太＝衆議院議員、元内務次官、のち文部大臣、のち東京市長
11 青柳茂＝嘉穂銀行書記、のち本店支配人
12 大藪房次郎＝大藪守治九州水力電気株式会社取締役父、元久留米市会議員、元衆議院議員、五月二日死去
13 二日市＝地名、筑紫郡二日市町
14 吉川真之介＝太吉親族

夏子・米子一同小笹[1]ノ別荘地ニ臨ミタリ

五月八日　日曜

午後一時自働車ニ而帰宅

五月九日　月曜

午前十二時半山田駒之介〔輔〕先生葬儀ニ参拝、午後六時半帰宅ス

五月十日　火曜

在宿

渡辺皐築君相見へ、鈴木商会〔店〕[2]ニ振出之四万円ノ手形割引ノ内談アリ、打合ス

大坂〔ママ〕小形〔ママ〕自働車営業ノ岸本君〔重任〕[3]相見へ、創立[4]致度旨申入アリ、僅少デアリマスガ最後ニ至リ加入ノ旨申答ヘタリ

西園支配人ト銀行融通金ノ打合ヲナシ、十万円手当之打合セシモ、渡辺君ト面会ノ後二十万円トセリ

五月十一日　水曜

在宿

井上〔準之助〕日銀惣裁ニ祝電ヲ発ス

氏神石段ノ広メ〔ママ〕ニツキ実地ニ臨ミ指図ス

鈴木関係ノ四万円手形ノ件、渡辺君相見へ打合ス

立岩太七郎屋敷ニ臨ミタリ

五月十二日　木曜

在宿

名和後藤寺町長相見へ、町債ノ打合ヲナス

氏神石段ノ件指図ス
立岩太七郎家移リニツキ午前十一時より出浮タリ
帰途本店ニ立寄、廃川地[5]埋立及坑業上ニ付相羽〔虎雄〕及武田〔星輝〕両氏より聞取タリ、又上野〔美満〕より福岡地方商国〔帝〕炭会社〔業脱〕[6]所有地ノ調査ノ模様ヲ聞キタリ

五月十三日　金曜

在宿
田中〔保蔵〕筑陽日々新聞[7]者〔ママ〕来リ、金融ノ相談ナシタリ
花村〔徳右衛門〕・武田両君来リ、埋立地見合ノ事打合ス

五月十四日　土曜

耕地整理書記林田君来リ、該工事ニ関シ詳細申談、日記ニ岡松〔直〕[8]ニ申付記裁〔載〕ナササシム
午前十一時田山婦人〔クマ〕[9]一同自働車ニ而出福

1　小笹＝地名、福岡市平尾
2　株式会社鈴木商店＝総合商社、一八七四年開業、この年四月事業停止
3　岸本重任＝大阪小型自動車株式会社専務取締役、元黒竜会専務
4　福岡乗合自動車株式会社カ大阪交通株式会社カ
5　元飯塚川埋立地
6　帝国炭業株式会社＝一九一九年設立、この年本社を下関市より若松市に移転
7　筑陽日々新聞＝飯塚報知新聞として一九一四年創刊、一九一九年改題
8　岡松直＝株式会社麻生商店家事部
9　田山クマ＝麻生家浜の町別邸管理人、元小学校教師

一方亭ニ行キ晩食ス

五月十五日　日曜

午前八時義之介一同小笹ノ別荘ニ臨ミタリ

一方亭ニ行キ晩食ス

五月十六日　月曜

午後五時半自働車ニ而帰宅

太田勘太郎[1]・[博多]商業会議所書記長長田義彦君相見へ、協賛会[2]寄付ノ相談アリ、松本[健次郎]氏ト相談ノ上返事旨申向ケタリ

瓜生長右衛門来リ、鯰田県道ノ変更ノ希望セシモ断リ、町役場ノ設計通工事ナス様申向ケタリ

東京市外代々木初台六〇七野田勇[3]氏ニ送別ノ粗品ヲ書面相添へ送ル

五月十七日　火曜

午前十一時大浦及夏子一同自働車ニ而出福ス

午後二時相政[お]ニ行キタリ

五月十八日　水曜

官房主事井上[秀太郎][4]氏ニ、知事初メ転任之諸氏ニ晩食差上度ニ付案内ヲ頼ミタリ

十一時三十分博多駅ニ黒田[長成][5]侯爵ヲ御迎申上、御別邸[6]ニ訪問ス

大坂[ママ][7]時々水上君来リ、金弐百円遣ス

山内範三[造]氏出福ニ付一方亭ニ而昼食ヲナス、下ノ関婦人連来リ一百円遣ス

夫より宝満神社[8]ニ参詣、寄付金之相談アリ、承諾之意ヲ表ス

二日市大丸館ニ行キ晩食シ、八時浜ノ町ニ帰ル

五月十九日　木曜

午前八時自働車ニ而操〔麻生ミサヲ〕一同帰宅ス

藤森町長相見へ、辞職件ニ付過般来親シク申向ケ置候事ハ小生ノ意向ニテ無之、再考スル様野見山・篠崎・瓜生より聞キタル故重而訪問セリトノ事故、誠意ヲ以調査シ利害ニヨリ決定方重而申向ケタリ

床次氏〔竹二郎〕[9]不幸ニ付香典ヲ送ル

相羽君帰店ヲ待、上山田[10]坑区調査ヲ打合ス

午後六時半中嶋看護婦ト出福ス

官幣小社竈門神社宮司西高辻信任・禰宜小野子醇ノ両氏訪問アリタリ

五月二十日　金曜

福間久一郎ニ、天野ノ立退○東望〔東邦〕電柱○道路変更○ノ件ニ付市役場〔ママ〕打合ヲ命ス、又遊舟亭〔友泉〕境界・小作米ノ件等整理

1　太田勘太郎＝博多商業会議所常議員、醤油醸造業（福岡市蔵本町）、元福岡市会議員
2　東亜勧業博覧会（福岡市開催）協賛会
3　野田勇＝元福岡鉱務署長
4　井上秀太郎＝福岡県官房主事兼統計課長、元朝倉郡長
5　黒田長成＝枢密顧問官、元貴族院副議長
6　御別邸＝黒田家別邸（福岡市浜町）
7　大阪時事新報＝時事新報が大阪に進出して一九〇五年創刊、のち神戸新聞に買収される
8　宝満神社＝竈門神社（筑紫郡太宰府町）
9　床次竹二郎＝衆議院議員、元内務大臣、のち鉄道大臣、逓信大臣
10　上山田＝地名、嘉穂郡山田町、株式会社麻生商店坑区（元大朝炭鉱）所在地

方命ス
相羽君相見へ、上山田坑区ノ打合ヲナシ、坑区図十二枚受取タリ
知事官舎ニ訪問ス

五月二十一日　土曜

午前黒瀬連、遊[友泉]舟亭山林境界下男両人ト立会、明瞭ス
堀氏相見へ、相[お]政ニ行キ午後八時帰宿
警察部長ヲ訪問ス

五月二十二日　日曜

黒田侯爵訪問ス、廿五日招待スルニ付操[繰]合せ置ク様御沙汰アリタリ
午前八時半自働車ニ而帰宅ス

五月二十三日　月曜

中嶋ニ行キ、忠二[麻生][1]病気ニ付病院先生ニ診察ヲ乞、夫々治療法ヲ頼ミタリ
麻生屋欠路地之件ニ付心配シテ走リ込タルモ、全ク失錯ナキコトヲ説明シ、暫ラク氏神ノ建築ニテも世話スル様実地ニ案内シテ返シタリ
呂升君[2]久方振ニ見ヘタリ、昼食ヲナシ[ママ]
午後二時義之介ト自働車ニ而来福、知事[大塚惟精]一同ノ送別会ニ臨ミ、夫より相政ニ行キ、山内代議士・堀氏等晩食ス

五月二十六日　木曜

午前九条様御一行御出発ニ付九時廿二分芳雄駅発ヲ見送リ、自働車ニ而出福
午後二時廿三分博多駅発大塚元福岡知事ヲ見送リタリ、夫より福岡中学[3]ノ運動会ニ臨ミ金五十円菓子料ヲ寄付、午

後五時黒田侯爵ノ歓迎会ニ公会堂[4]ニ出席、帰リタリ
山中〔恒三〕[5]元内部〔務〕部長転宅ニ付相見ヘタリ

五月二十七日　金曜

山中内部〔務部〕々長ヲ訪問ス
中村清造君ニ電話ス
渡辺阜築君より十七銀行ノ電話アリタ

六月二日　木曜

午前八時別府山水園発、本宅ニ立寄、午後三時半八木山越[6]ニ而午後五時浜ノ町ニ着ス（自働車）
午後五時半松本健次郎氏ト福村ニ而会合、協賛成会〔ママ〕寄付、松本・安川両家千円ニツキ五百円寄付スルコトニ打合ス
西田〔稔〕[7]氏送別会坑業組合より開催セリ、出席ス
午後十時過キ帰リタリ
別途預金壱千円、間通ニ付込之仮受取タリ

1　麻生忠二＝太吉孫
2　呂升＝豊竹呂昇、本名永田仲子、女義太夫、一九二四年引退
3　福岡中学＝福岡県立福岡中学校、一九一七年開校（筑紫郡千代町堅粕）
4　公会堂＝福岡県公会堂（福岡市西中洲）
5　山中恒三＝福岡県内務部長、この月転勤
6　八木山越＝嘉穂郡鎮西村八木山を越え飯塚町と福岡市を結ぶ峠
7　西田稔＝福岡鉱山監督局長

六月三日　金曜

午前七時半安川〔敬一郎〕1男訪問ス

渡辺卑築君相見ヘ、九軌内調査ノ報告アリタ

鈴木〔商店〕利子差益金ハ秘蜜費ニ遣ス旨申向ケタリ

村上・真貝・黒木三氏相見ヘ、九軌ノ内報ニ満足セリ、社員ニ秘蜜ニ通シ調査セリト申向ケタリ、来ル八日再会ヲ約ス

一方亭ニ午後一時半より行キ安川氏ト晩食ス

六月四日　土曜

山崎達之助〔輔〕2君栄屋3ニ訪問シ、夫より八時三十分博多駅ノ出発ヲ見送リタリ

西田坑務〔ママ〕署長ヲ午後一時十四分博多駅ニ而見送リ、直チニ太賀吉・典太ト帰リタリ

六月五日　日曜

野見山平吉4・篠崎団ノ介〔之助〕5・田中〔保蔵〕・瓜生〔長右衛門〕・上野〔文雄〕ノ五氏相見ヘ、東筑倶楽部6発会式費補助ノ相談アリ、金七百円承諾ス、惣高千四百円ニ対シ五百円ハ他郡より、二百円ハ中野〔昇〕より相談調達ノ筈ナリ

九月ニ嘉穂ノ青年発会〔会脱〕7式挙行ニ付、金五百円寄付ヲ承諾ス

六月六日　月曜

上三緒坑ガス〔空白〕8発ニ付羅〔罹〕災者ヲ訪問ス、上三緒坑ニテハ警察署長及検事等臨見アリタ、病院ニ負傷者ヲ見舞、院長ニ注意方申付タリ

福岡日々〔支局〕飯塚〔三原佐太郎カ〕出張員相見ヘタリ

書類ノ整理ス

六月七日　火曜

上三緒坑災難ニ付、直方青柳[郁次郎]代議士・森崎氏[欣太郎カ][9]等相見ヘタリ

午後四時半自働車ニ而上三緒坑葬儀ニ臨ミ、焼香ヲナシ、午後六時半帰宅ス

晩事[食カ]ヲナシ、午後八時より自働車ニ而出福ス

六月八日　水曜

午後一時棚橋・村上・今井・新開・黒木[真貝]ノ諸氏相見ヘ、九軌調査書ニ付打合ス

一九水九利[有]ノ点ト合同後利益ト調査ナシコト[ママ]

一東望[東邦]会社モ同一ナリ

一熊本電機[気]会社同一ナリ

〆

1　安川敬一郎＝第一巻解説参照
2　山崎達之輔＝衆議院議員
3　栄屋＝旅館（福岡市橋口町）
4　野見山平吉＝福岡県会議員
5　篠崎団之助＝元福岡県会議員
6　東筑倶楽部＝東筑政友倶楽部、嘉穂・鞍手・遠賀三郡の立憲政友会組織、この年六月十二日設立大会、太吉顧問、安川敬一郎・松本健次郎も顧問
7　嘉穂青年会＝嘉穂政友青年党、この年八月十四日発会式、会長瓜生長右衛門、太吉相談役
8　株式会社麻生商店上三緒鉱業所ガス爆発、死者十一人、負傷者十一人
9　森崎欣太郎＝東洋電気雷管株式会社取締役

六月二十九日　水曜

去ル九日朝ヨリ胆石病ニ羅[罹]リ療養中、全快候ニ付、午前十時ヨリ自働車ニ而林看護婦一同帰宅ス

西園支配人相見へ、[嘉穂]貯蓄銀行主任之件及出納掛打合ス

六月三十日　木曜

野見山米吉君相見へ、銀行之件打合ス

書類整理ス

昭和二年上半期産鉄社長賞与金壱千弐百廿五円、渡辺専務より受取タリ

七月一日　金曜

西園[嘉穂]銀行支配人相見へ、貯蓄銀行移転ニ付主任及出納掛ノ件打合ス

渡辺産鉄専務相見へ、会社決義株主欠席者ニ通知スルコトハ普通之通ニシテ特別通報ニ不及旨打合ス

七月二日　土曜

山内農園[1]ニ行キ、クレノ試験場[2]工事場ニ臨ミタリ

在宿

病後療養ニ注意ス

七月三日　日曜

在宿

直方堀氏より電話アリ、五日出福ヲ約ス、渡辺君在宿否ヤ返話ノ事ヲ申入アリタルモ、不明ニ而直方ナラントノ事ニテ更ニ其旨通話ス

書類整理ス

七月四日　月曜

野田君相見へ、朝鮮山林地主ト契約ノ書類一切持参報告アリタ

在宿

分家[3]之家政上ニ関スル書類調査ス

七月五日　火曜

午前九時半自働車ニ而渡辺君及林看護婦ト出福ス

七月六日　水曜

堀氏ト相政〔お〕ニ行キ、食事ヲナス

七月七日　木曜

海東〔要造〕[4]氏福村屋〔家〕ニ招待シ、堀氏一同食事ヲナシ、午後十時過キ帰リタリ、合同問題ニ付同氏ノ真意ノアル処ヲ種々聞キタルモ要領ヲ得ザリシ、八日面会ヲナスコトニ打合ス

七月八日　金曜

瓜生長右衛門上京ニ付、望月〔圭介〕逓信大臣ニ紹介ノ依頼ヲナスニ付名刺ニ紹介ス、芳雄及上三緒駅ニ電信取扱情願〔請〕ノ件ナリ

1　山内農園＝株式会社麻生商店山内農場（飯塚町立岩）、一九〇八年（一九一〇年とも）設立、廃鉱地試験農場

2　クレー射撃試験場

3　分家＝麻生多次郎家

4　海東要造＝東邦電力株式会社取締役、のち副社長、本巻解説参照

堀氏相政[お]ニテ東望[東邦]ノ打入[合]ヲナシ、渡辺皐築君出福ヲ乞、内容ノ調査ヲ乞タリ
小野寺博士[直助][1]相見へ、後藤文夫[2]氏ニ病院医師採用方依頼ノ電報ス
安川男病気見舞ニ相見ヘタリ
一方亭ニ行キ晩食ヲナス

七月九日　土曜

貝嶋会社ノ峠[延吉][3]・石原[才助]両氏相見へ、鞍手銀行救済ニ付考慮スル様内談アリタルニツキ、貴会社ハ如何セラル、カト相尋タルニ、関係セザルコトニセリトノ事故、貴家ノ関係ナキモノニ小生カ考慮ノ余地ハアリマセヌト断タリ
乍併貴家カ種々手段ヲ以懇願スルニ至リ御引受ノ場合ハ、先代カラ厚ク懇親ノ間柄ニツキ、大ニ考慮スルコトハ辞セザル旨申添へ置キタリ
東望[東邦]合同ニツキ村上君ヲ経而黒木君ニ出福ヲ乞、調査材料ヲ渡シ、研究ノ件打合ス

七月十日　日曜

海東君へ電話シ、午前十時来訪アリ、蜜談ニテ他言ナキ旨ヲ誓ヒタル後、合併会社ノ整理セラル、決心アルカ、其ノ決心ニ[ママ]聞キ奔走ナシタシ、左モナケレバ合同シテモ将来降[隆]盛ノ見込ナキ旨申向ケタルニ、松永[安左衛門]氏ト関係厚キヲ以同氏ヲ出抜キニスルハ凌[ママ]ヒザルモ、幹事諸君ニ於テ是非ヤレト申事ニナレバ引受ケル旨ヲモ確答ヲ得タリ、右ニ付病後ニテ当分上京ハ出来ザルモ、何ニトカ工夫シテ合同ノ成立スル様尽力ノコト打合、承諾アリタ
山内範造君ト福村ニテ昼食ヲナシ、中村清造君モ遅レテ相見へ、山内・義之介ハ芝居見ニ、自分ハ中村君帰リヲ待チ帰宅ス
午後八時大博座[4]ニ芝居見ニ行キ、午後十時過キ帰リタリ

七月十一日　月曜

午前八時棚橋・村上・黒木ノ三氏相見へ、東望〔東邦〕関係調査書黒木氏より持参アリタ、海東君ト面会ノ始末ヲ報告ス、又百万円ノ証券会社ヲ九水会社ニテ創立ナスコトヲ打合ス

九軌之件ハ兼而村上君ト協定アリタル通ヲ進行シ、合併より宮田〔兵三〕ヲ引込株買入ヲ進メルハ得策ナラン、其ノ含ミニテ村上氏ニ協議セラル、様打合ス

谷田仲買〔入脱〕来リ、株之件ニ付種々異見ヲ聞キタリ

午後二時十分自働車ニテ帰宅ス

七月十二日　火曜

在宿

午前十時嘉穂銀行・同貯蓄銀行・博済会〔無尽〕社重役会ニ出席、午後二時過キ帰宅ス、将来銀行ノ取付騒キ等ハ無之事ヲ、産鉄会社・嘉穂電灯会社[5]ハ日本銀行ノ担保品トナル故、永遠一致シテ金融努力スレバ何等ノ不幸ハナキ旨一統ニ親シク談話ス

貯蓄銀行支配人ニ責任上ニ付親シク申付タリ

1　小野寺直助＝九州帝国大学医学部教授
2　後藤文夫＝麻生夏義兄、台湾総督府総務長官、のち農林大臣、内務大臣
3　峠延吉＝貝島商業株式会社監査役、大辻岩屋炭礦株式会社専務取締役、元貝島合名会社理事
4　大博座＝大博劇場、一九二〇年開場（福岡市上東町）、九州最大の本格的劇場
5　嘉穂電灯株式会社＝一九〇八年設立（飯塚町）、太吉社長

金弐百円、博済会社昭和二年一月より六月迄報洲〔酬〕、及金五円、貯蓄銀行日当受取タリ

七月十三日　水曜

午後一時自働車ニ而夏子一同着ス
下痢病ニ付療養ス

七月十四日　木曜

村上某、青木関係ニ付典太ヲ他ニ連行抔と不法ノ事ヲ大谷ひさ子〔き〕[1]ニ申向ケタルニ付、義之介・岩成〔自助〕ノ両君ニ電話シ、警察署ニ申出、一件ノ被害ヲ受ケザル方法ヲ研究ス

七月十五日　金曜

村上某来リ、警察署より青木方ヲ調査セシ件ニ付不穏当之申向ケタル由ニ付、夏子大ニ心配シ義之介・岩成両氏出福、□田署長ト打合ス

七月十六日　土曜

岩成君ニ面会ノタメ村上某来リタリ
直方町森崎金〔欣〕太郎君相見へ、鞍手銀行救済之件ニ付親シク聞取タリ、又先代貝嶋〔太助〕君ハ大事業中ニ而銀行ニ関係セザル事ハ大ニ考慮セラレタルモノと推察スル旨申向ケタリ
吉田準一[2]大串氏所有地所買収之件相談アリ、別記之通リ談合ス
おゑん〔桑原〕・おはま〔後藤〕[3]見舞ニ来リ、□田警察署長代理等晩食ス

七月十七日　日曜

午〔ママ〕七時四十分食事中吉田準一君来リ、平尾大串氏ト共有地前日買収代金示メシニ、増加之相談アリタルモ断リタリ、博多付近石炭坑区買入呉レ候様、坪数記名之書類相渡シタルニ付、調査ノ上返事スルと申向ケタリ

右書類ハ岩成君ニ相羽君ニ調査方依頼ス
西田〔熊吉〕氏診察アリタ

七月二十三日　土曜

別府別荘午前三時半出火、[4] 午前五時慎〔鎮〕火ノ電信藤沢〔良吉〕君より通知アリタ
午前八時半嘉穂銀行惣会ニ臨ミ、貯蓄銀行及博済トモ惣会無事済ミタリ
惣会ニ於而も株主ニ、郡内経〔ママ〕財上安定ニ関スル故十二分ノ通知アル様懇談ス
行員一同ニも十分勉強セラル、様懇談ス

七月二十六日　火曜

午前十一時福村屋〔家〕ニテ望月遁〔圭介〕相之招待ニ列シ、別記意味之挨拶シ、大臣も又答礼アリタ
来客ハ別記ニアリ
午後八時帰リタ、堀・山口ト懇談ス

七月二十七日　水曜

宮崎大和田〔市郎〕君訪問アリタ
村上君相見へ、玄関ニテ帰ラル

1　大谷ひさき＝麻生家女中
2　吉田準一＝活動之九州社長
3　桑原エン・後藤ハマ＝水茶屋券番（福岡市外）元芸者、馬賊芸者の祖
4　麻生家別府別荘山水園全焼

内本君相見ヘ、杖立会社ニ九水委托ニツキテハ別途ニセラル丶様注意ス
西田氏診察アリ、鯛味〔ママ〕之食事ハ差閊ナキ旨被申タリ
中村定三郎[1]氏見舞ニ見ヘタリ
岩成君相見ヘ、見舞ノ書類一切托ス

七月二十八日　木曜

静養ス
久保〔猪之吉〕[2]博士先般出金ノ挨拶ニ見ヘタリ

七月二十九日　金曜

山口恒太郎君相見ヘ、名和氏ノ件及楽一〔市〕[3]坑区及肥前坑区製鉄所ニ買収之件、東〔東邦〕望合同ノ件等打合ス
谷田来リ、九洲炭鉱〔炭礦汽船〕株見合、北海道〔炭礦汽船〕株売却ノ方得策ナラントノ意味ヲ懇談ス
中野昇氏ニ代理店ノ保証ニ捺印ス
スホン三百八十円・九円五十銭（二口）、箱崎之店ニ中嶋ニ払ヒス

七月三十日　土曜

村上〔巧見〕氏相見ヘ、杖立ノ書類ニ捺印ス
名和〔朴〕氏相見ヘタリ
藤田次吉[4]・木村謙三郎[5]見ヘタリ
太七郎別府より帰リ、報告ス
直方〔勝野重吉〕町々長相見ヘ、鞍手銀行ノ救済ノ懇談アリタ

八月三日　水曜

午後三時半自働車ニ而湯町[6]大丸館別荘ニ着ス

午後七時中野昇君相見へ、嘉穂青年会長就任之件辞退ノ旨申向アリ、裏面ニ而尽力セラル、様打合ス

八月四日　木曜

野見山平吉・篠崎団之介〔助〕・吉田久太郎[7]・田中安造〔保蔵〕より面会申込アリタルモ、病後療養中ニ付面会用談ハ免シヲ乞旨申向ケタリ

瓜生長右衛門来リ、青年会ハ中野君ハ松本〔健次郎〕氏より故障アリ、不面目不利益ニ付、伊支〔岐〕[8]須野見山〔醇造カ〕[9]君ヲ会長ニ、勢田・大隈ノ両人ニ副会長ニ撰挙方注意ス

八月五日　金曜

吉浦〔勝熊〕より金千六百円送来リタリ

堀氏より電話アリタ

1　中村定三郎＝釧勝興業株式会社長、博多湾築港株式会社取締役
2　久保猪之吉＝九州帝国大学医学部教授
3　楽市坑区＝株式会社麻生商店所有坑区（嘉穂郡穂波村）
4　藤田次吉＝太吉親族、酒造業（遠賀郡底井野村）
5　木村謙三郎＝木村順太郎（株式会社麻生商店監査役）次男、元嘉穂銀行書記
6　湯町＝地名、筑紫郡二日市町
7　吉田久太郎＝福岡県会議員
8　伊岐須＝地名、嘉穂郡二瀬村
9　野見山醇造＝酒造業（嘉穂郡二瀬村）、嘉穂郡二瀬村会議員

八月九日　火曜

午前九時自働車ニ而帰宅ス

棚橋氏より電話ニ而十一日出福之約定セシモ、聞キ合セシニ、二日市ニ訪問アリタルニ付十日朝出福ヲ約ス

金五百五十円、旧［盆カ］□仕約メ金残リ受取

瓜生来、青年会之組織ノ件ニ付打合ス

八月十日　水曜

午前八時自働車ニ而出福ス

浜ノ町ニテ棚橋氏ト打合ス

一東［東邦］望ハ九洲区域ナラデハ、全体ト合同スルコトハ絶体［ママ］不安心之旨呉々申入置タリ、又海東君［要造］ヲ引留ザレバ困難ノ旨ヲ加ヘ申向ケ置キタリ

一九軌ハ株ヲ買入、宮田［兵三］ヲ責任ヲ為持、合同ハ暫時見合セル方得策ノ旨申向ケタリ

一東望ノ合同ニ付堀氏より電報ノトキハ木村君［平右衛門］上京ヲ頼ミタリ

一杖立［杖立川水力電気］ヲ大分ニ移シ、整理上村上君ヲ専務トスルニツキ、九水常務ハ兼任アル様注意ス

午後二時自働車ニ而帰リタリ

八月十三日　土曜

旧十六日ニ而一般休業ス

嘉穂政友青年党発会之件ニ付援助之件ニ付、田中・瓜生外三人相見ヘ、義之介立会援助方法打合ス

本部出張員熊谷君［直太］1招待之件打合ス

太賀吉ハ津屋崎2、夏子一行ハ福岡ニ自働車ニ而行キタリ

青年党代表花野吉三郎・宮嶋重徳・許斐健・小山敦志・上田利七郎、発会式ノ挨拶ニ見ヘタリ

八月十五日　月曜

午前武蔵寺[3]前ノお汐井場ニ而洗除[滌]シテ礼拝ス

午後六時半大丸館ニ而晩食ス

太賀吉来、東京行ノ打合ヲナス

杖立会社書状小包ニ而福岡出張所[4]ニ送ル

八月二十六日　金曜

午前六時起キ、鳥居道路敷地ニ臨ミ指図ス

太七郎・久一郎[福間]ノ両人来、神社許可ノ説明書町長ヨリ送リ来リタリ

書類整理ス

八月二十九日　月曜

午前十一時一方亭ニ行キ、中根氏等会喰ス

一方亭女中等ニ五十円遣ス　十円ツ、ト三十円ナリ

1　熊谷直太＝衆議院議員、立憲政友会総務
2　津屋崎＝地名、宗像郡津屋崎町、麻生家別荘所在地
3　武蔵寺＝天台宗寺院（筑紫郡二日市町）、九州最古の寺院
4　福岡出張所＝杖立川水力電気株式会社福岡出張所（福岡市庄、九州水力電気株式会社福岡監理部内）

八月三十日　火曜

午前八時半村上巧児君相見へ、種々杖立工事上ニ付打合ス

おまさ[政]電話ス

木村君訪問アリタ

一方亭ニ本日会合断リタリ

八月三十一日　水曜

久留米市長船越岡次郎・商業会議所会頭中川喜次郎ノ両氏相見へ、久大線[1]吉井[2]より東側ヲ北部ニ変更運動ヲ伊藤[傳右衛門]君ニ見合方依頼アリシモ、地元ノ関係上今更六ツケ敷ニ付、別ニ方法ヲ以解決ノコトヲ注意ス

九月一日　木曜

午前九時自働車ニ而帰宅

野見山平吉・篠崎団ノ介[助]・上野文雄外青年党弐君相見へ、大会費用ノ内談アリ、此度限リ中野[昇]・伊藤[傳右衛門]両君ノ出金外ハ補介ノ旨申向ケ、昼食ヲナシ帰ラル

実岡[半之助]・江藤[鶴松]両氏相見へ、上部[郡カ]六ケ村ハ実岡氏ヲ県会議員ニ撰挙之事ニ申合ナリ、其ノ挨拶ニ見ヘタリ

渡辺君相見へ、来五日産鉄惣会出席ヲ打合ス

九月二日　金曜

野田氏相見へ、県会議員ノ撰挙心得ニ付、各営業所ヲ会同ニツキ打合ス、尚朝鮮村井[吉兵衛][3]氏ノ地所買収之件ハ吉末[三郎][4]君ニ断リ方打合ス

[木村]謙三郎家内参リ、種々本人不心得ニツキ慎心ス可キコトヲ咄シタルモ、同人より申出之通実行スルノ外ナキ旨ヲ謝[論カ]シタリ

九月三日　土曜

芳雄駅新設ニ付三分一ノ寄付金、地主より出金之分割当方法ニ付、花村久助・同永次郎[5]・同勝太郎[6]、本村区長・栢森区長ト相見へ、地主記入ナキ図面ニテ負担ヲ極メルコトニ打合ス

斉藤〔守圀〕知事及土木課長等立寄アリ、道路視察ニ出張中ナリ、午前十一時頃ナリ

九月九日　金曜

棚橋・黒木ノ両君相見へ、証券会社組織之件ニツキ定款及営業方針ニ付預算〔ママ〕書調製ノ打合ヲナス、明日より上京ニツキ東望〔東邦〕合同ニツキテハ海東君ノ外ノ方ハ希望申向ケナキ様注意ス

相政〔お〕ニ行キ、山内代議士・石田〔亀一〕（鈴木）・堀ノ三氏ト会食ス

花村氏〔徳右衛門〕相見へ、杉材買入ニツキ電話ス

九月十日　土曜

村上・内本両氏相見へ、杖立川電気工事ニ付打合ス、又夫々書類ニ捺印ス

十時ヨリ津崎屋〔ママ〕ニ行キタリ

午後三時半一方亭ニ行キ、喰事ヲナス

1　久大線＝鉄道省久留米・大分線
2　吉井＝地名、浮羽郡吉井町
3　村井吉兵衛＝元村井銀行社長、元村井鉱業株式会社取締役、一九二六年一月死去
4　吉末三郎＝村井鉱業株式会社粕屋炭坑長、元株式会社麻生商店参事
5　花村永次郎＝酒造業、元飯塚町会議員
6　花村勝太郎＝嘉穂清涼水株式会社監査役、元嘉穂銀行書記、翌年飯塚町会議員

午後六時半帰ル

九月十一日　日曜

伊藤傳右衛門君地行（松永〔安左衛門〕君家屋ニ）訪問、松田昌平[1]氏所有地長府[2]ノ土地家屋買収相談セシモ断〔ラ脱〕レタリ

貝嶋〔太市〕[3]氏長府ニ電話セシモ、他行ニ而不在ナリ

午後十時自働車ニ而帰宅ス

九月十二日　月曜

村上某ヨリ夏子ニ何ニカ不穏之書面ヲ投シタル由ニ而、岩成〔自助〕ヲ出福為致、予防手順ヲ致サス

野田君相見へ、朝鮮京城付近之地所之件ニ付打合ス

九月十四日　水曜

下ノ関貝嶋会社石原〔才助〕君ト電話往復セシモ、本人同店出発セシ跡ニ而、種々手込ナシタルモ用領ヲ得ザリシナリ

亡母五十四季法要営ミ、各僧侶ヲ招キ、親族一同食事ヲ呈ス

午後五時福岡ニ行ク

九月十五日　木曜

午前八時自働車ニ而辛〔宰〕府大和屋旅館ニ着、間モナク宮司相見へ報告祭之打合ヲナシ、山内〔範造〕代議士及宰府町長〔松島謙三〕[4]相見へ、昼食ヲナシ、午前十二時自働車ニテ宝満宮ニ参詣、祭典執行後写真ヲ取ラレ、午後一時四十分天満宮ニ参詣、三時自働車ニ而帰福ス、大和屋仕払等一切ナシタリ

午後五時一方亭ニ行キ、喰事ヲナシタリ

九月十六日　金曜

午前八時半樋井〔川脱〕村々長〔高木一雄〕[5]相見へ、遊舟〔友泉〕亭付近地所之件ニツキ内談アリ、坑業用ノ為メ買収セシニ付、入用外ハ町ノ必

要アラバ考慮スルベキ旨申答ヘタリ
福岡警察署長ヲ訪問、村上某ノ不埒之所為ニツキ情願[請]巡査之件相談セシモ、暫ラク現今之侭ニテ見送ル様注意アリタリ
政友会支部ニ而中村[清造]代議士ニ面会、県会議員撰挙之義ニ付聞キ取タリ
午後二時一方亭ニ行キ、中根[寿]氏ト会喰ス
午後七時帰ル

九月十七日　土曜

午前八時半自働車ニ而林看護婦・下男一同帰宅ス
松本[健次郎]・池上[駒衛]両氏ニ、廿三日石炭聯合会理事会欠席ニ付尽力方出状并ニ発電ス
義之介東京より帰県ニツキ聞取タリ

九月二十三日　金曜

山口恒太郎君より電話ニテ、伊藤傳右衛門君より昼食之案内アリ、相政[お]ニテ招待ヲ受ク
午後七時半伊藤君自働車ニ乗車シ帰リタリ

1　松田昌平＝建築家、元南満洲鉄道株式会社建築課技師
2　長府＝地名、山口県豊浦郡長府町
3　貝島太市＝貝島合名会社代表業務執行社員、貝島商業株式会社社長、第二巻解説参照
4　松島謙三＝筑紫郡太宰府町長
5　高木一雄＝早良郡樋井川村長

相政[お]ニ行掛ケ伊藤君火災跡[1]ニ臨ミ、実況ヲ見テ、災難トハ乍申余リ手緩キ火防ト大ニ信シタリ

九月二十四日　土曜

村上君相見へ、杖立専務トノ事、上京ニ而決定之由ヲ聞キタリ
木村平右衛門君東京より帰県ニ而、電力国有ニ付調査ス様ニアル様アリ、順序注意ス
午前十一時半自働車ニ而帰宅ス
県会議員ノ撰挙之模様聞キタリ

九月二十五日　日曜

氏神ニ参拝シ、瓜生熊吉一同新築之事柄一切打合ス
瓜生[長右衛門]・田中[保蔵]外一名訪問アリ、撰挙失敗ノ原由報告アリタ
太賀吉等午後三時帰福ス
組田[鞆之助][2]へ電信ニ而注文ス

九月二十八日　水曜

在宿
書類整理ス
水道設備予算書区長持参セシニ付、詳細設備ニ関スル利害ノ研究ヲ命ス

九月二十九日　木曜

太賀吉誕生日ニ付、浜町ニ電話ス
午前九時二十二分芳雄駅発ニ而築港会社[若松][3]重役会ニ出席ス
重役会ニ木村[久寿弥太][4]・吉田[良春]・中沢[勇雄][5]ノ諸氏ト松本[健次郎]会長重要ノ打合ヲナシタリ

午後三時卅五分発ニ而帰宅ス、門司管理局[6]鐵〔汽〕鑵□〔倉カ〕主任ト同車、飯塚迄帰リタリ

九月三十日　金曜

吉田久太郎君当撰[7]之挨拶ニ見ヘタリ

黒瀬〔元吉〕来リ幅物買入ル、〔狩野〕永真[8]ノ三幅対大幅ナリ

十月一日　土曜

氏神ニ参拝、改築工事之打合ヲナス

渡辺君相見ヘ、産鉄営業成蹟報告アリタ

堀氏より電報ハ、門司管理局ノ権限ニ而工事設計中ニ付、暫ラク成行ヲ見ル事得策ノ旨、返電ヲ注意ス

午後三時半義太賀・岡松一〔直〕同自働車ニ而出福ス

十月二日　日曜

福村屋〔家〕ニ山口君ト晩食ス

1　伊藤傳右衛門家別荘銅御殿（福岡市天神町）この年七月二十二日焼失
2　組田鞆之助＝書画骨董商（東京市）
3　若松築港株式会社＝一八八九年若松築港会社設立、一八九三年株式会社、太吉取締役
4　木村久寿弥太＝若松築港株式会社取締役、三菱合資会社総理事
5　中沢勇雄＝若松築港株式会社取締役、元同社支配人
6　門司管理局＝鉄道省門司鉄道局、元鉄道院九州鉄道管理局
7　福岡県会議員選挙当選
8　狩野永真安信＝江戸時代初期の画家

家族一同名嶋[1]「クレウチ」[2]ニ行ク

十月三日　月曜

杖立ノ入札立会電話アリシモ断リタリ
麻生観八[3]氏ニ出状ス（九水常務職責規約ナリ）
午後三時半過キ一方亭ニ行キ晩食、中根氏一同ナリ

十月四日　火曜

午前荒戸[4]ニ行キ、普請ノ打合ヲナス、金弐百円渡ス
午前十一時半一方亭ニ行キ、中根氏ト食事ス
杖立会社日向電〔水力脱〕気会社[5]より引受ノ発電所工事ニ付、内本・今井外両氏相見ヘタルモ、見合ノ事注意ス、尤予算迄ニ引受ケルレ〔ママ〕バ可然ト申向ケタリ

十月五日　水曜

福嶋嘉一郎君相見へ、大分県東国東村〔東〕〔郡〕電気会社[6]九水ニ相談ノ件依頼アリタ
藤井清造〔誠〕[7]君相見へ、破産伸情〔申請〕ノ事情申入アリタルニ付、銀行ノ責任上無止旨ヲ申向ケタリ
野田氏相見へ、朝鮮山林経営ニ付打合ス
荒戸ニ行キ、工事打合ス
棚橋君相見ヘタルニ付、職責変更ノ件親シク其ノ不得策ノ旨申向ケタルニ付、一時ハ直チニ改正ノ模様アリシモ、暫時相托呉レル様申向ケアリ、閉口スルモ荒立シテハ不相成、相分レタリ
午後七時より自働車ニ而義ノ介夫婦一同帰リタリ

十月六日　木曜

在宿

花村徳右衛門君相見へ、荒戸改築ハ勇[花村]君ニ交代ヲ打合ス

麻生観八氏ニ出福ノ打電セシニ付、十一日以後トノ返電来リ、其後ニテ宜敷出福之日ヲ返電ヲ乞タリ

篠崎団之介[助]・上野文雄両氏相見へ、撰挙之時瓜生・吉田ノ不宜旨詳細報告アリタ、晩食ヲ供シ、帰宅セラル

十月七日　金曜

嘉穂銀行ニ行キ、博済落札之件ニ付藤嶋[伊八郎]君及幹事[監]・支配人一同打合ス

午後七時半狩野[嘉市]8同供自働車ニ而出福

十月八日　土曜

花村勇君出福、荒戸改造ニ付狩野一同打合ス

午後四時半一方亭ニ行ク

1　名島＝地名、糟屋郡多々良村
2　クレウチ＝クレー射撃
3　麻生観八＝九州水力電気株式会社監査役、杖立川水力電気株式会社監査役、酒造業（大分県玖珠郡東飯田村）、第二巻解説参照
4　荒戸＝麻生家荒戸別荘（福岡市荒戸町）
5　日向水力電気株式会社（宮崎市）はこの年七月九州水力電気株式会社と合併
6　電気会社＝朝来水力電気株式会社（大分県東国東郡朝来村）
7　藤井誠造＝貸家業（飯塚町宮ノ下町）、共福無尽株式会社（鞍手郡直方町）取締役、元無尽共済貯金株式会社（飯塚町）社長
8　狩野嘉市＝加納とも、麻生家雑用

十月九日　日曜

義之介・義太賀・太助[介]等一同小笹ノ建築場所ニ臨ミタリ
午後七時半自働車ニ而帰宅ス

十月十日

氏神建物改造ニ付県庁社寺課宗勝政氏出張、実地踏[ママ]アリタ、役場及司[祠]掌等立会アリ、済後昼食ヲナシ、宗氏ハ上三緒ニ行カル

十月十一日

午後一時半自働車ニ而岡松一同自働車ニ而[ママ]別府向ケ、久邇宮様奉伺ノ為メ中山旅館[1]ニ泊ス
午前九時半亀川長生館ニ御機嫌奉伺
午後八時山水園ニ分部[資吉][2]別当御出アリ、御下賜品ト十三日晩饗ノ御沙汰ヲ拝ス、又御手植松御実検アリタ
山水園ニ行キ、焼跡ヲ見タリ

十月十二日　水曜

午前八時亀川御旅館ニ奉伺、拝湯[謁]ヲ給リ、難有御□[意カ]ヲ拝シ、又紀念ノ写真ニ列ス
別府市役所ニ訪問、市長[神沢又市郎]及助役[笠置雪治]其他ノ諸氏ニ面会ス
山水園焼跡ヲ見タリ

十月十三日　木曜

午前十時大分県庁ニ知事[藤山竹一]・内務部長[伊藤昌庸]・警察部長[横井直興]ヲ訪問ス
杖立会社ニ立寄、村上・内本両氏及職員一同ニ面会ス、職員ハ努力方申謝[諭]シタリ

十月十四日　金曜
午前八時半亀川駅ニ奉送ス
山水園ニ行ク
午後三時半麻生観八氏相見、晩食ス

十月十五日　土曜
棚橋君来別ヲ待ツ

十月十六日　日曜
午前米櫃麻生観八氏ヲ訪問ス
山水園及湯ノ湧出セシ工事場ニ行キ、工事ニツキ不宜方面ニ注意ス
野口山林ヲ視テ亀ノ井ニテ昼食ス
山下[彬麿]弁護士及亀ノ井主人[油屋熊八]3・豊洲[ママ]日報社長等ニ面会ス
午後三時半麻生観八氏相見へ、重役職責内規変更文案ヲ示サレ、同意ス
午後四時半自働車ニ而帰リタリ、茶代百円、▨▨[女中カ]五十円ヲ遣ス、午後八時半ニ帰着ス、途中故障ナキ為メ四時間ニテ帰着ス

1　中山旅館＝別府市上ノ田湯
2　分部資吉＝宮内属
3　油屋熊八＝株式会社亀の井ホテル（別府市不老町）社長

十月十七日　月曜

午前氏神改築工事等実地ニツキ指図ス
峠〔延吉〕氏より電話ニ而午後二時出福ノ旨返話シ、午後十二時十分自働車ニ而出福ス
貝嶋峠君相見へ、太一〔貝島太市〕君若松築港会社検査〔監〕役之件申入アリ、過日〔ママ〕重役会ニ而金子〔辰三郎〕[1]氏ニ相談ノ上ニ決定スルコトノ咄ヲナシ、明日徳田〔文作〕支配人ニ電話シ通報ヲ約ス
伊藤傳右衛門君午後八時半相見へ、小川〔平吉〕[2]大臣招待ノ事ニ付懇談アリ、坑業組合ヨリ招待ノコトヲ打合ス
中村清造君より小川大臣招待ニ付電話アリタ

十月十八日　火曜

午前七時自働車ニ而帰宅
若松築港会社徳田支配人ニ電話シ、金子氏検査〔監〕役ニ貝嶋氏取締役ニ、松本〔健次郎〕氏より相談ノ上決定ノ内報ヲ得タルニ付、直チニ峠氏ニ電話ス
近角〔常観〕[3]僧相見へ、焼香ノ上福岡ニ行カル
野田・義之介両君ト大分債〔紡績〕及大坂急行電車株買入ニ付打合ス
松本氏より電話アリ、鉄道大臣招待ニ付知事〔斉藤守圀〕より案内ノ電話アリタ

十月十九日　水曜

嘉穂銀行支配人相見へ、種々行務ノ打合ヲナス
渡辺氏相見へ、久恒〔貞雄〕氏ニ坑区合同ニツキ進行方相談ノ件打合ス
坑業組合より電話、小川大臣歓迎会ノ件ナリ
午後五時自働車ニ而出福ス

中村清造君相見へ、小川鉄相坑業組合ヨリ招待ニ付、田中[豊三]幹事[4]県庁ニ而案内ノ模様貫徹セズ旨ヲ聞キ、松本氏ニ電話セシモ、下ノ関滞在ト申ス事ヲ聞キ、大吉・春帆[5]及門司倶楽部[6]等ニ電話セリ

十月二十日　木曜

午前六時松本氏ニ電話シ、小川鉄相尚案内ヲ打合ス
中村清造君ニ、三池行ニ付押而案内方依頼ス
坑業組合田中幹事ヲ呼ヒ、大臣承諾アリ次第坑業組合員ニ通知ノ手配ノ出福ヲ乞、二時ニ久留米翠[萃香]光園[7]ニ電話ヲナシ、中村清造君より小川大臣承諾ノ通知アリ、其旨田中君より若松事務所ニ電話シ、又松本氏ニ発電ス、御自宅ニ電話シ、留主宅ニ通知ス
星野[礼助]氏ニ別府分湯ノ件ニ付鑑定ヲ乞タリ

十月二十一日　金曜

松本健次郎氏相見へ、古川[河]坑区ノ件、築港会社株三百株引受（古川氏所有）、貝嶋戸畑積入場（秘蜜）、上京ノ件等

1　金子辰三郎＝若松築港株式会社取締役、この月末同社監査役
2　小川平吉＝鉄道大臣、元司法大臣
3　近角常観＝真宗大谷派僧侶、雑誌『求道』の中心メンバー
4　田中豊三＝筑豊石炭鉱業組合幹事
5　春帆楼＝料亭（下関市阿弥陀寺町）
6　門司倶楽部＝一九〇三年設立（門司市清滝町）、当初筑豊石炭鉱業組合・門司石炭商組合・西部銀行集会所・九州鉄道を中心とした社交倶楽部
7　萃香園＝料亭（久留米市櫛原町）

打合ス
久恒君相見へ、政友会件ニ付元田[肇]氏[1]より厚意的ノ件、共同坑区一坪五十銭迄申入居ル等、三宅[速]博士上京ニツキ引留、古川[河]坑区ハ共同坑区ノ後ニ譲ル方得策ナラントノ意味ヲ申向ケアリタ
上須恵[2]安河内藤太氏宅ニテ安河内麻吉氏[3]告別式ニ列ス
午後三時四十分鉄道大臣博多駅ニ迎ヒ、政友会茶話会ニ臨ミ、[福岡県]公会堂ニ而官民歓迎会ニ列シ、夫より福村ノ知事ノ招待会ニ列シ、引続キ一方亭坑業組合ノ招待会ニ列ス、帰途常盤館[4]ニ立寄、午前一時半帰ル

十月二十二日　土曜

午前八時半小川大臣博多駅ニ見送リタリ
午後十二時三十分三宅博士同車、野田夫人[八重子][5]病気ニ付自働車ニ而帰宅、同家ニ而診察相済タリ

十月二十三日　日曜

[磯松]西園支配人相見へ、行務打合ヲナス
飯塚・大隈警察署長相見へ、昼食ヲナシ、オウトハイ買入ノ相談アリタ
福岡才判所長谷川[菊太郎]氏立寄アリタ

十月二十四日　月曜

在宿
午後一時嘉穂銀行重役会ニ臨ミタリ
和田[豊治]未亡人[織衣]相見へ電話アリタルニ付、重役会ヲ急キ仕舞帰リタルニ、別府温泉之件ニ付十分研究シテ継承スル運ニ至ラシムル旨申向ケタリ、同氏ハ福岡ニ行カレ、何れ村上・木村等ノ諸氏ニ成案ヲ托□[テカ]上京ヲ乞旨申入、尚両氏ニ御咄シノコト頼ミタリ

十月二十五日　火曜

午前十時自働車ニ而出福ス
堀氏政[お政]ニ待合アリ、同方ニテ昼食又晩食ス
山内[範造]・山口[恒太郎]・長谷川等ノ諸氏相見へ会食ス、夕方ニハ伊藤傳右衛門君も相見へ、八時過キ堀氏ヲ停車場ニ送リ帰リタリ

十月二十六日　水曜

色部大蔵省検査官県庁ニ而銀行合同ニ付申向ケアリタルモ、本県ハ三、四年前ニ既ニ其ノ必要ヲ認メ努力セシモ成立サズ[ママ]旨懇々申向ケ、折柄産鉄ノ如キ会社ノ株ハ所有セザル様注意アリタルニ付、右株ハ銀行トシテ大ニ必要ノ旨ヲ申向ケ、尚続キ日本銀行担保品トナル様相頼ミタリ
午後四時福村屋[家]ニ行キ、山内犯[範]造君ヲ待合、大博座ニ芝居見物ニ行キ、午後十一時半帰リタリ

十月二十七日　木曜

午前七時半自働車ニ而帰宅ス
別府湧湯、和田氏ニ先年譲与セシ為メ其ノ継続ニツキ上田[穏敬]別府より呼ヒ、野田・義之介両君ト岩成[自助]君モ出会協定ス、

1　元田肇＝衆議院議員、元逓信大臣、元鉄道大臣、のち衆議院議長
2　上須恵＝地名、糟屋郡須恵村
3　安河内麻吉＝元福岡県知事
4　常盤館＝料亭（福岡市外水茶屋）
5　野田八重子＝野田勢次郎（株式会社麻生商店常務取締役）妻、麻生夏姉

其ノ成案ニヨリ星野氏ニ鑑定ヲ乞タリ
相羽〔虎雄〕君相見へ、工事上ニ付前記ノ諸氏一同立会打合ス

十月二十八日　金曜

在宿
下田〔光造〕[1]博士ニ来診ヲ願、麻生屋・大浦御診察ヲ乞タリ、又広畑嘉〔賀〕[2]一郎処行ニ付縫子〔麻生縫〕[3]より詳細申上サセ、将来心得方ヲ聞キタルニ、本人ノ自覚スルヲ待ツノ外ナキ旨申向ケアリタ
宮吉〔生カ〕[4]・宮野銀行合併ノ件ニ付、江藤靍松外一氏相見へ、直チニ支配人ニ電話シ詳細申入方申向ケタ
氏神ニ行キ、工事ノ指図ス

十月二十九日　土曜

在宿
瓜生〔長右衛門〕・田中〔保蔵〕（新聞主）・阿部（〔空白〕）三氏来リ、青年党会長中野昇君ニ相頼度既ニ承諾申入タルモ、尚松井〔松居甚一郎〕支配人ニ確カメル必要ノ十分申向ケ、尚今後十二分努力アル様申向ケ、昼食後帰宅アリタ
上田・岩成再応相見へ、山水園分湯分水ノ件ニ付星野氏ノ異見ニヨリ打合ス

十月三十日　日曜

在宿
牧北〔牧田環〕[5]氏来県ニツキ三池ニ電話シ、来月七、八日頃福岡ニ而□会ス可キ旨返話アリタ
大▨加納様相見へ、菊見シテ昼食ヲナス
氏神ノ工事ニ付愛蔵〔瓜生〕寄付ノ玉垣門ノ右側ニ転スコトヲ瓜生□〔熊カ〕吉ヲ以懇談シ、承知アリタ
堀氏ニ電話シ、明日直方より折尾迄同車スル旨返話アリ、又明日午後海東〔要造〕氏一同会合ヲ約ス

十月三十一日　月曜

午前九時廿分芳雄駅発ニ而築港会社重役会ニ出席ノ為メ植木迄[6]行キ、同駅ニ下車ス、欠席ノ電信ヲナシ直方駅ニ引戻リ、若松へ出張之野田・渡辺ノ両氏ト株ノ売却ニツキ打合ス

自働車ニ而飯塚ニ返〔ママ〕リ、午後二時定期ノ自働車ニ而出福ス

福村屋〔家〕ニ海東・堀両氏ト会合シ、松永君今回ハ弥決心ナリ、只今より計算ニ取掛リテモ明年七月ノ決行トナルベシトノ意味打明ケラレタリ、同夜海東君より招待アリタ

十一月一日　火曜

杖立会社ノ木村君相見へ、書類捺印ス

有田〔広〕・支配人〔西園磯松〕及谷田〔信太郎〕仲買人相見へ、東望〔東邦〕銀行株売却打合ス

午後一時谷田電話ニ而呼ヒ、直〔値〕段ノ打合ヲナス

黒瀬ニ百五十円、千五百円口ノ残金ト三十円ノ更ニ買物ス

十一月二日　水曜

午前七時半自働車ニ而出福ス

1　下田光造＝九州帝国大学医学部教授
2　広畑＝太吉弟故麻生八郎家
3　麻生縫＝太吉弟故麻生八郎妻
4　生吉銀行＝一八九一年設立（浮羽郡吉井町）
5　牧田環＝三井鉱山株式会社常務取締役、電気化学工業株式会社取締役
6　植木＝地名、鞍手郡植木町

午前十時九水重役会ニ出席ス
十二時有田監事県庁出頭ノ用向聞取、昼食ヲナス
午後五時より公会堂ニ招待会ニ列ス、引続福村ノ二次会ニ出席、午後十時帰ル

十一月三日　木曜

午前八時三十分森村〔開作〕[1]社長博多駅ニ見送リタリ
十時より今津[2]ニ自働車ニ而行キ、太賀吉等ニ出会、十一時半帰リタリ
十二時より一方亭ニ行キ昼食ヲナシ、又晩食も中根〔寿〕氏等一同ナシタリ

十一月四日　金曜

福岡市政友会壮士千田外一名、中村清造君ノ紹介ニテ訪問アリタ
午前十時、九水出張所ニ而和田〔豊治〕氏ニ譲与ノ別府温泉冷水分与ノ継承ノ書面ニ付、村上・木村両氏ニ打合、尚棚橋氏も出頭アリ、一同申合シテ同意アリ、木村氏ニ上京ノ時持参ノ打合ヲナス
午前十一時半より自働車ニ而帰宅ス、途中軍人ノ通行ニテ漸ク午後三時過キ帰リタリ

十一月五日　土曜

午前十一時半加納様一同出福ス
午後五時より一方亭牧北〔牧田環〕氏招待会ニ列ス、松本〔健次郎〕氏も主人ニ加リアリ、三井銀行ノ支店長及次長招待ス

十一月六日　日曜

中野景雄君相見へ、青木〔壮三郎〕[3]一件驚入タル事計リ聞取タリ
椿井〔啓太郎〕君相見へ、不浪人救済方法ニツキ設備ニ付緩介〔援〕ノ申出アリ、金壱千円寄付ノ旨返事ス、吉浦〔勝熊〕・岡松〔直〕両人ニ電話方打合ス

午後六時半自働車ニ而義之介等一同帰宅ス

十一月七日　月曜

在宿

軍人演習ニツキ宿泊アリ

渡守皐築君相見へ、産鉄地所買入ノ件及森崎屋ノ関係懇談アリ、同地所買入、森崎屋ハ現在ト又子供ニ分与ト、株式引直ト調査ヲ打合ス

十一月八日　火曜

在宿

大屋久[4]君相見へ、有田家之家政上ニツキ内談アリタ

山村耕花[5]画伯外一名相見へ、別府知事より紹介ノ旨内談アリ、二幅四百円ニテ買入スルコトニセリ

十一月九日　水曜

西園支配人午前八時相見へ、銀行土地ノ件打合ス

午前九時自働車ニ而出福ス

1　森村開作＝九州水力電気株式会社社長、株式会社森村組社長

2　今津＝地名、糸島郡今津村

3　青木壮三郎＝日本精麦株式会社（福岡市吉塚）常務取締役

4　大屋久＝元嘉穂銀行大隈支店支配人、元嘉穂郡千手村長

5　山村耕花＝明治後期から昭和前期にかけての浮世絵師、版画家

久恒〔貞雄〕・毛里〔保太郎〕ノ両氏相見へ、古川〔河〕上山田炭坑買受相談ハ久恒君より辞退ヲ嶋村氏ニ申込アリ、左スレハ当方より長谷川〔恭平〕[1]氏ニ申込、毛里君ヲ頼ミ申込時ハ、他日合同ノ場合都合宜敷キ旨ヲ申向ケ、大ニ同意アリタ
福村ニ而ふくの料理ヲ以招待シ、山村画伯・中野恵善〔唖蝉〕[2]ノ諸氏モ相見へ、午後九時過キ帰リタリ

十一月十日　木曜

午前十時森田〔正路〕[3]氏ト自働車ニ而湯町大丸館ニ行キ、山内範造君も相見へ、新湯場ニ入湯シ、午後五時過キ自働車ニ而帰リタリ、新湯祝義〔儀〕弐百円、外ニ四十円遣ス
森田・山内両氏より有馬〔秀雄〕君撰挙費補助之意味内談アリタルモ、他日ニ尚打合スル旨申向ケタリ

十一月十一日　金曜

大坂時々〔ママ〕福岡出張員水〔上カ〕〔空白〕君相見へ、北九洲鉄道[4]ニ対シ藤金作[5]老人不宜所為アリ、新聞ニテ大ニ相責メ度旨申向ケ候故、老人之事故紙上ニハ記載ナキ様懇談ス
九洲〔ママ〕時々発行ニ付内談アリ、金百円遣ス
午前十一時自働車ニ而帰宅ス
原庫次郎[6]氏相見へ、婦人会及幼知〔稚〕園設備ニツキ援助ノ申入アリタ
藤森〔善平〕町長及助役〔古川林吉〕相見へ、庄内合併[7]ニ付調査書持参アリ、尚不足之廉調査ヲ打合ス

十一月十二日　土曜

在宿
別府川田〔十〕君ト電話シ、大工小屋及材木入納屋建設ヲ打合ス
風土記[8]ニ記載ノ藤ノ保存ニ付区長〔瓜生〕茂一郎立会、麻生広[9]ノ所有地買収方打合ス
渡辺皐築君相見へ、庄内合併不利益之点ヲ説明アリタ

十一月十三日　日曜

在宿

屋敷内植木ノ移植ヲ平野〔市三〕[10]等ニ指図ス、氏神ノ改築ニ臨ミ、酒屋[11]ニ出逢ヒ種々普請ニ付打合ス

黒瀬来リ、焼物買入タリ

山野冨田〔太郎〕[12]氏より團〔琢磨〕[13]氏来県見合ノ電話アリタ

十一月十四日　月曜

在宿

庄内合併ニツキ調査ス、渡辺〔阜築〕・福間〔久一郎〕両君立会ス

1　長谷川恭平＝古河鉱業株式会社西部鉱業所長、大正鉱業株式会社取締役
2　中野啞蟬＝熊太郎、福岡日日新聞社会部長、翌月審査部長
3　森田正路＝元衆議院議員、元福岡県会議員
4　北九州鉄道＝北九州鉄道株式会社、博多・東唐津間鉄道、一九二五年前原・姪浜間開通
5　藤金作＝元衆議院議員、元福岡県会議員
6　原庫次郎＝この年上期まで東邦電力株式会社取締役
7　庄内＝地名、嘉穂郡庄内村
8　風土記＝貝原益軒著「筑前国続風土記」（宝永六年）
9　麻生広＝株式会社麻生商店、翌年豆田所長事務取扱
10　平野市三＝麻生家庭師兼雑務
11　酒屋＝麻生惣兵衛、嘉穂銀行取締役、元飯塚町会議員
12　冨田太郎＝三井鉱山株式会社山野鉱業所長
13　團琢磨＝三井合名会社理事長

徳光台処改築ニツキ、狩野[嘉市]連レ調査ス

青柳兄妹来リ、午後七時自働車便ニ而帰リタリ

荷物等悉皆返シタリ

十一月十五日　火曜

在宿

藤森町長相見へ、庄内上野元村長[文雄]ヨリ、合併問題ニツキ庄内或ル部分ニ異存アリ、其ノ為メ県会議員ニモ落撰セシニツキ早く片付ル様内談有リタル旨報告アリ、町政ニ党争スルハ尤不宜[ママ]ニ付、合併見合ノ懇談セラレ、第一委員其ノ意向ニヨリ町会議員ノ順序トセラレ、若シ異存之アルトキハ自分よりモ応援ス可キ旨申向ケタリ

福間久一郎ヲ呼ヒ、藤森町長ノ意向ヲ上田[穏敬]ニ伝へタリ

西園支配人相見へ、銀行ノ打合ヲナス

三宅[速]博士太右衛門ノ診察ヲ願、本家ニ立寄帰福セラル

十一月十六日　水曜

井上[博通]氏葬式[1]ニ午後義ノ介・太七郎・林田[普][2]ト自働車ニ而出福、午後七時半帰リタリ

十一月十七日　木曜

野見山米吉相見へ、新宅負債[3]ニ付所有品買入ノ内談アリタ、重要之事柄ニ付熟考ノ上返事スルコトニ返セリ

別府鉄道ノ件ニ付藤沢良吉君相見へ、本店ニ出頭、順序一同打合ス

午後四時出福ス

十一月十八日　金曜

堀氏ト相政[お]ニ而出会、昼食ヲナス

午後五時堀・山内ノ両氏ト中橋〔徳五郎〕[4]大臣ヲ停車場ニ迎ヒ、公会堂官民歓迎会ニ出席、夫より坑業組合ノ招待会一方亭ニ行キ、午後九時半浜ノ町ニ帰リ、十時半より本宅ニ帰ル
一方亭ニハおゑん・金次[5]・お浜等晩食ヲセリ

十一月十九日　土曜

午前拾時嘉穂銀行重役会ニ出席、重要之問題評義シ、殊ニ土地代ヲ評価ヲナシ、其ノ余祐〔裕〕金ハ貸付金不充分之分ニ充当スルコトヲ頭取・監事・支配人ニ一任セラレタリ
午後二時自働車ニ而出福、荒戸小川〔ヒナ〕[6]ニ面会ス

十一月二十日　日曜

午前八時荒戸ニ行キ、小川ニ面会ス
午後五時福村家ニ行キ、晩食ス
大屋久君相見へ、有田広氏始末ニツキ書面ヲ以整理方相談アリ、得と考慮シテ援助方法可申向旨申向ケタリ
熊本旅館渡辺阜築君より電話アリタ

1　井上博通（瓜生長右衛門女婿、九州送電株式会社支配人）母富子葬儀
2　林田晋＝株式会社麻生商店商務部長
3　新宅＝麻生多次郎家
4　中橋徳五郎＝商工大臣、元大阪商船株式会社社長、元文部大臣、のち内務大臣
5　金次＝金治とも、元水茶屋券番芸者
6　小川ヒナ＝麻生家荒戸別荘（福岡市荒戸）管理人

十一月二十一日　月曜

午前八時自働車ニ而帰宅ス

義ノ介午後二時発ニ而上京ニ付、大屋久君より申入ノ有田家ノ負債ノ大様打合ス

十一月二十二日　火曜

藤森町長合同無期延期町会決定ニツキ挨拶ニ見ヘタリ

金三百四十円五十銭、取替口々出入帳ニ記入シテ受取、又別途預金より金五百円受取タリ

午前十時出福ス

午後三時過大宰府ニ参詣、午後七時半帰宅ス

佐賀経吉[1]君相見へ、椿井ノ咄ヲナシ又伊藤傳右衛門等ノ咄も聞キタリ、原〔庫次郎〕氏ニ千五百円寄付スルコトニセリ

十一月二十三日　水曜

藤田次吉氏相見へ、〔藤田〕佐七郎[2]君身上ニ付取合セザル様注意アリタリ、森崎屋及〔木村〕謙三郎[3]・新宅等ノ関係一応成行ヲ咄シタリ

十一時半湯町大丸館ニ行キ、山内範造氏ト晩食ヲナシ、宰府連も来リ、午後七時半自働車ニ而帰リタリ

十円茶代、十五円召使ニ遣ス

十一月二十四日　木曜

〔堀三太郎〕ホリシト電話シ、廿六日上京ニツキ帰県ノ上面会ヲ約ス

午前八時半自働車ニ而帰宅ス

十一月二十五日　金曜

午前八時自働車ニ而出福ス

村上功[巧]児君相見へ、杖立会社決算ニツキ打合セ、承認印ヲナス
棚橋氏相見へ、社債利子下ケノ内談アリタルモ、見合セノ注意ス
森田・山内両氏相見へ、有馬[秀雄]君運動費之件ニツキ内談アリ、考慮之上返事スルコトニ打合ス、両氏トモ種々打合セ、
昼食事ヲナシ帰宅アリタ
午後五時半一方亭ニテ峠[延吉]・石渡[信太郎][4]両氏招待会ニ行キ、田中[豊三]幹事も相見へ、野田氏ト一同接待ス

十一月二十六日　土曜

午前九時紅屋[卯]旅館[5]ニ麻生観八氏ヲ訪問、大分水力県税之件ニ関シ尽力ヲ謝シ、夫より九水営業所ニ而協義会ニ一同
出席ス
杖立・筑後[6]両社惣会後、浜ノ町別荘ニ而協義会之事ニナリ、一同自働車ニ而奥座敷ニ集会協義ス、減配之件ニ付
長野[善五郎][7]氏より異説アリ、午後一時五十分ニナリ、同氏ハ鏇[汽]車時間切迫ニ而昼食ナシニ帰ラレ、跡ノ重役諸氏ハ昼食ヲ
ナシ散会セラル

1　佐賀経吉＝鉱業経営者、玄洋社
2　藤田佐七郎＝藤田次吉家別家（遠賀郡底井野村）
3　木村謙三郎＝麻生太七女婿、元株式会社麻生商店
4　石渡信太郎＝明治鉱業株式会社常務取締役
5　紅卯旅館＝福岡市廿家町
6　筑後電気株式会社＝浮羽水力電気株式会社として一九一四年開業、九州電気酸素株式会社を一九二三年改称、太吉取締役
7　長野善五郎＝九州水力電気株式会社取締役、杖立川水力電気株式会社取締役、二十三銀行（大分市）頭取

底井野[1]森文生（笹屋娘□[婿カ][2]）・二村久雄ノ（黒崎医師）相見へ、笹屋佐七郎身上ニ付種々困難ニツキ内談アリシモ、
到底手段ナキ旨申向ケタリ

十一月二十七日　日曜

渡辺皐築君ヲ呼ヒ、九水減配ニ関スル調査ヲナシ、電灯ヲ分離シ別会社トシテ方針ヲ進ム事ハ税金関係ニテ実行不能ニ付、株主ニ割戻シ方法ヲ研究ス、渡辺君ハ昼食ヲナシ帰飯スル様進メタルモ、時間切迫ニ而リンゴト菓子ヲ包ミ出発アリタ

黒木君ニ調査ノ模様電話セシニ、実行難ノ電話アリタ、二十八日午前八時訪問ヲ約ス

中光[3]ニテ〇ノ料理ヲ催セシニツキ、黒木君招待ス、丁度木村君モ相見へ会喰、午後十時過キ帰リタリ

十一月二十八日　月曜

午前九時半棚橋氏より黒木君一同相見ヘル電話アリ、間モ[ナク脱カ]相見へ、又村上・木村ノ両氏ニも会合ヲ電話セシトノ事ニテ待合セ、両氏モ程ナク相見へ、黒木君より廿六日重役会ニ申合セシ電灯ヲ分離別会社トスルコトハ到底実行困難ノ報告アリ、其ノ大体覚書ヲ以テ説明アリタ、右ニ付自分ニ於テ種々調査セシモ実行出来ザル旨詳細申向ケ（別記アリ）、其ノ結果株主割戻ノ方法ニヨリ黒木君ニ調査ノコトニ打合セ、昼食シテ散会アリタ

午後二時半頃農芸品評会ニ臨ミ、苗木買入、中根氏ニ面会ス

午後三時半一方亭ニ行キ、中根氏ト晩食ス

十一月二十九日　火曜

午前十一時半福村家ニ山崎達之介[輔]君昼食ニ招待シ、知事・内務部長其ノ[他脱]山内・中村及県会議員等臨席アリタ

午後六時半帰リタリ

十一月三十日　水曜

美和辰五郎君[4]相見ヘ、発明ニ付国民ニ宣伝ニツキ説明アリタ、右ニ付書類兼而相廻シニツキ、吉浦ニ持参シ御返上ノ事ヲ申向ケタリ

柴田徳次郎君[5]相見ヘタリ

黒木君調査ノ結果良好ナリトノ意味報告アリ、又払込ニツキ利率ノ勘定ノ打合ヲナシ、明日午後四時再会ヲ約ス

平尾山林ニ行キ指図ス

黒瀬ノ案内ニテ大宰府地所ヲ検見〔ママ〕分

十二月一日　木曜

栄屋旅館樋口君〔典常カ〕[6]より電話アリタルニ付、今回政友会ノ組織ニツキテハ乍迷惑衆人ノ希望ニ添ル、ノ外アリ間敷、堀氏ハ電信ニ而御□〔乞〕合ヲ乞旨申向ケ、又午後ニハ出福ヲ約ス

午前八時半自働車ニ而帰途、箱〔筥〕崎八幡宮参詣ス

金壱千円、別口預ケ分受取、及二百十五円、黒瀬払ノ分受取タリ

1　底井野＝地名、遠賀郡底井野村
2　笹屋＝藤田次吉家、酒造業（遠賀郡底井野村）
3　中光＝料理屋（福岡市外水茶屋）
4　美和辰五郎＝日本の人口過剰問題解決のための農工政策宣伝家（福岡市下警固町）
5　柴田徳次郎＝国士舘長
6　樋口典常＝元衆議院議員、のち衆議院議員

氏神ニ参詣、及阿野[季忠カ][1]様ト会談ス、新石橋成工ニ付報告祭ヲ時枝[満雄]司[祠]掌挙行アリタ
午後三時半自働車ニ而平野[市三]一同出福ス
黒木君相見へ、減配ニツキ株ニ旧ニ五円、新壱円廿五銭ノ割戻シ、又新株ニ七円五十銭払込ノ確実ナル調査出来持
参アリタ

十二月二日　金曜

平尾山ニ平野連レ行キタリ
彦[英彦]山宮司[高千穂宣麿]外二氏相見へ、保存家屋修繕ニ付寄付ノ申向ケアリタ
大森嘉右衛門ト申人相見へ、先年注告セシコトアリ、大ニ夫レニ感シ憤[ママ]国努力セラレ成工[功]セラレタルニ付挨拶アリ
タ
田代丈三郎[2]氏政事[ママ]上ニ付貝嶋君ノ件申込アリタ
午後四時半福村家ニ行キ、山口・森田両氏ト晩食ス
久恒・毛里ノ両氏相見、古川[河]坑区買入断絶ノ旨申向ケアリ、是より小生ニ於而進行方打合ス

十二月三日　土曜

村上・木村・黒木ノ三氏相見へ、九水株主割戻シニ付調書持参研究ス
平尾山ニ行キ、平野等ニ工事順序打合ス
午前十一時半自働車ニ而帰宅ス
野田・渡辺・義之介来リ、産鉄芳雄停車場及九水減配ニツキ株主ニ臨時割戻シ法ヲ打合ス（書類渡辺氏ニ渡ス

十二月四日　日曜

芳雄駅拡張ニ付、高尾山切下ケ方法研究ノ為メ実地ニ臨ミタリ

〔芳雄〕製工所ニ行キ倉庫品ノ見分ノ筈ナリシモ、谷田来ルトノ電話ニ帰リ、谷田君ニ面会ス
氏神ニ参詣、普請ノ指図ヲナス
花村徳右衛門君浜ノ町ト電話ス
野見山米吉君電話ス、新宅より申向ケノ件
久留米布屋旅館滞在ノ有馬〔秀雄〕代議士ニ電話シ、五日午前十一時福村家ニ而出会ヲ約ス

十二月五日　月曜

午前氏神改築ニツキ工事ノ指図ヲナシ、午前九時半青柳小形〔ママ〕自働車ニ而出福ス、女中ハ浜ノ町ニ直行、中途下車シテ福村家ニ行キ、有馬氏及山内ノ二君ト昼食ヲナシ、運動費ノ件聞取タリ、又田川金田線[3]ノ布設ノ内談ス
平尾山ニ行キ工事打合ス、〔花村徳右衛門〕花徳君立会ス

十二月六日　火曜

九水営業所ニ出頭、黒木君ト面会、村上君大分出張中ニ付電話ニ而森村社長ノ打電ノ件ニ付打合セ、麻生観八氏ト十分協議ヲナシ出発致度旨申向ケ、麻生観八氏ノ意向ニテ別府ニテ面会スルモ不苦ト電話ス、何れ面会ノ上返事スルトノ事ニ而帰宅ス
平尾山ニ行、工事之打合ヲナシタリ
午後三時半自働車（タクシヲ雇入）帰宅ス、午後五時着ス

1　阿野季忠＝麻生夏義兄、十五銀行（東京市）、のち常務取締役
2　田代丈三郎＝元福岡県会議員
3　田川金田線＝金宮鉄道株式会社田川郡金田・宮床間鉄道

十二月七日　水曜

在宿

野見山米吉君相見へ、新宅整理ニ関シ相談アリ、地図等ニヨリ詳細調査ノ結果、関係厚キ処ハ同方之希望ニ随ヒ引受ス可キモ、他ハ別紙之旨意ニヨリ六理[ママ]ニ価格ヲ取極メル事ハ困難ノ順序申答、新宅ニ申伝へ之末、更ニ他日相談ス可キトノ事ナリ

十二月八日　木曜

午後一時五十分芳雄駅発ニテ川卯[1]ニ行キ晩食ス、夫より馬関山陽ホテルニ一泊ス

十二月九日　金曜

午前十時急行ニテ門司駅ニ乗車ス

床次[竹二郎]・川原[茂輔][2]・堀・棚橋等ノ諸氏ニ面会ス

十二月十日　土曜

午前十一時四十分博多駅ニ着、直ニ浜ノ町ニ着ス

棚橋氏相見へ、在京中減配ニ付打合アリ、今回ハ据置ニ決定セリト報告ヲ聞キタリ

堀氏相見へ、在京ノ報告ヲ聞キ昼食ヲナシ、夫より相政[お]ニ行キ晩食ス

十二月十一日　日曜

麻生観八氏ヲ紅卯旅館ニ訪問ス、紅卯老人ニ遣金ヲ遣ス

九水重役諸君一同昼食ノ招待ス

午後三時半相政ニ行キ堀氏ト晩食シ、午後十時帰宅ス

十二月十二日　月曜

堀三太郎氏相見へ、日銀惣裁〔井上準之助〕ニ鞍手銀行ノ件ニ付挨拶ヲ頼ノマレタリ〔ママ〕、又同銀行減資ニ付五ケ年後ノ営業権ナキ事等、同惣裁ハ其ノ失権ハ合同ニテ持続ノ道アルベシトノ意味アリタル等咄ヲ聞キタリ

貝嶋太一〔市〕氏ニ一方亭ニテ面会、政友会ニ対スル目下ノ現状ヲ咄セシモ、同君も内務大臣〔鈴木喜三郎〕等ニハ種々ナル関係アリ、傍観ノ意思ナキ様子ナリ、得と考慮ヲ乞、他日再会ヲ約ス

午後七時半自働車ニ而帰リタリ

十二月十三日　火曜

麻生太〔多〕次郎[3]整理ニツキ野見山君〔米吉〕相見へ相談ニ付、大ニ考慮シテ別記之順序ニヨリ交渉ヲナシ、折半ニテ引受方申入アリ、無止承諾ヲ答、其ノ末太次郎・弁之介〔麻生〕[4]両氏相見へ挨拶アリタ、野見山立会ナリ

瓜生長右衛門・瓜生茂一郎両人来リ、共同組合之件ニ付、組合員不折合ニ付親シク申謝〔諭カ〕シ方申入タルモ、其侭ニナシ実行スル様注□〔意カ〕ス

再度瓜生長右衛門来、久恒君〔貞雄〕候補[5]ニ関シ内談セシモ、今暫ラク見合方注意ス

1　川卯＝旅館、支店（門司市）本店（下関市）
2　川原茂輔＝衆議院議員
3　麻生多次郎＝麻生家新宅、元飯塚町長、元福岡県会議員
4　麻生弁之介＝麻生多次郎長男
5　次期衆議院議員候補者

十二月十四日　水曜

相羽君相見へ、粕屋村井坑区[1]ノ調査方打合ス

堀氏相見へ、宇美小林〔作五郎〕[2]家ニ不幸アリ、産鉄重役会欠席ニ付懇談アリ、重役会ノ意向打合セ同意アリ、博多行自働車ニ而出福アリタ

藤森町長相見へ、辞任ノ事十九日町会ニ提出ノ内意相談アリ、同意ス、此場合無止事ナリト申向ケタリ

二百五十二円受取、五十円ハ加納〔嘉市〕ニ心付遣ス

午後一時倶楽部[3]ニテ産鉄重役会開催ス

十二月二十四日　土曜

午前十一時五十分東京より帰着ス

氏神ニ参詣、工事ヲ見分ス

午後五時半野田・義ノ介来リ、在京中ノ打合ヲナス

堀氏ニ電話セシモ上坂中ナリ

田中〔保蔵〕新聞主ヲ瓜生連レ来リ、金弐百円遣ス

安田銀行取締役九洲地方監督杉原惟敬君門司駅より同車、折尾駅ニ而下車ス

十二月二十五日　日曜

瓜生・上田両人来リ、町長〔藤森善平〕辞任発表及慰労金給与方ニ付聞取タリ、決而軽率之事ナキ様注意ス、飯塚町ノ人々ハ円満ノ事ニハ不至深ク考慮スル様注意ス

別府亀ノ井〔油屋熊八〕来リ、廻遊自働車営業及金融ノ内談ヲ受ケタリ

渡辺・義之介来リ、田川ノ鉄道布設願ノ打合ヲナス

堀氏より電話アリ、明日博多ニ而会合ヲ約ス
野見山〔米吉〕及太〔多〕次郎君相見へ、地所間違ノ打合ヲナス、正当ノ順序ニヨリ進行ヲ約ス

十二月二十六日　月曜

午前十時半太介一同出福ス
午前十二時相政〔お〕ニ行キ、昼食ヲナス
在京中井上日銀惣裁訪問之始末等相咄シ、又鞍手銀行ノ開店ノ事ヲ聞キタリ
黒瀬来リ、七百円買物ス

十二月二十七日　火曜

堀氏相見へ、久恒君候補之件ニ付申向ケアリタ
堀氏一同相政ニ行キ昼食ヲナシ、午後七時半帰直アリ
久恒君挨拶ニ見ヘタリ

十二月二十八日　水曜

午前金宮鉄道[4]認可願書持参義之介・福田〔基治〕[5]（産鉄）来リ、県庁受付等手配相済、十一時福田君ハ帰郡、義之介一同

1　村井坑区＝村井鉱業株式会社粕屋炭鉱（糟屋郡志免町ほか）、翌年日本工業株式会社に売却
2　小林作五郎＝酒造業、元福岡県会議員
3　倶楽部＝九州産業鉄道株式会社倶楽部（田川郡後藤寺町）カ、株式会社麻生商店倶楽部（飯塚町立岩）カ
4　金宮鉄道株式会社＝設立（田川郡後藤寺町）、太吉社長、渡辺皐築専務取締役
5　福田基治＝九州産業鉄道株式会社鉄道技師

福村家ニ而有馬［秀雄］代議士ト出願手続打合、昼食後久留米へ引返シニナリ、義之介ト平尾屋敷ニ臨ミ帰リタリ
午後五時太助［介］一同帰リタリ

十二月二十九日　木曜

渡辺君相見へ、直方新聞ノ相談ヲ聞キタリ、少額ニ付商店ニ而打合セ可然旨申答タリ
野田君相見へ、新宅地所・別府ノ件打合ス
区長ト役場書記相見へ、池田溝浚[1]ノ打合ヲナス

十二月三十日　金曜

野田・渡辺両君相見へ、別府亀ノ井貸付及産鉄より後藤寺町役員招待ニ付打合ス

十二月三十一日　土曜

武田［星輝］君来リ、多次郎地所之代金ノ件ニ付打合ス
渡辺君相見へ、久恒君候補之件ニ付蜜カニ同君之意向ヲ洩シ、将来運動ハ上部［郡カ］之方ニ注意スル様打合ス

備忘録

昭和二年一月二十三日
　金弐百四十円四十四銭　　大正十五年七月一日より昭和元年十二月迄　貯蓄銀行賞与金
　同千五百円　　嘉穂銀行同上
　同四百六十四円　　博済会社同上

〆二千二百四円四十四銭
内
四十円　小使・給仕心付、監事渡ス
残而二千百六十四円四十四銭

昭和二年七月廿四日
金壱千四百弐十弐円弐十二銭　昭和二年一月より六月迄嘉穂銀行賞与金
同弐百四十九円三十六銭　同貯蓄銀行賞与金
同六百八円　同博済会社同
〆二千二百七十九円五十八銭
内
金四十円　支給心付、支配人渡ス
残而二千二百三十九円五十八銭

昭和二年八月五日
五千円

1　池田＝地名、飯塚町立岩

内

千五百円　義之介
五百円　太七郎
五百円　五郎
〆
五百円　大浦[1]
百円　太右衛門[2]
五十円　操
五十円　米
二十円　義太賀・太介
五十円　君生[3]
十円　たきよ[4]
五十円　ふよ[5]
三十円　摂郎[6]・忠二
五十円　夏子
四十円　太賀吉・典太・つや子[7]・たつ子
壱千円　野田
〆四千四百五十円
残而五百五十円　現在、八月九日現在ス

金五千円
　内
　金四千四百五十円
残而五百五十円

昭和二年十二月廿九日夏子より受取

前記之通分与シタリ
十二月廿九日夏子より受取
前記之分配ハ四、五日已前同人カ実行セリ

1927（昭和2）

1　大浦＝麻生太右衛門家
2　麻生太右衛門＝太吉長男
3　麻生きみを＝太吉四男麻生太七郎妻
4　麻生多喜子＝太吉孫
5　麻生フヨ＝太吉五女、麻生五郎妻
6　麻生摂郎＝太吉孫
7　麻生ツヤ子＝太吉孫

解説

一　筑豊麻生家の家法・家掟・店則

Ⅰ　はじめに

麻生太吉は一八五七年筑前国嘉麻郡立岩村に賀郎の長男として生まれた。家は庄屋役を務める豪農であった。そして、一八八〇年父に従い炭鉱業に着手したと伝えられるが、これが筑豊御三家と謳われる名門の炭鉱企業家としてのスタートであった。その後、麻生は鯰田炭鉱、忠隈炭鉱の開鑿に着手したのである。

麻生の炭鉱経営は、彼の伝記によれば明治期に三度深刻な経営危機に見舞われたが、その都度経営する有力炭鉱（鯰田・忠隈・本洞）を有利に中央財閥に売却し、その資金で次善鉱区の稼行と経営拡大を進めたのである。鯰田は三菱に、忠隈は住友に、本洞は三井に売却したのであるが、忠隈売却後に麻生は「家法」・「家掟」、ついで「店則」を定めて経営の組織化・近代化を進めたのである。

以下、「家法」・「家掟」、そして「店則」制定過程についてみたうえで、その内容について若干の検討を行うこととしたい[1]。なおここで使用する家法・家掟、店則および関連史料はすべて麻生家に所蔵されている「麻生家文書」を利用したものである。

Ⅱ　麻生家の家法・家諚

1　家法・家諚および店則の制定過程

麻生太吉は、一八八九年鯰田炭鉱を三菱に一〇五、〇〇〇円で売却し、事業経営の拡大を図った。しかし、一八九〇年の恐慌以降炭況は悪化し、麻生は破産の危機に瀕した。そのような状況下で、一八九四年忠隈炭鉱を住友に一〇八、〇〇〇円で売却し、危機を脱出した。麻生は、この時住友との接触を通じて「住友家法」の全文を入手したと推定されるが、これをモデルとして麻生家の「家法」・「家諚」を制定した。麻生はそれによって家業の安定と発展を図ろうとしたのである。麻生が家法を制定した時期は一八九四年か九五年と推測される。

その後、麻生は日清戦争後のブームに乗って経営を拡大すると、一八九七年七月麻生本邸前に事務所を新築し、「麻生商店」と称した。これは注目してよい。なぜならば、麻生本邸の建物内部に事務所があった時代においては、麻生の事業は家族の生活の場である「奥」と、営業の場である「店」とが未分離の状態に置かれていた。ところが、「店」の事務所を別に設けたということは、「家」から「店部機構」を麻生商店として空間的に分離したことを意味し、いわゆる家業経営から近代的企業経営への大きな転換点となったと考えられるからである。それを象徴的に示すものが「家諚」の廃止と「麻生商店店則」（以下、「店則」と略）の制定であった。「店則」制定は、事務所新築の翌九八年二月八日のことであったと想定される。

2　麻生家家法

麻生家の家法は、「家法」・「家諚」が一体となって制定された。「家法」は、「家（イエ）」制度に関する規定であり、「家諚」は内容的に「店」に関する規定となっている。「家法」については全文、「家諚」については一部を掲げて、簡単な検討を行うことしたい。

(1) 家法

第一条　家主ハ祖宗正系ノ血統ヲ以テ家督相続セシメ決シテ之ヲ乱ス可ラス
第二条　家主ハ神仏ヲ敬シ祖宗ノ祭祀ヲ厚クシ忠孝ヲ守ルノ道ヲ奉シ子孫ノ教育ヲ怠ル可ラス
第三条　正理正道ヲ基トシ徳義ヲ重ンシ情実ニ流レス倹素ニ失セス驕奢ヲ誡シメ中庸ニシテ家ヲ斎ヘ身ヲ修メ分家親戚及有功者ト和シ永ク厚誼ヲ厚クス可シ
第四条　家主ハ一家全部ヲ統督シ家道ノ安寧家業ノ繁栄ヲ謀ルヲ以テ本務トス
第五条　家業ハ農商工ノ三業ニ因リ其礎ヲ定ムル者トス
第六条　家産ヲ分ツテ世伝ト融通トノ二類ニ分チ世伝家産ハ一家ト共ニ永世之ヲ伝ヘテ浸ス可ラス融通家産ハ家業ニ因リ倍々増殖ノ道ヲ謀ル者トス但家産ハ惣テ収支ノ予算ヲ以テ整理ス可シ
第七条　家主ハ分家ヲナサシムルトキハ資金壱万円ヲ極度トシ家産ヲ与ヘ連枝ノ繁栄ヲ謀ル者トス
第八条　分家タルモノハ永ク宗家ノ為メニ力ヲ尽スヲ以テ分家ノ家掟トナスモノトス但有功者ニシテ特別ノ優待ヲ受クルモノ亦之ニ準ス
第九条　家主ハ相談役及店長ニ商議シテ家業ヲ維持シ及家産保管ノ方法ヲ設ケ永ク安全ノ道ヲ謀ルモノトス
第十条　家主未丁年中ナルカ又ハ女主タルカ又ハ自カラ家督ヲ統督スルニ堪エサル場合ニ在ツテハ相談役店長商議ノ上后見人ヲ定メ家務統督スルヲ要ス
第十一条　家主ハ家掟ニヨリ店員ノ任免黜陟賞罰ヲ司トリ有功者ヘハ特ニ優待ノ法ヲ設クルモノトス
第十二条　一家ノ内事ニ関スル事柄ト雖モ重大ノ事件ハ之ヲ相談役店長ト商議ノ上処理スルヲ要ス
第十三条　家事ト営業ヲ以テ家政トシ家掟ヲ以テ整理ノ方法ヲ定ムルモノトス
第十四条　世伝財産ハ特ニ家法ヲ以テ左ノ通リ之ヲ定ム

一、土地
二、公債証書
三、安全ナル株式
第十五条　家法及家掟ノ改正ハ家主相談役店長ノ合意ヲ得ルニ非ラザレバ変更スルコトヲ得ス

以上のように、麻生家の家法（以下、「家法」と表記）は全文一五条からなる短いものである。次に、重要な点をまとめておくこととしたい。

第一条は、「家督」の相続に関する規定である。家督とは、家長（麻生家では家主）の地位、先祖の祭祀、家名、家業、家産などを一体的に包括する概念であるが[2]、その相続は「祖宗正系ノ血統」によることとし、例外規定を設けていない。わが国の「家」制度において[3]、その相続形態の一般的特質として父系血統に基づく長男子単独相続制が基本的であると指摘されているが、そのもっとも日本的特質は「家」そのものの永続性や系譜制が血縁的系譜制よりも優先される点にあるとされ、とりわけ近世大商家の場合それが強かったといわれる[4]。かかる観点から見れば、麻生の場合相続は「正系ノ血統」によることを定めるのみで例外規定を設けていない点に注意する必要がある[5]。麻生は血統重視といえよう。麻生の出自は筑前の豪農であって、武士の「家」制度や近世大商家の家業観念とは異なるものを持っていたのであろう。

第二条、第三条、第四条は、「家」制度の理念に従って、家主の任務・義務を説いたものである。

第二条は、家主としての務めを説いたものである。「祖宗ノ祭祀」、「忠孝」、「教育」が重要視されていた。祖宗は「家」の起源であり、シンボルであった。このような祖先崇拝観念は「血統」の観念と相まって時間と空間を貫いて「たて」のつながりを「家」の構成員に強く意識させ、その統合を強固にし、「家」制度の精神的支柱となっていたのである。また「忠孝」が強調されているのは家父長制的権威に基づく「家」制度の秩序を維持するためであった[6]。「教育」の重視は、子孫の資質を高めることになり、やはり「家」制度の維持に重要な貢献を果たすと考えられていた[7]。

第三条は家主の心構えを説いたものである。質素・倹約を強調する家法が多い中で「倹素ニ失セス」としていることが注目される。これは、一八九二年三月の支出削減を主眼とする「家政ノ改革」があまりに峻厳であったことに対する反省が込められていると思われる。[8] この家政改革では、「節倹」・「保守」が厳しく追求されるあまり、親族間の交際まで制限したのである。そのため「分家親戚及有功者ト和シ永ク厚誼ヲ厚クス可シ」と規定されることになった。「家」は本家を中心として、血縁を有する分家集団、および非血縁の別家集団・有功者から構成される同族集団によって支えられていたので、常にその結集を図る必要があった。麻生「家法」でいう「有功者」とは、特別の功労に対して特別の待遇を認められた人々であった。非血縁の別家集団に近い人々と解することができよう。麻生はあまりに厳しかった家政改革の反省から「分家親戚及有功者」の再結集を訴えたものと解せよう。第七条、第八条、第十一条にも同趣旨の条文が見られる。なお、麻生家では別家に関する規定がなく、別家に関する記録も見られないので、別家の創出は行われなかったと想定される。[9] また、同族集団の「和」の精神が説かれていることにも注意する必要がある。これは同族集団に「よこ」のつながりを意識させ、集団が大規模化するにつれて生ずる統合の弛緩を防ぎ、むしろ強化することが期待されたのである。これは「集団主義」と呼ばれる価値観の最も基本となるものでもあった。[10]

第四条は家主の本務を規定している。家主は「一家全部ヲ統督」するものとし、家道の安寧・家業の繁栄を本務と定めた。

第五条は家業の範囲を定めたものである。「農商工ノ三業」とするだけで、非常に抽象的なものとなっている。麻生の事業が当時、地主経営、高利貸、炭鉱業、石炭販売、機械製作などに多角化していたことを示すものである。「農商工」の順序は事業の着手順を示しているともとれるが、農が最初に書かれているのは、麻生の出自を示すものであろう。近世の商家では、新儀停止（しんぎちょうじ）、商売替無用などの家業専守意識が強く見られ、家訓にそのように規定される場合もあった。しかし、近代の財閥の「家法」・「家憲」で経営多角化を直接禁止した事例を挙げることは困難である。有望な分野への資本投下を当然とする資本主義経済では、後述するように「時勢ノ変遷理財ノ得失ヲ量リ弛張興廃」することが重要であった。

第六条では、家産を「世伝家産」と「融通家産」に分けている。前者は「永世之ヲ伝ヘテ浸ス可ラス」とし、「家」の永続を安全な財産の承継、つまり「世伝家産」によって確保しようとしたことが知られる。後者は「家業ニ因リ倍々増殖」すべきものであった。以上のような家産の二分法には、資本主義経済下の激しい盛衰に直接さらされることなく「家」の永続を願う麻生のレントナー型企業者としての側面が映し出されていたのである。[11] そして、家産は「惣テ収支ノ予算ヲ以テ整理ス可シ」と規定した。麻生「家法」の大きな特色は、家主権限を制約するほど強い収支の〝予算主義〟であった。[12] 収入を考慮して計画的な支出を規定していた。ところで、「世伝家産」は第十四条によって、「土地・公債証書・安全ナル株式」の三つに限定されていた。[13] 麻生は炭鉱業によって破産の危機に瀕したかつての苦い経験から、変動が少なく、資産保全に最も適したこれら三つの資産を、麻生家の最後の城砦として選択したものであろう。「融通家産」は家業に投じられた「資本」のことである。家業は「農商工」とされたが、すでに主力事業は炭鉱業であった。以上の規定には、一方では麻生の内にある安定した資産家への強い願望と、他方では資本を「倍々増殖」したいとする企業家精神の相克する二つの魂が覗いているようで興味深く思われる。なお、「融通家産」から得られる利益を「世伝」、「融通」の両家産にどのように配分するかについてふれていないが、それは麻生「家法」のモデルとなった「住友家法」がふれていなかったからであろう。[14]

第七条、第八条、第十一条は、本家と分家、有功者との関係について規定している。一般に商家同族集団の結合原理は、「家」制度のもとに本家を親とし、分家・別家・有功者を子とするような擬制的親子関係の観念であった。本家は分家に対して「家産ヲ与ヘ連枝ノ繁栄ヲ謀」(第七条)り、また有功者に対して「特別ノ優待」、「特ニ優待ノ法」(第八条、第十一条)を設けて分家・有功者を同族集団に取り込み、このような本家の物質的恩恵に対する代償として、分家や有功者は「宗家ノ為メニ力ヲ尽ス」(第八条)義務が課せられていたのである。経済的関係が同族集団結集の基盤にあったことに注意を払う必要がある。つまり、麻生家の同族経営は、このような御恩と奉公の関係にある同族集団によって組織されていたと想定される。なお、分家に対しては「資金壱万円ヲ極度」(第七条)として家産を与えるとの規定から知られるように、本家の家業・家産に差し障りのない範囲での財産の贈与を意味しており、第一条に示されている家主単独相続制と矛盾しないものであった。これは家産の分割によって経営が弱体化することを防止しようとするもので、事実分家は本家事業の使用人として生計を立てていたのである。

第九条は、家業・家産の安全を図るために、家主は「相談役及店長ニ商議」すべきものとしている。これは、家主の独断専行を防止し、より客観的・慎重な意思決定を実現しようとしたものである。このような合議制の重視は同族経営における伝統的特色の一つといえるものである。相談役・店長との商議を義務付けている規定としては第十条・第十二条があり、第十五条では商議より強い「合意」を求めている。麻生太吉自ら家主のワンマン経営に対する自戒の念を滲ませた規定であった。

第十条は、「正系ノ血統」による家督相続を規定する麻生の「家法」において、家主が家政を果たせない場合、「后見人」に家務統督を委ねるように定めたものである。なお、当時の慣行として、家長が「未丁年」の場合その成長を待つが、寡婦や娘が家督を相続した場合、入夫あるいは養嗣子を迎えることによって家長の地位を入れ替える、いわゆる中継相続が行われていた。

第十一条は「店員ノ任免黜陟賞罰」を「家掟」に則って行うべきものとしている。これは、人事に関することについて家主の情実をできるだけ排し、客観性を持たせようとした規定である。

第十二条は、「家」の問題であっても「重大ノ事件」は相談役・店長との商議を要するとしている。何を以て重大とするのか例示されていないが、相続・分家・婚姻・養子・財産分与などが想定されよう。

第十三条は「家政」には「家事ト営業」が含まれると規定し、ともに「家掟」に従って整理すべきものとしている。ここで「家事」とは生活の場である「奥」のことであり、会計収支の面でいえば家計のことである。また、「営業」は事業を経営する「店」を指している。麻生は両者を合わせて「家政」と呼んでいる。元来家業とは「奥」と「店」との未分離の状態、いいかえると両者が「家」のもとに即自的に結合している状態を意味した。ところが、「店」が成長し拡大すると、やがて両者の分離が進むこととなり、家業＝「店」と意識されるようになる。かくて、「店」は「家」から分離して「企業」に発展することになる。しかし、「家」を基盤として「店」・「企業」が存続するという意識が残っている限り、所有経営者からは依然それは「家業」と観念されることとなる。麻生が家政をもって家事と営業としているのは、以上のような家業観念によるものである。麻生家の一八九四年の「財産目録」によれば、同年度の予算は、事業収益から事業諸経費、および「家費一式」を控除して「純益収入」を算出し、これを「麻生本家ノ家産増殖」分と呼んでいた。これは、家計と企業とが未分離の段階を反映したものといえよう。しかしながら、一八九七年に麻生本邸の前に麻生商店の事務所を新築した後の一九〇二年度、一九〇三年度の麻生商店の「損益表」には「家費」という勘定科目は計上されなくなっている。家計と企業会計の分離が進んだのである。したがって、麻生本邸と店部機構を建物において分離し、同時に「麻生商店店則」を制定していく当該時期は、麻生の経営史上「家業」経営から「企業」経営への移行期と評価できよう。

第十五条は、「家法及家諚ノ改正ハ家主相談役店長ノ合意」を義務付けている。家主の独断専行によって「家法」・「家諚」の改正が行われないようにしたものであって、当時の麻生の心境をよく物語るものである。

以上、麻生「家法」には、相続、家主の任務・義務、家政、家業・家産の内容、分家・有功者との関係などの「家」制度の原則が規定されている。しかしながら、全文一五条という短い条文から知られるように、それは具体的規定というよりは、家主の家政運用にあたっての大原則を定めたものであった。

(2) 家諚

第一条　家法ニ據リ家政ヲ別チテ家事ト営業ノ二部トス家政ハ信用ヲ重ンジ確実ヲ旨トシ以テ一家ノ堅固隆盛ヲ期スルモノトス

第二条　家事ハ生計ノ制度ヲ定メ諸般ノ費用ヲ予算シ其ノ予算ニヨリ整理スルモノトス

第三条　営業ハ時勢ノ変遷理財ノ得失ヲ量リ弛張興廃スルコトアル可シト雖トモ浮利ニ趨リ軽進ス可ラス

第四条　家政ハ家主監督シテ店長及店員ヲ以テ整理セシムルモノトス

第五条　家政ヲ整理スル為メ親族親友若干名ヲ相談役トシ軽重細大ナク協議ヲ経テ決行スルモノトス

第六条　家政ヲ整理スル為メ商店ヲ設ケ事務ヲ区別シテ左ノ掛部ヲ設クルモノトス

一、庶務掛

二、会計掛

三、用度掛

第七条　家政ヲ整理ノ為メ左ノ店員ヲ置クモノトス

一、店長
二、書記
三、小使
第八条 （略）
第九条 家政ニ従事スルモノハ凡テ家諚ノ法規ヲ遵守スルモノトス
第十条～第二十一条 （略）
第二十二条 家産ハ資本部営業部家費部収入部ノ四種ニ区別シ且ツ各項目ヲ細別スルコト左ノ如シ（各規定略）
第二十三条 家政整理ノ為メ左ノ帳簿ヲ備付スルモノトス
一、地所台帳
一、鉱区台帳
一、貸金帳
一、諸株式台帳
一、坑業資本元帳
一、坑業勘定元帳
一、諸営業資本勘定元帳
一、諸営業勘定元帳
一、金銭出納帳
一、金銀日計帳
一、総勘定帳
一、家費支払元帳
一、日誌

一、小作帳
一、現米出納帳
一、納税帳
一、利取帳
一、炭代勘定帳
一、家具什器台帳
一、開墾帳
一、定約船台帳
一、借地台帳
一、村補金台帳

第二十四条　家政整理ノ為メ左ノ書類ヲ分別シ類集スルモノトス

一、緊急事蹟留
一、諸方往復纏
一、諸願伺届
一、各坑山事蹟各別
一、諸会社事蹟各別
一、官地拝借願届
一、各坑山地元約定証
一、坑区株受渡届
一、地所事蹟
一、土地売渡証

一、炭代仕切目六
一、定約船事蹟
一、諸印紙収支帳
一、諸品買入事蹟
一、注文帳
一、文書原稿
一、建築修繕工作事蹟
一、職工日稼使役帳
一、貸付返金期日帳
一、任免賞罰事蹟
一、学生事蹟

第二十五条　（略）
第二十六条　各営業ノ収支予算書ヲ調製シ其予算書ニ據リ整理スル者トス
第二十七条　家費ハ予算ヲ調製シ支払ナスモノトス
第二十八条～第三十一条　（略）
第三十二条　会計主任ハ独立シテ仮令家主店長ノ命ト雖トモ家諚外ノ貸金及予算外ノ支出ヲ為スヲ得サルモノトス
第三十三条～第三十五条　（略）
第三十六条　貸金ニ確実ナル抵当アルニ非ラサレハ貸金セサル者トス
第三十七条～第四十八条　（略）
第四十九条　家諚ノ改正ハ家主相談役及店長ノ合意ヲ得ルニ非ラサレハ変更スルコトヲ得ス

麻生家の家掟（以下、「家掟」と表記）は、麻生「家法」によって「家」制度の根本を定めたのを受けて、「営業」＝「店」の具体的な運用規定を定めたものである。「家掟」は全文四九条から構成されており、内容的に見て大きく二つに分類できる。一つは、第一条、第三条であって、家政に関する根本理念を規定したものとなっている。もう一つは、第二条、第四条、第五条、第二十六条、第二十七条、第三十二条、第四十九条であって、家政運用の基本方針を定めたものである。残りの条文は内容的に「店」の規則、いわゆる店則となっている。以下、以上の分類に従って根本理念と基本方針について簡単な検討を行うこととしたい。

(a)　根本理念

第一条、第三条は家主としての根本的な心構えを表明したものである。第一条は、信用・確実、いいかえれば堅実主義を説いたものである。第三条は、時勢への柔軟な適応や事業の興廃を説きつつも、投機的利益を追って軽はずみに事業の拡大を進めてはならないとする堅実主義を強調している。

後述するように、第一条、第三条は「住友家法」を模倣したものである。麻生は、忠隈炭鉱という優良炭鉱を住友に売却することによって破産の危機を免れることができた。そのような生々しい記憶が残る中で、信用・確実・浮利を追わずとする住友の経営理念に心から共鳴し、麻生はこれを「家掟」に取り入れたと考えられる。忠隈売却後豪農経営に立ち戻るのであれば、このような規定は不要であったと思われる。麻生は、今後も炭鉱経営を継続しようと考えて、積極的な意味において第一条、第三条の規定を設けたものと理解することができる。

第二条、第二十六条、第二十七条は、「家事」・「営業」ともに収支予算により整理すべきことを定めたものである。これは、「家法」第六条の〝予算主義〟を「家掟」において具体化した規定である。麻生は破産の危機の経験から、資金は予算に従って収入と支出を勘案し、資金繰りに行き詰まらないように計画的に支出すべきことを定めたのである。第二十六条では営業について「収支予算書」の調製を命じており、かかる書類が作成されていたことが知られる。そして、特筆すべきは第三十二条である。第三十二条は「会計主任ハ独立シテ仮令家主店長ノ命ト雖トモ家掟外ノ貸金及予算外ノ支出ヲ為スヲ得サルモノトス」と規定した。会計主任には家主や店長からも独立した権限が与えられており、これによって「家掟」外の貸金や予算外の支出を防止しようとしたのである。予算主義を担保する条文であった。貸金については第三十六条に規定があり、「確実ナル抵当」を求めていた。

(b)　基本方針

第四条は、「家政ハ家主監督シテ」、店長・店員が仕事に当たるものと規定したことである。家政は家事と営業を含むものであるから、店長・店員という用語が使用されているが、「奥」と「店」との区別がなかったことも明らかである。なお、本条の「家主監督」という文言に特に注意する必要がある。麻生は陣頭指揮型所有経営者であったと伝えられるが、その思いがここに現れている。番頭政治の「住友家法」では、後述するように「家道ノ泰否ハ任用其人ヲ得ルト否トニアリ」と規定していた。

第五条は相談役の規定である。相談役として「親族親友若干名」を選び、「軽重細大ナク」協議を義務付けていた。ここでも、家主の独断専行を防止しようとしていたことが知られる。「家法」において、家業・家産について相談役・店長との商議を義務付け、さらに「家法」・「家掟」の改正については相談役・店長との「合意」を義務付けたのである。強力な権限を家業外部の相談役に与えたのであるが、客観的な判断を麻生が切実に求めていたといえよう。

第四十九条は「家掟」改正の要件を規定したものである。「家法」第十五条において、「家法」・「家掟」の改正には「家主相談役及店長」の合意を義務付けたのであるが、「家掟」においてもその改正にはかさねて「家主相談役及店長」の合意を義務付けたのである。「家掟」の改正には、「家法」同様慎重にも慎重を期そうとしたことが知られる。

Ⅲ　住友家家法との比較

家法・家憲は一般に部外秘の扱いを受けていたとされるが、何らかのルートを通じて模倣される場合があった。先に述べたように、麻生家家法は住友家家法に倣ったものであった。

さて、住友家の家法は一八八二年にはじめて制定され、一八九一年に改正された。この時、「住友家憲」と「住友家法」

の二つの部分に分けられたのである。次に掲げるのは、麻生家家法のモデルとなった一八九一年の住友家家法であって、「住友家憲」の全文と「住友家法」（以下、「住友家法」は改正家法）のうち第一編第一章の全部を掲げることとしたい。(15)

1 「住友家憲」

第一条　我家督ヲ承継シテ戸主タル者ヲ家長ト云フ
第二条　家長ハ我一家全部ヲ統督シ家道ノ安寧・営業ノ隆盛ヲ図ルヲ以テ本分トス
第三条　家長ハ祖宗ノ祭祀ヲ厚クシテ子孫ノ教育ヲ怠タルヘカラス
第四条　家長ハ親戚ニ懇和シ永ク厚誼ヲ保持スヘシ
第五条　家長ハ家法ニ依リ我一家ノ傭員ヲ任免・黜陟又ハ賞罰ス
第六条　家長ハ品行ヲ謹ミ徳義ヲ重ンシ分家・末家及ヒ有功者ノ愛撫優待ニ注意スヘシ
第七条　家長ハ総理人及ヒ支配人ニ詢議ノ上営業資本外ニ若干ノ金員ヲ蓄積シ保管ノ方法ヲ設ケテ家道ノ鞏固ニ備フヘシ
第八条　家道ノ泰否ハ任用其人ヲ得ルト否トニアリ、家長ハ宜シク傭員ノ能不能ヲ甄別シ褒貶黜陟ニ注意スヘシ
第九条　家長未成年中ハ総理人若シ総理人ヲ置カサルトキハ支配人ノ内ヲ以テ後見人ヲ定メ公私一切ノ事ヲ委任ス
第十条　家長若シ女子タルカ又ハ自ラ家務ヲ統卒スルニ堪ヘサル場合ニ在テハ総理人及ヒ支配人ニ詢議ノ上一切ノ家務ヲ処理スルヲ要ス
第十一条　一家内事ニ関スルモノト雖重大ノ事件ハ之ヲ総理人及支配人ニ詢議ノ上処理スルコトヲ要ス
第十二条　一家内事ニカカル諸般ノ費用ハ総理人及ヒ支配人ニ協議ノ上常額ヲ定ム
第十三条　家法慣例アルモノト雖止ヲ得サル事情アルト認ムルトキハ総理人若クハ支配人ノ具申ニ依リ特ニ其時限リ之ヲ斟酌スルコトアルヘシ
第十四条　家長ハ総理人及支配人ノ合意ヲ得ルノ外敢テ家憲及家法ノ条章ヲ増減変更スルコトヲ得ス

「住友家憲」は住友家の「家」制度に関する根本規定であって、主として家長の任務や義務を規定したものである。また、後述するように「住友家法」は営業に関する規定となっていて、店則に純化している。住友家家法は以上の二部構成となっている。麻生家家法においても「家法」と「家掟」の二部構成となっており、これは住友家家法（一八九一年改正）に倣ったものである。前者は「住友家憲」に、後者は「住友家法」に相当するものであるが、麻生の「家掟」は営業の規定に純化しきれず、住友のように「奥」と「店」を分離するまでに進んでいなかった。これは、麻生の事業が当時それを必要とするまでに十分大規模化していなかったことを反映するものであろう。

第1表は、住友家憲・麻生家法類似条文対照表である。

第1表　住友家憲・麻生家法類似条文対照表

住友家憲	麻生家法
第1条	
第2条	第4条
第3条	第2条
第4条	第3条
第5条	第11条
第6条	第3・第11条
第7条	
第8条	
第9条	第10条
第10条	第10条
第11条	第12条
第12条	
第13条	
第14条	第15条

（出典）　畠山秀樹「麻生家炭鉱業の発展と家法」（『大阪大学経済学』第35巻第1号，1985年），95頁．

同表によれば「住友家憲」一四ヵ条のうち、これとほぼ同じあるいは同趣旨の麻生「家法」の条文は実に重複を含めて一〇ヵ条にも達する。麻生「家法」には「住友家憲」とほぼ同じあるいは同趣旨の条文が多数みられるのである。そこでここでは、以下のように整理して麻生「家法」について検討を行うこととしたい。

(a)　麻生「家法」が模倣した条文

これは「住友家憲」の第二条〜第六条、第九条〜第十一条、第十四条の条文となる。第二条〜第四条、第六条は「家」制度の根本規定であって、「家」のあり方、家長の任務や義務、心構えを説いたもので、麻生はほぼこれらを受け入れたことになる。ただしここで注意すべきことが二つある。一つは、「住友家憲」第四条で「親戚ニ懇和シ」とし、また第六条で「分家・末家及有功者ノ愛撫優待」（住友の末家は一般の別家にあたる）と規定して、住友では親族集団と同族集団を区別していた。これに対し麻生では、麻生「家法」第三条において「分家親戚及有功者ト和シ」とするのみで、親族集団と同族集団とを区別していないことである。[16]さらに、麻生は住友の末家制度（＝別家制度）を模倣しなかった。これは両者の「家」の規模と出自の相違によるものであろう。

なお、麻生「家法」第二条は、「住友家憲」第三条に「神仏ヲ敬シ」・「忠孝ヲ守ル」という語句を挿入した条文となっている。これは、「教育勅語」（一八九〇年十月）の影響ではないかと思われる。

「住友家憲」第十一条・第十四条は、合議制を規定したものであるが、麻生「家法」も第十二条・第十五条でこれに倣っている。麻生に家主の独断専行を反省する気持ちが強くあったからであろう。

(b)　麻生「家法」が模倣しなかった条文

これは「住友家憲」第一条、第七条、第八条、第十二条、第十三条の条文である。第八条は番頭政治における人材および人事管理の重要性を説いたものである。麻生は陣頭指揮型所有経営者と考えられるが、住友の番頭政治は麻生の経営とは相いれないものであった。

第十三条は、「住友家法」の弾力的運用を認めた規定となっており、麻生にはこれは模倣できない条文であったと思われる。なぜならば、麻生は経営危機を脱したばかりであって、「家法」・「家掟」の厳守によって「家」と「家業」の永続を図ろうとしていたからであって、麻生にとってこの規定はむしろ危険なものと映ったかもしれない。

(c)　麻生「家法」独自の条文

これは麻生「家法」の第一条、第五条～第九条、第十三条、第十四条の条文となる。

麻生「家法」第一条は、相続を「正系ノ血統」としたが、「住友家憲」にはこのような規定を欠いている。前述したように、伝統ある大商家では「血統」の系譜性よりも「家」の系譜性を重視したとされるので、出自の異なる麻生にはこのような考えはなじまなかったのであろう。

麻生「家法」第五条、第六条、第十四条は、家業、家産の規定であるが、住友には見られないものである。特に第六条では家産を「世傳」と「融通」に分ける二分法を採用しており、麻生の独自性を示しているように思われる。しかし、「住友家憲」第七条は、「営業資本」に加えて「営業資本外」の金員の保管を規定して家産の二分法を採用しており、麻生はこれをヒントとして「世傳」・「融通」の二分法を案出したように考えられる。なお、麻生「家法」第六条の予算主義も「住友家憲」には見られないものである。

以上、麻生「家法」は「住友家憲」を模倣したものであったが、必ずしもそのままの模倣ではなく、麻生の創意と工夫を加えて自己に適合するように作成していたことが知られる。

なお、「住友家憲」の番頭政治に関連して、安岡重明は次のように述べている[17]。

「(住友家憲) 第七条、第十一条、第十四条その他の条をよむと、家長の行動はすべて、総理人および理事に相談し同意をえなければならないのである。独自の行動をとる余地は一切ない。君臨するのみであった。」

麻生はその「住友家憲」を模倣し、住友の合議制をより強化していた(麻生「家法」第九条、第十二条、第十五条、「家掟」第五条、第四十九条)。しかしながら、麻生の伝記は、麻生が強力なリーダーシップを発揮した陣頭指揮型所有経営者であったことを伝えている。この記述が正しければ、麻生は「住友家憲」を模倣したが、その合議制の精神は換骨奪胎し、合議制を自己の行動のチェック機能として利用していたといえそうである。ここからは、家法と企業者活動を直接結びつけて説明するには大きな制約があることも明らかなように思われる。

2　「住友家法」

第一編　一般ノ規定

第一章　営業要旨

第一条　我営業ハ信用ヲ重シ確実ヲ旨トシ以テ一家ノ鞏固隆盛ヲ期ス

第二条　我営業ハ時勢ノ変遷・理財ノ得失ヲ計リ弛張興廃スルコトアルヘシト雖モ苟モ浮利ニ趨リ軽進スヘカラス

第2表　住友家法・麻生家掟対照表

住友家法	麻生家掟
第1編　一般ノ規程 　第1章　営業要旨	
第1条　我営業ハ信用ヲ重シ確実ヲ旨トシテ以テ一家ノ鞏固隆盛ヲ期ス	第1条　家法ニ據リ家政ヲ別チテ家事ト営業ノ二部トス家政ハ信用ヲ重ンジ確実ヲ旨トシ以テ一家ノ堅固隆盛ヲ期スルモノトス
第2条　我営業ハ時勢ノ変遷・理材ノ得失ヲ計リ弛緩興廃スルコトアルヘシト雖モ苟モ浮利ニ趨リ軽進スヘカラス	第2条　（略）
	第3条　営業ハ時勢ノ変遷理財ノ家失ヲ量リ弛張興廃スルコトアル可シト雖トモ浮利ニ趨リ軽進ス可ラス

（出典）　第1表に同じ，96頁.

第三条　予州別子山ノ鉱業ハ一家累代ノ財本ニシテ斯業ノ消長ハ実ニ我一家ノ盛衰ニ関ス　宜シク旧来ノ事跡ニ徴シテ将来ノ便益ヲ計リ益盛大ナラシムルヘキモノトス

（以下略）

では次に、「住友家法」と麻生「家掟」を対比してみよう。「住友家法」は全文二編一八章二三〇条からなる厖大かつ詳細なものであった。これに対して麻生「家掟」は全文四九条であって、「住友家法」に比較して条文の数では約二割であった。これは主として、住友と麻生の経営規模の差によるものである。両者の内容は店則・営業規則であって、ある程度類似の規定が見受けられるが、ここでは経営理念を示した条文を取り上げたい。

第2表は、住友家法・麻生家掟対照表である。

「住友家法」営業要旨第一条と麻生「家掟」第一条後段、および「住友家法」同第二条と麻生「家掟」第三条は、多少の語句の相違はあるにせよ、基本的に同じ条文といってよい。「住友家法」の第一条・第二条は、住友の信用・確実・浮利を追わずとする堅実主義の事業精神とされ、長く受け継がれていくこととなる規定である。当時麻生太吉にはこの規定に心底共鳴する経験があって、「住友家法」に倣って二つの条文を麻生の経営理念として取り入れたものであろう。また、中央大資本の住友に対比して筑豊の住友にならんとする麻生太吉の願望も込められていたであろう。

Ⅳ　麻生商店店則

「麻生商店店則」について、「麻生家文書」には次のような記述が残っている。(18)

「従来ノ坑務規程坑務細則及家諚店務細則鉄工場規程ヲ廃シ今般麻生商店々則同坑務細則及給与規則ヲ制定シ二月十日ヨリ実施」

ここから明らかなように、「店則」制定は「家諚」の廃止を含む諸規定全体を一新する大改革であったことが知られる。では、麻生にそれを迫った事情はどのように考えられるであろうか。

まず第一に、経営規模の大幅な拡大が指摘できる。麻生は、忠隈炭鉱売却資金を利用して、上三緒炭鉱、山内炭鉱を開坑、嘉麻煽石社を買収、さらに日焼炭鉱の共同経営を開始するなど経営炭鉱数を増加させていた。しかも、それぞれの炭鉱が日清戦争後のブームに乗って近代的大炭鉱に成長しつつあった。また、麻生は嘉穂銀行の設立に参加して頭取に就任していた。このため、経営機構の拡充・整備が必要となり、「店則」の制定に進んだと推測できよう。

第二に、一八九七年に麻生本邸前に事務所を新築して「麻生商店」と称したことである。これは「奥」と「店」とを空間的に分離することとなったが、このような両者の実態上の分離に合わせて、「家諚」に見られた両者の未分離状態を解消するために新規定を定めたものと思われる。名称を「麻生商店店則」としたところに麻生の意図が窺えよう。

では、次に「店則」の重要条文を章ごとに見ていくこととしたい。

第3表は、麻生商店店則・住友家法目次対照表である。

同表に示すように「店則」は全文一一章八〇条からなっている。「家諚」の四九条と比較すると三一ヵ条の増加であるが、「家諚」中の給与関係条文を「給与規則」（全文二二条）に移しているので、これを含めて考えると「店則」の条文は実質的

第3表　麻生商店店則・住友家法目次対照表

麻生商店店則			住友家法
第1章	店員心得	(第1～第6条)	営業要旨
第2章	店員ノ等級資格及職掌	(第7～第29条)	等級
第3章	出納	(第30～第34条)	職制
第4章	文書	(第35～第41条)	任用
第5章	用度	(第42～第47条)	俸給
第6章	勤務	(第48～第58条)	身元保証金
第7章	検閲	(第59～第66条)	積金
第8章	出張	(第67～第70条)	会計
第9章	休暇	(第71～第72条)	監査規程
第10条	宿直	(第73～第78条)	休暇
第11条	附則	(第79～第80条)	旅費
第12条			当直
第13条			賞与例
第14条			致仕慰労金
第15条			服務規定
第16条			責罰例
第17条			雑則

(注)「住友家法」の目次は，第一編の「一般ノ規程」を掲げている．
(出典) 第1表に同じ，97頁．

に「家誔」に比し倍増していた勘定となる。

なお、同表に見られるように「店則」では条文の増加に伴い「家誔」にはなかった章立を行って条文を整理していることに注意したい。そして、「住友家法」の目次と比較すると、章の数や章名に若干の相違はあるにせよ、「店則」は「住友家法」とほぼ類似の章立と配列をなしている。「店則」制定にあたって、麻生は「住友家法」を参照したことが看取されよう。

第一章は「店員心得」(第一条～第六条)である。店員としての心構えを説き、規律を定めたもので、内容としては基本的に「家誔」を受け継いでいる。第五条では「店員ノ進退黜陟賞罰ニ関シテハ異議ヲ唱フ可カラス」として、下からの苦情を抑え込む規定を定めている。「異議」に苦慮していたことが察せられる。

第二章は「店員ノ等級資格及職掌」(第七条～第二十九条)である。内容的には人事管理と経営組織の規定である。「店則」八〇ヵ条中、第二章は二三ヵ条と最多の条文を占めており、「店則」制定の主眼もここにあったと見ることができる。

第二章は、第3表に示すように「住友家法」第二章「等級」、第三章「職制」をモデルとして作成されたものであって、「家誏」第六条・第二十五条の職制を規定した条文を除けば、内容として「店則」ではじめて規定されたものである。

第七条は店員の職務と等級を定めたもので、一等～四等、等外の五段階身分を規定していた。そして「給与規則」ではこの等級制度と給与制度とが結び付けられている。

第八条は「本店」、第九条は「在外営業所」に配置する店員の職務を規定したものである。本店には店長、主事、課長、係長、職長、係員、見習員、小頭、職工、臨時雇が置かれた。在外営業所には事務長、主事補、係長、係員、小頭、見習員、職工、大工頭領、臨時雇が置かれた。在外営業所に課長職は置かれなかった。「在外営業所」は本店以外の現業部門と理解してよいであろう。

第十条～第二十一条では、各店員の権限と指揮系統を規定している。

第十条では、「店長ハ店主ヲ補佐シ商店ヲ代表シ店務ヲ綜理スルモノトス」として、店長に「家誏」と比較して大幅な権限委譲を行った。それは「綜理」という表記から知られよう。住友の「総理人」・「総理事」を連想させるものである。一方で、第二十七条は「店主ノ協賛」を必要とする事項として「諸規則ノ発布及改正」、「重大ノ契約」、「坑区株式土地家屋ノ賣買質入」など六項目を列挙し、また第二十八条、第二十九条では「店長限リ」、「課長限リ」執行できる項目を列挙する等、権限委譲の範囲も明確にするように努めていた。麻生商店のトップは「店主」と規定された。なお、「家誏」第十三条では店長は「家主ノ認諾ヲ受ケ」て行動する必要があるとされたが、これと比較すれば「店則」では店長の権限は強化されていた。このように権限委譲を進めた背景には、稼行炭鉱数が増加しただけではなく、当時麻生が嘉穂銀行の頭取に就任するなど、他の事業に労力を割いていたことが指摘できよう。

第二十二条では、本店に庶務、坑務、会計、商務の四課を置くこととした。本店組織は「家誏」の三掛制から「店則」の四課制に拡充が進められた。とりわけ商務課の新設は、当時麻生が自主販売を志向していたことを示すものとして注目に値しよう。

第二十三条～第二十六条では各課の管掌事項を詳細に列挙して定めている。第二十五条第九項には会計課の事務として

「家費ノ勘定」が挙げられており、麻生商店の事務の中に家計の勘定が混在していた。

第三章は「出納」（第三十条〜第三十四条）である。

第三十条では、麻生商店の金庫の鍵は退務一時間前に閉鎖し、「本家家主若クハ主婦ニ渡シ保管ヲ請フモノトス」と規定している。麻生商店の財産管理は最終的に本家が責任を負っていたのである。麻生の場合、店主と家主は常に同一人物であったが、財産の所有主体を明確にしておこうとしたものであろう。それはまた、将来店主と家主が一致しなくなる状況も考慮していたと思われる。

第四章は「文書」（第三十五条〜第四十一条）である。文書管理を詳細に定めている。

第三十五条は、日記帳、本店日誌などは「日々店長ノ検閲ヲ受クヘシ」と規定している。

第三十六条は「諸方往復文書（略）店主店長ノ閲覧ヲ受ケ発遣スルモノトス」と規定している。各課で作成され発送される文書について、店主店長が閲覧するとすればその労力は過重となったと思われる。陣頭指揮型所有経営者であった麻生太吉は、責任の所在を明確にしておきたかったのであろう。

第三十九条では、「処分ヲ要スル事件ハ課中協議シ回議案ヲ草シ店主店長ノ裁決ヲ請フベシ」と規定している。稟議書の作成を命じているところであり、口頭ではなく文書による確認を麻生が重視していたことを示すものと考えられる。なお、稟議制度は日本的な慣行の一つとされるが、麻生においては「店則」で定められたのである。

第五章は「用度」（第四十二条〜第四十七条）である。「家諚」では用度掛は庶務掛、会計掛とともに本店の一組織であったが、「店則」では商務課に吸収された。ただし、商務課に用度を担当させるのは違和感があるが、組織のスリム化を考えたものであろう。

第六章は「勤務」（第四十八条〜第五十八条）である。店員の勤務時間、早引・欠勤などを規定している。

第五十四条において「執務時間中本家又ハ他人ヨリ店務ニ関セサル事項ノ依頼ヲ受ルトキハ店長ノ認可ヲ受クヘシ」としており、麻生商店の店員が「奥」の家事についても従事することが許されていた。麻生商店は、この段階では麻生家の家費勘定・家事と完全には分離していなかったのである。

第七章は「検閲」（第五十九条〜第六十六条）の規定である。内容的には、監査制度を店則として定めたもので、前掲第3表に示したように「住友家法」の第九章「監査規程」をモデルとしたものと想定される。

第五十九条は「在外営業所（略）ハ監督ヲ派シ監査セシム」と規定した。「監督」の手で「監査」が行われることとなった。

第六十条は「検閲ヲ分テ定時臨時ノ二種トス」とし、抜き打ちでも実施することが規定されていた。第六十一条によれば、定時は七月と一月とされた。

第六十二条は「監査員ハ店主之ヲ命ス」とあり、店主の専決事項であった。腹心の部下を任命して、不正や過誤を摘発しようとしたものであろう。

第六十三条は、「監査員ハ監査上ニ於テハ店主店長ニ代ルノ権限アルモノトス」と定めている。監査における妨害を排除するとともに、店主店長の事務も監査の対象とできるようにしたのである。前記「家掟」第三十二条の「会計主任ハ独立」という規定を想起させるものがある。

第六十六条は「店主ニ復命報告スルモノ」と規定しており、監査報告は店主に限られていた。

以下、第八章は「出張」、第九章は「休暇」、第十章は「宿直」、第十一章は「附則」となっている。極めて実務的規定であり、紹介を略したい。

第4表は、麻生「家掟」・「店則」類似条文対照表である。

同表によれば、「店則」中の「家掟」類似条文は重複を含めて二三ヵ条にすぎず、「店則」は新たに作成した条文が多かった。しかしながら、「店則」で「家掟」の内容を基本的に含まない章は第二章と第七章であるから、両章を除けば、「家掟」を充実した形となっている。したがって、「店則」は第二章と第七章を新たに導入することが大きな狙いであったといえよう。

以上、「店則」の内容を概観してきたのであるが、次にその特色を整理しておくこととしたい。

まず第一に、前述したように「家掟」は「奥」と「店」との未分離を特徴としていたが、「店則」は「奥」の規定をでき

第4表　麻生「家諚」・「店則」類似条文対照表

家　諚	店　則	家　諚	店　則
第 1 条		第 26 条	
第 2 条		第 27 条	
第 3 条		第 28 条	
第 4 条		第 29 条	
第 5 条		第 30 条	第 30, 31 条
第 6 条	第 22 条	第 31 条	
第 7 条	第 8 条	第 32 条	
第 8 条	第 1 条	第 33 条	
第 9 条	第 1 条	第 34 条	
第 10 条	第 1 条	第 35 条	
第 11 条	第 2 条	第 36 条	
第 12 条	第 10, 11 条	第 37 条	
第 13 条	第 10 条	第 38 条	
第 14 条	第 11 条	第 39 条	
第 15 条		第 40 条	
第 16 条	第 35 条	第 41 条	第 70 条
第 17 条		第 42 条	第 68 条
第 18 条		第 43 条	
第 19 条	第 49 条	第 44 条	第 6 条
第 20 条	第 48 条	第 45 条	
第 21 条	第 52 条	第 46 条	
第 22 条		第 47 条	第 73 条
第 23 条		第 48 条	
第 24 条		第 49 条	
第 25 条	第 23, 25, 26 条		

（出典）　第1表に同じ，99頁．

るだけ排除してほぼ店則として純化したことが挙げられる。「店則」において「奥」の規定があるのは、第二十五条第九項「家費ノ勘定」、第三十条金庫の鍵の保管、および第五十四条本家の「店務ニ関セサル事項ノ依頼」の三ヵ条にすぎなかった。

第二に、「家諚」にあった住友の経営理念の模倣条文が全く「店則」には見られないことである。「店則」の章立と配列は「住友家法」を模倣したものであるが、「店則」の章名は「住友家法」と同じ内容であってもその表現を変えている場合が多いのである。これは要するに意識的に「住友家法」の単純な模倣から脱皮を図ったように見える。麻生の心境の変化が窺えよう。

第三に、合議制の規定が消えたことである。「家諚」には、家主・相談役・店長の合議制を定めた条文があったが、「店則」では相談役および合議制に関する規定は見られなくなった。それに代わって、店主から店長に対する権限の委譲とその範囲に関する規定が設けられたといえよう。

第四に、「家諚」の第二十三条「帳簿」、および第二十四条「書類」に関する規定が「店則」では消えていることである。帳簿や書類が不要になったわけではないので、これらが整備されるにつれ、その改廃・増加も見通して、「店則」で規定しておくことが適当ではないとの判断があったのではなかろうか。

以上、「店則」の特色を整理してきたのであるが、経営規模の拡大と安定、および家業経営から近代的企業経営への転換を受けて、「麻生商店店則」は「奥」と「店」の混在した「家諚」から字義通りの店則としてほぼ純化したといえるであろう。

V　おわりに

「家法」・「家諚」および「店則」が麻生の経営、企業者活動に及ぼした影響について簡単な整理を行って、結びに代えたい。

まず第一に、経営に対する影響は衝撃的なものがあったと想像される。それは黒船の衝撃に近いものがあったのではなかろうか。おそらく麻生の場合、坑務関係の規則を除けば「家法」・「家諚」以前に同様の規定は制定されてはいなかったであろう。[19] そのように考えると、「住友家法」の模倣は中央大資本たる住友の経営方法を麻生に短期間に導入することを意味したのである。すなわち、「住友家法」を模倣することによって、経営組織、人事管理、会計制度、監査制度などの規定が整備され、麻生の経営の近代化が進むこととなったのである。例えば、予算主義ともいえる会計的側面からの整備は、麻生の会計制度の改善に大幅に役立ったと思われる。というのは、一八九四年の段階では麻生の帳簿は「財産目録」・「経費予算」程度のものしか作成されていなかった。しかし、「家諚」において多数の詳細な帳簿組織が規定されたのである。かくて、一八九九年の後半期決算においては「資産負債表」、「損益表」の作成が行われるようになり、企業経営を会計的に把握できるまでに発展していた。ただし、この「損益表」には「奥」の費用である「家費」を損失勘定に計上して処理していた。その後、一九〇三年の決算では「損益表」に「家費」は計上されていなかった。「奥」と「店」とは、麻生商店事務所新築による空間的分離、「店則」制定による規定上の分離に続いて、会計上においても分離が達成されたのである。これらは、麻生にとって「店」の発展という実態に合わせる行動であったとしても、すでにそれを実現していた「住友家法」の内容を知り、それを模倣するというプロセスを通じてはじめて、麻生の経営史において短期間に家業経営から近代的企業経営への転換を可能にし、また制度面からそれを促進したと評価できよう。

第二に、麻生の企業者活動や経営多角化に対する影響である。「世伝家産」は必ず保守すべき財産であって、一方で「融通家産」は「倍々増殖」すべき財産であった。家産の二分法によって、一定の財産を確保しながら、融通家産については積極的運用を図ったのである。また、「家掟」では第一条で信用・確実という堅実主義が強調されていた。そして、第三条では営業は「時勢」を見て「弛張興廃」すべきことと、浮利を追わずとする精神が強調されていた。以上の規定からは、全体として保守主義的な企業者活動が「家法」・「家掟」によって枠組みを与えられたという印象が強いが、また堅実主義のもとにおける柔軟な事業選択が可能とされていたことにも注意を向ける必要がある。麻生は「融通家産」として炭鉱業の維持・拡大の姿勢を持ち続けた。そして、石炭の終掘を予想して、次代の事業とする抱負を持って石灰・セメント事業を開始したといわれる。「家法」・「家掟」の精神は引き継がれていたように見える。

第三に、「世伝家産」と「融通家産」の規定と事業活動との関連を考えてみよう。麻生は資金的余裕があるときには、「世傳家産」に該当する土地・公債・安全なる株式の三種類の財産の取得を進めていた。また、「融通家産」として主業であった炭鉱業の拡大も図った。以上のように見てくると、麻生は炭鉱業から得られる利益については同部門への追加投資を一定程度に抑制しつつ、他方で「世伝家産」の蓄積に割いていたといえよう。森川英正が麻生を「レントナー志向型」の地方財閥と分類したのは、麻生の巨額の「世伝家産」に注目したからに他ならない[20]。麻生は晩年の一九二六年に「程度大切、油断大敵」との家訓を定めているが、盛衰の激しい炭鉱業を主業としてきた堅実主義の精神が辿りついた一つの結論であったように思われる。

ところで、最後に付言しておきたいことがある。麻生が住友の家法を模倣したのに対し、同じ筑豊炭鉱企業家の貝島は三井家の家憲を模倣して「貝島家家憲」を制定したことである[21]。

麻生はセメント業に経営多角化を行い、炭鉱業撤退後においても大企業（麻生セメント会社）として存続している。これとは対照的に、貝島は土着性・閉鎖性・保守性を体質的に強く持ち続け、有力な多角化部門を有することなく、第二次世界大戦後のエネルギー革命の嵐を受けて消滅したのである。しかし、模倣された三井は経営多角化を推進して戦前わが国最大の財閥に発展した。このように見る時、家法・家憲は経営行動に大きな影響を及ぼすものであるとしても、その一つの要因として考察しなければならないことが知られるのである。

なお、麻生が模倣した「住友家法」と、貝島が模倣した「三井家憲」とはそれぞれ性格に大きな相違があったことにも注意を向ける必要がある。すなわち、「住友家法」は内容的には全文二三〇条からなる営業規則＝店則であった。麻生は、「住友家憲」をモデルに麻生の「家法」、「住友家法」をモデルに「家掟」・「麻生商店店則」を作成したのである。麻生にとって、「家掟」・「店則」の制定は経営の整備・近代化を進めるのに役立ったと容易に想定することができる。これに対して、「三井家憲」は「家」制度と「家産」の存続を目的とした詳細な規定であって、保守主義と閉鎖性を基本としていた。そういう意味において、貝島がこれを模倣しても貝島の経営の整備・近代化に役立つものではなく、むしろ貝島の経営に保守主義の枠組みをあてはめることとなったと考えられよう[22]。

（畠山秀樹）

［追記］

『麻生太吉日記』第三巻には、麻生家「家憲」制定の動きを示す記述が散見される。一九二三年二月九日「星野氏相見へ、家憲ノ件打合」と記されているのが初見である。また、一九二五年十月三十日「星野氏午前相見へ、家政上ニ付成案ノ下付ノ打合ヲナス」とある。さらに、一九二六年二月二日「家政ニ付趣意書并ニ遺言書ニ関シ午後八時半迄調査ス」と記されている。麻生家「家憲」は未詳であるが、当該期に麻生家「家法」は「家憲」に置き換えられた可能性がある。

注

（1）麻生家の家法の制定は、麻生太吉の事業経営と密接に関連している。麻生家の家法・家掟・店則については以下参照（史料を掲示している）。畠山秀樹「筑豊麻生家の家法」（『大分大学経済論集』第三六巻第六号、一九八五年）／畠山秀樹「筑豊麻生家の店則」（『大分大学経済論集』第三七巻第四・五号合併号、一九八六年）／畠山秀樹「麻生家炭鉱業の発展と家法」（『大阪大学経済学』第三五巻第一号、一九八五年）。麻生太吉の事業経営については、以下参照。泉彦蔵『麻生太吉伝』麻生太吉伝刊行会、一九三四年／麻生太吉翁伝刊行会刊『麻生太吉翁伝』一九三五年／麻生百年史編纂委員会編『麻生百年史』一九七五年／東定宣昌「明治二十五年麻生太吉、荘田平五郎往復書簡」（『エネルギー史研究ノート』No.4、一九七四年）／東定宣昌「麻生系炭坑における納屋制度の生成過程」（社会経済史学会編『エネルギーと経済発展』西日本文化協会、一九七九年）／今野孝「明治初期における麻生家の二つの炭坑経営にみる土着石炭鉱業家の特質について」（『エネルギー史研究』No.10、一九七九年）／今野孝「明治期筑豊における土着石炭鉱業家の発展過程」（『エネルギー史研究』No.11、一九八一年）／杉山和雄「麻生石炭事業の展開と金融（明治期）」（『成蹊大学経済学部論集』第一一巻第一号、一九八〇年）／畠山秀樹「筑豊炭礦企業家の形成と発展（2）」（『大分大学経済論集』第三六巻第五号、一九八五年）／畠山秀樹『住友財閥成立史の研究』同文舘、一九八八年、第七章／荻野喜弘編著『戦前期筑豊炭鉱業の経営と労働』啓文社、一九九〇年／新鞍拓生『筑豊鉱業主麻生太吉の企業家史』裏山書房、二〇一〇年。また、家法・家憲に関する研究として、宮本又次、作道洋太郎、安岡重明、福島正夫、有賀喜左衛門、玉城肇をはじめとする業績が数多く残されており、参考とした。岡本幸雄「『イエ』制度と日本の近代化」（宮本又次編『江戸時代の企業者活動』日本経済新聞社、一九七七年）では、家訓と「家」との関係について論じている。富豪の家憲に関しては、以下参照。墨提隠士『日本富豪の家憲』一九〇二年／北原忠種『家憲正鑑』一九一六年。

（2）前掲「『イエ』制度と日本の近代化」、二〇三頁。

（3）日本の「家」制度については、以下参照。青山道夫『日本家族制度の研究』厳松堂、一九四七年／我妻栄『家の制度』酣燈社、一九四八年／家永三郎『日本道徳思想史』岩波書店、一九五四年／玉城肇『近代日本における家族構造』酒井書房、一九五六年／東京大学公開講座第一一巻『「家」』東京大学出版会、一九六八年／川島武宜『イデオロギーとしての家族制度』岩波書店、一九五七年／福島正夫『「家」制度の研究』東京大学出版会、一九五九年／青山道夫・竹田旦他編『講座　家族』弘文堂、全八巻、一九七四年／福島正夫編『家族』勁草書房、全七巻、一九七五年／川島武宜『家族制度』岩波書店、一九八三年／堀江保蔵『日本経営史における「家」の研究』臨川書店、一九八四年。

（4）この点については、前掲「『イエ』制度と日本の近代化」、二〇五頁、参照。その他、前掲青山道夫・竹田旦他編『講座　家族』第五巻、三四頁（大竹秀男執筆）、東京大学公開講座第一一巻『「家」』一〇～一一頁（中根千枝執筆）、にも同じ指摘がみられる。

（5）血縁的系譜性を重視している例として以下参照。「鴻池家家憲」（安岡重明『財閥形成史の研究』ミネルヴァ書房、一九七〇年、一八〇～一八一頁）、安田家「保善社規約」（『安田保善社とその関係事業史』編修委員会刊『安田保善社とその関係事業史』一九七四年、一一六頁）。

（6）「忠孝」に関しては以下参照。川島武宜『イデオロギーとしての家族制度』岩波書店、一九五七年、第二章、および前掲『講座　家族』第八巻、第二章第一節（松本三之助執筆）。

（7）「教育」を重視する例として、以下参照。「三井家憲」第十一条、安田家「保善社規約」第三十七条、「住友家憲」第三条。
（8）一八九二年三月の「家政ノ改革」について詳しくは、前掲「筑豊麻生家の家法」一七三〜一七四頁、参照。当該家政改革は「節倹」を目的としたものであり、「家政ノ計営ハ保守スルヲ目的トシ進歩ノ計画ヲ為サヽルコト」と記していた。麻生の家法に大きな影響があったと想定される。
（9）麻生の同族経営は、中野卓『商家同族団の研究』未来社、一九六四年、において明らかにされたような同族団とは性格が異なるように思われる。麻生の場合、本家の太吉家を軸として、太吉の弟である太七家（分家）、野見山米吉（太吉の妹婿）、太吉の娘婿麻生義之介（分家）、などが経営幹部を構成していた。また、義之助の実父有田集平、太吉の姉婿吉田九三郎、太吉の娘婿吉田九右衛門等の親族は麻生家の事業に出資、あるいは融資の関係で協力していたことが「麻生家文書」より知られる。なお、野見山米吉と並ぶ麻生の二本柱と呼ばれた瓜生長右衛門は麻生の親族ではなく、おそらく「有功者」として遇せられたと思われる。豪農出身の麻生には、当時すでに崩壊過程に入っていた暖簾分け・別家制度を模倣する意識はなかったものと思われる。
（10）「集団主義」については、間宏『日本的経営——集団主義の功罪』日本経済新聞社、一九七一年、参照。
（11）この点については、森川英正「地方財閥」（安岡重明編『日本の財閥』日本経済新聞社、一九七六年）、一六六頁、参照。
（12）麻生「家法」の家産に関する規定は、「家産ハ惣テ収支ノ予算ヲ以テ整理ス可シ」（第六条）と規定していた。そして、この〝予算主義〟は後述するように「家誌」第二条・第二十六条・第二十七条・第三十二条において詳細な規定を持つこととなる。麻生「家法」の大きな特徴である。
（13）当該期における資産家の財産管理の研究として、安岡重明「商家・財閥・家族の財産管理」（『アカデミア』経済経営学編、第八三号、一九八四年）参照。当該研究によれば、三井家では一八八六年に家産として所有すべきものとして「田畑・山林・宅地・牧場・三井銀行株・政府ノ保証若クハ特別ノ監督ニ属スル銀行或ハ会社ノ株券」を列挙していた。安田家においても同時期に同様の財産を挙げていた。以上のような財産の分類・管理法は一八八六年制定の「華族世襲財産法」を参考として作成されたものと考えられる。また、前掲『安田保善社とその関係事業史』によれば、安田家では一九〇〇年に財産を「基本財産」と「活動財産」の二種に分類し、前者として「宅地田畑山林・銀行会社ノ株式・国債権地方債権会社債権・地金銀通貨」を列挙していた。後者には「安田銀行ヘノ出資・安田商事会社ヘノ出資」を挙げていた。前者は安全な資産として所有するもので、後者は投下資本を指している。この考え方は、麻生の「世伝家産」・「融通家産」の分類・管理と基本的に同じである。当時の資産家は同様の考え方で財産の保全に努めていたと想定される。以上のような発想は、近世商家における非常時用の資金積立の中に認めることができる。なお、麻生の当時の「財産目録」によれば、土地の利益率は五パーセントであるが、株式の利回りはこれをはるかに超えていた。麻生の資産選好に影響を及ぼしたと思われる。

(14) 麻生「家法」の財産に関する規定は、第六条、第七条、第九条、第十四条に見られる。しかし「家産保管ノ方法ヲ設ケ」(第九条)と規定する程度であって、具体的な家産の配分・相続方法、および運用方法の規定を欠いている。前掲「商家・財閥・家族の財産管理」によれば、財閥の資産管理を三井・安田型と鴻池・住友型に分類されている。すなわち前者は同族経営が多くの「家」からなり、そのため詳細な財産管理の規定が必要であった。これに対し後者は、同族経営が本家単独で相続されていたために財産管理の具体的方式を明示する必要がなかったとされる。麻生家の場合、本家一家が単独相続しており、財産管理法を明示していないので、鴻池・住友型といえよう。

(15) 以下に掲げる「住友家憲」・「住友家法」については、前掲「筑豊麻生家の家法」、一八八～一八九頁から引用。また、「住友家法」については、畠山秀樹『住友財閥成立史の研究』同文館、一九八八年、第二章第五節、参照。

(16) 親族集団と同族集団については、前掲『商家同族団の研究』第二章、および前掲『講座　家族』第六巻第四章、第五章、参照。

(17) 前掲「商家・財閥・家族の財産管理」、八頁。

(18) 前掲「筑豊麻生家の家法」、一七四頁。

(19) 東定宣昌「麻生系炭坑における納屋制度の生成過程」(社会経済史学会編『エネルギーと経済発展』西日本文化協会、一九七九年)では、「鯰田炭坑諸務内則」が示されている(三二五頁)。しかし、これは家法として制定されたものではなく、炭坑の就業規則である。

(20) この点については、森川英正「地方財閥」(安岡重明編『日本の財閥』日本経済新聞社、一九七六年)、一六六頁、参照。

(21) 貝島の研究は多数見られる。以下参照。宇田川勝「貝島家の事業経営と鮎川義介の関係」(『エネルギー史研究ノート』No.7、一九七六年)/宇田川勝「貝島財閥経営史の一側面」(『福岡県史　近代研究編　各論(一)』一九八九年)/宇田川勝「貝島家の石炭業経営と井上馨」(『経営志林』第二六巻第四号、一九九〇年)/宇田川勝「貝島太助・太市」(宇田川勝編『日本の企業家』有斐閣、二〇一三年)/畠山秀樹「筑豊炭礦企業家の形成と発展(1)」(『大分大学経済論集』第三六巻第三号、一九八四年)/畠山秀樹「貝島家の家憲」(『大分大学経済論集』第三七巻第一号、一九八五年)/畠山秀樹「〝貝島家特定契約〟関係史料」(『追手門経済論集』第二六巻第三号、一九九一年)/畠山秀樹「〝貝島家家憲〟関係史料」(『大阪大学経済学』第四二巻第三・四合併号、一九九三年)/畠山秀樹「〝貝島親和會〟に関する一考察」(『追手門経済・経営研究』第一号、一九九四年)/永江眞夫「明治期貝島石炭業の経営構造」(『福岡大学経済学論叢』第二九巻第二・三合併号、一九八四年)/永江眞夫「貝島鉱業合名会社の経営組織に関する覚書」(『福岡大学経済学論叢』第三一巻第三・四合併号、一九八七年)/永江眞夫「一九一〇年代における貝島石炭業の展開」(『地方金融史研究』第一八号、一九八七年)/永江眞夫「日露戦後期における貝島石炭業の収支構造」(『西南地域の史的展開　近代篇』思文閣、一九八八年)/大谷秀樹「創業期貝島炭坑経営の特質」(『エネルギー史研究』No.21、二〇〇六年)

／大谷秀樹『貝島家の炭坑経営』二〇〇七年／宮田町誌編纂委員会編『宮田町誌』（下巻）、一九九〇年／畠中茂朗『貝島炭礦の盛衰と経営戦略』花書院、二〇一〇年、同書資料編には詳細な「貝島炭礦関係文献目録」を掲載／福田康生「井上馨と貝島家家憲の制定」（『エネルギー史研究』No.28、二〇一三年）。なお、「三井家憲」については、三井文庫刊『三井事業史』資料編三、一九七四年、参照。

(22)　貝島の保守性については、顧問井上馨・顧問代理鮎川義介、そして貝島一族内の改革派と保守派の動きを論点に組み込んで整理した前掲宇田川勝「貝島太助・太市」参照。

[付記]

小論において使用した麻生関係の史料は麻生家所蔵の「麻生家文書」である。閲覧に際し、福岡大学教授今野孝氏にお世話になった。記して厚く感謝の意を表したい。

二　麻生太吉と別府温泉地域との関わり

既刊の『麻生太吉日記』第一巻、第二巻、および本巻での記述からうかがえるように、麻生太吉はしばしば日本有数の温泉地域である別府を訪れ、そこにあった自らの別荘を拠点にさまざまな活動を行った。ここでは麻生太吉が、同地でどのような活動を行ったのかについて、若干ふれておく。

麻生太吉が、大分県速見郡別府町に関心を抱くようになるのは、一九〇七年（明治四十）以降である。同年に三井財閥からの借入金を返済した麻生は、〇八年頃には、別府町で京都の久保貞の別荘だった五六庵を購入した。麻生が買収した五六庵のある田の湯・野口地区は、鉄道院豊州線別府駅の裏手から山の手方面にあった。同地では一一年に別府駅が開業したこともあって、明治末から大正期にかけて別荘が開発されているが、麻生太吉による別荘取得はそのさきがけの一つである（なお五六庵は購入後田の湯別荘と改称するも、大正末期、別府市が公会堂を建設するに際し、その敷地として麻生家より同市に寄付されている）。

その後、大正初期に麻生太吉は、貝島太助（福岡県鞍手郡在住の資産家、筑豊鉱業主）や蔵内次郎作（福岡県田川郡在住の資産家、筑豊鉱業主）らとともに、山水園という庭園の買収に乗り出した。ただし山水園は、一九一三年（大正二）頃に麻生太吉が単独で買収している。そして麻生太吉により、山水園邸宅および庭園の整備や、周辺土地の買収が図られることとなった。

ただし太吉自身は、麻生商店や九州水力電気などでの企業者活動に加え、貴族院議員として政治的活動を行っていたことから多忙であり、別府での活動は限定的であった。太吉に代わり、別府経営の担当者となったのは上田穏敬である。上田は一八九五年に麻生商店に入店し、一九三二年に勇退するまで、一貫して麻生関係の業務に従事した人物である。その勤務振りは寡黙謹厳であったと『株式会社麻生商店二十年史』に記されている。別府に関し上田は、山水園付近の土地買収や、麻生が筆頭株主となった別府温泉鉄道株式会社（未開業）に関する地元との折衝など行った。

山水園の整備に関し、麻生から現場監督として派遣されたのは、麻生彦三郎という人物であった。彦三郎は麻生太吉の縁者と思われるが、太吉家との関係、あるいは麻生商店に入店した時期の詳細は不明である。彦三郎は麻生商店測量係として在勤していたが、大正末期頃には同店を退職、昭和初期には嘉穂郡飯塚町で麻生工務所を経営している。彦三郎は、土木あるいは工事設計に関する技術者だったと思われる。彦三郎は山水園の整備に関し、その実務にあたっている。たとえば彦三郎は、一九一六年には、庭園内の埋め立て、芝生や樹木の植え付け、滝といった流水施設の整備などの進捗状況について、一八年には大石の据え付けについて、それぞれ麻生太吉に書簡で報告している。

麻生彦三郎が麻生商店を退職する前から、山水園を始めとする別荘の管理を行ったのが川田十である。川田は一八八九年に徳島県に生まれた。川田は徳島県立農学校を卒業後、農林省興津園芸試験場練習生、徳島県立農事試験場園芸部主任を経て、一九一〇年に麻生商店に入店した。そして川田は山内農場（福岡県嘉穂郡飯塚町山内）の主任となっている。山内農場は炭鉱の廃鉱地を再利用したものであり、川田はその整備のため招聘された。なお麻生は山内農場のほかに、明治三十年代から大正中期にかけて、福岡県朝倉郡大刀洗村に十文字出張所を置き、農業経営を行っている。ただし、ここでの川田の活動は不詳である。川田は別府に一九二二年に入り込み、二〇万坪の土地、五ヶ所の泉源、および山水園の管理に携わった。

川田が専門とする農事に関しては、彼は麻生太吉からの依頼を受け、一九二四年一月、温泉熱利用の一環として別府農園を別府市野口原に開園させている（地元では麻生農園と呼ばれた）。この農園は広さ一万坪、ガラス温室一一棟、温床一〇床を擁し、温泉熱を利用した蔬菜栽培を行った。温泉熱は、南立石からの引湯により得たものである。温泉熱の農業への利用は、一九〇四年の別府町在住の甲斐大蔵によるものが嚆矢とされる。その後一九年頃には、速見郡役所の指導のもと、別府町農会などが温室によるトマトやキュウリの速成栽培を試みている。別府農園は、一一年の別府駅開業以降第一次世界大戦の好景気の時期にかけて開発の進んだ、別府温泉地域への蔬菜供給という側面があった。ただし、資源の有効な利用をモットーとする麻生太吉の、別府におけるそれが顕在化したものでもあった。農園ではメロン、西瓜、冬瓜、キュウリ、トマトを始めとする一年生の野菜、果樹が栽培された。別府農園で栽培された生産物は、近隣を中心に販売され、一部は自家用に用いられたようである。生産物はまた贈り物としても活用されており、たとえば別府農園が開園した年に太吉は、大分県知事や県の部長宛に野菜やイチゴを贈答している。

農事以外では川田は、温泉を利用した養魚にも関心を持っていた。別府農園が開かれた一九二四年に川田は、山水園の泉水が豊富であることを利用した鯉の養殖について、大分県水産試験場技師の助言を得ながら実施したい旨を、麻生家に伝えている。ただし、麻生太吉が好んで食したスッポン（太吉はスッポンを日記文中では〝〇〟と記している）について、その養殖に関する事蹟は見出せない。

昭和初期において、麻生の別府における土地所有面積は、別府市とその周辺町村である石垣村、朝日村を合わせ二〇万坪（六六町六反強）にも及んだ。中心となる山水園の広さは一五町歩に及んでいる。山水園は一般に開放されたので、大正末期には別府全体の庭園、あるいは来別する要人に対する迎賓館的な位置を占めるようになった。花の季節には、数千株の桜が植えられた山水園と、同園近くのツツジ園（面積四、〇〇〇坪）が、市民の散策、憩いの場となっていた。なお山水園の家屋部分は一九二七年に火災に遭い焼失する。しかるに麻生は、すぐに再建している。

以上のほかに麻生は、別府において、宅地開発をも意図した。なおこれに関し、一九二七年（昭和二）一月一三日付大分新聞には、「麻生氏が地獄を活用し温泉地帯開発計画　別府市有地十八万坪にも分湯　有力者との提携をも辞せぬといふ」と題する記事が掲載されている。これについても若干紹介しておく。

大分新聞の記事によれば、速見郡石垣村字中津留における麻生太吉（名義は太賀吉）の所有地において噴湯が確認されており、しかも間歇から常時噴出となった。温度は摂氏八〇度から九〇度、一昼夜あたりの湧出量は一、二〇〇石（一石は一八〇・三六リットル）であった。麻生はこれを中津留温泉と命名している。麻生はすでに、石垣村字板地において噴気孔を買収しており、これに引水可能な適当な施設を整備すれば、一昼夜一、五〇〇石の温泉が得られる目途があったとされる。麻生はこれを板地地獄と命名している。さらに麻生は、別府市にある南満洲鉄道株式会社の療養所付近から石垣村字南立石方面にかけて、広大な土地を所有していた。麻生においては、これら湯量豊富な温泉と宏大な土地とを住宅地として経営し、別府温泉地域において一大開発を企画する意図を有していたという。

ついで同記事では、今後における中津留、板地地獄両泉の麻生による利用法が記されている。同記事における上田穏敬の談話によれば、詳細は以下のようである。別府温泉地域の開発について麻生はすでに一八九五、九六年頃、すなわち日清戦争後には着目していた。麻生はその後、漸次地所の買い入れを進め、大小一〇余個の噴気孔を入手していた。しかるにこの時期（大正末期）、別府市流川通りなどを通過する別府遊覧電気軌道を計画していた松本勝太郎（広島県の建設業者、鉄道院豊州線の工事業者、広島瓦斯電軌代表取締役）が、鶴見地獄を開発したことにより、噴気孔は死滅状態となった。しかし麻生は、前述の板地地獄および中津留温泉を確保したことにより、住宅地開発のきっかけを得た。麻生は、得られた噴気孔を野ざらしにするという温湯の不経済を避けるべく、タンクを設置し、それを適宜分湯し、地域開発の資源に供したいという考えを持っていた。この記事が掲載された時点で、すでに別府市側から麻生に対し、温泉の得られない同市所有の野口原地区の地所一八万坪について、麻生からの分湯を通じ開発したい意向が伝えられていた。なお大分新聞記事は、麻生も地域開発を通じて同市の発展に貢献すべく、有力者の協力があれば実現したい意向を持っている、というくだりで終わっている。

麻生商店資料によれば、同店が株式会社化した一九一八年以降において、別府付近で地所を購入したのは二二年からである。なお同年は、前述の川田十が、別府に入り込んだ年である。川田の派遣は、麻生における別府地所（山水園と広大な土地）の経営を本格化させる一環であったと思われる。現に二二年から翌年にかけて麻生商店は、石垣村南立石などにおいて地所を買収しており、また嘉穂銀行と共同名義で所有していた地所も、麻生商店の単独名義に変更している。大分新聞に記事が掲載される直前の二六年（昭和元）末に麻生商店は、南立石や朝日村鉄輪で地所および噴気孔を取得している。その後も南立石などでも地所の購入を継続している。

『麻生太吉日記』第一巻および第二巻では、麻生太吉が明治末年、別府町および周辺町村を営業区域とする温泉廻遊鉄道（のち別府温泉鉄道株式会社と名称変更）に関与し、その後一九二〇年初頭まで同社経営の意欲が彼にあったことが記されている。特に一〇年代後半に麻生太吉は、別府町の藤沢良吉（別府温泉鉄道専務、別府において麻生商店炭の一手販売店をも経営）としばしば面会していた。一八年には資本金六〇万円、そのうち麻生が半額を出資することとなった。しかるに、麻生太吉が尽力した別府温泉鉄道計画は、一九年末に別府町会が、一五万坪にわたる町有地売却のための評価委員会設置に反対した。それにより別府温鉄の事業は頓挫した。それを受けて麻生太吉は二〇年一月時点で、同社の事業から撤退したことが、日記に記されている。

しかし、別府温泉鉄道計画が失敗に終わった後も麻生太吉は、別府に山水園および田の湯別荘を構え続けた。麻生太吉は山水園を、自身の来賓接待、地元民への開放、および九州水力電気取締役として大分営業所に出張する際の拠点、あるいは同社九州重役との折衝の場所として利用した。また前述のように麻生は、一九二四年には別府農園を開園している。さらに二五年に麻生は、別府市に対し、田の湯別荘のあった一万円相当の地所を寄付している。この地所には別府市公会堂（一九二八年竣工、工費三二万九、六八六円）が建設されており、麻生の地元への貢献は多大であった。その他にも麻生は、別府町に対ししばしば寄付を行っている。太吉が同地に対し、愛着を持っていたことがうかがえよう。

以上のような、麻生による昭和初年の温泉と地所を通じた地域開発は、土地を経営するという彼自身の農民的発想が具体化したものとみることができる。ここで取り上げた別府や、前述した山内あるいは十文字のほかに、麻生太吉は、朝鮮半島で安眠島を購入したり（一九二七年）、あるいは福岡県や埼玉県でそれぞれ農士学校開設のため寄付を行ったりしている。これらからも、土地への愛着とそこから富を生産しようとする、彼の農民的発想が垣間見られる。

ただし麻生太吉は、単に農民としてだけでなく、実業家としても土地へのこだわりを持っていたようである。大分新聞に麻生太吉による温泉住宅地開発の記事が掲載される直前、別府大分電鉄の設立が、同紙上で報道されている（一九二七年一月七日付「愈々献立の出来上つた大分別府間の電車」）。同社は九水と関西資本（発起人代表清水栄次郎、清水は中央別府温泉土地株式会社代表取締役・亀の井ホテル発起人のひとり）との半額折半にもとづき出資された会社である。大分新聞の記事からは、別府大分電鉄に対する関西出資者のひとりとして、阪急電鉄で沿線の宅地開発を行った小林一三の名前が確認できる。先にあげた、松本勝太郎が立ち上げた別府遊覧電気軌道は、流川通りから野口原付近を通過する予定であった。麻生太吉による別府での宅地開発の一端は、自身がかつて類似の計画を抱いていた温泉廻遊軌道の、松本勝太郎による実現を考慮しつつ、はやくから関西地方の電鉄沿線での宅地開発を実現していた、小林の影響を受けたとも推測できる。そうでなくとも、別府ではすでに大正中期、別府土地信託や観海寺土地といった、県外資本と地元資本との共同出資にもとづく土地開発会社が設立されていた。こうした動きも、麻生太吉をして、別府での事業意欲をかきたてたと思われる。ただし太吉の場合、すでに再三ふれたように、土地の有効活用として農業をも組み込んでいる。それが他の事業家とは異なる、太吉の別府に対する個性的な関与の仕方だったと言い得る。

（新鞍拓生）

三　麻生太吉関係人物紹介

松永安左エ門（一八七五年十二月一日～一九七一年六月十六日）

松永安左エ門は一八七五年（明治八）、長崎県壱岐郡石田村にて松永安左エ門（二代目）、ミスの長男として生まれた。幼名亀之助。松永家は醸造業などをなりわいとしていた。亀之助は八九年に慶應義塾に入塾し上京するも、九三年、父の死去にともない家督を相続、三代目安左エ門を襲名した。九五年には慶應義塾に復学。その後安左エ門は、福沢桃介との関係を深めた。そして福沢から勧誘を受け、松永は電気事業に関与するようになる。一九〇八年に松永は佐賀県の広滝水力電気監査役に、翌〇九年には福博電気軌道専務に就任した（福博電気軌道の社長は福沢）。一〇年には九州電気の発起人、翌一一年には同社常務および博多電灯軌道専務に、それぞれ就任した。博多電灯軌道は一二年六月には九州電気を合併して、社名を九州電灯鉄道（九電鉄）とした。松永は山口恒太郎、田中徳次郎とともに九電鉄常務に就任している（社長は佐賀の伊丹弥太郎）。九電鉄は設立直後、福岡市域を供給範囲とする博多電気軌道との合併交渉にあたるが、不調に終わった。なお博多電気軌道は一九一二年に九州水力電気（九水）と合併している。

一九二一年、松永は他の九電鉄役員とともに、関西地方を営業区域とする関西電気役員に就任（松永は取締役、伊丹は社長、福沢は相談役）、翌二二年に関西電気が九電鉄を合併する形で、東邦電力が設立された。これにより東邦電力は、九州区域と中部区域を営業の地盤とするに至った。なお松永は同年東邦電力の副社長、二八年同社長に就任している。

松永と麻生太吉との関係は、大正初年における九電鉄と九水との合併交渉をきっかけとして始まった。松永は麻生太吉よりも十八歳若かったが、九水関係者との交渉では自身の多忙などを理由に巧みに翻弄し、合併の成立を引き延ばした。特に東邦電力が設立されて以降の松永は、同社が九州区域と中部区域とから成っていたこと、および外債資金の調達先が合併に反対していたことを理由に、九州区域を分離し九水に合併する交渉案に反対し続けた。これは、他の東邦電力役員が九州区域の同社からの分離に前向きだったこととは対照的であった。麻生太吉は、九水と東邦電力との合併交渉がままならないことに対し、「御承知のやうに松永安左衛門さんは、あんなに立派な人であるが、その考へが度々違つて来るので、合併問題は火が消えたり、灯つたり」（『麻生太吉翁伝』四〇〇頁）と嘆息している。

海東要造（一八八七年五月四日〜一九五四年九月二十日）

海東要造は一八八七年（明治二十）、茨城県行方郡安芸津村にて生まれた。一九一二年（明治四十五）、慶應義塾大学法律科を卒業し九州電灯鉄道に入社、書記となる。同年から翌年にかけて志願兵として入隊、除隊後九電鉄に復職した。同社で海東は調査課、会計課、調度課、下関支店、下関臨時建設所長など歴任した。二二年（大正十一）に九電鉄は関西電気と合併、東邦電力が設立されるが、この時期の海東は九電鉄の関係会社九州鉄道（一九〇七年に国有化された同名会社とは別会社）の事業に関係しており、二二年には東邦電力を辞して九州鉄道取締役に就任した。同年には太宰府軌道取締役にも就いている。海東は二四年六月、東邦電力に取締役として復帰し、同社では九州駐在の業務を執った。そして海東は、九州水力電気との間で懸案となっていた両社の合併に関する協議などを担当した。なお同年に海東は、九州鉄道の子会社である大保土地および筑紫運輸の取締役、三池土地の代表取締役にも就任している。二八年（昭和三）には東邦電力常務取締役、同社の関係会社である東邦証券監査役に就任した。三〇年には東邦電力専務取締役に昇格し、また九州鉄道・諫早電灯の社長、合同電気の副社長となる。しかるに三二年、海東は岡田周造山口県知事との間で東邦電力下関区域を山口県に譲渡する交渉を行ったため、同社内での立場が危うくなった（いわゆる山口事件、結局東邦電力は一九三三年に下関区域を山口県に譲渡）。そのため海東は三三年には、九州鉄道およびその関係会社の役員を辞任した。三六年には東邦電力取締役も辞任している。その後、三七年に海東は、東邦電力の専務取締役として復職した（同年には副社長も兼務）。

海東と麻生太吉との関係は、履歴にみられるように東邦電力の九州担当の常務に就いていた大正末から昭和初期、社内で失脚する時期までの約一〇年である。麻生太吉は九水と九電鉄（東邦）との合併交渉に関し、海東に関しては、のらりくらりとかわす松永よりは信用していたようである。麻生太吉日記では、太吉が海東に対し秘密であることを承知させた上で、合併に関し条件を提示している。

久野昌一

久野昌一は一八四二年（天保十三）、熊本に生まれた。久野家は熊本藩主細川家に仕えていた。久野は一八七五年（明治八）、岩倉具視がある華族の家政整理のため細川家に依頼した際、その実務を執るなど、明治維新後も旧藩主に仕えていた。それがきっかけとなったのか、久野は七七年、岩倉らの呼びかけにより華族を中心に設立された第十五国立銀行の行員となり、後に同行支配人となる。その後久野は実業界を歩み日本鉄道、十五銀行、丁酉銀行、岩越鉄道、箱根水力電気などの重役を歴任、一九一一年（明治四十四）に九州水力電気が設立されると同時に同社取締役に就任した。二一年に日比谷平左衛門同社社長が死去すると、久野は後継社長に選ばれた。九水の実質的な指導者である和田豊治が死去した二四年、久野は高齢を理由に同社長を辞任した。

棚橋琢之助

棚橋琢之助は一八七〇年（明治三）十一月四日、士族棚橋朝政の長男として京都府に生まれた。維新後の朝政は京都府庁に勤務し、その後京都製糸や古河鉱業足尾銅山など実業界に身を置いた。琢之助は八三年に家督を相続する。九三年に琢之助は専修学校（現在の専修大学）を卒業し実業界に入った。鐘淵紡績勤務中に和田豊治の知遇を得、それがきっかけとなり、九水が一九一一年（明治四四）に設立されると同時に入社した。棚橋は九水創立以来一貫して専務取締役の任を担った。一九二八年（昭和三）、麻生太吉が九水社長に就任するにともない、棚橋は翌二九年に副社長となるが、三一年には辞任した。三三年に一線から身を引いた。

九水専務としての棚橋は、和田豊治在世中はその威光を背景にしており、時に専横的になることもあったようである。村上巧児や麻生観八といった九州重役は、時にそれを批判する書簡を麻生太吉宛に送っている。棚橋は和田死去後も九水の資金調達問題などで奔走する。しかし棚橋は、大正末年に森村開作九水社長とともに推進した外資を利用した社債発行ができなかったこと、一九二八年に九州重役出身として初めて麻生太吉が社長に就任したこと、そして彼自身副社長になったことにより、社内での発言力は低下したようである。

なお、棚橋は先祖崇拝の志篤く、一九三八年には先祖の事蹟をまとめた『棚橋家誌』を、四〇年には代々伝来の文書記録類および幕末維新の情勢を伝える史料の復刻を『幕末巷間史料抄』としてまとめ、私家版としてそれぞれ刊行している。

梅谷清一

梅谷清一は一八六二年（文久二）、中津藩士梅谷薫路の長男として生まれた。清一は幼少より大分県庁御用掛、同師範学校幹事、農商務属、大蔵属など官庁関係の職務に従事するが、実業界に転身し日本興業銀行員、日本鉄道社員となった。その後、大阪市博覧会課長、同商工課長など再び官界に身を投じた。さらに梅谷は、高知県の山林を買うも洪水で失敗するなどし、波瀾の人生を送っていた。電気業への進出は一九〇五年（明治三十八）以来、日比谷平左衛門などとともに九州水力電気を計画したことを端緒とする。なお梅谷の妻が和田豊治の妻と姉妹であったことも、九水への関与を後押ししたものと思われる。梅谷は九水相談役となる芝浦製作所の岸敬二郎のもとに通い、電気学を学んだ。一一年に九水が設立されると梅谷は取締役に任ぜられた。一六年には同社常務に昇格し、その才気を生かして、地元民とのやっかいな折衝が多い小売電気会社の合併交渉などで活躍した。なお同年に梅谷は、中野徳次郎九水取締役とともに、九州電球株式会社を設立している。梅谷は九水役員のかたわら、鉱山、地所、養鶏、製糖など様々な方面に出資して資金難に苦しむなど、引き続き波瀾に満ちた人生を送った。たとえば一九二〇年に梅谷は、ほか数名と共同し、大分県速見郡別府町の浜脇海岸における大共同温泉計画を立てている。またこの時期に梅谷は、同郡御越町亀川でうずら養鶏場の場主となっている。梅谷は二七年（昭和二）死去したが、麻生太吉ら九水九州重役有志は、梅谷が所有していた地所の売却を行い、遺産整理にあたった。

木村平右衛門

木村平右衛門は一八八一年（明治十四）、和歌山県有田郡広村で、県内有数の資産家であった浜口吉右衛門の七男として生まれた。浜口吉右衛門は塩・醤油問屋広屋を経営するとともに、実業面では富士瓦斯紡績・豊国銀行・東洋拓殖・上海紡績・鐘淵紡績・高砂製糖・韓国銀行などの役員を務めた。一九一一年に吉右衛門は九州水力電気を和田豊治らと設立し、初代社長に就任している。また浜口は、衆議院議員や貴族院議員といった政治方面、国勢調査準備委員、広軌鉄道改築準備委員、済生会理事など他方面で活躍した。平右衛門は一八歳で同県海南郡の木村家へ養嗣子となった。

平右衛門は東京高等商業学校を卒業後、満韓企業同志会に関与したのち、一九〇六年に同族会社として漆製造の木国合名会社を設立（後に解散）し、同社社長に就任している。平右衛門は九水設立と同時に監査役として入社した。平右衛門は翌一二年には和田豊治とともに、水力電気および紡績事業視察のため欧米各国を訪問するなど、和田との関係も密接であった。一五年（大正四）に平右衛門は和歌山県選出の衆議院議員となっている（一期）。翌一六年には日高川水力電気株式会社を、一七年に白浜温泉土地建物会社を創立し、それぞれ取締役社長に就任している。

平右衛門は一九二四年、九水監査役から常務取締役になったのを機に福岡市に移住した。その後は九水の関係会社となった九州送電（一九二五年取締役に就任、後に常務就任）や九州電気軌道（一九三四年、取締役就任）、九水の関係会社である九州保全、九州電気工業、延岡電気、神都電気興業など、諸会社で役員を勤めた。

今井三郎

今井三郎は一八七五年（明治八）、今井淳三の長男として新潟県に生まれた。三郎は東京帝国大学を卒業後、一九〇五年に大分県日田郡の日田水電に水力調査の技師として入社した。一一年には九州水力電気の創立により今井は同社に入社、以来一貫して技術畑を歩んだ。今井は一五年頃には、岸敬二郎九水相談役の指導のもと全九州における送電連絡および水力利用を先駆的に発表するなど、後の電力統制につながる技術的知見を有していた。今井は一九一九年（大正八）に九水取締役、二二年には常務に昇格した。東邦電力の関係会社福博電車と九水の関係会社博多電灯軌道の合併を最後の仕事とし、三四年（昭和九）に九水常務を辞任した。そして九水顧問に就任している。今井は後進の育成に熱心であり、一九二三、二四年頃には、九州帝国大学工学部教授降矢博士と協力して、九水社内で電気夜学校を創立している。

内本浩亮

内本浩亮は一八八五年（明治十八）、塚本彦重の五男として東京で生まれ、十八歳で内本家を嗣いだ。内本は一九一〇年、慶應義塾理財科を卒業し、和田豊治の勧誘により九州水力電気の創立事務に従事、社内では梅谷清一に師事した。その後内本は、九水の女子畑発電所、福岡営業所長、庶務課長、調査課長、建設部次長、管理部長など、主として大分県内での業務に従事した。一九二四年（大正十三）、九水の傍系会社である杖立川水力電気株式会社が設立された際、内本は取締役に就任（後に常務に昇格）、同時に支配人も兼任した。一九三〇年（昭和五）、九水取締役および九州送電常務兼支配人に就任した。

永井菅治

永井菅治は一八七八年（明治十一）、大分県速見郡別府浜脇にて生まれた。一九〇四年に東京高等商業学校を卒業し、玉川電気鉄道株式会社に入社、支配人となる。その後九州水力電気に入社した。九水福岡管理部長のかたわら、同社の関係会社である筑後電気取締役、博多土地建物監査役、別府大分電鉄取締役など歴任した。

真貝貫一

真貝貫一は一八八六年（明治十九）、新潟県刈羽郡柏崎に生まれた。一九一一年に東京帝国大学電気工学科を卒業し三菱神戸造船所に技師として入社した。ついで鬼怒川水力電気に入り発電所長、電気課長を経て、二一年（大正十）、九州水力電気に技術者として入社した。真貝は九水で建設課長、福岡管理部技術主任、技師長など技術畑を歩み、三五年（昭和十）に同社常務取締役に昇格した。また別府大分電鉄取締役にも就任している。第二次世界大戦中に九州配電理事、四四年には同社社長に就任した。戦後、九州配電代表（社長）の立場で、第十六代福岡商工会議所会頭を二ヵ月あまりの短期間ではあるが勤めた。

黒木佐久馬

黒木佐久馬は一八七八年（明治十一）、福岡県三池郡大牟田町に生まれた。黒木は富安保太郎（代議士など歴任）に師事して漢学を修め、ついで野田卯太郎（代議士、商工大臣・逓信大臣を歴任）の秘書となり、九州紡績に入社した。黒木は一九一一年、九州水力電気の創立とともに同社に入社し、主として土木畑を歩み、発電所の直営工事などで活躍した。その後管理部長、監査役主事を歴任し、ついで支配人となり、調査部一切の責任者として活躍した。そして九水の常任監査役に昇格している。また九水の傍系会社である神都電気興業、延岡電気、別府大分電鉄、昭和電灯などの監査役も勤め、これら諸会社の買収・合併などで活躍した。さらに三一年（昭和六年）には九州電気軌道監査役に就任している。

（新鞍拓生）

麻生太吉日記編纂委員会

麻生太吉日記 第三巻

2013年12月25日　初版発行

編　者　麻生太吉日記編纂委員会

発行者　五十川　直行

発行所　一般財団法人　九州大学出版会
〒812-0053 福岡市東区箱崎7-1-146
九州大学構内
電話　092-641-0515(直通)
URL　http://kup.or.jp/
印刷　城島印刷株式会社
製本　篠原製本株式会社

ISBN 978-4-7985-0112-3